王进◎著

山西煤老板

Sanxi

Meilaob

Meilaoban

Sanxi

Sanxi

Meilaoban

作家出版社

图书在版编目（CIP）数据

山西煤老板/王进著 . – 北京：作家出版社，2009. 5
ISBN 978 – 7 – 5063 – 4680 – 1

Ⅰ.山… Ⅱ. 王… Ⅲ.长篇小说 – 中国 – 当代
Ⅳ. I247. 5

中国版本图书馆 CIP 数据核字（2009）第 044582 号

山西煤老板

作者：王　进

责任编辑：冯京丽

装帧设计：大象工作室

出版发行：作家出版社

社址：北京农展馆南里 10 号　　　　邮码：100125

电话传真：86 – 10 – 65930756（出版发行部）

　　　　　86 – 10 – 65004079（总编室）

　　　　　86 – 10 – 65015116（邮购部）

E – mail：zuojia@ zuojia. net. cn

http://www. zuojia. net. cn

印刷：紫恒印装有限公司

成品尺寸：152 × 230

字数：388 千

印张：21.5

印数：001 – 25000

版次：2009 年 5 月第 1 版

印次：2009 年 5 月第 1 次印刷

ISBN 978 – 7 – 5063 – 4680 – 1

定价：28.00 元

五问新晋商 （代序）

首先声明，我不是仇富主义者。

只是这些年在从事文化产业研究过程中，接触了不少新晋商。他们有的是在海外发展归国创业的；有的是在中央或者省级机关工作后来下海的；还有的是从山里挖煤开矿起家一夜暴富的。论文化和管理，前两者的优势明显要强于后者，但如果论实力和社会影响，后者的优势要远远超过前者。

现在大小媒体，只要谈论新晋商这个话题，大部分谈论的都是山西的煤老板和暴发户。

山西煤老板之所以声名远扬，成为新晋商的主流人物，最早就是因为他们的出现，救活了北京的楼市。

北京一位开发高档房地产的朋友跟我们说，山西的煤老板简直是我们的救命恩人。前几年宏观经济调整，银根紧缩，作为我们房源销售主要对象的外企和白领也捉襟见肘，大批房子卖不出去，银行又天天催还贷款，眼看就要破产了。突然一天，从山里来了一批貌不惊人的山西土老帽儿，怀揣着大笔的现金，一下子就把我们的所有空房都买走了。

没有新晋商，就没有北京红火的地产业。

在国家实施宏观调控的政策下，北京、上海、海南以及东南沿海各市的楼价，不仅没有下跌，反而还有暴涨的趋势，这救世主的扮演者就是新晋商。在房地产老板眼里备受垂青的新晋商，在普通百姓和专家学者眼里，却越来越多地遭到了质疑，大致归纳起来，有以下几个方面：

一、官煤勾结何时清？

一个外地人到山西来投资煤矿，在这些年煤炭行情暴涨的情况下，他却赔了个血本无归。问起原因来，让我们大吃一惊：山西官煤勾结，挤对得他无法生存。他投资煤矿的那个县，书记、县长和当地一个大煤矿主是称兄道弟的哥们儿。他的煤矿刚刚开张，书记、县长就给他做工作，提出让那个大煤矿主的小舅子来当执行矿长，为了和地方上搞好关系，他答应了。过几天，执行矿长一来，就提出一个让他无法接受的条件：煤矿的利润要二八开，投资人占两成，执行矿长占八成。投资人当然不干，于是就把那个执行矿长轰走了。从此以后，这个煤矿的厄运就来了：三天两头就有县里的人来检查，以种种借口封矿停产；隔三岔五就有当地的坏人来捣乱，明抢暗夺。一年下来，投资人的几千万打了水漂，最后抱恨而归。

煤炭，是一个暴利行业，也成了一个抢钱的行业。山西煤老板勾结官员，霸占资源，垄断市场，横行一方，为天下人所不齿。

还有一个故事：京城电视台一位著名记者来山西调查官煤勾结，接到群众举报，某县委副书记的哥哥，经营着一座年产几十万吨的大矿。虽然这个矿手续完善，但涉嫌利用职权侵占国有资产。记者费尽功夫终于调查了个一清二楚。可刚刚回到北京，领导就给他婉转地说：上面有人打招呼，今年山西曝光的事件太多了，影响稳定，你拍的那个片子放放再说吧。这一放，到现在都没有播出。事后这位记者感慨地说：那些貌不惊人的山西煤老板真是手眼通天。

二、豪奢之风何时了？

历史上的晋商曾以勤俭质朴闻名天下，清时有学者评价山西人："质朴淳厚，有古陶唐之风。"

而今天的新晋商早已把祖训忘得干干净净。北京某著名商厦以卖高档奢侈品闻名，由于价格昂贵，来这里购物的客人被北京人戏称为"京城四大傻"之一。可谁也没有料到，经常来这里冒傻气的并不是不懂行情的外国人，而是那些新晋商。

上百万的首饰，上千万的家具，上亿元的古董，成了新晋商疯狂购置的对象。北京人开玩笑地说，没有山西煤老板的捧场，这家高档奢侈品商店早就垮了，如今不仅没有关门，而且还在太原开起了分店，买卖相当红火，说来说去，还是山西"傻帽儿"多！

一次，在北京亚运村附近吃饭，有朋友指着外面的豪宅说：看见没有，那是北京最昂贵的别墅，平均每栋售价都在五千万以上。里面有两大景观：一是开着宝马奔驰风华绝代的女人，那是你们煤老板的"二奶"在炫耀身价；二是开着丰田本田出来进去的乡下女人，那是你们煤老板的保姆在采购东西。山西煤老板的豪奢几近疯狂。

不过有句西谚，需要警醒那些新晋商：上帝要让谁灭亡，首先让他疯狂！

三、矿难事故何时休？

与在京城一掷千金形成鲜明对比的是，新晋商们在矿业安全管理和事故处置上极端的吝啬和尖刻。

前几年，山西某某县发生重大矿难，死亡十几人，原因很简单：老板不愿出资三万元更新一根缆绳，最后因为缆绳断裂，十几条鲜活的生命魂归黄泉。前来采访的某电视台记者感慨地说：山西矿主出百万包二奶，出千万勾结官员，竟然舍不得出三万块钱为矿工们买一条安全带，真是令人发指！

这些年最让互联网上泪水蒙蒙的就是矿难事故，最让人痛恨的就是矿难瞒报事件。新闻媒体先后报道过的山西临汾矿难、繁峙矿难、宁武矿难等等无一不是官员出谋、矿主出钱、帮凶出力、矿工遭殃的人间悲剧。一旦发生矿难，匿尸、藏尸、烧尸、毁尸等等惨绝人寰的事件，不断上演。

眼下，中央政府执政的基本之一，就是以人为本。而一些新晋商逆势而行，不把人命当回事，天理难容。黑色矿难，最见不得阳光，最怕新闻曝光，尤其是怕中央电视台的《焦点访谈》。

山西几次大的矿难，就是被曝光后，在新闻舆论的监督下，官员才得到了严肃处理，矿主才被罚得倾家荡产。

谁知，近年因为新闻曝光，山西又诞生了一批靠矿难发财的新富翁，这些人大都是职业素养欠缺的新闻记者和冒充记者的人。他们一旦听说哪里发生了矿难，立即赶到现场，以曝光为由，敲诈当地政府和矿主，明目张胆索要"封口费"。也许是做贼心虚的缘故，政府官员怕丢乌纱帽，矿主担心封井关停，最后花大笔的黑钱"摆平"那些敲诈勒索的家伙。有一次，我们对好友《焦点访谈》的朋友开玩笑：你们以李逵的身份到山西调查矿难，两袖清风，让人望而生畏。可是，你们前脚一走，地下就冒出来一批李鬼，每一个人都赚得盆满钵满。这也算《焦点访谈》的副产品吧。朋友大为震惊。

四、生态移民何时止？

新晋商抢购北京、天津、上海、杭州、青岛的楼盘，已经不是什么新闻了。北京的媒体把他们的举动称之为"生态移民"。言外之意，山西因为煤炭过度开采的缘故，地下水枯竭，植被破坏，空气污染，矿难频发，临汾、大同、阳泉、太原等地曾经列入联合国颁布的"不适合人类生存的城市"的黑名单。新晋商因为忍受不了这种恶劣的环境，才被迫到外面山清水秀的地方投资置业。

由此，我们想到了历史上的晋商，史书上称赞他们："辽奉蒙俄六百城，金银财宝四合围。"过去的晋商，把上百个城市赚来的银子，拉回故里，修建了豪阔的深宅大院，如今成了游人接踵而至的著名景点。

几百年后，他们的子孙，也就是人们所说的新晋商，却靠挖地下的财宝一夜暴富后，将大把的资金扔到了外面。一个是将外面挣来的钱，投资到故乡；另一个是把故乡挣来的钱，投资到外地。这就是晋商和新晋商表面上的区别。从本质上来讲，当年的晋商，财雄天下，靠的是自己的智慧和辛苦，是阳光财富，所以他们敢在乡梓面前展示自己的人生价值；而现在的新晋商暴富天下，靠的是勾结官员和不正当经营，他们的财富中，浸透着矿工的血泪，再加上他们的举措污染了环境，当地百姓对这些人很有意见。所以，他们不敢在故乡大肆张扬。

在山西人的心目中，昨天的晋商带给了他们精神和荣耀，今天的新晋商带给了他们污染和灾难。

现在的山西，到处都是棚户区，到处都是塌陷区，到处都是采空区。改变这种面貌，需要大量的资金投入，而那些挖煤致富的新晋商们却裹挟着大量的资金外逃。新晋商们去追求青山绿水了，直把他乡做故乡，那我们怎么办？很多山西人，包括一些有远见卓识的政要都在思考这个问题。比如在山西某县，为了留住那些煤炭老板的资金，当地政府推行了"一矿一事一业"的发展战略，今后，煤老板只要在当地开采一矿，就要同时投资一项社会公益事业和一项环保产业。政府的这种举措，一定程度上缓解了尖锐的社会矛盾。

五、文化产业何时兴？

山西有两棵摇钱树，一棵是煤炭，另一棵是文化。这两种资源优势，连很多普通百姓都清楚。可是，一棵长得粗壮肥硕，另一棵却先天不足。新晋商的崛起，以及他们的种种不义，引起了全国上下对昔日晋商的怀恋。

影视界这几年连续热播的晋商题材剧《白银谷》、《龙票》、《乔家大院》等等最能说明这个问题。山西的学者、官员和普通百姓，尽管对新晋商有诸多意见，可是在文化产业开发上，一直对新晋商寄予厚望，希望他们能够利用手中的资金优势，开发文化产业，转变山西单一的经济结构，培育新的经济增长点，再造一个天蓝水清、魅力四射的新山西。可是，除了个别煤老板有所举措之外，大部分新晋商一直徘徊在文化产业的大门外，没有充当投资者的角色，一直在充当一个普通的看客。

晋商题材火爆，新晋商又不愿意投入，山西文化人无所作为。而外地的文化人却利用这个机会，开始像煤炭私挖滥采一样，对山西的文化资源进行毫无顾忌的开采。就拿当下流行的几部晋商大戏来说，都存在严重的历史问题，甚至为了剧情需要，对晋商资源进行不恰当的包装和编造。

比如，在历史上，不准纳妾是晋商家族的基本规范，可每一部大戏都在晋商妻妾成群上大做文章。《白银谷》涉及公公与儿媳妇间的情感故事；《龙票》讲的是一个晋商子弟和四个女人纠缠不清的故事；《乔家大院》最大的硬伤是，成就乔家基业的人，不是乔致庸本人，而是他的两个女人。起家的时候，为了扭转局面，抛弃旧爱，找到有钱的新欢；扩张的时候，又是昨日的旧爱，后来变成寡妇的女人出资相助。每到转折关头，作为主角的乔致庸，就不知所措，变得暴跳如雷，而作为配角的两个女人，却变成了主角，又有谋略又有办法，最后是两个女人成就了晋商，这种逻辑让人觉得极其荒谬。历史上的晋商，是自己成就了自己，最看不起的人，就是小儿而无能、自卖本身。现在，对山西之外不了解晋商文化的投资者来说，古老的晋商优质资源，并没有被反映出来。

这样的电视剧，在全国接连上演以后，不利于晋商形象。假如，新晋商能够把手中的资金拿出来，与山西的文化人相结合，真正把昨天晋商的本质和精神展示出来，不仅可以获得较好的经济回报，而且能够还历史的本来面目，何乐而不为呢?!

山西的文化产业，需要新晋商的支持。有责任感的新晋商，也需要通过文化产业，改变父老乡亲对他们的认识。没有文化的商人，充其量是光着泥脚板还没来得及穿袜子就蹬上皮鞋四处游荡的暴发户，这样的土豹子，即使能用金钱买来诸多政府头衔，却买不来尊严和父老乡亲的敬重。

王 进

2009 年 3 月 6 日于北京集古斋

一

　　熟悉煤城的人，都知道煤城有"三怪"。

　　"一怪"：道路交通是全中国最烂的，而跑在上面的汽车却是全中国最好的。

　　每一个初到煤城的驾车者，都会感到道路颠簸不平。无论你从南城到北城，还是从东城到西城，根本不会感觉到是在城市里行驶，而是在崎岖不平的山地上穿行，颠得人浑身难受，更严重的屁滚尿流。如果，你打开车窗看去，又会发现另外一个奇异的景象：在凹凸不平的路上，穿梭奔流的，大都是豪华车。奔驰、宝马、悍马、路虎、劳斯莱斯、凯迪拉克等等屡见不鲜。煤城，简直就是一个尘土飞扬、流动穿梭的豪华汽车展览馆……

　　"二怪"：城里整天黑雾弥漫，城外经常艳阳高照。

　　煤城，从地理位置上，处在东西两山的夹缝中间。东山一年四季，花草满坡，艳阳高照；西山从春到秋，苍松翠柏，清泉飞瀑。可是，无论什么时候，无论你站在东山之巅还是西山之峰，俯身一望：脚下的城市，如同跌到一个巨大的煤坑里，黑雾弥漫，浓烟缭绕。城市的楼房，如同大煤坑里耸立的黑色墓碑；流动的车流，好像缓缓爬行的黑蚁；近处来来往往的人们，简直就是忽明忽暗的鬼影……

　　"三怪"：煤炭产业气壮如牛，文化遗址弃同废墟。

　　无论国有的、民营的，还是地下的煤矿，都发展得膘肥体壮，油脂横流。大大小小的煤老板们，在这个"鬼城"里生活得有滋有味。他们的举动，如二十辆悍马车一起迎亲的场面，无意间就成了互联网上最"雷人"的照片；煤老板们远在海南、北京、上海的豪宅，成了"狗仔队"搜索的重点目标。落魄的摄影师，可以从这里抓拍到时下最当红的女星与大腹便便的山西煤老板形影相随、男欢女爱的艳照。凭借几张焦点图片，"狗仔队员"一举成名，财源滚滚。

与此形成鲜明对比的是，曾经作为华夏文明重要城邦之一的煤城，区域范围内分布着众多远古遗址、春秋霸城、北朝石刻、隋唐佛像、宋元戏台等等文化遗址，却因为无人问津、经费匮乏、保护不力，最终逃脱不了这样的厄运：被盗、坍塌、凹陷、风化，甚至成为废墟……

……

煤城有两个火葬场，一个在东边，一个在西边。东边的离城市只有三五里，去那里操办丧事的人络绎不绝；而西边的靠近西山，距离市区三十多里，交通不便，平常来这里办丧葬的人相对来说较少。

最近几天，不知什么原因，一向寂寞空旷的西山火葬场，突然变得车水马龙，哭声不断。

特别奇怪的是，西山火葬场的门口，莫名其妙地增加了许多保安，还增加了检查人员，但凡出入的人都需要登记。

繁杂的手续，激怒了不少死者亲属，有人质问：我是来办火化手续的，不是来办登机手续的。你们弄得这么复杂，难道真能把我的亲人送上天堂?!

有些外人隐约感觉到：最近频繁火化的这些死者身份特殊。这些死者究竟是谁？他们是正常死亡的吗？到底火化了多少人？为什么要保密呢？针对什么人保密呢？

最关注这些问题的人，是国家电视台的名记者老张。老张接到举报电话，就决定调查这件事情。

可是，采访工作遇到了前所未有的困难。他住的宾馆隔壁，当天就住进了人。而且只要他到哪里，隔壁房客就跟到哪里。特别让他窝火的是，采访的对象水峪沟煤矿突然停产，空无一人，周围的老百姓都不知躲避到了什么地方，一个人都找不到。更莫名其妙的是，水峪沟矿所在区、市国资局、安监局、公安局等相关部门主要领导一个都不在。甚至老张到了区里宣传部了解情况，宣传部的人竟然说没有上级部门的许可，不接受任何人采访。

万般无奈的情况下，记者老张想到了一个平常人都想不到的地方，这就是西山火葬场。

也许从那里能找到线索，也许从那里能了解到真实情况。他想方设法赶到火葬场，尽管身后还跟着一个盯梢的。

最了解火葬场底细的人，是区里分管安全生产的副区长王文献。

因为，那里的一切，他事先就得到了最准确的消息。

此时的王文献，正在飞机场登机，他马上飞往海南三亚。

尽管两天以来，一直没有联系上区委书记张巨海；但从有关人员那里得到可靠消息，张书记正在天涯海角度假。

因为和红颜知己杨娟在一起，不便开手机，所以王文献联系不上他。

可是，眼下出了惊天大事，王文献不得不擅自闯宫，飞往三亚直接面见区委书记张巨海。

对火葬场情况最为关注的人，还有新任市长李立林。

当他得知水峪沟煤矿发生爆炸的时候，喝水的玻璃杯立刻就掉到地上，摔成了一大堆碎片，但他毫无察觉。

在场开会的人，明白发生了惊天大事，一个个躲了出去。只剩下报告情况的安监局局长，他一边擦汗一边观察市长的反应。

市长李立林的头脑中立刻呈现出两年前的情景：好友老张上任另外一个城市的市长，春风得意干了三个月，下面的中层干部还没有认全，结果发生了一场死亡五十多人的矿难。省委、省政府根据干部问责条例，当场就将老张免职。直到现在，好友老张赋闲在家，每天靠练字画画消磨时光。

万万没有想到，两年前的一幕又在自己面前上演了……

个人拥有矿权、国有矿务局托管的水峪沟煤矿突发矿难，死亡二十六人！

盯着安监局的报告，市长李立林好长时间没有缓过神来。

"这是真的吗？"李立林仍然不相信。

安监局局长低着头："没有问题。"

"那我们到现场看看。"李立林突然意识到身为一把手的职责。

安监局局长低声回答："不用去了。"

"为什么？发生这么大的事情，我能不到场吗？！"李立林情绪有些失控。

安监局局长一脸无奈："水峪沟矿王向东书记已经把死者都转移了，矿也停产了。"

"为什么要转移呢？"市长大为吃惊。

安监局局长："为了躲避那些趁火打劫的记者。每次矿难一发生，就会招来一批记者。我们这里哭天喊地，他们那里问这问那，影响矿难的处理。所以，王书记就把死者转移了。"

市长李立林意识到，不管怎么样，哪怕明天免职，都应该到现场亲自处理后事，他当机立断："走！不管那些记者，死者在哪里，我们现在就去哪里！"

出了市政府大楼，李立林一行迅速向西奔去……

三亚南山国宾馆，背靠大山，面朝大海。站在国宾馆大堂的观景台上，周围美丽的景色一览无余。远处是风生水起的南海观音，近处是郁郁葱葱的椰树林。天空和海水的湛蓝，让人心境空明；椰树和海草的翠绿，让人生气盎然。

坐在观景台上的一对男女，身着海南特有的情侣服，尽情享受着人间美景。

突然，一个急促的声音从脑后传来，那对身着海南岛服的情侣被吓了一跳："张书记！出大事了，我是万不得已才来找你的！"

那对情侣中的男人很快镇静下来，妖媚女人赶紧躲开了。

尽管她掩着脸，不想让人认出来；但从山西赶来的王文献，凭直觉就知道，她是张书记的红颜知己、现任汇海煤焦集团的副总经理杨娟！

面色黝黑、体形发福的区委书记张巨海，看到部下不请自来，本能上感觉出来，不是发生了恶性案件，就是煤矿上发生了矿难。

"什么地方？死了多少人？"张巨海极力使自己镇定下来。

"水峪沟煤矿，二十六人。唉！"年轻的王文献像断了半截气，"当初，我真的不想……可是，领导你非要……这下完了！"

区委书记张巨海是何等聪明的人，当即明白了部下咽回去的半截话。

张巨海站起来拍拍部下的肩膀，宽慰王文献："我知道，当初你不想分管安全生产。可那么安排，我是万般无奈呀！区长是个病秧子，一年光景就住半年医院，什么都指望不上。六个副区长中，两个是上面派来的，眼睛向上，根本不抓工作；两个女同志，纯属花瓶摆设。最后就剩下马志中和你了。"

"老马过的，那是神仙日子！"王文献满肚子委屈。

"是啊！马志中那小子，家里开着个大煤矿，每天日进斗金，心思都在家族企业上，我敢把安全生产这么重要的事靠给他吗?! 我这么分工，实在是没有别的选择。"张巨海实在万般无奈。

王文献抬起头来，眼睛有些发红，他盯着张巨海："书记，我跟你打赌：咱们还没回去，上面就执行问责条例，把我这副区长罢免了，信不信？"

张巨海看到部下沮丧的心情，情绪十分低落："赶紧回去！我亲自去找市委书记段天生，跟他沟通沟通。"

一阵海风吹来，本来会让人心旷神怡，可这突如其来的会谈，让两人谁也提不起精神。

想起过去张书记对自己的栽培，王文献不好意思再继续为难他："书记，出了这么大的事，我心里明白，即使你去说情，也没有用，副区长的官位肯定保不住了。我这么匆忙赶来，是想问你一句：会不会追究刑事责任？"

书记张巨海心里一惊："怎么？你在煤矿里有股份？不对呀！水峪沟煤矿我了解，那是矿务局托管的一个联营矿。上面的人，利用公家托管个人资产从中捞钱，个人股东凭借矿务局的保护伞生存。里面的股东我都知道，你没有股份的。怕什么？难道……"

王文献赶紧摆手："煤矿上那些事，哪个挖出来都烫手。这么说吧，逢年过节，他们送个小卡小钱，我没有拒绝过，可大钱，尤其是十万以上的大钱，我根本不敢要！"

张巨海仍然惊诧不已："那你担心什么？"

王文献虽然身在人生地不熟的海南，可还是本能地看了四周一下，生怕有人听见，小声说："我怕市里……"

张巨海好像醒悟过来，盯着他问了一句："市里书记和市长之间……"

王文献点点头。

区委书记张巨海彻底明白了：自己的部下身在旋涡之中，早就预料到了这件事情的恶果。

张巨海不由得担心起来："是啊，书记、市长不和。到了关键时候，一旦发生互相推诿，两人要为了自保，都不替部下说话，你真可能成了这件事的替死鬼。"

"只要不判刑、不开除公职，怎么处理都行！"王文献终于讲出了自己的底线。

区委书记张巨海意识到了什么，马上转身，同时吩咐部下："回去以后，你直接到一线处理后事。其他事情，我来办。尤其是市委、市政府和事故调查组那里，我去周旋！"

得知矿难发生的消息，市委书记段天生正在北京考察文化产业。陪同他的人，除了秘书小孙之外，还有市里最大的私营煤矿主之一 ——汇海集团董事长兼总经理赵国忠。

大煤老板赵国忠，身体肥胖，皮肤白嫩，像一头白熊。

段天生从来不拿电话，当孙秘书告诉他矿难的消息，他立即吩咐秘书去买当晚回山西的机票。同时，用电话交代在家主持工作的常务副书记：代表市委马上去慰问死难者家属，做好善后……

然后，他转身登上了去博物馆的电梯，煤老板赵国忠亦步亦趋跟在后面。

这是北京最豪华、最市场化的一个博物馆，坐落在东边一处豪华大厦的六层。京城但凡举办拍卖会，都要事先在这里举办拍品展览。

显然，段天生是这里的常客，上了六层以后，用不着任何人的导引，他就穿过迷宫一样的通道，进入了豪华博物馆的展厅。

里面挂满了琳琅满目的字画。赵国忠发现，来这里赏宝的人，有很多经常上电视的影视明星、企业家和政府官员，也有不少金发碧眼的外国人。

段天生一看到展品，拿下了自己平时戴的黑框眼镜，换上了另外一副特制的金丝边眼镜，俨然一副学者的派头。

往日不苟言笑的面容，马上露出了认真渴望的眼神，甚至有的时候，他右手举起来，在空中不停地比画。显然，段书记是在头脑中临摹那些传世的作品。

煤老板赵国忠，过去曾经是一个中学教师，对文化并不陌生，并不是北京人印象中的傻、大、黑、粗的煤老板。赚了钱以后，他报名上了北京大学的硕士研究生，可是，他学到的那些知识，真要和前面的段天生比起来，还有不小的距离。

赵国忠看到段书记在一幅《元人秋猎图》前聚精会神地端详，不由得在画前停下脚步认真观察起来：远山、牧场、骏马、狂犬、溪流……画面上还有很多猎手。猎手神态不一，有的狂追猎物，有的开怀畅饮，有的引吭高歌，还有的吸烟休憩……

赵国忠感觉到，这是一幅相当不错的元代作品。

他仔细看了一眼图卷下方的起拍价：人民币五千万元。他预感一旦上拍，没有八九千万是拿不下来的。八九千万，那是多大的一个数字呀，相当于自己手下一个中等煤矿半年的收入。

书记段天生一边拿放大镜看画卷，一边回头问赵国忠："上了一年多北大，怎么样？入了点门道没有？"

赵国忠嘿嘿一笑："别人不清楚，书记你还不清楚。北大那研究生班……"

"你不说，大家都知道。"段天生对现在的名校不屑一顾。

"我下一步准备开个书画院，专门把那些真正有学问的大家和老干部请来，好好跟着学习。"赵国忠说出自己的计划。

段天生十分惋惜："这年月，到处沾满铜臭味，连北大这样的地方都不能幸免。"

煤老板赵国忠这些年来受段天生的影响，业余时间钻研了不少有关古玩方面的书："我看这幅画，从设色、构图、笔法，尤其是意境方面，都算得上元人上乘作品。比起黄公望的那些大山大水，毫不逊色。到拍的那天，咱们收进来，怎么样？"

段天生扭过头来，有些欣喜："小赵，怪不得你能成大事呢，就是头脑聪明！学什么像什么，好多年轻人真比不上你。"

赵国忠笑起来眼睛就眯成了一条缝："不是有你这个高明的师傅嘛！"

突然，段天生发现了什么，往后退了退，再次认真观察了好半天，明确地说："这幅画最好不要下手！"

赵国忠有些吃惊："为什么？这些年拍卖市场上宋元的东西，翻着跟头往上走，我们不买，别人也会出手的。"

段天生浅浅一笑："小赵，你还是火候不到，这是一幅赝品！"

"不可能，不可能！"赵国忠环视四周，又看了看画卷，"哪能呢！这家拍卖行，是中国最有名气的，况且这幅画……"

书记段天生从上到下再次扫了一眼画卷："你敢确定这是元人精品？"

赵国忠心里有些奇怪："我感觉没错，是元代文人的上乘作品。你的疑问在什么地方？"

段天生从口袋里拿出烟盒，故意点了一支，没有抽，只是拿在手里轻轻摇曳，眼睛瞅着细细的烟气升腾起来："吸烟，无论现在，还是古代，都是一件不雅的事情。画卷里有个吸烟的细节，问题就出在这里。既然是元代文人画，元代文人那么追求高雅，怎么画卷上会有吸烟的场面呢？"

一句话点醒梦中人，赵国忠突然明白了："看来真是一件后世的仿作，还是段书记高明！"

段天生内心很得意，却没有表现出来："高明什么，不过是见得多了罢了。走，咱们到那边喝茶去。"

"好！"赵国忠在前面引路。

"你这小子，赏画不怎么样，赏'花'倒是好眼力。"段天生跟在后面。

"你是说公司新聘任的肖助理吧。"赵国忠发现书记对汇海集团一举一动非常关心。

"哪来的？"段天生显然十分好奇。

"从清华大学毕业生里招聘的。苏州美女，经济学硕士，才貌双全。"赵国忠说起来很自豪，"汇海集团发展到这个程度，不能老搞近亲繁殖。关键的岗位，还是需要引进优秀人才的。"

"既然要用人，千万要控制好。人才嘛，都是双刃剑，可以使企业兴旺发达，也能使企业一败涂地。记住：堡垒，最容易从内部攻破。"身为市委书记，段天生在用人方面极其谨慎小心，甚至到了无所作为的地步。

"煤矿生产管理，我可以靠给她。至于其他重要方面，我暂时不会让那个女人介入。等观察一段时间，有了完全控制的把握，再放手不迟。"赵国忠从段天生身上学到不少精妙的管理经验。

展览室旁边有个高档的茶楼，雕梁画栋，古意盎然。

两人落座，赵国忠叫了一壶书记最爱喝的西湖龙井，段天生一边品茶一边随意问："市长李立林到任快半年了，你们工商联和煤老板们有什么反映吗？"

赵国忠倾身给书记续水："'孙猴子'上山没两天，屁股得得很紧，看不出什么猫腻来。大家只是觉得……"

段天生意识到了什么："觉得怎么样？"

只要说到实质性问题，谁都会有所顾忌，赵国忠声音低下来："弟兄们觉得，常务副市长牛健太可惜了。他埋头苦干了两三年，好不容易熬到市长下台，空出了位置，却来了个李立林。大家认为上面这么安排有些不太公平。"

书记段天生喝了几杯茶，顿时觉得神清气爽："有什么不公平的，我段某是共产党的人，当然要服从党组织的安排。"

"听说，新市长李立林有个女同学，是美籍华人，好像姓史，叫史佳敏。她最近常到煤城来搞慈善，书记知道不知道？"赵国忠手眼通天。

"不知道。"段天生眼睛翻了翻，"多少人知道这个消息？"

"绝大部分人不知道，包括李立林在内。"赵国忠解释，"前几天我从煤城回北京，偶尔在飞机上认识的。从那个女人说话的神态中我感觉出来：史女士过去和李立林的关系不同寻常。"

"不要随便怀疑人家不同寻常的关系嘛！这件事，你千万不要上心哦。"老段有个毛病，越关心的事情，越爱说反话。

赵国忠了解段书记的"特点"，他还特别爱听奉承话："大家都评价段书记你最清廉，不像前任市长张国军，他被人举报有经济问题下台了，没有追究刑事责任，算他走运。"

说到前任市长张国军，段天生本来想发泄一下，后来还是克制住了："人生都是命啊！张国军多能干的一个人，就是抗不过命。少年得志，中年掌权，连我都不得不让他几分，可最后还是……可惜啊！"

赵国忠近来听到不少传闻："据说他一个亲属也成了网上通缉犯了。"

段天生继续掩藏："这个不太清楚。"

煤老板赵国忠心里明白，书记最爱听市井传闻："坊间流传，上级从张国军的家里搜出来不少现钞，另外还有天亮集团的股票证，算得上惊天大案。上面还是英明，最后拿下了那帮家伙。"

看到赵国忠得意洋洋的神态，段天生猛然意识到了什么："你不是庆幸老市长张国军被抓，而是庆幸天亮集团的郭天亮倒了霉吧！"

经段天生这么一说，赵国忠就不敢放肆了。书记继续敲打他："我可是听说，郭天亮是个连钢刀都插不进嘴里的铁汉子！责任全自己担了，没有往张国军身上泼一点脏水。这样的企业家才可靠、才能成大事啊！"

段天生这么一番话，真是意味深长。赵国忠一下就明白过来其中的含义，他给自己解嘲："郭天亮，我跟他打了这么多年交道，最敬佩的就是他的人品，那是我的榜样。不过……"

段天生对这个年轻人一直没有完全放心，他追问："不过什么……"

赵国忠努力装出非常诚恳的样子："不过……他的企业和我的公司，都在一条矿脉上，彼此争来争去，不可避免。"

这个问题，段天生早就知道，他关心的不止是这个问题："你们俩的煤矿和今天出事的水峪沟煤矿有联系吗？"

赵国忠当机立断："肯定没有！"

段天生继续逼问，声音特别严厉："真的没有吗？"

赵国忠出了虚汗："真……真……真的。"

段天生装出一副轻松的样子："那省里来调查组，我就不担心了。"

赵国忠一听书记这么说，突然没了自信，满头大汗："别……别……"

段天生明知故问："你不是说水峪沟煤矿和你们没关系嘛，有什么好担心的?!"

赵国忠只好说出了自己的担心："是没直接关系。可出事的那个矿和我们的都在一条矿脉上。说白了，他在主脉上，我和郭天亮挖的是支脉。还是有些担心！"

段天生什么都明白了："走！赶紧回去，看看有什么麻烦没有。"

二

西山一带，是煤城上风上水的地方。

上个世纪五十年代，国家在西山脚下投资建设发电厂，当时就发现了上百座北朝墓葬。那时候，没有文物保护法，更没有严格的建设审批程序，大开发、大建设压倒了一切，除了个别文物被老百姓偷偷隐藏起来之外，大部分东西都被回填了。

于是，在数不清的墓葬上面，堆起了一个高耸入云的电塔。

当地的村民最了解电厂地基的情况，所以，他们就把电厂的凉水塔叫成了招魂塔。

西山火葬场就在招魂塔不远处的山沟里。

从山沟里延伸出来一条干涸的河床，河床南岸是火葬场，坐落在较为平坦的地方。前边是火葬炉和灵堂，后边是墓区，这些年来，火葬场的生意逐年好转，整个火葬场建设得像花园一样漂亮。

河床的北岸，有一排低矮的平房，那是火葬场的职工宿舍。当然，火葬场的高级职工，也就是那些管理干部，早就在市里买了好房子，单位还配备了一辆豪华中巴，每天来往接送他们。而住在河床北岸低矮平房里的，无疑是火葬场里最没有地位的烧尸工。

驼背烧尸工老刘的家，就在这里。

老刘是一个很精细并且非常容易满足的人。这一点从他的三大爱好就能看出来：抽烟、喝酒、听晋剧。

老刘虽然是个普通人，因为干的工作不同，所以，他抽的都是好烟，喝的都是好酒。无庸讳言，他的那些高档烟酒，不是死者家属送的，就是他从墓葬区捡回来的。

墓葬区的每一处新坟，都有不少高级名烟名酒，那都是家属供奉死者的。大多数家属哭完亲人走后，供品仍然放在原地，希望逝者享用。可最后真正享用的人，并不是逝者，而是每天傍晚下班回来顺手牵羊的烧尸工老刘。

老刘是个收获很大的人，平均两三个月就能储存一车烟酒。

每到这时候，他的儿子就从山里开小面包车赶来，把东西拉回老家卖掉，光这一项的收入，每年就有八九万。年收入八九万，对一个贫困山村的家庭来说，简直就是天文数字。老刘家就是凭着这项收入，盘下了解放以前大地主刘高远的三进院落，并且把老院装修一新，开发成了黄河边上最豪华的旅游宾馆。

在他们那个村，比村长、书记更有地位的人，就是老刘的老婆。她只要看谁不顺眼，那个人就成了村里的过街老鼠，人人喊打，人人愤恨。村里人明白，这一切都是因为城里的老刘，他们祖上积了德，老刘这辈子才撞上了财运。因为有了钱，老刘的家族才成了贫苦地区最有势力的家族。

身在城里的老刘，每天下班回家都不会空手进门，总是拎着大包小包，先到后面的储藏室，把傍晚捡回来的一大堆东西放好，然后进厨房做饭。

老刘烧得一手好菜。每天都要摆两三个盘子，一边喝酒，一边听晋剧，什么时候听得筋疲力尽，这才上床睡觉。

这晚，老刘把菜摆好，打开录音机，屋子里响起了铿锵有力的晋剧鼓乐。他刚倒满汾酒，正要品味，突然听到了敲门声。

老刘有些扫兴，冲着门外喊了一句："谁呀？进来吧，门开着呢。"

门被打开了，进来两个不认识的人。老刘有些奇怪："这么晚了，还要烧人？"

一个胖子说："我是矿上的，找你说点事。"

老刘没有让他们坐下，显然对这两个不速之客有些排斥："矿上的死人，都烧完了，还找我干什么？"

胖子看了一眼旁边的矮个："死人是烧完了。可，想让你帮个别的忙。"

老刘奇怪："我能帮什么忙？难道一个死人还能烧两次？"

胖子莫名其妙从大衣里掏出一个大纸袋子，放到了老刘饭桌上："当然能烧两次了。这是三万块钱，给你的辛苦费。"

老刘接受死者家属的馈赠，是常有的事。只不过，从来没有见过有人出手这么大方的。

他愣在了那里："我是不是遇上鬼了？当然不是指你们。我弄不明白，怎么，死人能烧两次？"

进门以来，一直没有说话的矮个这时候开了腔："当然，一个死人不可能烧两次。是我们想让你烧两次。"

老刘看了一眼桌上的钱，然后抬起头来盯着两个陌生人："那你们教我一个同一死人烧两次的办法，只要烧人的钱，我就想挣，不挣白不挣！"

胖子终于露出了笑脸："只要想挣钱，那就好办多了。"

"行！我跟你们走，开炉去！"说完，老刘就开始披衣服，"这事，我三年前见过一回。有个老干部死了，烧了一次，家属嫌烧得不彻底，重新烧了一次。"

矮个赶忙把老刘拦住："不用，不用。我教你一个重烧的办法，在家里就可以办完。"

老刘急了："我虽然是个烧尸的，可家里没有炉子，我买不起也不敢买呀！"

矮个看了看胖子，笑了笑："两次烧尸，一次你用炉子烧，另一次你用嘴烧就可以了。"

老刘眼睛瞪起来："我说碰上鬼了，你们还不相信，哪有用嘴烧尸体的！"

矮个往前走了一步："当然有。比如，你已经烧过二十六具尸体了，可别人要问起来，你就说只烧了六具！"

老刘突然明白了什么，一下子警觉起来："这哪是教我烧尸呢，这是教我骗人！把钱拿走！"

胖子一看老刘态度变了，却没有丝毫慌张，用手指着矮个："老刘，你知道我是谁、面前的这个领导是谁吗？"

老刘一副拒人千里之外的样子："我才不管谁呢，只要教我骗人，马上滚蛋！"

矮个突然拉下脸来："老刘，你这么说话，马上就把饭碗砸了。仔细想想，一年你往老家拉多少东西？你儿子凭什么每年能挣好几万？你老婆凭什么在村里当太上娘娘？假如我把这些情况给你们负责人说一下，你还能保住这份工作？家里还能像过去一样日进斗金吗？！"

老刘吃惊不小，睁大眼睛盯着矮个："我的秘密，你怎么知道的？"

胖子发现老刘很紧张，开心地笑了："老刘，你再有秘密，难道还能瞒得住老家的父母官？"

烧尸工老刘惊得几乎跌倒："难道……你真的是老家的……官？"

胖子不慌不忙："当然，他就是你们的县长刘春风！"

"快坐，快坐！喝酒不？"老刘做梦都不敢想，老家的刘县长会半夜三更到他这个烧尸工家里来，"你这么大的人物，为什么会找我办那样的事？"

矮个当仁不让，坐到沙发上，看了看眼前的酒菜："这有什么奇怪的。矿务局不止一个水峪沟煤矿，在咱们县不是也有一个大矿吗，还是县里的财政支柱呢。昨天，我和水峪沟矿的王书记吃饭，他发愁火葬场没有熟人，我就想起你来。为了避免让别人知道，没和任何人打招呼，就直接把王书记带到你家来了。"

原来，眼前的这个胖子，竟然是附近联营矿的大书记，眼前的矮个竟然是自己的父母官。作为烧尸工的老刘，尽管见过不少大干部，可那是在单位，从来没有在家里接待过。

他惊慌失措："刘县长，你那么大的官，怎么会知道我这个烧尸工呢？"

刘县长仰头哈哈大笑："咱们县是全省最穷的县，能买得起地主老财大院，能在山里开办星级度假酒店的人，除了你，恐怕没有第二个吧！"

老刘突然意识到财富带来的麻烦了，他开始怨恨起那个不懂得藏富的农村老婆来，还有那个不争气的儿子："县长大人，老婆和孩子没见过世面，需要你老人家多帮忙照顾。"

胖子拿起桌上的酒瓶来仔细瞅瞅："老刘啊，你是个明白人，只要配合煤矿和县里的工作，其他什么都好说。尤其你在山里黄河边的度假酒店，可以作为我们矿务局的定点接待单位嘛！"

还没有等老刘反应过来，县长就伸出手指，摆弄出"六"的数字："不管谁问你死了多少人，都按这个数回答。矿务局一年给咱们县里上缴那么多税，咱们县里的人，不管是谁，都应该把矿务局当成自家人对待，听明白了吗？"

这哪是在教老刘"烧尸"，分明是在教他烧良心！

可面对着这么大的父母官，这么大的书记，一个小小的社会底层人物又能怎么样呢！

老刘意识到，不按他们说的办，自己辛辛苦苦攒起来的一切，马上就可以灰飞烟灭。

他挣扎半天，终于屈服了："两位领导，你们交代的事情我肯定办好，不会出意外的。"

王书记也坐下："我和县长大人，终于可以放心大胆地喝酒了。"

老刘起身："我马上再去炒几个菜。"

县长指了指那装钱的纸袋子："先把这个放起来，别让人进来看见。"

老刘："东西我绝对不要，等会儿你们带走。"

老刘话音刚落，外面就想起了汽车喇叭声，附近的猎狗听见响动，跟着狂吠起来……

三人都吃了一惊，县长最先反应过来，把钱袋子抓起来，塞到老刘抽屉里："王书记，我看今天这饭吃不成了，咱们先走。老刘，记着刚才说的话。"

王书记身手敏捷就往外走，县长跟着就出了门，两人在短短几分钟就消失在茫茫夜色里。

三人之中，只有老刘反应最慢。等他想去开抽屉，拿东西还人的时候，外面却突然传来了另外一个陌生的声音："刘师傅家在这里吗？"

老刘本能地靠在桌子上，背后就是刚才那个放钱的抽屉，声音有些发抖："在……在……谁……啊？"

"咱们李市长来看你了，顺便了解一些情况。"没等老刘出门去迎，四五个人已经推门进来。烧尸工一听市长登门，吓得腿都软了。

真是碰见鬼了，一个小小的烧尸工，竟然在短短的半个时辰内，接二连三地见到了从来没有见过的大人物！

"你们是来找我了解火化了多少人的吧？"老刘非常紧张，靠着桌子寸步不离。

进来的四个人中，三个中等个，一个高个子，高个子年龄显然最大。

一个年轻人刚要说什么，被年龄大的高个子拦住了，他单刀直入："你怎么知道我们来的目的？是不是刚才有人来过？"

老刘平常很镇定，尽管没有在家里接待过大人物，但心态非常稳定。可就是刚才县长留下的那包东西，突然让他失去了往日的平静，变得慌慌张张："来过……不……根本没有来过人……我保证！"

高个子是个极聪明的人，笑问："你保证什么呀？你保证在撒谎！"

老刘的脸此时比猪肝还难看。

其余三个人在屋里四处张望，好像在寻找什么，其中一个不经意地问了一句："这两天你总共烧了多少具尸体？"

老刘意识到他们要问这个问题，答案早就堵在嘴边："六个！"

高个子一听就笑了，对那个问话的人说："我没有说错吧！有人提前做了老头的工作，老头肯定在撒谎。明明死了二十六个，偏偏要说六个。这要让外人知道了，还以为我这个市长故意瞒报呢。你们三位，一位安监局局长，一位秘书长，一位公安局局长，怎么处理这件事？"

安监局局长对瞒报这类事情见得很多，不足为怪："哪个煤矿发生案子，都要少报几个人，报多了上面处理就重了，说不定矿务局局长都要免职。他们为了保住自己的乌纱帽，不得不这么做。只要后事处理上都能保证赔付，矿工们也没话说。"

市长对这样的回答显然不满意，眼睛瞪着安监局局长："煤矿有责任，难道安监局就没有吗？你们为了逃避责任，背地里和煤矿沆瀣一气，故意容忍他们这么做，对吗？"

安监局局长不敢多说什么，眼睛瞅着秘书长。秘书长一下明白了，他看了看正在生气的市长："要说责任，我们市政府也逃脱不了。市长，你想想看，安监局毕竟是政府组成部门，它有责任，就等于市政府监管缺位，对吗？"秘书长小心翼翼地说。

"出事的水峪沟矿，是矿务局的联营矿。人事、生产、销售等等一切主导权在省里。我们作为下级政府，没有多大的作为。市长，你当过省政府的副秘书长，明白彼此之间的微妙关系。"安监局局长这才为自己辩解。

市长李立林还是余怒未消："我当然明白！不管怎么样，地方上对安全生产应当全面监管，无论省里还是中央企业，都应该把监管工作做到位。"

安监局局长继续辩解："我明白自己失职，可中央和省属企业，我们监管起来太难了。别看是小媳妇，人家婆婆厉害。就拿出事的水峪沟煤矿来说，他们的王书记，和省国资局局长王大东是堂兄弟，这样硬的社会关系，我们惹得起吗？！"

市长一听，愣在那里。

旁边一直没有说话的公安局局长开了腔："安监局局长说得没错。那年，矿上发生了一起刑事案件，区刑警队去抓人，惹恼了王书记，上面一个电话下来，刑警队就得撤走。"

看着市长没有反应，秘书长插了话："他们矿上瞒报，未必是个坏事。只要他们责任小一些，我们的责任不就更小了吗？即使瞒报出了事，那责任主体还是他们，又不是我们指使他们做的！"

市长突然笑了，笑了半天。

猛然，李立林收起笑容，变得特别严肃："你们不是在帮我，这是在害我呀！老百姓不知道，你们几个难道不明白，咱们省长是什么人？什么事能逃过他的眼睛？省长嫉恶如仇、不留情面。如果让他知道，我们上下一气故意瞒报，我这个市长，甚至包括你们几个，就不简简单单是行政责任，到时候该追究我们刑事责任了。"

"那该怎么办呢？"安监局局长慌了。

"怎么办？！那还用问，不管煤矿如何瞒报，我们要如实上报！"市长斩钉截铁。

"李市长这么说，看来比我们想得周到。"秘书长改变了自己的看法，"矿上这帮蠢货，只知道瞒报，不了解省长的为人。"

李立林扭过头来，对着惊诧不已的烧尸工老刘："我们说话之所以不避讳你，目的只有一个，谁说谎谁承担刑事责任。你要再说只死了六个人，等着你的就是公安局的手铐，公安局局长就在现场，我把话放这了，你看着办吧！"

公安局局长当场表态："市长已经下了命令，无论你，无论你们火葬场任何人，一旦胡说，后果自负。"

老刘出了一身大汗，下肢变得十分沉重，如果不是后背靠着桌柜，说不定就跌在地上。

屋里的来客发现时间不早了，匆忙打了一下招呼，转身离开了屋子。

老刘看着他们的背影，长长出了一口气……

桌上的饭菜已经凉了，酒瓶直愣愣杵在那里，一如老刘僵直的躯体。

尽管老刘外表麻木，可内心已经想清楚了，自己宁可丢了这份挣大钱的工作，也得保住自己的老命。不然，蹲监狱的滋味可不是好受的。

眼看快十一点了，突然门外又响起了敲门声："刘师傅在家吗？"

老刘头发几乎竖起来，心想：今天肯定是跟上鬼了，所有没见过的大人物都找上门来，这又是谁呀？他没有动身，冲着门外喊了一句："是哪个大人物？"

"我是国家电视台记者老张。白天进不了火化场，晚上好不容易才找到你家来，我想调查一下……"

没等外面的人说完，老刘立刻打断了他："别说了，也别进来。我保证不说一句假话！"

门外人异常惊喜："还是下层的老百姓实在。"他打开摄像机的录音，"你说吧……"

老刘的声音隔着门缝传出来："从前天到昨天，我总共火化了水峪沟煤矿送来的二十六具尸体。其他的我一概不知道。你们千万不能抓我！"

西山的夜色黑沉沉的，除了山里的煤矿、山外的火化场有些闪闪烁烁的灯光，其他地方漆黑一片。

后半夜，山里有风，山风从山里刮到山外，一旦中途碰上树林或者石头等障碍，就摩擦出了声音。那声音似乎有些可怕，连山里的野狗野猫听见，都不由得叫喊起来，为自己壮胆。

三

煤老板郭天亮，尽管是煤城的风云人物，可好多人并没有真正见过他。

当他跨入五星级龙天大酒店的时候，所有大堂的人员，特别是那些服务生都停下手中的工作，关注起这个传奇人物的到来。这个传奇人物昨天做出了一个传奇性的决定：出资十一亿元买下龙天大酒店的全部股份。

龙天大酒店原来是省投资公司投资的全省最豪华的大酒店，它从诞生的第一天起，就是这个城市的标志性建筑。

每年中央和省里的头面人物到这个城市来，都要安排在这里下榻；省市权贵的孩子结婚，这里是首选的婚宴场所；大酒店的商务楼里，每天出入办公的，都是这个城市最富有的人物，其中绝大多数都是煤老板；在这个城市的百姓中，只要谁在公开场合炫耀一下在龙天吃过饭，周围人都会投来羡慕的眼光；最让大家眼红的是，这个城市只要投资上亿的项目，十有八九，合作双方都要在这里觥筹交错，庆贺成功……

很多在龙天工作的服务生早就听说，这个城市的两大煤炭富豪郭天亮和赵国忠，都想把大酒店盘到自己的手里，为此明争暗斗了好多年。

后来，郭天亮出了大事，身陷囹圄。大家都以为龙天成了赵国忠的囊中之物。谁知，恰恰在那段时间，龙天事件如同石沉大海，没有了下文。

近来，随着郭天亮重获自由，龙天之争突然变得明朗起来，甚至在这个周六，就变成了龙天大酒店产权交接的日子。

明眼人一下就看出来：龙天大酒店产权交接仪式变得并不重要，重要的是这个城市的首富需要一个冠冕堂皇的理由，庆贺自己重获自由。

有了这个冠冕堂皇的理由，许多人来参加郭天亮的宴请，自然少了很多顾虑。

市里的许多头面人物都出席了，省里的许多头面人物都送了花篮和牌匾，中央还有一些人发来了贺信和贺电。

对于龙天大酒店的许多服务生来说，都是第一次见到传说中的郭天亮：他个子并不高，四十多岁，体形很瘦，穿着非常普通，如果在大街上碰到，几乎引不起任何人的注意。如果仔细观察的话，郭天亮毕竟有一些不同于常人的地方：他的眼睛，很小很细，但不时放出一种奇异的光亮，这种眼睛，星宿学家叫做"狼眼"。他的嘴不大，声音不高，但说话的时候，人们会发现他的舌头很大，有时还露出来一部分雪白的舌苔，这种嘴形，星宿学家叫做"狼嘴"。

有了狼眼和狼嘴，人们会慢慢把眼前的这个人和狼的某些性格联系起来，比如凶狠；比如刚硬；比如善于捕捉时机；比如孤身战斗力极强……能想到这一切，自然对眼前的这个人产生了畏惧，产生了害怕，产生了防范。胆小的，甚至看到他的背影，都有些恐惧！

对他毫无戒备之心、毫无恐惧之心的人，不是他的亲信，就是他患难与共的朋友。这其中，就包括前来主持产权交接仪式的前任市长张国军！

当张国军郭天亮两人一前一后步入宴会大厅的时候，不知是有人故意引导，还是无意间自然迸发，大厅里突然响起了掌声，掌声持续了不短的时间……

在和他俩关系很深的朋友看来，这掌声代表了自己对两人的敬意和感谢；在和他俩有段距离的中间人看来，这掌声代表了他们的势力和影响；在那些对手看来，这掌声传递出来一种信息：张国军和郭天亮，这对政商组合的势力重新复活了。这个城市，今后少不了两人的身影，无论是当面的，还是背后的……

最具戏剧性的是，参加今天仪式并且送了最大礼物的人，竟然是郭天亮的老对手——儒雅斯文的煤老板赵国忠！

赵国忠送的礼物，所有的人一进门就看到了——一扇根据酒店大堂量身定做的东阳紫檀大屏风，上面雕刻着栩栩如生的八仙过海。这件礼物的身价，自然是个不小的数字。

所有了解两人过去的朋友，看到这个屏风，第一佩服赵国忠胸襟博大，气量超常；第二感觉到东山再起的郭天亮，人气如虹，势力非凡！

宴会主持人、前任市长张国军，在很多人看来是个病秧子，主持政府工作的时候，输液住院是家常便饭，为了工作方便，市政府办公厅在医院住院部大楼专门占用了一个房间，用来协助市长处理紧急公务。

就是这么一个病秧子，今天突然变得精神焕发起来，他讲起话来，不用准备好的文稿，声音洪亮，思路清晰："同志们，朋友们，今天大家看到我，都像以前一样叫我张市长，我给大家纠正一下，我已经不是市长了。现在的市长，是省委最近派来的李立林同志。这个城市，属于张国军的时代已经结束了；眼下进入了李立林时代……

"大家无论出于尊重也好，无论出于怀念也好，难免还叫我张市长，这种叫法，说句实话，我并不高兴，什么原因呢？原因很简单，我退休了，实实在在不是市长了，你们再这么叫，对正在岗的立林同志不尊重，为了配合立林的工作，我希望大家不要再叫我市长了。大家可以直接叫我老张，或者称呼我的新职务：张会长……

"经过上级民政部门批准，我们城市新成立了一个民间社团——煤炭文化促进会，我就是这个协会首任会长。这个协会办公地址设在龙天大酒店，这就是我们的常务副会长兼秘书长郭天亮同志！"

张国军通过拉家常式的演说，把龙天大酒店的新主人推了出来。

郭天亮也是个公共场合的社交老手："咱们的老市长退休了。我跟他说过，老市长为我们这个城市奋斗了一辈子，到了该自己享受的时候了。正好我买下来这个酒店，老市长有丰富的管理经验，原来我打算聘任他做酒店的名誉董事长……

"我觉得，只要他有个活干，身体就永远不老。可老市长说什么也不干，非要当一个老年志愿者，服务咱们的煤炭文化建设。作为他的老部下，只好顺从他。希望今后煤炭文化促进会的工作得到大家的支持……"

一老一少开始举杯庆贺——

坐在下面的赵国忠恍然大悟，对旁边的区委书记张巨海说："高手！高手！"

张巨海没有做声。副区长王文献有些发愣："谁是高手啊？"

赵国忠："两人都是，两人都是！"

王文献还是不明白："哪两人呢？"

张巨海不耐烦："台上的两人呗！"

王文献反应过来："那当然，如果不是高手，他们一个能当市长，一个能混成首富！"

张巨海鄙视他："你脑子还是不开窍，赵总说的不是过去，是眼下，是现在！懂了吗？"

王文献更不明白了："你们俩到底在说什么呢？"

赵国忠把脸凑过来："我们在说一桩交易。我以前弄不明白为什么龙天大酒店会落在郭天亮的手里。现在什么都明白了，帮他运作到手的人是张国军。作为回报，郭天亮出资、出人、出地方，帮助张国军运作了一个新机构。"

女人杨娟不以为然："一个破协会能有什么用！"

张巨海火了："你他妈笨蛋一个！冲你这番话，就知道你平常不学习、不思考。在国外，非政府组织比政府组织还牛。中国正和世界接轨，有权有势的人都在利用协会发挥作用，明白了吗？"

杨娟在训斥中，明白了一个再简单不过的道理：非政府组织比政府组织厉害，退下来的比台上的牛！

煤老板赵国忠赶紧岔开话，转移张巨海的注意力，避免杨娟尴尬："张书记，说一件事，你可能不知道。现在的郭天亮，嘴里装的都是假牙！"

张巨海吃了一惊，猛然使劲盯着正在台上说话的郭天亮："这么说，他的真牙在狱里掉光了？审他的家伙出手好重啊！"

"要不说郭天亮是铁嘴英雄呢！"赵国忠有些敬畏。

张巨海感慨："他这一切，也不容易，都是拿命换来的，企业家要都像郭天亮一样，政府官员就能大胆支持了。"

赵国忠："那是，那是。"

坐在一旁的王文献、杨娟，尽管没有插嘴，但他们体会出来，两人在悄悄议论郭天亮在监狱里受过的酷刑。

……

每个五星级大酒店都有总统套间，可每个五星级大酒店的总统套间，未必都是用来招待总统的。日常招待的，无非都是酒店或者客户心目中最尊贵的客人。在他们眼里，这些尊贵的客人就是他们心目中的总统。

对龙天大酒店的新主人郭天亮来说，他心目中的"总统"，就是刚刚退休的市长张国军。

宴会结束后，郭天亮就带着张国军参观龙天大酒店的总统房：这套总统房位于大酒店的最高处，几乎占了酒店满满一层。有大大小小三十多套房子，主人室、夫人室、警卫室、秘书室、司机室、机要室、会客室、理发室、按摩室、健身房、游泳池……

特别是游泳池，上面覆盖的都是一体化的透明玻璃，借用自然光来照明，节能环保。游泳池里的水，颜色淡蓝淡蓝的，池边还摆放着许多椰子树。置身这里，仿佛到了海南的三亚，而忘了自己是在一个北方污染最严重的煤炭城市。

老市长张国军，也是见过大世面的人，转了一圈，还是吃惊不小，尤其是那些家具摆设，让他震撼不已。几乎每个房间里的家具，都是量身定做的，风格款式是当下最流行的新古典主义，而材质都是贵比黄金的紫檀或者黄花梨，光这些家具的材料费，就是一笔让人想象不到的天文数字。

更震撼人的是，房间里的摆设，无论瓷器还是字画，一看就知道，那是货真价实的东西。一件件透着古朴的气息，一幅幅流露出前朝的风韵。这些数不清的古老玩意儿，隐藏着富可敌国的身价。

最后，两人坐到了古色古香的会客厅里。

老市长、现任煤炭文化促进会会长的张国军端起一个精致的茶碗，边端详茶碗外的图案边品味淡淡的茶香："以前经常来龙天开会，从来没有到过总统房，没有鉴赏过这里的宝贝，今天真是大开眼界。"

坐在侧面的郭天亮，环顾一眼四周的名人字画和高档家具："市长，不，说错了，是张会长，我就是冲着这些字画和家具，才决定购买龙天大酒店的全部股份的。说实话，现在只要有钱，哪里都能建五星级大酒店；只要有钱，哪里都能找到豪华享受。可这些家具，特别是这些传世字画，那是花钱买不来的。这些玩意儿的价钱，比这个五星级大酒店贵多了。"

"过去，我认为你和赵国忠之间，你比他钱多，可人家比你有文化。所以，官员们愿意和他接触，包括咱们的段书记，不愿意和你来往。现在看来，你也提高了不少，将来人气不在他之下。"张国军一边说，一边想起另外一个煤老板。

郭天亮微微一笑："我这人最大的长处，就是善于向别人学习。这不，下一步就跟着你搞些煤炭文化研究嘛。"

张国军哈哈一笑，用手指着他："你小子！好，好，我没有看错你。说实话，我从内心对那些煤老板不感兴趣，手里有了钱，就知道找女人，搞赌博，把山西人的名声都败坏了。上次，我到广东开会，人家告诉我，澳门赌场大玩家，很多都是山西的煤老板，一出手就是几千万，一夜能玩十几个洋小姐，我脸上都挂不住。不过，我最欣赏你，虽然有钱，难免也爱玩个女人，但有头脑，有节制，特别是有骨头，我最欣赏你这一点！"

张会长说到"有骨头"的时候，言语间透露出感激之情。

郭天亮把水果盘端过来，亲自给张会长削苹果："不管怎样，我还是辜负了你的信任。上次，你签发文件，让商业银行给我贷款，无论从手续、担保、用途等等方方面面都没有违法的地方。坏就坏在苏行长那个儿子身上，要不是他，我也不会给老领导惹来那么大的麻烦！"

想起过去的事，张会长一声叹息："唉，老苏那么精明、那么正派的人，怎么会有那么个逆子呢！"

郭天亮也很惋惜："其实，我帮苏行长摆平那事，实在出于万不得已。不管怎么说，十几亿的贷款，他是实际操作人。如果他不尽心，办起来就很困难，甚至还可能打水漂。所以，我才帮他……"

"这个我能体谅，我最痛恨的是老苏那个儿子。家里不缺钱，干吗要去杀人呢！"张会长接过郭天亮递过来的苹果，"还有老苏，那么聪明的人，脑子到了关键时候就失常了。反正儿子已经杀了人了，我还为那事作了批示，政法部门不管怎么样，都会看我的面子照顾他的，为什么还要给办案的人送钱呢?！这下倒好，别人一举报，儿子也没了，自己也身陷囹圄，糊涂啊！"

"张会长，我们不说过去的了。说说眼下的事。咱们促进会就在这里办公怎么样？"郭天亮转移了话题。

"太奢侈了吧？容易产生不好的影响。"前任市长尽管内心喜欢，但还是有些顾虑。

郭天亮给他打气："考虑那么多干什么呢！反正你也退休了，没有个正经地方，人家会说你台上干了几年，没有点影响，一下台就销声匿迹了。让那些说三道四的人看看，你张市长即使退下来，也不比在台上差。这样，你找他们办事，他们就不敢推诿。"

"看来，你想得不少啊。"张会长说这句话意味深长。

郭天亮嘿嘿一笑，露出细小的狼牙："我是替你着想嘛！"

"不说那些冠冕堂皇的事了，再说也没用。"张会长摆摆手，脸上突然露出来一股不易察觉的担忧，"市里出了大事，我担心……"

郭天亮一听就明白了，当机立断："那事跟我没有任何关系！"

"真的？你要知道，中央对省里处理这事不放心，专门派调查组过来了。"张会长一副严肃认真的态度，"你要沾染上，和上次就不一样了，说不定进去就永远出不来了。我可是知道，你的一个矿就在出事的那里，和人家是同一条矿脉！"

郭天亮语气十分坚决："请老领导放心，我和赵国忠都有一个矿在水峪沟，他们出事，把我们也吓个半死。后来一调查，我们都没事，虚惊一场。如果有麻烦，我就不敢买下这个大酒店，也不敢搞这么大的声势。"

"你是经历过大风大浪的人，应该明白树大招风的道理。既然招这么大的风，首先自己要有底气，要有防风抗风的能力。"张会长一颗心放下来，"不过，这件事尽管和你没关系，但也要积极介入。"

"介入？什么意思？"郭天亮不明白，"这种烂事躲都躲不过来，为什么还要介入？张会长，你要知道，那些在西山一带挖煤却没有靠山的人，听说水峪沟发生矿难，都到海南、澳门等地逍遥自在去了，生怕惹祸上身。我们就是因为有你，才没有出去。干吗要往旋涡里钻呢？"

张会长没有正面回答，反问："赵国忠是什么态度？"

郭天亮似乎做过了解："出事的时候，他在北京。担心有牵连，马上飞回来了。刚才还看见他的影子，可能下午就返回北京。你知道，那家伙成天在北京玩，山西的企业都交给手下人管理，不出大事不会露面的。"

张会长疑惑："他就没有介入的意思？"

郭天亮有些不耐烦："我不是说了吗？好事人人抢，坏事个个躲嘛。"

张会长深思熟虑了好长时间："这怎么能是坏事呢！年轻人目光短浅。"

"要是放远看，这事的最后结果，就是李立林等一帮大官被免职处理。"郭天亮明白，现在搞责任追究，出了这么大的矿难，肯定要处理一批人，否则没有办法交代。

张会长意味深长地笑起来："你能想到李市长被免职处理，难道就想不到你面临的好机会到了吗？"

"你是说李市长被免职以后，我能当市长，这可能吗?!"郭天亮"狼眼"睁得大大的。

张会长把杯子"咚"的一声放在桌上："说你糊涂吧，你还想对了一半；说你聪明吧，下一步就想歪了。你到底是聪明还是糊涂呢？"

郭天亮越发弄不明白老头说的是什么，但感觉出老头不是脑子出了岔，而是自己出了岔："张会长，我天性愚钝，你当面指点指点，不要再绕弯子了。"

老市长站起来，背着手，在屋里踱来踱去。郭天亮随着他的步伐看来看去，张会长最后终于说："我下台了，没有权了。"

郭天亮一下子泄了气："我当然知道！"

"你根本不知道！"张会长边踱步边摆手，"郭天亮，你能从一个穷小子奋斗到今天，是过去我这个当市长的在支持你。今后，你还想保持这个状态，光有我支持还不够，还需要现在的市长的支持！"

郭天亮立刻提醒："李立林马上就下台了！"

张会长回头反问："如果他不下呢？"

郭天亮陷入了迷惑："他不下台，矿难责任谁承担？"

"有人承担！出事的水峪沟矿，从管理权限上来讲，是省属矿务局的托管煤矿。省里应当承担完全责任，为什么偏偏要市里承担责任呢？"

郭天亮好像明白了什么："你是说……把责任往省里推，李市长就保住了！……可是，怎么推呢？历来都是上级往下级身上推责任，哪有下级往上级身上推责任的？况且，我一个煤老板，怎么能办成这种大事呢？"

"这你不用担心，我早就想好了办法。如果省里能承担责任，李市长不就解套了吗？他要解套了，最终知道是你帮他解脱的，你们之间，不就成了我们之间的这种关系了嘛！"张会长不愧是江湖老手。

郭天亮明白了一半还糊涂一半："是啊，好办法。李市长不爱财、不喜欢女人，最起码表面上是这样，我拿不下他。如果，我帮他解个死套，那就等于这个市长位子，是我帮他重新'要回来'的，这比送钱、送女人高明多了！可是，真要帮他解套，我还是不知道从什么地方介入。老领导，这里就咱们两人，你明说吧，说完我去办事。你到海南度假去，我一定安排好！"

"那我就直说了……"张会长老谋深算。

四

国家电视台记者老张，是一个闻名全国的优秀记者，也是一个极端偏执的人。只要他认定的事情，就一定要做到底。中途无论谁进行干涉，都无济于事。因为这个原因，老张赢得大家的尊重，也赢得了领导的认可和尊敬。但也因为这个原因，老张在电视台奋斗了好多年，至今仍然是个普通记者，仍然需要为了完成节目任务四处奔波。

和老张同期参加工作的同学和朋友，不少都奋斗到了中央各新闻单位部局级领导的岗位上，最差的也是电视台手握大权的主任或者制片人。他们只需发号施令，根本用不着干具体工作。而老张仍然继续奔波在采访第一线，只不过头上多了一圈新闻劳模的光环。

最让老张气愤的是，很多好片子，费尽周折、费尽心血终于做成了，还没有来得及送审，上面就下来通知毙掉了。每当这个时候，是老张最难受的时候，他恨不得把跑到电视台说情的家伙亲手毙掉。

老张这次到山西，原本不是来调查矿难的，而是来调查一个离奇的案件。

有人举报：一个设在公路上的煤焦检查站站长，充其量是个副科级干部，竟然利用手中的权力，挪用巨额煤焦收费款，到沿海投资了一家房地产公司。两年多下来，从中牟利达几千万。在谁看来，这都是一个惊天大案，那个仓廪硕鼠不杀不足以平民愤。

就是这么一个简单明了的案子，国家电视台知名记者老张就是调查不下去。

他去出事的煤焦站，大家借口不知情，调查工作遇到了难题；他去煤焦站的上级单位，人家跟老张要地方党委宣传部门的采访批准文件，否则拒绝接受采访，他碰了一个死钉子；他去办案部门了解情况，办案人员借口案件正在调查，还没有最后结论，不方便提供任何资料，老张再次被挡回来；万般无奈的情况下，老张想起了举报人，可对方担心打击报复，不愿意再和老张继续接触……

老张来山西半个多月，四五个涉案单位跑来跑去，采访不到任何有实际意义的东西。眼看这条很有价值的线索就断了，老张无可奈何。

在他万般绝望的时候，水峪沟煤矿一声惊天动地的爆炸，突然引起了他的关注。

当地新闻媒体报道：水峪沟煤矿发生矿难，死亡六人……

老百姓对这件事情议论纷纷。

特别让人不可思议的是，地方政府除了矿难那天简单通报了情况，就再没有下文……

老张心里明白，当地的报纸和电视台为了利益，向来彼此间争得你死我活，可在这个问题上，大家好像达成了共识，没有一家炒作这件事。火眼金睛的老张，意识到了背后隐藏着这样的"猫腻"：上面有人打过招呼，不让报道。报纸和电视台为了生存，变成了哑巴。

不久，民间的反应就印证了老张的猜想。越想捂住这件事，这件事就传播得越快、越离奇。身为国家电视台大牌记者的老张，开始掉转枪口，关注起了矿难的事。

尽管开始进展得并不顺利，但自从那夜去了烧尸工老刘家里，了解到真正死亡二十六人的确切数字后，老张对这件事的采访马上有了信心。

特别让他意想不到的是，昨夜回来，发现房间里有一张匿名举报信，尽管是匿名，可事实和线索非常清楚，真是雪中送炭。

信上反映了几个最关键的问题：水峪沟煤矿在上半年就发生过一起死亡三人的矿难，最终被瞒天过海。死亡人的名单都列在上面，他们都是附近后沟村的。如果这件事能被确定，就意味着那个煤矿安全管理存在重大漏洞。

水峪沟煤矿上次发生矿难后，因为死人不多，加上自己是利税大户，势力很大，根本不把安监部门放在眼里。安监人员上门检查被保安打出来，其中两人还被打成了重伤，住过医院。如果这件事情也能被确定，水峪沟煤矿不仅仅是管理上有问题，而且带有矿霸黑社会性质……

最让老张吃惊的是：举报信反映水峪沟煤矿主持日常工作的党委书记王向东，是假党员！一年前，他还是附近民营天亮煤矿的后勤人员，花钱买来了"乌纱帽"！如果这件事也能被确定，这矿难背后存在的问题就太可怕了……

想到这里，连见多识广的国家电视台记者老张都感到心惊肉跳！

落实举报信反映的几个问题，对老张来说并不难。尽管他从来没有去过水峪沟煤矿，从来没有接触过那里的人，但他有的是办法和渠道。

一早，老张就打车来到了安监局。局长在市里开会，老张找到办公室的人一打听，就找到了那两个被水峪沟煤矿打过的安监员。两人对煤矿上的恶劣行为早就恨之入骨，不等老张发问，他们就把当初发生的事情，说了个清清楚楚、明明白白，甚至撸起衣服、露出伤疤，让老张的摄像头拍了个够……

老张不是那种轻易相信别人的记者，他担心有人故意诬告水峪沟煤矿。于是，从安监局出来，第二站就到了医院。翻看了有关的住院记录，并且找到了当初的大夫。从大夫的讲述中，老张确认安监人员没有说谎。

这样一来，第一个重大问题就得到落实：发生矿难的水峪沟煤矿，曾经拒绝过安监部门监管。从法律角度来讲，这是极其恶劣的矿霸黑社会行为！

关于上半年水峪沟煤矿瞒报矿难的事，尽管被打的安监员和医院大夫都不同程度地讲过，可老张还是叮嘱自己要继续寻找证据。不为别的，有一种可能需要排除，那就是安监员和大夫之间如果存在某种默契，给自己造成的麻烦就太大了。

地方上经常设局，把电视台的记者套进去，最后记者报道出来的是假新闻！这样的事儿，屡见不鲜。要排除这种可能，办法还是有的：上山，寻找第三方的证据。

后沟村坐落在半山腰上，从沟口到村里，是崎岖不平的山路，需要走一个多小时。

走一个多小时山路，对一个城市人来说，不是一件轻松的事，对城市里经常坐机关的人来说，更是难上加难。国家电视台记者老张经常上山下矿，就是有这样的生活经历，这一个多小时，他走得还是满头大汗。

路上寂寞无聊的时候，老张无意间想起来，那些当了大官的同学，一个个肥头大耳、脑满肠肥，他们要走这段山路，说不定身体早垮了。

自己虽然不像他们飞黄腾达，可艰苦的生活，也会给人带来意想不到的收获。比如有个好身体——自己眼看五十岁了，爬起山来，不逊色于二十多岁的小伙子，这也算人生最大的收获吧。

后沟村村委会，坐落在新盖的关帝庙里。老张见到村长大黑的时候，大黑像一条疯狂的恶狗，大发牢骚："什么他妈狗屁政府！什么他妈狗屁官员！就知道自己捞钱，根本不管老百姓的死活！"

看来，面前的村长，并没有事先被别人"灌输"过什么东西，老张放下心来。

"你是大人物，大记者。我问你：为什么公家的大矿能开，老板的中矿也能开，而我们村里的小煤窑就不能开呢?! 煤炭，是我们村的地下宝贝，别人都能拿它挣钱，我们为什么只能眼巴巴受穷！"大黑的脸色，比院里的狗还难看。

这个问题老张回答不上来："你是当地人，你说为什么呢?"

"为什么? 政府卡的呗！"大黑心中的怒气积蓄了好长时间，"什么他妈破规定，十五万吨以下的煤矿都关闭。那他大煤矿倒是一百万吨，还不照样死人！我们的小煤窑还没有死过人呢。"

老张明白了，当地政府原来有规定，年产十五万吨以下的煤矿必须关闭，不过他十分费解："这沟里山高皇帝远，你偷着开，能把你怎么样?"

大黑一撸胳膊，上面青一块、紫一块："怎么样? 抓人打人呗！你看，我刚交了保费放出来。他们公安局、安监局就和狗一样，每天什么都不干，就是在山里转来转去，发现小煤窑就抓人，连我这村长都不放过。"

老张十分同情："咳，这政策是有些不合理。"

"当然不合理。我们沟里有五个煤矿，除了我们这个小煤窑，其他的他们狗日的一个也惹不起，就知道欺负我们这些没钱没权的山里人。"大黑叹了一口气，门外的黑狗慢慢钻进来，温顺地靠在他脚下。

老张蹲下来，仔细盯着黑狗，发现这动物很多地方与主人相似，外表凶悍可内心温顺："除了水峪沟煤矿、你们的小煤窑之外，还有三座煤矿是谁的?"

大黑："两座是汇海集团赵国忠的，一座是郭天亮的。"

老张吃惊："两座赵国忠的？"

大黑："别人不知道，我清楚。真正属于赵国忠的就一座，另外一座挂在他名下，其实是区委书记的相好、一个叫杨娟的女人的。"

老张："女人也参与煤矿经营？"

"挣钱还分男女？一座煤矿，只要不出事，一年最少几千万，抢钱也没有这么快。当然有本事的人都开煤矿。"大黑好不容易碰到一个可以倾诉的人，说起话来毫无遮拦。

老张抓住机会追问："他们的煤矿都符合标准？"

大黑蹲下来，用手拍拍狗："当然。达到十五万吨的开矿标准，光设备投入就需要五六千万，他们一个比一个有钱，投这点资不算什么！就苦了我们这些山里人了，因为投不起设备，祖宗给我们埋在地下的钱，都让别人挖走了。败兴啊！"

老张看着新修的关帝庙："你们没钱，还能修这么好的庙？"

"哪是我们修的！是煤老板郭天亮在这里开矿许过愿，去年还愿盖的。庙是新的，旁边住的都是盖不起新房的穷人，很多房子都裂了缝。"大黑指了指周边那些破烂的房子。

老张顺着大黑的话，继续问下去："村里人穷，是不是有的在矿上打工？"

大黑不假考虑就回答："是。这条沟里的矿，只要死人就有我们村的，这次二十六个人里面有九个我们村的。上次最惨，死了三个人，全是我们村的。"

老张乘机打开摄像机镜头："你能把上次水峪沟煤矿死人的事再说一遍吗？"

"行！我啥也不怕。"大黑挺起腰，"当官的每天欺负我，我也出口气。上次水峪沟死了我们村三个人，因为没有曝光，每人只给了十五万的赔偿；这次死了人，社会上都知道了，每人要给二十万，那早死的三人家属知道了，正找我出面讨个公道呢……"

拍完镜头，老张把沉重的摄像机放下来，随口说了一句："你不像村长，倒像个煤窑主，有什么道什么。"

大黑满脸苦笑："还是你这大记者眼神好。说实话，我以前就是村里的煤窑主，因为挣了点钱，才竞争上这个村长。原来指望利用村长的权力，把煤窑搞大，好挣点钱。谁知道才上来，人家就把煤窑关了，真不知道以后的日子怎么过！"

眼前的大黑，为人倒实在，运气太差，除了表示同情，老张一点忙都帮不上。

晚上回到宾馆，辛苦一天的老张，原打算休息，服务员却给他送来一个密封的大文件袋。

老张好奇地拆开一看，竟然是一套人事档案，是天亮集团的人事档案。上面完完整整记录着一个叫王向东的人，从招工进矿到去年辞职的全部人生轨迹。

老张明白，给他送档案的人，是想让他了解档案里没有的东西。老张从头到尾又看了一遍，发现档案里没有王向东的入党手续，说明档案的主人根本不是党员！这正是他需要证实的最后一个问题。

躺在床上，老张仰着头，看着天花板，心里在想：人事档案，一般人是拿不出来的，尤其是档案的主人，大概一辈子不知道里面记录着什么东西。

能拿出来的，无非是两种人：一种是小偷，另一种是有权支配档案的人。

小偷没有必要把这种绝密的东西偷出来，再偷偷地送给自己，因为这么做，小偷得不到任何利益。排除了这种可能，那就只剩下一种渠道：是有权支配档案的人，把它主动送上门来的。

上次送举报信的，和这次送档案的是不是同一个人？他真正的目的是什么？为了获取什么利益？几个复杂的问题，困扰了老张大半夜。

最后，前一个问题弄明白了，后两个问题，还是有些扑朔迷离。

第二天，老张根据昨夜自己弄明白的问题，单刀直入，约见了举报人：天亮集团董事长郭天亮，地点是龙天大酒店的咖啡馆。

国家电视台大牌记者老张，阅人无数。第一面见郭天亮，就从他若隐若现的狼眼中，捕捉到这是一个不同寻常的人物："我单枪匹马来到这个城市，悄无声息地找了个住处。郭董事长却能像大海捞针一样，把我捞出来。就从这一点来看，你和公安局的关系非同一般啊。"

郭天亮浅浅一笑，但那种笑容，很容易给人一种大灰狼式的"友善"："不瞒你说，我确实从公安找了内部关系，从住宿登记网上，把外来人员搜了一个遍，最后才找到你。我有一个疑问：你怎么能确定举报人是我呢？"

老张从事了大半辈子新闻调查，犀利的眼睛，不差于任何一个公安侦查员："我见过的举报人太多了，无论他们是什么身份，如实举报也好，匿名举报也好，十有八九都和被举报人有着解不开的矛盾，越想给我们提供详细的线索，越想把自己隐藏得很深，就越容易把自己暴露出来。不是吗？"

郭天亮"狼眼"一转："为什么举报人不是安监员或者村长大黑呢？他们可都和水峪沟矿有着深仇大恨。"

"他们有气不假，可他们拿不出来王向东的档案。况且，我经过调查，他们虽然是煤矿的仇家，但他们都是普通人，没有那么深的心计，更不善于谋篇布局。"老张彻底揭穿了郭天亮的本来面目。

"既然你找到我，我也想弄个明白，我举报他们是为了什么呢？按你的说法，但凡举报者，都和被举报人有仇，我和水峪沟矿有什么仇呢？"狼眼"明知故问，只有一个目的，就是为了探出对方到底了解哪些底细。

国家电视台的大牌记者老张，一边说一边观察对方的表情："你本质上是个私营煤老板。要从经济方面来说，我怀疑你这么做，是为了'蛇吞大象'！当然政治上的其他目的也不排除，只是我现在没有找到。"

"狼眼"没有惊诧，反而露出一丝惊喜："你倒是给我提供了一个好理由、好思路。我还没想那么远呢。"

老张反问："没想那么远？不是实话吧。出事的虽然是联营矿，可真正出面管理的却是国有大矿。多少国有大矿，都是你们私人老板采取不正当手段搞垮搞臭，最后搞得大幅贬值，最后盘到了自己手里。这样侵吞国有资产的例子还少吗？！"

"狼眼"的笑容依旧那么难以捉摸："你这是抬举我吧。"

"不是我抬高你，而是你在利用新闻媒体，搞臭搞垮国有企业。"老张难以掩饰自己的愤怒，尽管面前的这个人，曾经给自己提供过线索。

看到老张生气，"狼眼"也露出一丝狼的气息："我利用你？你没有利用我？如果不是我给你提供线索，你能采访到那么好的内容？没有好的内容，电视台能有好的收视率？你能成为名扬天下的大记者？别说'利用'这个词好不好，如果说利用，咱们是互相利用！"

"狼眼"这么一番话，反倒把大牌记者老张说得哑口无言。

"再说了，国有大矿有什么好？给地方上是交了一些税，可最大的受益者，不是地方，而是上边，这个道理你比我更清楚。现在的企业，只要沾上'国'字，哪个不是把国家当成提款机？哪个把责任当回事？我们民营煤矿没有出过的大事，他们都出了，而且不止一次，这样不管老百姓死活的企业，难道不应该改制吗？！"表面温顺的"狼眼"，一旦露出狼的本性来，就有一股难以阻挡的气势，这股气势是建立在财力和实力的基础上的。

"好，好，好！"身后突然出来一个人，老张根本没有想到，这么隐蔽的地方，原来有人隐藏在后面，如果没有"狼眼"这番义正词严的宏论，幕后那个人可能就永远隐蔽下去了，"郭董事长讲得有道理，我赞成。自我介绍一下，我是煤炭文化促进会的张国军会长，是这个城市的前任市长。"

意外出现的场面，让老张和郭天亮都吃惊不小，尤其是后者："张会长，你怎么亲自出马了？不是说……"

"不用说！"张会长马上拦住郭天亮，非常和蔼地把手伸过来，老张只好被动地起身，和对方简单握了一下，"张记者，你虽然是名记者，可思想观念太保守了，不符合中央的精神要求啊。现在的民营企业，无论缴税率、就业率，还是对社会的贡献率，早就超过了国有企业，大力扶持民营企业发展，这是基本国策啊。我们不能把资源都交给不负责的国有企业，而排斥民营企业吧?!"

这种话，从一个当过市长的人嘴里说出来，让大牌记者老张非常尴尬，他愣在那里一时无以应对。

"张会长，这种场合，你不应该……""狼眼"还是有顾虑。

张国军主动坐下："我站出来，说几句公道话，没有什么合适不合适的。张记者，矿难的事，背后隐藏着极大的政治腐败。你们国家电视台，关注的应该是大事，而不应该计较我这个退休干部说几句闲话吧?"

"那你觉得我应该继续查下去? 能查下去吗?"老张很快从尴尬中解脱出来。

张会长哈哈大笑："你们电视台以为政府会为了自己的脸面，会包庇腐败。事实上大错特错了。我做了这么多年公务员，别人不了解，省委、省政府我还是了解的，主要领导对腐败分子，态度向来十分明确，发现一个查处一个，发现一批查处一批，绝对不姑息迁就。如果不信，你可以直接面见省长，我现在就把他的电话告诉你!"

这样的会面，这样的结局，这样的表达方式，不仅老张、郭天亮没有想到，就连说这番话的前任市长张国军自己都出乎意料。

临场发挥，即使发挥得再出色，总是有限度的，总会有意想不到的负面作用。郭天亮赶紧收口："时间不早了，张记者这么辛苦搞调查，我们应该好好招待招待。"

身陷迷局中的老张马上摆手："不用，不用。"

"你太客气了，都进了我的大酒店了，还在乎吃顿饭。""狼眼"迅速打电话安排包间。

张国军立刻明白了用意："对啊，到了吃饭时间了，咱们一边吃一边聊。老张，听说你单身一人去过火葬场，佩服、佩服。你这个孤胆英雄，不至于不敢赴我这顿'鸿门宴'吧。"

"那是什么话。"老张明白，今天这顿饭看来是躲不过去了，"走吧，就照市长说的，一边说一边谈。"

"吃饭嘛，总要有个吃饭的气氛，不要老把烦人的工作挂在嘴上。"郭天亮在前边带路，两人跟在后面。

张国军是何等聪明的人，即使郭天亮不提醒，他也不会再谈正经话题了，他拍拍老张的肩膀："老张，你不要忘了。我们这个城市，最大的资源，不是煤炭，而是文化。我们是历史文化名城，历史上出过好多了不起的大人物，吃饭的时候，我给你详细介绍介绍，有机会亲自带你去看看名人故里。反正，我也退休了，有的是时间。"

老张听了这话，泄了一大半气，即使中午这饭再丰盛、再高档，他也觉得索然无味了。

五

杨娟从三十五岁以后，几乎每年做一次美容手术，其中两次在韩国，三次在欧洲。如今年过四十的杨娟，皮肤像十八岁的少女水润鲜嫩，身材像二十岁的少女性感初露，声音也像少女一样甜美。

就是这样一个看起来不谙世事的女人，控制着一个年收入近亿元的大公司，特别是这个大公司背靠着实力非凡的汇海集团，名义上是汇海的子公司，实际上完全独立核算，一旦有风吹草动，都由汇海集团出面摆平，而每年入账的真金白银，最终都由杨娟支配。

杨娟有两个身份，一个是汇海集团的副总，这个印在对外交往的名片上；私下里她却是飞扬公司的法人代表，这个飞扬公司主业就是煤矿，当然还有地产、广告、咨询服务等其他副业。

杨娟能开得起大煤矿，最早还是从咨询服务、广告和地产起的家。她做咨询服务，完全是个幌子，过去，只要区政府的大型建设工程，都是她用咨询服务的名义帮助建筑商揽到手，最后和人家四六分成，干活的人拿六，她拿四；广告买卖更简单，全区范围内的移动、电信、商场、企业等广告投入大户，都是杨娟的铁杆客户；至于房地产，那更是一块遮羞布，只要杨娟看上的地，没有她拿不到手的，随后转手一卖，就是一笔不菲的收入……

杨娟能够揽到全区最好的买卖，背后的原因大家心照不宣：她是区委书记张巨海的相好。

杨娟最后转行做煤矿，是张巨海的主意。

张巨海能够说服杨娟转行，只有一个最简单的理由：开煤矿比任何买卖都轻松，都赚钱。只要雇个好矿长，不管你在哪里吃喝玩乐，不需要操心，每天日进斗金，一年下来几千万轻松入账。

事实验证了张巨海的说法，当年下来，杨娟数钱数得手都磨出茧子了。

张巨海说服杨娟放弃咨询服务、广告和地产，主做煤炭，其实有不得已的苦衷。

过去几年，杨娟为了揽买卖，扭着性感的屁股，从政府这个局晃到那个局，从这个企业晃到那个企业，从这块地开发到那块地，买卖都做成了，同时也把他这个区委书记的名声败坏了。

上级纪检部门来查过几次，尽管他每次都侥幸过关，但毕竟心理有了负担。对他影响最大的还不止这些，最重要的是影响了他的前程。在五六年以前，张巨海就是市里确定的副市级干部候选人，这么多年过去了，市里班子调整了好几次，每次机会都和他擦肩而过，其中的原因，不言而喻。

眼看将近五十了，如果这几年再上不去，最后就只有两种选择：一种是就地滑坡，退到人大政协，这还是好的。怕就怕出现第二种结局：出事。那就一切都完了。

这些年，杨娟挣钱都挣疯了，让一个疯子突然金盆洗手，是绝对不可能的事情。解决问题的办法，让张巨海冥思苦想了半年，最后还是从汇海集团赵国忠身上找到了答案：赵国忠每天在北京吃喝玩乐，几乎从来不在当地露面，可他挣的钱却是别人的好几倍，秘密只有一个：山里的煤矿每天像吐金子一样给他吐钱……

当张巨海把赵国忠的例子给杨娟一讲，虽然面容娇嫩，但商业头脑像一个精猾老妇一样的杨娟，立刻心领神会，就这样，白嫩的杨娟做起了黑煤买卖。

从此，杨娟用手中的钱盘下来一个矿，隐蔽在汇海集团名下，她雇了一个退休矿长日常招呼，自己跑到北京，过起了名媛生活。她的出走，自然离开了人们的视线，那些缠绕在区委书记张巨海身上的各种各样的说法戛然而止。

张巨海呢，也借这个机会洗心革面，努力工作，近来晋升副市级领导干部的呼声又慢慢高涨起来。只不过，每个周六或者节假日，他立刻飞到北京，与杨娟团聚。他们的生活，特别是杨娟的挣钱生活，没有发生任何实质的变化，甚至比以前变本加厉，而这些秘密，只有极少的几个人知道。

杨娟在北京买的别墅特别隐蔽，一看就知道，是张巨海出的主意。那套别墅，不在市中心，而在五环以外，别墅里的主人，没有大家熟悉的歌星影星，也没有招人注意的企业家。其中绝大多数是在北京生活的外国人，除了张巨海、杨娟等为数很少的业主和服务生说中文以外，大多数人的交流语言是英语，置身这里，给人的第一感觉，不像在中国的土地上，反而像在英美的某一个小镇。

别墅有宽大的客厅，晚上，杨娟坐在沙发上看电视，而张巨海在旁边的大桌上铺开宣纸练书法。

"我每天在京和老外打交道，以前只是跳跳舞，喝喝茶，最近做起了生意。"杨娟躺在沙发上一边说一边看电视。

张巨海不经意地问："做什么生意？"

"能做什么，老外一听我是山西人，就想和我做煤炭投资。"杨娟有些得意。

张巨海一听投资买卖就笑了："做投资的十有八九都是骗子，我一年能接待上百个投资考察团，每个都是好吃好喝好招待，还要送不少礼品，许多人当场承诺大笔资金马上进入，结果呢，前脚一走，后脚电话都变了，根本找不到踪影。"

杨娟不以为然："山西环境污染那么严重，投资环境更是差得不得了，即使有人想去，也过不了董事会。你要知道，北京的公司还有外国人的公司，特别正规，大事集体说了算，不像山西煤老板，一个人就能把天翻过来。"

张巨海有些好笑："你才来了几天，就忘了本了，从里到外，向着北京人说话。你不知道，北京那些公司为了骗山西煤老板的钱，打着投资的幌子，今天要考察费，明天要设计费，后天要规划费，只要骗到一项费用，立刻就消失了，山西的煤老板上了多少当。"

杨娟发现张巨海今天存心和她过不去，索性不接话茬，自己一个人看电视。张巨海一心练字，没有在意。

过了好长时间，练书法的张巨海停下笔来："赵国忠最近忙什么？"

杨娟没好气地说："练书法。"

张巨海明白自己的小女人正在使性子，故意讨好地说："刚才是我说错了，你别在意。"

"我当然没说错，你问我赵国忠干什么，他就是在练字，而且练大了。在北京一个五星级商务宾馆买了一层，专门成立了一个'万年青书画研究院'，整天从早到晚忽悠一帮老头子练字画画。"杨娟把头扭过来。

张巨海有些莫名其妙："那帮老头是干什么的？"

杨娟回答："听说是退下来的一些部级干部。"

"怪不得他小子那么投入呢，原来是利用老头们的业余爱好，发展自己的人脉关系。我说呢，赵国忠一个吝啬的家伙，会花那么多钱干那些无聊的事情。"张巨海明白了赵国忠的良苦用心。

这个道理杨娟早明白，可是她认为不值："老头们都退下来了，手中没权了，有什么用啊？"

"这你就不明白了。老头虽然不掌权了，可他们的儿子成了太子党，秘书们成了秘书帮，太子党和秘书帮不是政坛上的红人吗?!"张巨海心想自己将来退了，也可以到那个书画院混混。

"你们男人就是比女人会钻营。"杨娟十分感慨。

张巨海故意取笑："那你也开个书画院，我来当院长。"

杨娟没好气地说："人家开书画院是为了办事挣钱，咱们要开书画院，瞧你练字那个专注样子，哪有心思做买卖，说不定全赔进去了。"

张巨海收拾好书画用具："我一直寻思咱们也可以在北京搞个文化产业，别以为文化产业是穷买卖，其实玩这行的人都是了不起的大人物，里面人脉关系深着呢。"

一听挣钱，杨娟来了劲："你说什么文化产业？"

"古玩文化公司！"看来张巨海早就考虑成熟了，"搞古玩的，不是大官就是大款，咱们山西古玩多的是，利用这个买卖，咱们也能聚拢一批大人物。"

杨娟是那种稍稍点拨就能发光的人物："好。他赵国忠能利用书画找老干部办事，咱们可以利用古玩，拢住有钱有势的人。对了，你们市委书记段天生不就好这一口嘛！咱们要收了好东西，送他一批，把你头疼的问题就解决了。"

张巨海脸上露出了坏笑："还是我的红颜知己最了解我，咱们上去……"

"去！去！去！上什么！"杨娟看见"公狗"发情，故意吊他的胃口，"先去冲个澡，把那身烟气、墨汁气洗掉再说。"

晚上，灯光昏暗，一对赤身男女还在闲聊。

"我说，你这次升官的机会真来了。"杨娟望着天花板。

"真的吗？"张巨海明知故问。

杨娟虽然不懂政治，但一眼就能看到机会："这次水峪沟煤矿爆炸，李市长肯定干不成了，段天生一心想提拔那个常务副市长当市长，如果常务扶了正，不就空出来一个副市长的职位了吗？"

"你说得是没错，还存在变数。"张巨海说出了内心的担忧，"主要在市委书记老段身上，老段那个家伙有个毛病，自己是本地干部出身，却不喜欢用本地干部。"

"这道理，我明白。本地人盘根错节，知根知底。老段觉得收了钱，不安全；不收钱，心不甘。"杨娟能猜出来段天生的苦衷。

"煤城只要空出位置来，他就从外面调人。调来的不是他的哥们儿，就是他的死党，反正不用本地干部。本地人虽然表面不说，内心却没有一个不恨他的。这次眼看就能空出来好位子，那家伙故伎重演怎么办？"

杨娟笑了："这好办，我来摆平他！上次咱们吃饭，老段就不怀好意，老拿眼睛扎我，一看就是个风流好色的家伙。"

张巨海急了："你他妈给老子戴绿帽子！"

杨娟赶紧解释："我不是那个意思。听我说，最近，我结交了一个回国发展的影视明星谭小明，美国洛杉矶大学艺术学院毕业。气质身段那是没的说，不用说男人，连我们女人一看都吃醋。"

张巨海担心："人家男人知道怎么办？"

杨娟笑了："你们真是老土，现在的国色天香，哪有专属一个男人的！即使男人想独霸，天香也不干。每天换个男人，每次挣个几十万，一年下来就上千万，这就是国色天香的身价！谭小明就是这样的女人，不是亿万富翁，不是有钱有势的省部级干部，她根本看不上。"

张巨海泄了气："不就一个高级妓女吗？老段未必看得上。我听说那家伙现在就有两个相好，一个是唱戏的，另外一个当过电视台主持人，人才都不差。"

杨娟："我说你土吧，你还不信。那两个戏子怎么能和谭小明比？谭小明是什么人物，一个电话就能把大首长的秘书老韩请出来吃饭，那些戏子能行吗？"

"真的？"张巨海在黑夜里看见了光明，"真的能请出来首长秘书？"

"如果不信，明天给我一百万，马上让你开开眼。"杨娟故意逗他，"怎么样？你试试？"

张巨海赶紧掩饰："我哪能做那种傻事！在我心里，只有你是风华绝代。"

"少拍马屁，男人没有一个好东西，难道我看不出来？"杨娟掐了他一把，"你说谭小明那样的'金鱼'，老段会上钩吗？"

"上！上！上！一定会上。"张巨海不假思索地回答。

杨娟取笑："怎么这么肯定呢？你又不是老段，看看，狐狸尾巴露出来了吧。"

张巨海急了："我说正经事呢，别老拿我开涮好不好。你说谭小明国色天香，老段见了肯定动心，可未必敢动作；如果能把首长秘书叫出来，老段百分之百上手。这么多年，他苦心经营结交上层关系，大多数都是骗子。只有国色天香的人，才能满足老段既想升官又想享乐的心理。"

杨娟伪装了一下："可那一百万进门费谁掏啊？"

"当然是我掏啦！这钱我有准备。只是事儿最好不要让别人知道。"张巨海斩钉截铁地说。

杨娟几乎跳起来："你他妈不是说只要挣钱就给老娘，不存私房钱吗？哪来的一百万？给我老实交代！"

在早晨的别墅区散步，很容易让人回忆起清纯的少年时光：天是湛蓝湛蓝的，水是碧绿碧绿的，霞光是通红通红的，空气是幽香幽香的，梦想是遥远遥远的……

置身于这样的环境，张巨海仿佛回到了自己那段山里的少年时光。那时充满了幻想，根本无暇体味美妙的自然风光。现在老了，故乡那些优美的自然风光，也随着他年龄的增长，被污染得面目全非，眼下只好到异乡来寻找童年的感觉了。

不远处有一个池塘，偶尔传来几声蛙鸣。更让人心旷神怡的是，身边有一个像早晨阳光一样灿烂的贴心美人，张巨海心满意足地在草丛里散步。

"我昨天说的那笔国外投资，你不相信吗？"杨娟打破了张巨海的梦境。

"怎么能让我相信呢？"张巨海反问。

杨娟转过身来:"要不让他先到山西开个临时账户,把前期三亿资金打过去,怎么样?"

"你这么有把握?"张巨海感觉到杨娟自从来到北京变化不小。

"当然。"杨娟表情非常认真,"我和那家美国公司接触好多次了,他们就是到中国来搞能源投资的,煤炭不就是能源嘛。"

张巨海对资金有了底,可对项目没有底:"你准备投哪个煤矿呢?"

杨娟成竹在胸:"出了事的那个水峪沟煤矿啊。那个挂羊头卖狗肉的大矿,过去顶着公家的名分,私人股东和公家贪官共同分赃,你想想,死了那么多人,原来的安全许可证、生产经营许可证绝对要吊销,产权单位要想重开,比登天都难。最好的办法,就是利用矿难逼他转让,外国人资金雄厚,吃下那个大矿不成问题。"

北京,真是个藏龙卧虎的地方,连杨娟这种目光短浅的小女人,都被熏陶成了雄才大略的人物。

"我们的利益在哪里?"张巨海探问。

"外国人要求保证每年不低于百分之二十五的固定回报,只派财务监督,不派业务人员。这样的条件,在别的行业看来,利益无法满足,可在煤炭行业就是小菜一碟了,眼下煤价这么高,几乎是翻倍的利润,我觉得非常划算。"杨娟故意搂紧了他。

张巨海微微一笑:"其实,漂亮女人我见多了。可像你这样精明的漂亮女人,真是百里挑一。"

"像你这样的官员遍地都是,而我呢,正如你说的百里挑一,那我的身价就比你高多了,所以嘛,你就应该听我的。"杨娟的精明,多少让人担心。

张巨海犹豫:"你说,那个买卖,会不会有竞争对手?"

"当然有,既然是肥肉,灰狼肯定要抢,白熊也不会放过,其他看不见的对手肯定还有。"杨娟对这个事情的思考,已经到了细致入微的地步。细节往往决定成败。

张巨海反应过来:"你是说郭天亮和赵国忠都想争?"

"难道你没有这种预感?水峪沟矿年产五十万吨,前后投了八九个亿,如果不发生矿难,有贱卖的机会吗?郭天亮拿到这个,就能保持煤炭业头把交椅,如果变成赵国忠,他就成了首富了。"杨娟眼睛小,可看问题并不浅。

张巨海意识到问题的严重性了:"办这件事,我这个区委书记官太小,说了不算,最终还要市委书记段天生说了算。"

"不用你说我也知道。"清晨的第一缕阳光,洋洋洒洒地落在美人的脸上,美人说话也泛着光,"能否拿到这个项目,核心环节在老段身上。"

"要与灰狼、白熊竞争，别看我是区委书记，背后有你拿钱撑腰，我们不仅没有优势，反而有很大的劣势。你想想，老段不会白办这事，涉及到利益的时候，他会觉得企业家的钱要比政府官员的钱安全得多。"将心比心，张巨海马上摸准了段天生的脉搏。

"我们不是有核武器吗？"杨娟大笑。

"什么核武器？"

"谭小明啊！"

"那不是用来帮我跑官的吗？怎么能轻易用呢？"

"你这个傻货！谭小明之所以是核武器，一定会让段天生用了一次，第二天就想再用一次。核武器难道不能反复使用吗？不信，咱俩打个赌，如果我输了，包括你买官的一百万在内，两百万我全出，如果你输了呢……"杨娟在阳光里笑得看不清面目。

张巨海半真半假地痛骂："你这个女人骚到极点了！怪不得历史上美女亡国呢，都是因为国王瞎了眼。"

六

在煤城，市委和市政府是合署办公的，这是一栋二十层的高楼，十层以下是市委。其中包括市委办公厅、纪检委、宣传部、统战部等等。

市委书记、副书记和常委们的办公室都在第九层，特别是市委书记的办公室，在第九层的第五个房间，一般人以为是随便排序，其实不然，在这个历史文化很浓厚的城市，"九"和"五"暗含着"九五之尊"的意思，也就是在那个房间办公的人，是这个城市的"土皇帝"。

大楼十层以上，都是政府部门。包括政府办公厅、政研室、教育局、财政局、建设局等等。市长办公室，位于十八层十八号，两个十八加起来是"要发要发"的谐音，政府嘛，以经济建设为中心，当然盼望"要发要发"了。

从这栋大楼两个一把手的房间排序上，就隐藏着深刻的文化内涵。

市长李立林是个有洁癖的人，最见不得脏、乱、差。其实在他上任之前，每一个市民，特别是公务员，谁都明白自己生活在一个煤炭城市，天黑、路黑、办公楼灰尘满面，大家见怪不怪，甚至市府广场的花池里积满了煤灰，也没有人处理。

自从李立林上任，这个城市的市容环境一下子发生了翻天覆地的变化，其中的原因只有一个，李市长下了条死命令：今后看到哪里有煤灰、有烟头、有粉尘……这个地方的行政一把手必须引咎辞职。

开始，大家以为他说说而已，赚个噱头，谁也没有当回事。特别是市委办公部门，他们向来认为，市委是城市的领导机关，高高凌驾在政府之上，清洁卫生那是政府行为，跟自己没有关系，就在全市上下搞卫生的时候，他们依旧按兵不动。

结果，李市长找上门来，当着市委书记段天生的面，把市委第一行政责任人市委常委、秘书长训了个狗血喷头，从此，不可一世的市委部门乖乖执行起了市政府的决定。连市委办公部门都能变样，那其他部门更怕追究责任。

短短的两个月之内，整个城市由一个灰头土脸的老头，变成了一个花枝招展的姑娘。

老百姓评价：新来的市长是个人物！

这一天早上，李立林市长上班，途经市委部门，猛然发现办公楼面又积上了尘土，电梯间里又有人胡写乱画，特别是办公室的玻璃上重新变得灰雾蒙蒙……

看到这些脏、乱、差的情形，李立林什么都明白了：因为发生矿难，有关他下台的消息越传越广，也越来越近，机关的公务员自然把他的禁令不当回事了。

按照惯例，今天是政府常务会。过去每到这个时候，所有副市长、主要职能局的一把手早早等候在会议室，里面向来挤得满满当当，没有一个人敢抽烟，静悄悄迎候他的到来。

可今天情况大为不同，会议室人员稀稀拉拉，大家交头接耳，甚至还有人抽烟，许多重要部门的一把手都没有露面，只是派了副手来应付差事。更让他接受不了的是，作为政府主要领导的九位副市长，只到了三个，其中还包括他自己，其他两位一位是常务副市长牛健，另一位是民主党派的副市长……

看到这样的场面，生性刚烈的李立林本来打算大光其火、发泄一通。可是，他突然从许多下层公务员同情的眼神里，发现了大家的善良，发现了大家的留恋。

他马上明白了一个最浅显的道理：凡是在这个时候仍然到场的人，很多都是平日里最忠心的支持者，那些看风使舵的人一个没来。冲着善良的人发火，只能让那些没有出席、看风使舵的家伙嘲笑，他终于在即将出事的最后一刻，踩住了刹车，克制住了自己狂躁的情绪。

实践证明，李立林出奇的平静，赢得了大家的尊重。同时，也使在场的一个人大失所望，这个人就是本来想看精彩表演的常务副市长牛健。

下午，市长李立林坐着越野车来到了后沟村，没有带记者，也没有带大批的随从，只有少数几个相关人员跟在身后。

如果是往常，市长下乡，区里的书记、区长、副书记、副区长以及各个职能局的一把手都要尾随而来，浩浩荡荡，车水马龙。

可今天，众所周知的原因，那些有头有脸的陪客一个没来，区里的领导只有分管副区长王文献躲不过去，被迫跟来。一路上，王文献死气沉沉，像刚刚服过丧一样。

村长大黑接到通知，早早安排村里的相关人员，在关帝庙等候着市区领导。

"我是来给大家道歉的，这次死难人员中有九个是咱们村的。煤矿安全生产没有搞好，我负有不可推卸的责任，我给大家赔罪！"一进大门，市长李立林给大家鞠了个躬。

大黑和十几个村民都是第一次见到市长，而且亲眼看到这个大人物给自己鞠躬，一下子有些慌乱，把早就准备好的话抛到了脑后。

那些死难者的家属都在不停地抹眼泪。

一个老太太最先开了口："唉，人都死了，主要是处理好后事吧，不要让活着的人寒心。我们这里是革命老区，抗战的时候，因为打日本经常死人，现在因为开煤矿经常死人。"

大黑一听急了："张大娘，你说什么呢?! 抗战死人和现在死人不是一回事。"

张大娘火了："你一个小屁娃娃懂什么，我抗战的时候，你还不知道在哪里呢。别以为自己开过几天小煤矿、当了几天村长就了不起。"

"我不是这个意思。"大黑显然惹不起老太太，"张大娘，今天市长来，主要是处理煤矿死人的事，和过去抗战死人没有关系。"

"谁说没有关系？谁要说没有关系，我到中央告他去。"老太太敲了敲拐棍。

副区长王文献实在看不下去了，突然起身，挡在两人中间，严厉训斥："别闹了！市长是来现场办公的，不是来听你们讲那些破事的。"

老太太、大黑一看领导发了火，立刻消停下来。

"对不起父老乡亲们，当年干革命，你们就死了好多人，解放这么多年了，还要为了吃饱饭下矿死人，我这个市长真是罪人啊！"李立林不自觉地落下泪来。

领导落泪，感动了在场的好多人。

"反正人也死了，不说过去了。落实政策吧，赶紧把二十万的赔偿金到位，死了男人的老婆孩子等着吃饭呢。"还是老太太打破了短暂的沉默，"还有，上次死的三个人，不能只给十五万，应当一视同仁，也给人家补偿二十万。"

市长惊诧："怎么？上次还死过人？哪个煤矿？"

老太太也十分惊诧："你们不知道？就是这个联营的水峪沟矿。"

"他妈的王八蛋！我要好好收拾那帮家伙。"市长李立林破口大骂。

大黑感觉机会成熟了，突然站出来："市长，我们还有一个要求。"

　　李立林内心觉得亏欠村里人太多了："只要我能办到的，一定补偿你们，说吧。"

　　大黑早就考虑好了："我们村里的小煤窑，是我们村里的命根子，不能断了呀。希望政府网开一面，让小煤窑开了吧。"

　　"这不行，这不行！违反政策的事不能干，其他的什么都好说。"李立林一口回绝，因为这是政策底线，不能跨越。

　　老太太再次急了："我们村子底下的煤，为什么别人用它挣钱，我们只能干瞪眼？"

　　副区长王文献赶紧解围："不够十五万吨生产规模必须关闭，这是省政府的铁规。谁开口子谁下台，希望大家不要为难市长。"

　　"原来是为了保官呀。"一个村民不满。

　　"光知道保官，不管我们死活，什么东西！"另一个村民破口大骂。

　　"我们村的煤窑必须开，不让开，我们就到北京上访去！"站在后面的村民叫喊起来。

　　场面乱了起来，市长李立林马上明白，这是一场有组织的闹事，他火了："大黑，用死人要挟政府，你觉得合适吗？"

　　"大家静静，不要闹！"村长大黑赶紧摆手，赶紧控制局面，"市长，不是我闹事，而是压不住村里人的火气。因为地下采煤，我们村成了采空区，村民住的是危房，就连新盖的关帝庙都裂了缝，如果没有大的收入，就搞不起搬迁，更盖不起新房，说不定地上的人也要被砸死，我担不起这个责任。"

　　李立林看到大家义愤填膺，只好说出了实话："不是我不解决，而是没有权力解决，煤矿开采审批权不在市里，而在省里；不过，我一定把你们的意见向上反映。"

　　"你说话算数？"老太太不依不饶。

　　"那当然！"李立林就差拍胸脯了，"我好歹是个市长嘛。"

　　老太太叹了口气："哎，大兄弟，我说话不好听，你别往心里去。电视里经常演的那些东西，我们村里人都明白，别以为我们没文化，不懂道理。我说，你这个市长干不了几天了，能给我们说句话，村里人就谢谢你了。"

　　这些话，从一个农村老太太嘴里冒出来，李立林十分尴尬。王文献不知所措，所有市长的随从们都觉得脸上无光。

　　最后，还是村长大黑破解了官员们的难题："张大娘快走，快走。回家去。瞎说什么呢？！"

　　"我没瞎说，哪次发生矿难不处理干部？！别以为光是矿工倒霉。"张大娘为自己狡辩。

"我求你了行不行，老人家，少说几句吧。"大黑硬生生把老太太拖走了……

回城的路上，李立林一直沉默不语，大家一个个垂头丧气。

快下车的时候，副区长王文献说了一句："李市长，想开一些。你工作没有失误，就是运气差了点，刚来了不到半年，唉！"

李立林努力振作起来，甚至还开玩笑："没事的。要说有事，都是你小子给我惹的祸，不管怎么说，那个煤矿在你的地盘上。"

"我……我……我够倒霉的了。"王文献借机说出了最想说的话，"那个煤矿，像个叫驴，根本不服管。你下台，我也好不到哪去。"

"如果有机会重新选择人生，你最想干什么？"李市长无意问。

"当然是开煤矿，冒点风险赚笔大钱，比什么都值。"王文献毫无顾忌，"绝对不当这个分管煤矿的副区长。听起来舒服，实际上冒着天大的风险，最后什么都捞不着。"

"怪不得很多干部甚至高级干部，一下台就往煤矿里钻呢。"市长李立林自言自语。

回到市政府第一件事情，李立林就把分管公安的常务副市长牛健叫到自己办公室。

"老牛，水峪沟煤矿上次就死了三个人，故意隐瞒矿难，涉嫌犯罪。让公安局把责任人抓回来，你去安排一下。"李立林吩咐。

老牛马上回绝："不能这么干！"

"为什么？犯罪分子不应该受到惩处吗？"李立林有些不快。

老牛说话很慢："公安抓人，那是要走程序的，不能想抓就抓。"

市长李立林发现自己的副手口气不对："让你出面，不就是为了加快程序嘛！"

老牛牛气上来："那就更不能这么做了，一个领导干部，不能因为个人的好恶，随便动用司法工具。"

"不要跟我拐弯抹角，你的真实意思是什么？"市长李立林终于掩饰不住自己的火气。

老牛慢条斯理："我没有什么个人企图，就想提醒你，中央一再强调：不能动用司法工具解决社会矛盾，这样会出大乱子的。"

"强词夺理！掩盖矿难，那叫社会矛盾？"李立林反问。

老牛不管对方怎么发火，自己仍旧保持一副轻松理智的神态："是不是隐瞒矿难，需要有个调查的过程。煤矿一般和地方特别是村里都有利益矛盾，作为一级政府不能感情用事，偏袒其中的一方。"

"照你这么分析，我成了村里的利益代言人？"市长大光其火。

常务副市长又扔回来一个软钉子："老李，论职务，你是我的上级，我应该完全服从你；可论年龄，我比你虚长几岁，听我一句，新的问题刚刚开始调查，不要再揭旧疮疤，对你不好，对市委、市政府更没有好处。"

市长李立林瞪起了眼睛："我是一把手，出了问题我承担责任。"

老牛看来早就做好了对付他的准备，继续软磨硬泡："老李，我这么苦口婆心，你怎么就不明白。"

"明白什么？"官场上最忌讳上下级翻脸，李立林豁出去了。

老牛看看窗外的阳光，声音提起来："执意这么办，大家不会认为你秉公办事，反而是打击报复。"

李立林脸色越来越难看："好啊，给我扣这么大的帽子，我怎么打击报复了？"

老牛转过身，正对着他："你想想，从上到下，大家都能意识到，水峪沟煤矿出事影响了你的政治前程。在没有结论之前，你这么做，谁会以为你秉公办事？谁都会联想到，你在利用权力，提前痛下毒手，报复人家！"

"小人！小人！小人……"李立林气得连声痛骂。

"对了，咱们工作一场，我就是不想让你当小人！"老牛仍然一副正人君子的样子。

市长李立林彻底控制不住自己的情绪，犯了官场上的大忌——"啪"地拍了桌子："牛健，你他妈小人一个！"

"老李，别冲动好不好？咱们就事论事，这次矿难，肯定要处理人。如果再揭露一起矿难，还要牵扯上别的人，到段书记那里说说，咱们谁是小人？！"老牛终于把段书记这张王牌亮出来，"为了市委、市政府，也为了段书记，你就认命吧！"

说完，常务副市长牛健不顾市长李立林的感受，转身就走，突然推门，把门外侧耳偷听的几个家伙一下子掀翻在地。

李立林气愤至极，牛健坦然无事，那几个倒地的家伙羞愧万分。

一个人临死前的感受，一个人临死前的无奈，一个人临死前的悲愤，一个人临死前的仇恨……无论身死，还是心死，都让人无法解脱。

甚至，心死比身死的感觉更难受。李立林，贵为这个城市的大人物，也难逃命运的捉弄。

七

在赵国忠看来，北京最有魅力的地方，就是能够从吃喝拉撒中品味到很高的文化韵味。在北京这个地方，很多有真才实学的文化人非常有钱，很会生活；或者说一些实力很强的企业家，文化底蕴很深，一不小心就把实业做成了文化。

不像山西那个地方，文人很穷酸，根本不会把文化当做产业来做；或者说，那些有钱的煤老板，除了包二奶，什么也不会干。

所以，赵国忠只要有时间，就愿意在北京呆着，一边在与老干部们吃喝玩乐中经营着自己的人脉关系，一边搞着自己从小就喜欢的书画活动。那些老干部们身份特殊，经常有部下、儿女们请吃请喝，吃喝的地点，都是北京最有特色的地方，他们前脚吃完，后脚就把这些地方推荐给了赵国忠。

像这个叫忆江南的饭店，就是一个老干部推荐给他的。

忆江南坐落在水边，外面是青砖黛瓦马头墙式的江南建筑。过往的人一看，不以为然。为什么呢？道理很简单，北京是全国人民的北京，全国各地都在这里设有办事处，每个办事处都想充分展示自己的建筑文化，自然而然，各地最有特色的建筑移植到这里，不是什么稀奇的事情。忆江南饭店，也是如此。

但如果有机会到里面吃顿饭，那感觉就大不一样。里面的装饰设计，独具匠心。

就拿首层来说，和其他酒店相比截然不同，一般酒店，进去以后就看到密密麻麻摆放的饭桌，店主生怕浪费了空间，在北京这寸土寸金的地方，浪费了空间就等于浪费了钱财。而忆江南完全不一样，大厅里没有一张吃饭的桌子，而是在室内造了一座完完整整的江南园林，奇石、溪流、瀑布、湖泊、小桥、画廊、圆亭、碑碣、花鸟、庭院……应有尽有，置身这里，如同进入了苏州或者杭州的某一个名人故园，一种赏心悦目的心情，随之而来。

饭店的包间，在二到三层，包间很少，总共加起来不到十个。每一个空间非常大，江南韵味十足，里面摆放的饭桌都是金丝楠木、黄花梨或者鸡翅木的，雍容华贵，古色古香。

墙上挂的字画、牌匾，都是明清时期最负盛名的大家的作品，如"四王"或者"四僧"等等，没有凡夫俗子。

拿上菜谱来一看，很少有那些暴发户经常品味的鱼翅、鲍鱼、官燕等，而是江南极为名贵的鲥鱼、白鱼、河豚、鲈鱼，还有不少长江边上的鲜菜时蔬等等。

因为包间少，装修极为高雅，这里的消费自然大得惊人。没有相当的实力，是不敢来这里品味江南士大夫生活的。

赵国忠在这里吃过之后，就成了忆江南的常客。

下午，他接到"下属"杨娟的电话，说市委书记段天生在北京，晚上要聚餐，还有一个神秘的客人。"白熊"决定把晚饭安排在忆江南。

说实话，对于这个"下属"杨娟，他惹不起又恨得牙痒痒。惹不起，是因为这个小妖精背后有区委书记张巨海撑腰，自己的煤矿，有两个在他的地盘上，命根子握在人家手里；恨得牙痒痒，是因为小妖精把自己的煤矿挂在汇海集团名下，好处自己捞，税费却要集团公司来出。这无异于身为上级的汇海集团要给下级单位飞扬公司每年"上缴"一千多万的费用。

冲这一点，他就恨得这个小妖精要命，可是从来不敢表现出来，一旦表现出来，那麻烦就大了。

尽管中央三令五申不让领导干部及其亲属参股煤矿，可杨娟又不是张巨海名正言顺的亲属，况且，这件事只有张巨海、杨娟和自己等少数人知道。如果有其他人知道了，无疑是赵国忠出卖的，自己肯定会遭到张巨海疯狂的报复。

每想到这些，他就惴惴不安、提心吊胆。这种内心藏刀子、外表开鲜花的日子，过得真是太难受了。

说来十分凑巧，快到黄昏的时候，春旱了很久的北京，突然下起了淅淅沥沥的小雨。

外面的人特别惊喜，忆江南饭店里的人，感受更是独特，眼前是春花烂漫，芳草满园，隔着一层绿色玻璃，外面的春雨像细细的水线一样，垂流而下。那种春雨江南的情境，慢慢渗透到房间里，最后渗透到每个食客的心里。

"北京是最养眼、最养心的城市，连我们山西的煤老板在这里呆久了，都变成风雅名士了。"市委书记段天生进来，首先夸赞赵国忠选了个好地方，然后用余光瞟了一眼杨娟和她旁边的陌生美女谭小明。

开始，大家的目光都在市委书记身上，很少观察市委书记的目光在谁身上。而有个人偏偏关注段天生的一举一动，她就是杨娟。凭着女人的直觉，杨娟感到，段天生的余光向自己这边过来十多秒的时间里，只有一两秒停留在自己身上，而其他八九秒都落在了旁边的谭小明身上。

对于这种细微的举动，杨娟一半欣喜一半醋意。醋意是天生的，而欣喜是意料之中的，说明大鱼闻到了诱饵的存在。

晚上吃饭的座位，是张巨海精心安排的。

主位当然是段天生，两边分别是张巨海、赵国忠、国资局刘局长、孙秘书、小煤窑主大黑，而两位美女正好坐在段天生的正对面，左边是杨娟，右边是谭小明。

主持人杨娟介绍完每个人的身份后，宴席就正式开始了。

按照山西惯例，宴席前三杯，都是大家一起共饮的。今天在场的许多人熟悉段书记喝酒的习惯，他虽然酒量大，但不到关键时候，很少开怀畅饮。

段天生一旦放开喝，那只有两种可能，一是遇到了重量级的人物，二是遇到了前所未有的机遇。像今天这个酒场，按过去的惯例，段书记完全可以端端酒杯、做个样子，最多就是别人喝满三杯，他象征性地喝完一杯，这样，既给了大家面子，又保持了自己的身份。

让很多人想不到的是，今天这场酒宴出现了意外：三杯共饮酒，段书记毫不犹豫喝下去了，而且每次先干为敬，然后环视大家，像在监督又像在鼓励。每次大家仰头喝酒、无暇顾及的时候，段天生就抓住难得的机会，多看对面的谭小明几眼。

所有的人，都一饮而尽。只有谭小明是个例外，三轮下来只是浅浅尝了一口，算是给了大家面子。

聪明人马上意识到今天的场面，有重量级的人物或者是有千载难逢的机会。张巨海、刘局长、赵国忠还有孙秘书，都在利用各种机会，偷偷打量谭小明，当然不能让段书记察觉。

陌生的谭小明比起他们经常见到的美女来，最起码有几点特别：肌肤特别白嫩玉润，身材特别精瘦，但胸部异常丰满。眼神最为特别，准确地说冰寒玉冻。即使段书记这样火热地带头喝酒，也没能让那双冰冷的玉眼冒出来一丝的热气。

大家心理上有了一丝的凉意，而段书记却被这种寒气激得热情迸发："来，喝酒！小赵选了个好地方，江南无限好，春雨润心田。"

"想不到我们的段书记还是诗人呢！"杨娟感受到"大鱼"的焦躁不安了，故意拍马屁。

国资局刘局长拍得更上劲："那当然！上大学的时候，我和天生在一个诗社，每次新年诗会，只要天生一朗诵他的作品，台下好多女孩子抹眼泪，还有的哇哇大哭呢。"

大家笑了，可谭小明仍旧毫无表情。

"老刘，罚你一杯，净兜我的老底。"段天生说是罚杯，没等老刘喝完，自己又畅饮了一杯，随后看了一眼窗外的春雨，最终眼神还是落到了谭小明那里："好雨知时节，红杏出墙来。"

杨娟一边倒酒一边故意撒娇地问："书记大人，你诗里的出墙红杏就是我吧？不会是别人吧？"

"那当然！那当然！"段天生突然发现自己随口而出的作品有个天大的漏洞，赶忙承认，接着又看到了身边的张巨海，马上意识到自己一错再错："不是你！不是你！我说错了，自罚一杯。"

大家哄堂大笑，包括没有文化的大黑在内。只有一个人神情依旧，那就是冰寒玉冻的谭小明。

"杨娟你可不能拿咱们书记开涮，别人不知道，你还不知道，咱们书记政治上是高手，可情商并不高，再继续给他下套，那就是存心不良了。"关键时候，还是老同学讲义气，刘局长有意无意敲打妖媚女子。

官场、酒场、情场，从本质上来说都是游戏场合，一旦有人说出真相，难免让人尴尬不已。刘局长本来想保护老同学，谁知无意间泄了底。杨娟玩笑收敛了，孙秘书有些不自在，赵国忠努力装作迟钝的样子，大黑有些半懂不懂，谭小明仍然面无表情，最难受的还是市委书记段天生，自己龌龊的心理，突然被老刘暴露在阳光下，一时没有了反应……

"说什么呢，刘局长。"张巨海拿起杯子，"今晚是因为春雨绵绵、风光无限，我们才有了喝酒的好心情。小杨一句玩笑，你一通不着边际的数落，我们喝酒的兴致都快被折腾完了。别理他们，段书记我敬你一杯。好领导，首先是性情中人！"

"好！好！好！咱俩干个大杯。"张巨海给了段天生一副绝佳的心病解药，段天生特别感激。他张口饮尽，事后不自觉地看了谭小明一眼，不知是喝了酒的缘故，还是被段书记的真诚触动，冰冷美人终于有了一丝不易察觉的笑容。此时，段天生猛然感觉到白酒入肚以后，其中潜藏的一股难以抑制的气流冲上了头顶，他偶尔有些眩晕。

精明的杨娟敏锐地觉察到，诱饵的香味已经牢牢地把"大鱼"迷惑了。

赵国忠内心感慨：还是妖媚女子有手腕，还是冰冻佳人有魅力，一顿饭就吊足了段天生的胃口，让他欲罢不能、欲得不成。段天生已经进了死套了。哎！自己给段天生花了那么多钱，给他找过那么多女人，都没有现在的效果好。

"你们几个别傻坐着，喝酒啊，像我一样换大杯喝！"一半是命令一半是数落，段天生主动张罗起喝酒的事来，目的有两个：放倒这帮蠢货，让他们彻底忘掉刚才的尴尬；只要他们倒了，自己就有充足的时间、充分的自由欣赏对面的冰冷美人了。

几个男人，包括心知肚明的杨娟，在段天生的吆喝下，大杯大杯喝起来……不多一会儿，不少人就昏昏沉沉上头了。这时候段天生感觉到报复这些人、取悦冰冷美人的最佳时机到了："你们给我说句实话，我这个领导说话算数不算数？"

"算数！"大家一半昏沉一半清醒。

"那你们每人给我讲一个你们一生中最尴尬的事情。"看来只有段天生最清醒，"不过，你们讲的事，必须要让谭小姐满意，最好能让谭小姐发笑，我就高兴了。"

不说什么，光段天生这个傻主意，就让对面的谭小明第一次发出了微微的笑声。段天生第一次从她的浅笑中，看到这个美人比皮肤还白嫩的细碎玉牙，他胸中的酒水全部蒸发成了酒气，汹涌冲向头顶。

"我先讲。"张巨海自告奋勇，"我一生中最尴尬的事是，年轻的时候，头一次到苏州出差，接待单位宴请我们，酒菜没有上来前，每人旁边放着一个精致的茶碗，里面倒满了茶水。我正好口渴得要命，没等别人介绍，我端起大碗来，咕嘟嘟喝了个一干二净，那真叫解渴啊。喝完我抬头一看，在场人特别尴尬。为什么呢？事后有人悄悄告诉我：那碗茶水，是南方人吃饭以前用来洗手的！"

大家哄堂大笑，谭小明再次浅浅露出了皓齿。

"好！过了。"段天生十分满意，"杨娟，该你了。"

杨娟没有准备，突然听到段天生点将，硬着头皮说："大家都知道，我和张巨海虽然过在一起，并没有领过证。段书记你说，我这么一个高雅的女子，找了张巨海这么一个没有见过世面的低俗男人，算不算一生最尴尬的事情呢？"

谭小明一听，赶忙用手捂住嘴，偷偷一乐。

段天生看到对面冰冷美人逐渐融化，胸中的酒像开水一样发烫："好，也算过了。老刘，该你了！"

国资局局长老刘喝得满脸通红："我最尴尬的事是，有一次接到举报，说靠山村一个农妇开黑煤窑，到了现场，采出来的煤都被转移走了。我们只有找到黑口子，才能炸掉黑煤窑。大家找了半天也没找到，最后，我发现农妇坐在土炕上始终不离开，我什么都明白了。一人上前就把农妇拖开，结果那个农妇正来月经，下半身的脏血已渗透到那个黑口子里去了……"

"你妈的老刘，这哪是最尴尬的事？这是最恶心的事！不准你这个乌鸦嘴胡说了。下一个，大黑。"段天生立刻打断。

说到女人那事，谭小明果然尴尬。

大黑："我不知道什么叫尴尬。"

段书记痛快："就是你最见不得人的事。"

大黑："最见不得人的事？我……那我就老实交代了：别看我是个村长，过去开煤窑挣过些钱。我总共有三个老婆，一个在村里，没文化。另外两个，一个在北京，一个在上海。北京的是中专生，上海的是大学生……"

"你他妈这么老实的人，也包二奶、三奶！"段天生气不打一处来。

一直沉默不语的谭小明第一次开了口，声音那么酥软："不是你让人家老实交代的嘛！"

"好！过了，赵国忠说。"段天生从她不经意的埋怨中，体味出来冰冷美人的细腻柔情。

赵国忠喝酒喝得满脸死灰："我上师范的时候，特别喜欢体育。有次起得太早，天色很黑，我去教室拿课本，路过体育老师办公室，发现门没有上锁，里面还有轻微的响声，我想肯定进了小偷，准备现场抓住他……轻轻推门进去，发现响声是从柜子后边传来的。我蹑手蹑脚摸过去，突然拉开了电灯，小偷没有抓着，却抓着我最尊敬的体育老师和我最崇拜的女班长偷情，两人正赤裸裸干那事！"

赵国忠得意忘形地说着，谭小明白嫩的脸上泛起了淡淡的红晕。

段天生尽管头脑发热，听了也觉得羞耻："越说越没谱了，这哪是什么尴尬的事，分明是不堪入目的事。小赵，你在北京呆了这么长时间，每天搞的也是高雅书画，怎么就洗不掉你肮脏的念头呢！"

"你不是让讲自己最尴尬的事嘛。"赵国忠喝得真不少。

杨娟还清醒着："那也不能在书记面前说下流的事。"

"对，尴尬不等于下流，罚你和老刘一人一杯酒。"段天生下了死命令，两人不得不喝，最后都快吐出来了。

酒桌上只剩下孙秘书没有讲故事。他正要开口，段书记就把他拦住了："你别讲了，也别喝了。不管怎么样，安全第一，今晚需要一个清醒的人开车送大家。现在，你就到外面等我们吧。"

孙秘书按照书记的吩咐，第一个离开了酒桌。

又一番酒战过后，刘局长、大黑、张巨海三个男人都不同程度地倒在了酒桌上。现场只剩下没怎么喝酒、神志最清醒的谭小明，脑袋发涨而欲火焚身的段天生，半醉半醒的杨娟。

段天生用手指着杨娟："我没有想到你这个小女人酒量这么大，三个男人都倒了，你还不倒。"

"我要倒了，没有人监督了，段书记不就犯错误了吗？"妖媚女人回答。

段天生一拍胸脯："你放心，大哥是正人君子。只要小谭不愿意，我绝对不会霸王硬上弓。"

杨娟故意靠在段天生身上，看着对面的谭小明："大哥，你说真心话，我给你介绍的女朋友怎么样？"

段天生终于能够肆无忌惮地盯着对方："好是好，就是冷了点。"

谭小明听了，第一次和他正面对话："那是因为你平常见的辣妹子太多了。"

"不是吧？"段天生根本没有喝醉，"是因为你见的像我这样的人太多了，没有激情。"

杨娟热辣辣地靠着他："大哥，谭小姐可不是你说的那种没有激情的人，她可是美国洛杉矶大学艺术学院毕业的。美国女人，什么男人没见过，激情要爆发出来，你就……"

段天生色迷迷地看着谭小明："我怎么样？"

"大鱼"紧紧地逼近了诱饵，一口把她叼住了。

谭小明突然睁大了水汪汪的眼睛，冰水里终于冒出了温泉般的热气泡："烈火烧尽，最后全身冰凉的肯定是你！"

"那我真的想尝试一遍从火到冰的过程。"段天生感觉到全身的热气膨胀到极点，只需一颗小小的火苗轻轻擦一下，马上能迸发出熊熊烈焰。

杨娟精心导演的这场戏出现了尾声，"大鱼"已经死死咬住了诱饵，诱饵也不再挣扎。

妖媚女人看着躺在地上的几个醉鬼："你们俩痛痛快快燃烧去吧，我和小孙负责把这些冰凉的'尸体'搬回家。"

八

所有的人，几乎都预感到市长李立林要下台了，连李立林本人都觉得自己所剩的日子不多了。机关成了一盘散沙，社会上谣言四起，市场里出现了波动。

从李立林本人来讲，不愿意出头露面了，原因很简单，自尊心极强的市长忍受不了人们异样的目光，忍受不了个别政敌嘲笑的眼神。

尽管如此，多年省政府机关的磨练使李立林明白，越是这个过渡时期，越容易出现管理真空，越容易发生意想不到的恶性事件。为了保证平稳过渡，他硬着头皮，每天在公安、煤炭、安监、教育等重要部门来回穿梭，在人们复杂的眼神中，度过一天又一天难熬的时光。

最让他不舒服的是，每天一早必须到中央和省里联合成立的调查组报到，接受他们的问讯和调查。

尽管他贵为一市之长，但在这些人面前，就像囚犯一样，人家问一句，自己答一句；人家不问的，自己不能说；自己想知道的，人家一个字都不会吐露。这样的场面，每天都会持续一两个小时，甚至更长的时间。置身于这样的环境中，即使没有问题的人，都会感觉到自己还有隐瞒的东西没有向组织交代清楚。

这天，刚出调查组的大门，李立林手机里突然收到一条奇怪的短信：多年不见，非常挂念。如有时间，中午我们深谈一次，肯定让你开心。

见面地点是龙天大酒店西餐厅。短信的署名是：史佳敏。

史佳敏？史佳敏！没有问题，肯定是她！

还没有到见面的时间，李立林就扔下一切，匆匆赶往见面地点。

史佳敏，对李立林来说，是一个非常熟悉的名字，也是一个非常陌生的名字。非常熟悉，是因为这个名字像蜡烛一样，温暖了他大学四年的时光；非常陌生，那是因为大学毕业以后，史佳敏就去了美国，上了哈佛大学社会学的研究生，二十年没有音讯。

其间，李立林曾经参加政府代表团去过美国，可是问了那里的好多熟人，都不知道史佳敏的消息。

恰恰在这个时候，这个他最不得志的时候，史佳敏出现了。从宾馆到龙天大酒店，有二十分钟的车程，在车里，李立林无意中闪现了这样一个荒唐的念头：命运往往在捉弄自己。

就拿史佳敏来说，好比是一朵玫瑰，一朵带刺的玫瑰，只要伸手去摘，总要付出很大的代价。过去，自己曾经想摘，结果差点被开除学籍。

今天呢，自己马上要见到她了，可是，又面临着被免职的危机。无论过去还是现在，无论面临多大的危难，他都想见到这朵玫瑰，心中的玫瑰。

"玫瑰"一个人坐在西餐厅，静悄悄看着窗外车水马龙的世界。

李立林走过来的时候，她也恰好转过身来，两人目光对视的一刹那，时间都停止了跳动。一袭黑衣、一头长发、一身风尘、一脸惊喜……在李立林看来，二十年没见的"玫瑰"比想象的要清瘦，要疲惫。

一套西服、一份真诚、一股烈火、一股傲气……在史佳敏看来，二十年没见的故人比想象中要沧桑、要历练。

"玫瑰"的惊喜体现在淌出来的泪花中："我走的那年，你还是个刚出校门的大学生，如今都是一市之长了。"

"你怎么会在这里？不是一直在美国吗？"这个问题，自从接到短信的那一刻，就一直萦绕在他的心头。

史佳敏招呼老同学坐下："这有什么奇怪的，现在的中国，已经是全球的经济中心了。我们慈善基金会也把目光对准了新兴经济体，在中国开辟了一个分支机构，我是中国人，自然是首选。前几天，我在北京的报纸上看到故乡发生矿难，对你十分担心，所以就回来了。"

李立林一语双关地说："回来得真是时候。"

史佳敏马上回应："当然是时候。如果没有矿难，你这个市长呼风唤雨，我才不操心呢。"

"我们二十年不见了，不说矿难好不好？"李立林极力想从那些麻烦事中摆脱出来。

史佳敏非常赞同："从小到大，不是你一直在掌握着话语权吗，就依你。"

"家庭怎么样？孩子多大了？"李立林心底突然想起来那首老歌《只要你过得比我好》。

史佳敏低下头："出去后，嫁了个台湾人。两人合不来，前几年分开了，没有孩子。你呢？我可是打听到你有个美满姻缘啊。"

李立林没有否认："我确实找了一个好妻子，就拿外表来说，身材像你、五官像你、眼睛像你、神态像你、笑起来的模样也像你……总之，一切都和你很相像。唯一的缺憾，就是我和她之间，缺少咱俩那段难忘的四年纯情生活。"

尽管李立林没有故意渲染，史佳敏眼圈还是有些红了。

这对昔日的情侣见面，最忌讳谈过去的事，可现实的状况要比过去更痛苦，两人只有在追寻过去的回忆中忘掉现实。

"二十年来你对我记忆最深的是什么？"李立林品起了苦苦的咖啡。

"是你讲的打狼的故事。"史佳敏看着对方，"这是你第一次见我讲的故事。那时，你在农村，上山打柴，遇到了一群狼，小伙伴们吓得四处奔跑，只有你高声叫喊，不要跑，只有大家在一起，恶狼才不敢进攻我们。如果各朝一个方向逃命，恶狼就会把我们分别吃掉。大家就是因为听了你的话，才团聚到一起，最后恶狼被吓跑了。"

李立林大笑起来："那是因为你们城里孩子没有见过恶狼，我才讲那样的故事。"

"我那时就知道你不怀好意，故意把自己包装成了'打狼英雄'。"史佳敏一口苦咖啡下去，不久就感受到了甜甜的味道，"给我说实话，你第一次约见你的妻子，讲的也是这个故事吗？"

"我和她第一次见面，讲的是你的故事。"李立林没有撒谎。

史佳敏长叹："要是这样，那还真值。我在海外漂泊二十年，经常想起来这个故事，经常想起来这个故事中的'英雄人物'。"

快到中午，西餐厅的人渐渐多起来，不远处响起了清脆悦耳的钢琴声，一对久别重逢的昔日恋人沉浸在过去美好的时光中。

"你对我印象最深的是什么？"史佳敏丝毫没有看到别人投来的好奇的眼神。

"是你的演讲。"李立林非常投入，无暇顾及别人的表情，"你每次演讲，声音清脆，气势非凡。每到精彩之处，几千双眼睛都为你喝彩，几千颗滚烫的心都为你沸腾，几千双手都为你拍巴掌……那真是一个激情飞扬的年代。"

史佳敏像当年一样羞涩起来："你是在表扬我呢，还是在表扬你自己？要知道，那些演讲稿都是出自你这个才子的手。"

"我俩就是因为演讲才走到一起的，我写稿子，你来演讲，我们算绝代双骄吧。"李立林显然从上午的阴影中摆脱出来，变得像当年一样意气风发。

人生有很多奇缘，也有很多意想不到的事情发生。

"你就是太出色了，太引人注目了，才招来了那帮道德败坏的教工子弟成天缠磨你。有的要和你交朋友，有的要和你看电影，还有的要和你跳舞。我没有记错的话，领头的那个坏小子名叫铁蛋。"二十年过去了，市长仍然没有忘却那场发生在校门口的意外事件。

史佳敏眼泪再次抑制不住了："我在校门口被坏小子堵住，你气愤不过，一个人和他们十多个人打起来。因为他们人多势众，你被打得血肉模糊，甚至鲜血染红了他们中的许多人。最后你打疯了，他们吓跑好几个，剩下的人都被你打成了重伤……"

李立林笑得前仰后合："要说我是'打狼英雄'，那一次名副其实。"

史佳敏愧疚地落泪："因为人家都是教工子弟，最后学校处理这件事很不公平，派出所关了你好几天，最后还给了你一个留校察看处分。我明白，那都是为了我……"

"不说了，不说了。"李立林看到她还像当年一样爱哭，忙安慰她，"你猜，省里宣布我到这个城市当市长，我办的第一件事情是什么？"

"是什么？"史佳敏好奇地问。

"衣锦还乡。"李立林十分得意，"在大家前呼后拥下，我回到了学校。看到学校班子还是过去的班子，那个叫铁蛋的家伙竟然当上了保卫处处长。我办的第一件大事，就是行使市长的权力，对学校班子进行了大刀阔斧的改组，特别是那个保卫处处长铁蛋，当场吓成了软蛋，后来被清除出去。"

"你这哪像个市长的样子，分明是公报私仇的坏人。"史佳敏觉得他有些过分。

李立林振振有辞："坏人？谁是坏人？他们才是！纵容自己子弟欺男霸女，利用手中权力打击无辜学生，这样的班子能让他继续存在下去吗？"

"我认为你当了市长，应该有市长的胸怀，大度一些，不要和人斤斤计较，毕竟那是咱们的母校。"史佳敏说出了自己的心里话。

李立林固执己见："许多人都这么劝过我，包括我的老师。说实话，我没有听任何人的。我从小在农村长大，明白一个最简单的道理：善有善报，恶有恶报。我不会那么虚情假意，更不会对欺负过我的人假装仁慈。"

史佳敏万般感慨："性格决定命运。当初，我爸去美国工作，咱们俩的事，尽管他嘴上不同意，可内心已经默许我留在国内，你非要跟他斤斤计较，让他明确表态支持我们的婚事，气得他硬要逼迫我一起出国。你呀！咱们的事发展到后来不可收拾的地步，和你的性格没有关系吗？"

"你看你，还把责任往我身上推。"李立林说起原则问题来寸步不让，"咱们分手，都是因为你性格软弱，盲从你爸造成的。"

"我就这么一个亲人，怎么忍心看着他气呼呼背井离乡。"史佳敏万般无奈。

"命里注定，我每次都是重大选择中的牺牲品，无论感情还是工作。"如果不是见到她，李立林心中的苦楚没有地方倾诉，"换个话题好吗？再说下去，我们还要为过去的事情争执不休。"

"好吧。"无奈的史佳敏顺从了他。

"你们那个基金会是干什么的？"李立林故意说些对方熟悉的事情。

史佳敏抹干眼泪回答："像你们这边的志愿者协会，团结大家做些慈善工作。"

李立林喝了一杯茶："哪方面的慈善工作？"

"主要是给那些无家可归的孩子、残疾孩子建学校。比如咱们山西，因为环境污染、水污染导致好多孩子身体残疾，家庭非常贫困，还有一部分流浪儿上不起学，我们就在北京建了一所蓝天学校，供他们读书上学。"史佳敏详细介绍。

李立林有个疑问："费用是美国那边承担吗？"

史佳敏回答："那边出一部分，主要依靠国内的志愿者捐助。"

李立林感慨："你要早点找我就好了，我可以批示财政支持你一部分。可惜，现在晚了，我批了也不起作用了。"

史佳敏的回答出乎意料："早就知道你当市长，可我绝对不会找你！"

"为什么？"

"对我们基金会来说，筹钱是次要的。主要的是通过募捐这种方式，教育中国的成功人士要有爱心，包括你在内。"史佳敏仰头看着他。

"你说我这人没有爱心？"李立林反问。

"有吗？"

"当然有！"李立林很自信，"我当市长，办过不少善事，比如……"

"不要比如，真心办善事的人，是用不着宣扬的，一旦宣扬，出发点就有了问题。"史佳敏劝诫。

"你不是回来搞宗教渗透的吧？"李立林有些纳闷。

"如果我信奉爱的宗教，不应该渗透给每一个人吗?!"史佳敏多年不见，纯真不变。

下午，两人约定回了一趟母校，不为别的，只为过去那份纯真的记忆。

史佳敏没有变化，而李立林却戴了一副黑色眼镜。

史佳敏感觉出来，他是身不由己，毕竟是这个城市的风云人物。学校的变化太大了，过去的尖顶苏式建筑全部拆除了，取而代之的是西式的玻璃幕墙建筑。不过，只有一个地方变化不大，这就是学校的花园。

当然，花园里的鲜花，都变成了名贵花木，可地方没变，这个地方的性质没变。

两人漫步在花丛中，史佳敏好奇："如果让你重新选择一次人生，你还会像过去一样选择我作为你的初恋吗？"

"不会。"李立林丝毫不加考虑。

史佳敏惊异："为什么？"

"那时候不懂婚姻也是一种交换。如果选择得当，马上可以得到财富，得到官位，马上可以实现自己的理想。如果继续选择你，除了浪漫，什么都没有。"李立林故意说。

史佳敏马上就承受不了："世上最势利的动物就是男人，一旦变得成熟了，就可以抛弃一切。"

花丛里隐隐约约有个别情侣正在耳鬓厮磨，一对恋人从他们身边走过。

"多么美好的时光，对于我们来说一去不复返了。"史佳敏感慨。

"一时错一生错。"李立林回答。

"你这个市长功成名就了，还和我计较这些？"

"那当然。"

"心胸太小了。"

"我去的地方没你多，也没有见过什么大世面。"

"见了大世面，就发生了大变化。"

"什么意思？"

"过去容易盲从，现在独立自主。"

"你要做什么主？"

"自己的主。"

"假如，我们之间还有可能的话，你会如何选择？"

"如果，你还是市长，我们维持现状，永远是真诚的朋友。"

"为什么？"

"在外闯荡几十年，闯荡出来一个毛病：自视清高，自命不凡，最怕别人嘲笑我攀附权贵。"

"那我要被免职呢?"

"如果,真是那样,真有机会,不排除旧梦重温。当然,那只是奢侈的幻想……"

九

赵国忠开设的万年青书画院,是京城里的一大风景:书画院的老师,很多都是院校任教的大家,也有部分没有正式职业、却在书画界名头很响的青年才俊。学生呢,大都是退居二线的老干部。

老干部学习书画,一方面为了消磨时光,另一方面为了强身健体。很多在电视里经常露面的书画大家,都是一把胡子,精神矍铄,他们的形象,对老干部影响很大,老干部们认为练字画画,是另外一种气功,这种气功最能让人长寿。

书画院的旁边,是一处古色古香的茶楼,楠木柜里储存的都是四面八方出产的最好的茶叶,茶具都是从福建专门采购来的,既得天然之妙,又有人工之巧,更让老干部们赏心悦目的是,每一个倒茶的女孩子都经过专业训练,她们的青春美貌最后渗透到每一杯茶香里,让喝茶的人回味无穷。

这个茶楼,只对书画院的会员免费开放,别人几乎是进不来的。作为茶楼的主人赵国忠,表面上看来是无偿投入,可每年从茶楼的老干部身上得到的回报,却是一个不小的数字。

他明白,这些在别人看来几乎没用的老干部,身上潜藏着巨大的优势。他们的亲属,很多是大公司的老板;他们的秘书,很多是手握重权的干部;他们的子女,很多都是能量极大的知名人物……赵国忠苦心经营这些关系,不为别的,只为自己的汇海集团。

这天,山西一个能源大县的县委书记和县长一起来拜访赵国忠。

"赵总是闻名全省的企业家,我们是慕名来拜访的。"县委书记非常诚恳客气,"我们县的情况,不用说赵总也知道,坐落在黄河边,既是革命老区,也是贫困地区,因为地理位置偏僻,交通不发达,地下埋藏着优质的焦煤无法开采。这次来找赵总,就是想邀请您到我们县里看看。"

"煤矿我们能投得起,但公路交通我们可投不起。"赵国忠解释。

"我们这次来找你,就是告诉你一个好消息,我们县通往省会的高速公路已经列入了国家扶贫计划,准备后半年就开工。"县长拿出了国家发改委的文件。

"要是真的,那就太……"赵国忠接过来仔细一看,上面已经安排了专项资金。

"我们那个煤田只需要投资两个亿，按照现在的行情，每吨煤能挣八百多块钱，当年就可以收回投资，第二年就是纯利了。"县长描绘着发展蓝图。

赵国忠谨慎地问："开采煤田，你们地方政府利益在什么地方？"

"在税收、在就业、在第三产业。"县委书记毫不犹豫。

赵国忠追问："还有没有别的？"

县长非常认真："没有别的，赵总尽管放心，现在讲依法行政，我们可以把自己的要求明明白白写在合同里。"

"那咱们什么也不说了，下午草签一个开发合同，资金全部由我们筹措，你们把矿产资源划到我们汇海公司名下，怎么样？"赵国忠很快下了决心。

"赵总您真的答应到我们那里投资了？"县委书记几乎不相信。

"那当然。我不说了吗，下午草签合同，随后履行法律手续。"赵国忠一脸严肃的神情给了客人一个塌实的答案。

"谢谢！谢谢！赵总真是我们贫困县的大救星，一下子给我们投两个亿。这下，后半年的全省招商会上我们终于可以露脸了。"县长喜出望外。

下午，赵国忠果然和贫困县签订了投资协议，县长、书记像从大街上捡个金元宝一样乐得合不拢嘴。

次日，赵国忠安排司机带贫困县的书记、县长去逛故宫，自己却通过在这里学书画的李老，把他的儿子、北京国投集团的董事长李小民请到了自己的茶楼。

赵国忠把昨天和贫困县签订的开发合同，一一摆放到了李小民的面前。

"我爸说他在这里学书画，不收费，不交钱，还收获很大。"李小民非常感激。

赵国忠谦虚地说："我们这里是公益组织，目的就是为了服务老干部嘛。"

"还是赵总有爱心，敬佩！敬佩！"李小民越看资料兴趣越大，"我们公司正好有五六个亿的闲置资金寻找能源项目，你推荐的这个煤矿，条件不错，只要公路能如期开工，煤炭就能运出去赚个好价钱。说吧，什么条件？"

赵国忠故意掩盖了昨天送上门来的两人，编造了一段故事，张开了血盆大口："我也不瞒你，汇海集团为了拿到这个项目，进行了三年多的筹备，光前期费用就是一笔不小的数字，为了这个煤矿能达到开工条件，县里出人出文件，我们出资金，最后终于攻下来国家发改委，你说我们投入有多大？"

看着眼前签订的合同，只要投钱，产权就自动转移到汇海集团名下，李小民没有过多怀疑："赵总，我们明白现在有钱人很多，而矿产资源有限，你们能拿到手，说明你们付出了。只要你们条件不苛刻，这个矿我们要定了。"

"两种合作方式，你来选择。"赵国忠成竹在胸，"一种呢，你们以项目入股，我们以资金入股，挣钱以后三七开，你们七，我们三；另外一种，干脆利索，不管我们前期投入多少，你们一次性付给我们五千三百万的咨询服务费，全部矿产资源和今后的利润归你们所有。"

"这个吗……"李小民简单做了比较，"两家合作，麻烦太多，大小事情商量来商量去，一旦不统一把商机全浪费掉了。我倾向于后一种，一次性买断，只是咨询服务费高了点，能不能降一降？"

赵国忠白眼一翻："怎么降？降了，我们还吃什么喝什么？如果你连这样的优厚条件都不答应，那我找别人。你可别后悔，要知道，这个煤矿一年就能回本，以后每年两个多亿，十年就是二十多个亿，二十年就是四十多个亿，我们拥有五十年开采经营权，能挣多少钱！这样的好买卖，你能找得到吗？"

看着赵国忠游离的眼神，北京国投集团的董事长李小民咬咬牙，下了最后决心："得了，五千三百万中介费一分不少，明天到你户头上，你把所有手续帮我理顺。"

"我就知道李董事长是个痛快人，老爷子一点都没说错！"赵国忠哈哈大笑。

"感谢赵总把这个挣大钱的机会给了我，今后我也成了'山西煤老板了'。"李小民拍着对方的肩膀，"走，到顺峰，我请大餐！"

晚上，赵国忠醉醺醺地回来，迎头碰上了贫困县的书记、县长。

赵国忠把两人叫到了茶楼："你们说咱们山西哪个地方最有灵气？"

"那还用问，五台山呗。"县长回答，"赵总，不瞒你说，来北京的路上，我俩偷偷拜了五爷，你说灵验不灵验，一到北京就撞上你这个财神爷了。"

县委书记也说："过去人们都说五台山的五爷菩萨是天底下最灵验的菩萨，我还将信将疑，这次我可开了眼了，回去的时候还得拜一次。"

"你们俩说得没错，咱们山西因为有了五台山才有了财神，你们注意到没有，天下的菩萨，不是白脸，就是金脸，只有五台山的五爷菩萨是黑脸，你们知道为什么？"赵国忠给两人分别点了一支烟。

"为什么？"县长不明白。

"我俩哪懂这些深奥的东西，还是赵总给我们讲讲吧。"县委书记仰着头。

赵国忠翻起了白眼："那我告诉你们，五爷菩萨是黑脸，那是煤老爷变的。如果山西没有煤，大家能有钱吗？如果大家没有钱，能过上好日子吗？"

"怪不得拜过五爷的都发财呢，原来是煤老爷照应着。"县长恍然大悟。

"你们俩就是我的五爷菩萨！"赵国忠十分真诚地说。

县委书记急了："别，别。要说五爷菩萨，赵总才是我们这个贫困县的五爷菩萨，一下给我们投资两个亿，功德无量啊！"

"对，对。赵总不仅给我们投资，还招待我们好吃好喝，你不是菩萨，谁也没资格当菩萨。"县长随声附和。

"要说招待，那是小意思，还有呢。"赵国忠从口袋里摸出两个大红本，"这是北京的两套洋房，送给你们，每套一百多万呢。"

贫困县的书记、县长第一次遇到这么大方的企业家，两人对望一眼，书记先开了口："赵总，这……这……不合适吧？"

"怎么不合适？我送的，不要你们一分钱。如果你们坚决不要，说明你们不欢迎我到那里投资，我不投了！"赵国忠故意把大红本收起来。

"我们要！我们要！"县长急了。

"只要你答应投资，我们什么风险也不怕！"书记不甘示弱。

赵国忠再次笑了："这就好，这就好，像个合作伙伴的样子。你们要不拿这两套房子，能给我顺利办手续吗？只有收下了，才说明你们有诚意，我才能彻底放心嘛！"

"我们俩肯定给你办好一切手续。"县长当场承诺。

书记也连连点头。

"你们知道为什么那么多山西煤老板要来北京买房子吗？尤其是买那些高档房子？"如果赵国忠今晚不喝多，一定不会故意问这个愚蠢的问题。

"我们山里人哪知道这些。"县委书记面露难色。

"我告诉你们，就是因为我们煤老板需要你们这些合作伙伴。我给你们改善生活条件了，你们才会真心实意帮我们做事。就我赵国忠来说，每天在北京吃喝玩乐，生意照样红红火火，道理很简单，就是有一帮像你们这样的知心朋友帮我在山西料理一切。"赵国忠肆无忌惮地说。

县委书记、县长相视而望，不知所措。

次日一早，赵国忠正在花园里摆弄那条黑溜溜的藏獒，那是朋友大黑赠送的。突然那条名贵的黑犬朝大门外狂吠不已。赵国忠抬头一看，一个熟悉的身影站在门外不敢进来。赵国忠把黑犬挡在身后："原来是王书记，快进、快进。"

来人是水峪沟煤矿党委书记王向东。

"我先不进去，你先出来从车里帮我拿些东西。"王向东一脸疲惫。

"什么东西呢？"赵国忠以为是土特产一类，山西人来京总爱带些土特产。

"别问了，拿进去再说。"王向东指挥。

两人一前一后把几袋东西搬到了别墅的客厅里。

那些东西很沉很沉，而且扛的过程中特别硌人，赵国忠明白这些东西绝对不是土特产："你拿这么多钱，到北京来干什么？"

"办事呗。"王向东擦擦汗，"你帮我先保存好，别让闲人知道。"

赵国忠疑惑："办什么事呢？需要这么多现金。"

"摆平国家电视台！"王向东干脆地说。

"是不是国家电视台要给你们那个矿难曝光了？"赵国忠早就听说电视台的记者采访过矿难，"那也用不着那么多钱，一个小记者需要下那么大工夫？"

王向东有求于对方，没有隐瞒："我不是为了自己，要是为了自己，根本用不着花这么多钱，大不了电视播了，把我关起来。"

"你是主持矿上生产的负责人，不为了自己为了谁？"赵国忠越听越糊涂。

王向东悄悄地说："为了我那堂兄——省国资局王局长。你说那个该死的记者，你报道矿难就行了，干吗非要掺和组织人事上的事？他把镜头对准王局长，认为矿难发生离不开政治腐败。记者采访完了，轻松走了，我那堂兄吓个半死，非要拧住我到北京，不惜一切代价，摆平那个记者。"

"摆平那个记者，用得着这么大数额吗？"赵国忠看看那些编织带，最少在五百万以上。

"我担心这么多未必够。"王向东倒出了苦水，"你不知道电视台那个张记者，特别难打交道，软硬不吃，一分不要，节目非要播出。"

赵国忠明白了："你说的那个老张，我听说过，专门跑煤矿的。他的节目，只要播出，曝光的人员都要倒霉，不是被中央查处，就是被判刑。水峪沟矿难真要播出，说不定责任就落到你堂兄身上了。"

王向东自己抓过来一瓶水马上喝光了："就是嘛，谁倒霉也不能让我堂兄倒霉！为了摆平电视台，我已经上了两百万的当了，北京人净他妈骗子。"

"到底怎么回事？"一听上当，赵国忠有些同情。

王向东一摆手："有个家伙自称认识电视台新闻中心的主任，是老张的上级，而且把主任叫出来和我们吃了顿饭。我看这种关系肯定没问题，马上甩给中间人两百万。谁知那家伙自从拿到钱，电话就停机了。后来，我才明白，那家伙和主任都是冒名的骗子！"

赵国忠出了个主意："马上报案，我来帮你报案，非把那个骗子抓住不可。"

王向东一听吓坏了："兄弟，千万别，千万别！大哥求你了，那两百万就当扔了。"

赵国忠好像明白了："你是担心……"

王向东拉着他的手："对，我担心，一报案就全部暴露了。我进去不要紧，堂兄怎么办？"

赵国忠替他担心："老张死活不要，你还怎么摆平？难道……"

王向东说出自己的想法："我就不相信，在北京这么大地方，重赏之下就没有勇夫？五百万现钞做悬赏，我肯定能找到办事的人。老张打不通，他的直接领导打不通？他的直接领导打不通，他的上上级打不通？"

"如果你这么着急，这么执迷不悟，肯定还要遇上骗子！"按照王书记的思路，他还要倒霉，赵国忠善意提醒他。

王向东再次拍拍他："这就是我找你的原因。兄弟，我听说你这里聚拢着一批老干部，肯定有人认识说话管用的，只要他们说句话，那个片子就毙了，这五百万就是你的了。咱们兄弟俩这么多年，我信得过你！"

"忙我可以帮，钱不能要，还是送给那些出面说话的老干部吧。"赵国忠招呼王书记坐到沙发上。

"兄弟，还是你有办法，在咱们山西煤老板圈里，你有个好名声，大家都叫你呼保义宋江呢。"听到朋友有关系，王书记放心了。

两人轻松喝起茶来，赵国忠想起过去的事情非常感激王向东："去年，煤矿增扩资源，如果不是老兄帮忙，把你们的资源划给我们十万吨，我那个煤矿就关闭了，光那一项我就得损失两个亿。要说呼保义宋江，大哥才算得上。"

"兄弟，过去的事情不说了，咱们搞煤矿的都是一家人，谁也有过不去的坎，谁也需要兄弟帮忙，过去我帮你，现在是我求你帮忙了。如果这事处理不好，我那当大官的堂兄就挺不过去了。他和我不一样，我从私营煤矿做饭的干起，什么苦都受过，大不了回去继续做饭。而他就不一样了，从小就是好学生、好干部、好榜样，是在人们夸赞声中长大的，没有经历过挫折和失败，这次一旦栽了，说不定想不开就上吊了，所以，我会不惜一切代价帮他。"王向东神情非常沉重。

"大哥，你堂兄的事情我尽力去办，你的事情，我们还有合作的机会。"赵国忠试探他。

王向东不明白："我们属于联营矿，挂着国企的牌子，背后主要是几个大老板控股的企业，产权关系复杂，肯定要关闭破产，我们还有什么合作机会？"

"就是因为要关闭破产，我们才有新机会。"赵国忠不动声色。

"真的？"王向东半信半疑。

"那还用说，只要你配合我，把关闭破产的煤矿转到我手里，你就可以继续当矿长，经济待遇和生活待遇，比起现在来，只会好不会差！"赵国忠最后亮出了底牌。

十

对于省长，市长李立林非常怕他，尽管他现在身处市长高位，可真要面对省长的时候，仍然像十年前才进办公厅那样怕他。

省长身上有好多东西，他至今没有摸透。

这么多年，李立林都不知道省长的酒量到底有多大。

省长年轻时，在基层当过万人大厂的厂长，后来当过一个城市的市委书记。李立林进政府办公厅的那年，省长当时是分管计划、财政、工业、金融、政法等工作的常务副省长。

他应酬特别多，尤其是北京来人，无论哪个部门的负责人来，都要出面见见人家，陪人家吃顿饭，每顿饭都离不开酒。酒桌上的人，省长都要主动敬杯酒，他从来没有喝醉过。有的时候，上边能来好几拨人，省长都要亲自出马和每拨人见面喝酒，最多的时候，省长一晚上要喝五顿酒，照样清醒回家，不耽误第二天的工作。

在李立林心目中，最难忘的一次喝酒是在北京，宴请国家计委的人。那时候，煤价上不去，外面电厂欠款要不回来，省里财政十分拮据，煤炭企业眼看过年开不了工资。省长带着一帮人跑北京找国家计委请求支援，结果去了以后，各省的大员都在那里要钱，僧多粥少，竞争异常激烈。

他们好不容易把国家计委的有关司长请出来吃饭，谁知人家提了个意想不到的要求：钱可以给，数目多少，要看省长能喝多少杯酒，一杯酒一千万，别人不能代替。晚上那顿饭，是李立林一生中最难忘的一顿饭，司长一行有滋有味地吃菜，省长没命地在那里喝酒，自己和其他随从一声不响地当观众……

直到司长说他的审批上限到了，再喝下去也批不了钱的时候，省长才坐下来吃菜，神态自如，谈笑风生。那次，他们还没有回来，国家计委下拨的款项就到了，一共是九十八亿，按照一杯一千万来计算，省长在那顿饭上喝了九十八杯酒。

多少年过去了，李立林想起那次酒宴就非常害怕。

这么多年，李立林都不知道省长的胆量有多大。李立林从报纸和电视上看到很多高官平时趾高气扬，一旦遇上中纪委和最高检察院调查，就吓成了软蛋。不是惶惶不可终日，就是到处花钱找关系，尤其是见了调查组的人连句大声的话都不敢说。

而省长却不是这样。那年，因为违规上马一个大型水利工程，中央派了三十多人的调查组进驻省里，很多人都替省长捏着一把汗。可他就当没事一样，工作照干，酒照喝，见了上边来的人若无其事，谈话期间和调查组的人争吵不休。

有人好心相劝：咱们这项官帽，都是上边给的，对人家客气一些。不然，人家随时可能把帽子收回去。省长虎眼一睁：别给我来那些歪门邪道，我辞职信早就准备好了!

说来也奇怪,那次声势浩大的调查最后竟然不了了之。而且,经过调查以后,中央竟然主动给那项水利工程补办了手续,理由是涉及几百万贫困人口的饮水问题,应当列入国家中西部惠民工程。

省长涉险闯关,李立林等部下却吓个半死。

这么多年,李立林都不知道省长的脾气到底有多大。省长平常说话,声音就很大,骂起人来更是惊天动地。只要省长发脾气,从一楼到三楼,几乎每个办公室都能听见,一些人吓得关紧门不敢出去。

李立林想起来,有一次,因为自己贪杯,一个重要文件没有及时送到,等他送到省长办公室的时候,发现领导的脸都青了。没等他开口,领导顺手抄起桌上的东西就往他身上砸,他吓得躲都不敢躲。

就是在这样的环境中,李立林养成了兢兢业业的工作习惯,养成了一丝不苟的工作作风。

当然,省长也有对他好的时候,特别是他被派到这个城市当市长的前一个晚上。

省长破例和他单独喝了一次酒,从头到尾,省长没有多说话,一直在品酒。李立林也是在那个晚上,突然感觉到,眼前的省长就和自己的父亲一样,有一种大爱一直深深埋藏在心底。他一边喝一边流出泪来。最后,省长拍拍他的肩膀,说了简简单单一句话:到了下边,别沾钱,别沾女人,留个好口碑,就算我没有看错你!

可是,自己下来还不到半年,就出了这么大的事,李立林感到十分愧疚,对不起苦心培养自己的省长。

当他今天迈进省长办公室的时候,双腿就像灌了铅一样沉重。

"怎么? 来了,坐吧。"省长没有像过去一样大发雷霆。

"省长,我……"已经准备好的话,突然堵在嘴边说不出来。

省长摆摆手:"昨天国家电视台播出的矿难调查节目我看了,你肯定也看了。事实非常清楚,用不着解释。按照中央有关问责的规定,你应该知道自己的结局了吧?"

李立林咬着下嘴唇,点点头,不让泪水流出来。

省长一声叹息:"你啊,让我怎么说你好呢! 二十六条矿工鲜活的生命啊!"

"都是我没有把工作做好,都是我的责任!"李立林说话的同时,哽咽起来。

省长用手指着他:"当然是你的责任! 跑也跑不掉。尽管节目里说,矿上有瞒报,还有腐败问题。我个人看来,矿上是矿上的问题,政府是政府的问题,谁都有问题,谁也不能轻易逃脱。"

李立林果断地抬起头来："我已经写好了辞职报告，请领导过目。"

"这还像个男子汉的样子，假如你想逃脱责任，看我怎么收拾你！"省长接过报告，放到了办公桌上，"关于你的问题，我大致有个考虑。市长不能当了，也不适合在基层干下去了，还是回省政府办公厅来吧。将来给你个局级调研员，你觉得怎么样？"

李立林站起来："我今天来见省长，就是想和省长商量商量以后工作的事。基层是呆不下去了，可省里我也不想回来。"

"那你去干什么？去做买卖？"省长不解。

"今后，我想去做公益事业。前一段时间，过去的一个老同学来看我，讲到北京有个公益组织，专门号召有钱人为贫困孩子提供帮助。我想，自己真要不当市长了，最好的去处就是去搞公益。"对于老领导，李立林不想隐瞒什么。

省长考虑再三："那也好。躲开是非之地，清静几年再说。等以后你还想回来，只要我说话管用，还可以帮你。"

可连省长都没有想到的是，在下午召开的省委常委会上，大家就矿难问题的处理争论得面红耳赤、不可开交，甚至出现了惊天意外……

全体常委在会前集中重新收看了国家电视台昨晚播出的新闻调查节目《矿难之谜》。

　　画面一：记者老张到山西采访，当地的电视台和报纸都报道了一条重要新闻：矿务局联营的水峪沟煤矿发生矿难，死亡六人。矿务局随即召开新闻发布会证实了这条消息，并对外宣布该矿停产整顿，赔偿工作开始启动，赔偿每位遇难者家属二十万元，矿务局局长深入遇难者家中进行慰问……

　　画面二：记者老张深入煤矿调查被拒之门外，深入煤矿上级单位调查被告知矿难正在处理，不方便接受采访。老张半夜进入火葬场，烧尸工老刘没敢开门，隔着门缝告诉他：总共烧了二十六具尸体……

　　画面三：西山后沟村。村长大黑肆无忌惮地说，在这次矿难中，光他们村就死了九个人，总共死亡二十六人。另外，几个月前，这个煤矿就发生过死亡三人的矿难，至今还隐瞒着，死亡家属要求赔偿……

　　画面四：安监局。安监人员撸起带伤的胳膊控诉：上次发生矿难，安监人员上门检查，结果被一群不明身份的人拖到背阴处痛打一顿，两人为此住院好长时间，此事至今没有得到妥善处理……

　　画面五：医院。当时的主治大夫、护士长出示了几个月前两位安监人员的住院记录，并详细讲述了当初两人刚住院时的病情和后来的治疗情况，痛斥打人者的残暴和凶狠……

画面六：发生矿难的水峪沟煤矿附近有一家民营煤矿，人事科科长出示了一份人事档案，姓名为王向东。档案显示：上半年，他还是该矿的普通职工，没有入党；下半年就成了邻近联营矿主持日常工作的党委书记。老百姓说他进步这么快，就因为省里有位当大官的亲戚。出事的水峪沟矿矿工证实了这件事情，同时向记者反映王书记不务正业、排挤矿长、吃喝嫖赌，半年之间就在北京、上海等地购置豪宅、包养二奶……

画面七：北京一处高档别墅门前，老男人开着豪华车出来，旁边跟着一位年轻漂亮的女人，女人怀里抱着洋狗。（镜头推进）女人好像是个三流明星，一身价值连城的名牌服饰。老男人正是水峪沟煤矿主持工作的党委书记王向东……

画面八：记者老张评论：矿难屡禁不止，矿工的生命轻如草芥，矿主的生活富比王侯。这背后除了管理不善之外，更重要的是存在政治腐败和严重的权钱交易！

看完节目，主持会议的省委书记声音不高，却很有分量，几乎给今天的会议定了一个基调："刚才重播的这个节目，昨晚不仅全省大多数人看了，连中央很多领导都看了。有的首长马上就打来电话：必须从重从快处理隐瞒矿难的肇事者和矿难背后的腐败分子，给人民群众一个满意的交代！大家说说吧。"

宣传部部长考虑半天，说出了自己的看法："一个临时人员，当了联营大矿书记没几天就能捞那么多?! 又是豪宅、又是名车、又是美女，太过分了吧，这个家伙首先应该重处！"

常务副省长接着说："过去，人们都认为个体煤老板消费疯狂，其实未必如此。个体老板，又要买矿，又要贷款，又要管理，产能有限，风险都是自己承担，消费起来还是比较抠门的。最能大胆疯狂消费的，就是像王向东这样联营大矿的老板，背靠国家，敲诈股东，没有人监督，好处都是自己的。只要能说了算，大笔一挥，几百万、几千万随便花。现在煤炭行情非常好，腐败问题也最为严重。水峪沟煤矿出事，不能只盯着一个王向东，应该把他的上级主管单位矿务局也查一查。问题出在下头，根源肯定在上头！"

人大主任是老资格的省委书记，说起话来很慢但分量却不轻："我年轻的时候，曾经当过矿务局局长。在我的印象里，产能最大矿的书记、矿长，就是全局最大的肥差，像这样的职位，一个小小的矿务局局长想定也定不了。不是中央有人打招呼，就是主管部门有人打招呼。现在，我想也不例外吧。王向东一个社会闲杂人员，能当上联营大矿的党委书记，甚至把矿长排挤走，自己大权独揽，恐怕不是一般的问题。我的意见：顺着王向东非正常提拔这条线，一股气查下去，把背后真正的腐败分子揪出来，这才能给百姓和中央一个满意的交代！"

政协主席曾经是省委副书记，说话向来底气足、分量大："我看水峪沟矿的问题，不是简单瞒报矿难的问题，关键还是节目里最后说的，是政治腐败问题。我不是针对哪个人，也不是针对某个部门。解决这件事情，我有一个建议：中央和省里联合成立的调查组，从今天起，重点应当放到查处矿难背后的腐败问题上，而且有嫌疑的人员和部门应当主动退出来，以免干扰调查组的正常工作。"

以上，都是本地籍领导的态度，外地籍领导没有发言。会议出现了短暂的沉默，大家在这个时候，都把目光对准了书记和省长，观察他们两个一把手的反应。

没等书记表态，向来气势威严的省长首先开了口："我从昨天到今天，认真看了两遍这个节目，发现一个问题：水峪沟矿所在城市的主要干部没有露面，也没有遭到谴责，甚至还播出监管人员被打的画面，想博得人们同情，这样就能逃脱监管责任吗?！从煤矿安全生产的角度来讲，地方党委、政府负有不可推卸的责任。煤矿拒绝监管，当市长的就没有手段了吗?！我看不是吧。安监不起作用，那检察、公安呢？也能被打吗?！我个人的意见，尽管李立林曾经是我的副秘书长，可在这个问题上，我表个态：决不护短！如果查办领导干部，首先应该查办市长李立林！"

大家都了解省长的脾气和性格，省长说出的意见，很多人事先都想到了，谁也不惊奇。

人大主任首先开口，表示了不同看法："要说查办李立林，实在有些勉强、有些冤枉。如果这么做，正像当地人讲的：死了人哭丧，有干系的不知在哪里，没干系的哭得昏天黑地，有这个必要吗?！"

政协主席也赞同："李立林到任没有半年，中层干部还没有认全，即使按照责任追究，也不应该追究到他身上。假如真把他当大鱼来抓，我想问一句：王向东是他任命的吗？如果不是他任命的，那真正的大鱼就溜掉了，李立林就成了替死鬼！"

省长一听有些生气："我处理李立林可不是为了抓替死鬼、故意放走大鱼啊。"

政协主席说："省长你多心了。"

人大主任也赶紧解释："省长，大家从始至终没有提处理李立林，不是因为碍于你的面子，想故意放过他。而是因为，他在这个过程中确实是个不值一提的小角色。我们的真实意见就是抓大放小，不能让大鱼漏网！"

话说到这里，在场的每一个人都明白人大主任和政协主席的用意了，省长不好再说什么。

……

省委书记有一个原则：开常委会，向来是第一个发言，要求大家畅所欲言；最后一个讲话，充分征求大家意见，最后，根据多数人的意见做出决定。省委书记最后说："同志们，还有没有别的不同看法？"

大家沉默不语，尤其是外地来的干部，在这个问题上不好表态。

省委书记最后表态："那就和调查组协调一下，表达省委的三条意见：一是继续处理好善后，特别是赔偿工作，保持社会稳定；二是把王向东作为重点对象，深入查办；三是按照大家的意见，像李立林这样的边缘人物，顺便了解一下，有问题就处理，没问题赶快给个结论，让他安心工作。散会！"

……

回到办公室，李立林焦急地等在那里，省长警觉地问他："你是不是事先见过电视台的记者？"

李立林疑惑："没有啊！"

省长继续追问："事先，你找过省人大主任、政协主席？"

李立林回答："没有！"

省长一脸严肃："没有骗我吧，两方面的人都没有接触过？"

李立林抬着头："绝对没有，这两方面的人，我私下里根本没有来往。"

省长莫名其妙："这就怪了，怎么都替你说好话，只有我成了'坏人'了。"

李立林："省长，你说什么，我听不明白。"

"还有什么不明白的！"省长火了，"有人给你私下里做了工作，你的官帽保住了，明白了吗?！"

"我敢保证，没有安排任何人私下做工作。"李立林觉得纳闷起来。

省长突然有所领悟，他一张黑脸拉下来："不管如何，我可交代你一句：但凡有人帮助你做工作，无论是公开的，还是秘密的，都是因为你手里有权，千万不能拿原则做交易！"

"这个我知道！"李立林醒悟过来，明白了省长的担心。

十一

由前市长张国军担任会长的煤炭文化促进会在龙天大酒店召开大会，组织煤老板为"水峪沟矿难"家属捐款，很多煤老板都参加了。

其中有人们熟悉的郭天亮，他是这场活动的发起人之一；赵国忠专门从北京赶回来，他的身边跟着两位美女，一位是副总经理杨娟，另一位是气质不凡的肖助理；大黑的身份，既是煤窑主，也是受害方——死难者所在村的村长；当然还有许多社会热心人士……

大大小小来了一百多个煤老板，里面开募捐会，酒店外面几乎成了名牌汽车的展览现场，奔驰、宝马、劳斯莱斯、悍马、凯迪拉克……

煤老板的坐骑，几乎都是世界各地的名牌车，这次全部集中到龙天大酒店门前，引来许多好奇的人们围观。

这个会议最有吸引力的地方，是市委主要领导全部到会，而且前后两任市长都参加。前任市长张国军为了组织公益活动，最起码名义上如此；后任市长李立林再次出山，表明他逃过了"水峪沟矿难"这场大劫。市委书记段天生，大家都知道，他与前任市长张国军是死敌，可也来参加会议，究竟是什么原因呢？肯定有他推不开的原因。

在场的每个人最感兴趣的，除了能见到主要领导出席会议外，还想从这个会上了解"水峪沟矿难"的最后处理情况。

会议由区委书记张巨海主持。

会上第一个发言的是一个女人，谁都不认识的女人。从主持人的介绍中，大家了解到，她是一个美籍华人，曾经在这个城市长大，在这里读完了大学，后来去了美国。最近，她听说故乡发生矿难，代表一个基金会前来捐款二十万美元。

当她把善款捐给政府代表的时候，下面的好多人，一边赞许，一边好奇。这个神秘的女人是谁？只有台上的段天生、张国军、郭天亮等少数人了解她的底细。他们一会儿看看这个捐款的女人，一会儿瞅瞅神情有些不自然的市长李立林。

李立林从同僚们奇怪的眼神中感觉出来，今天的这种安排，实在是个大大的失策。

会上第二个捐款的人，是水峪沟矿上级单位矿务局的张副局长。他有一段耐人寻味的发言：我首先代表矿务局十万职工对死难者家属表示道歉，是因为我们的工作失误，给大家带来了沉重的灾难。目前，矿务局主要领导书记、局长都被纪检委"双规"，新班子还没有到任，整个单位处在群龙无首的状态。

张副局长有些哽咽：这次十万职工自发捐款二十万元，表示自己对死难兄弟的一份心意。最后，我有一个恳求：希望后沟村等相关村子三千多父老乡亲，不要再围攻我们了，矿务局生活区已经断水断电半个多月了。我们都是难兄难弟，因为矿难，作为我们托管企业的水峪沟矿安全生产许可证等重要证件已经被有关部门吊销，今后我们将退出水峪沟矿的管理和开采，股东们也同意把资源交给地方政府，重新分配、重新处理……

张副局长说得声泪俱下，可现场动情的人并不多。

下面一个捐款的人，是大家熟悉的天亮集团的董事长郭天亮，他捐了三十万，按照他的身价，这个数目并不多。捐款尽管出自自愿，可也有个潜规则：不能比自己身份高的人多，不能比自己分量重的人多，如果超过他们了，就会让人家难堪。比如今天这事，他事先打听到市委、市政府才捐五十万，如果自己超过人家，岂不让会上的主角段书记、李市长难堪？这种傻事，郭天亮是不会干的。

他非常低调地捐完钱后，不忘对别人赞美一番：我能有这样一个机会，为死难者家属做点事，首先应该感谢老市长张国军先生，是他多次教导我应该富而思源，富而思进，扶贫济困，报效家乡。其次，应该感谢美籍华人史佳敏女士，是她最早说服我，共同举办了今天这样一个别开生面的活动，我今后会和她继续合作，多做慈善事业，造福煤城人民……

接下来，赵国忠上台，掏出来三十万现金。谁也没有想到，他早就精心准备了一份说辞：这三十万，其中十万元是杨娟女士捐赠的，另外二十万元是我的。我给父老乡亲表个态：尽管我多数时间呆在北京，但心永远在家乡。只要家乡有事，我义不容辞。

赵国忠特别强调：我常年在外，对家乡的具体事情不是很了解。比如，水峪沟尽管出了这么大的事，毕竟还有很大的资源储量，假如重新开发的话，还是能够造福家乡父老的。我有一个不成熟的建议：我本人愿意出资，引进德国最先进的综采设备，参与水峪沟新矿的开发，力争把死亡人数降到最低。为了造福父老乡亲，我给大家承诺：如果我能中标，我愿意将其中百分之十的股份，无偿赠送给后沟村等附近村子的父老乡亲……

赵国忠说完，台下突然爆发出了稀稀拉拉的掌声。

按理说今天的会议是一个气氛比较沉重的会议，而赵国忠却出其不意把会议的氛围扭转了过来。

台上市长李立林、矿务局张副局长、美籍华人史佳敏等人非常意外；老市长张国军和身边的郭天亮皱起了眉头；市委书记段天生的脸色一阵比一阵阴沉；区委书记张巨海不停地疯狂吸烟；台下的杨娟更是控制不住自己的情绪，当场痛骂起来。

在稀稀拉拉的掌声中，赵国忠走下了主席台，没有回到原来的座位，在大庭广众之下，扭动着肥胖的身躯，夹着小皮包，旁若无人地走了出去……

……

所有的捐款都进行完了，市长李立林打开了放在他面前的麦克风。

一说话，大家就感觉出来他情绪比较激动："感谢大家，感谢同志们、朋友们。今天六百多万捐款，对我本人是个再教育。过去，网上一说起煤老板，都是炒作煤老板买房子、买车子、包二奶，张扬露富，肾虚阳亏，反正正面的东西很少。会议完了以后，我要安排新闻单位好好宣传大家的义举和爱心……"

在场的一百多个煤老板听到市长赞扬他们，主动鼓起掌来。

李立林摆摆手继续说："这次，水峪沟矿难，说实话，暴露出来很多问题。对于我本人来说，可能有些问题还没有完全暴露出来。

"我说这些话，有些人明白，有些人不明白。那些不明白的人，和我一样非常奇怪：过去一发生矿难，市长肯定要免职，而我却能幸存下来，还在这里当市长。当然，水峪沟矿的案子有些特殊性，但我，包括省长在内，一直有个直觉：怀疑个别'明白人'利用这次矿难的特殊性，背地里为了我做了不少工作……"

比起刚才赵国忠那番轰动的讲话来，李立林市长出人意料的这段发言，更具有爆炸性，现场重新骚动起来。

老市长张国军的脸气得变成了猪肝色；郭天亮"狼眼"发凶；市委书记段天生最为奇怪，开始惊得发呆，后来用凶狠的眼神拼命搜寻赵国忠、杨娟、肖助理等人；区委书记张巨海几乎都坐不住了；美籍华人史佳敏紧张得满头大汗；台下的杨娟用惊奇的目光盯着市长一动不动……

台下很多人议论纷纷。

市长李立林好像没有发现会场的变化，继续说："那些'明白人'为什么这么做？他们和我非亲非故，为什么拼命帮我？他们为什么要暗箱操作，要秘密进行？这是为什么？答案只有一个：利益！为了他们自身的利益。

"谁都知道，发生矿难的水峪沟矿，两次矿难死了不少人，势必要遭到老百姓的抵制和围攻，势必要被政府重新拍卖。一个年产几十万吨的大矿，如果不出事，每年最少有两个亿的纯利润。如果没有矿难，根本没有重新洗牌的机会。这次，死了人，对老百姓是天大的灾难，对煤老板而言，是天大的发展机遇。那些'明白人'在这次矿难中秘密保我的原因，就是想让我领他们的人情，在煤矿重新洗牌的过程中关照他们，这就是他们的真实目的！"

市长李立林的讲话，对台下的影响，有点像惊险的过山车。

"哗"的一下，整个会场彻底骚乱了，大家交头接耳，议论纷纷。

李立林不顾这些异常的情况，继续演讲："按照常规，我不应该这么出牌，不管怎么说，人家在我毫不知情的状况下，帮了我一个大忙，我应该感谢人家才是。

"我之所以在这样的场合，说出这些心底的秘密，就是因为直到现在，我还不知道曾经帮助过我的人是谁。但我有个直觉，这个人就在你们中间。不管是谁，我在这里要特别声明一下：对你的无私帮助，我个人深表感谢，在力所能及的范围内，我一定知恩图报，否则就成了不食人间烟火的神仙。

"可是，我这个人有个弱点：胆子小，害怕事，尤其要我违反党纪国法去办事，我怕被人家查处，怕坐牢，对不起了。我给你事先鞠个躬，表示感谢，更表示道歉。"

市长李立林说完，当场站出来，走到主席台前，当众深深鞠了一躬……

雷鸣般的掌声此起彼伏，甚至很多人投来崇敬的目光，这其中也包含开始为他提心吊胆的一些人。

不知是李立林讲话太精彩了，还是下面群众掌声太热烈了，主持会议的区委书记张巨海接下来说了些什么，大家都没有听清楚。

结尾，自然是市委书记段天生作总结。段书记出场，会场秩序稍稍安定下来，大家明白：他是这个城市的一把手，他的出现，肯定要透露一些常人不知道的重大新闻。

段天生接过话筒，会场静悄悄一片："今天这个会，爱心占了上风，正气占了上风。我想告诉大家的是：省委、省政府已经对水峪沟矿难拿出了初步处理意见：省国资局王大东局长，目前被中纪委'双规'；同时遭到逮捕的还有矿务局局长、书记以及水峪沟煤矿党委书记王向东。当然，我们市的工作也不是没有毛病，确实存在监管不力的问题，上级决定对区政府分管安全生产的副区长王文献同志给予停职处理，给予市长李立林同志党内警告处分。

"最让我感动、也最让我受教育的，是刚才立林同志的讲话。当然，他讲的只是猜测而已，只是自己个人的分析和判断，没有真凭实据，事先更没有和我交流过，可就是这份偏执、这份猜测，表明了一个国家公务员应有的立场，体现了他做人、做官的基本原则。大家给予他的掌声，其中也代表了我个人的一份真情实感……"

会议开完，市长李立林心中沉重的负担减轻了许多，浑身变得轻松起来。而另外一些人心中却蒙上了一层阴影。

每逢大事，郭天亮都有去五台山烧香的习惯。

郭天亮有个奇怪的经历，从小和五台山寺庙有着特殊的渊源。他的义父，人称"刘佛爷"，已经过世。老人的遗骨，至今还存放在五台山天门寺，由义父的生前好友紫玉大和尚精心照料着。

前些年，因为煤矿上出了点事，折腾得他每天坐卧不安，实在心烦意乱的情况下，他到五台山住了一天，梵音钟声、古刹黄庙、人间仙境，置身于此，一切烦恼都抛掷身外，等他从五台山回到省城的时候，煤矿上已经风平浪静。

最神奇的是上次出事以前，郭天亮得知将要被抓，根本无力回天，抱着最后一线希望，到五台山天门寺呆了两天，每天都去烧香。下山后，他就失去了人身自由，前前后后被拘禁了十多个月。期间，审讯人员几乎用尽了全部手段。郭天亮每当挺不住的时候，内心总是告诫自己：咬紧牙关，才能渡过劫难，不管出现什么意外，五台山的菩萨总会保佑的……

就是凭着这个信念，他渡过了人生最大的大劫，不仅保护了自己，而且赢得了包括张国军在内所有人的尊重。

这次，他主动约张国军到五台山来烧香。

马上就要进山门了，张国军看见收费人员就要掏证件，被郭天亮拦住了："会长，不需要免票。我们是来求佛的，不能空手而来，总是要付出代价的，这样佛祖才会更加保佑我们。"

"看来，你真成了一个虔诚的信徒了。"张国军把证件装回口袋里，"兄弟，经历那次劫难你成熟多了。"

"要说成熟，那是命运教会我的，今后第一要善待别人，第二不能再做违法乱纪的事。"郭天亮一边开车一边望着山谷里的龙泉寺，"只要我不违法，谁也不能拿我怎么样！"

"昨天那个场面，尤其是生瓜蛋子李立林那番话，我还担心你受了刺激。"张国军抬头看到龙泉寺上空香烟缭绕。

郭天亮把车放到停车场："今后，受刺激的不是我们，肯定是他李立林！"

张国军从车上下来，抬头望见眼前有一百零八级汉白玉台阶："为什么?"

郭天亮从怀里掏出来一串长长的佛珠挂在胸前："因为那个女人！"

"是不是捐美金的史佳敏?"昨天会上，张国军就发现郭天亮神情诡异，一会儿看看那个女人，一会儿瞅瞅李立林，让李立林面色很尴尬。

郭天亮手捻着佛珠，头抬向高处，那里是龙泉寺的汉白玉大门："当然啦，就是那个美籍华人。她是李立林的初恋，是李立林神经最脆弱的地方。对了，我还了解到，目前那个女人是单身。"

"呀，你小子刚离了婚，也是单身。"上台阶的过程中，张国军腿有些发抖，"你不是想把那女人搞到手，利用她和李立林的感情，控制市长吧？不，不能这么干！别的我不知道，李立林感情单纯，尤为注重情义，你千万不要……"

"为什么呢?"上台阶的过程中，郭天亮的脚步特别平稳。

"那样做，太卑鄙!"张国军回过头来。

郭天亮哈哈大笑："是你把我想得太卑鄙了吧?!"

"难道你不是这个念头？"眼看汉白玉大门就到了。

郭天亮第一个登上了高处，纯洁的汉白玉大门近在眼前："我当然没有那么卑鄙！"

汉白玉大门上雕刻着八十九条飞龙，张国军认真观看："为什么把目标锁定那个女人？"

郭天亮欣赏着雕刻艺术的最高境界："我想和她合作，通过合作来影响李立林。"

"怎么合作？只要把矿拿下，你出资，她占股份？"迈过大门就是龙泉寺的大雄宝殿，气势庄严，香火隆盛，张国军驻足不前。

"你还是把我想得太世俗了。"郭天亮点了三炷香，郑重拜了拜，随后供奉到门口的供桌上，"我不和她做煤矿，不和她做生意，我要和她做公益。美籍华人史佳敏的慈善事业需要有人合作，我可以给她提供办公地点、办公经费、服务人员，还可以提供大笔的慈善经费，只要她用得着。"

张国军看着香烟背后朦朦胧胧的佛像，一下子顿悟了："高明！高明！善款从来不是无偿提供的，我怎么就没有想到呢?！有时候，爱心，也是最强大的精神武器，甚至比爱情的力量更强大。"

郭天亮看着门口的一对古松，随口说出一句诗来："'问世间、情为何物，直教生死相许？'我没有记错的话，写这首千古佳句的诗人，就是五台山下的元好问吧。"

"对，对，对！"张国军想起来，"是金代著名的三晋诗人。"

大殿里今天正好有人做法事，钟声悠扬，唱经不断，香火弥漫，人头攒动，甚至大殿门外都挤满了看热闹的香客。郭天亮和张国军几次都想进去烧香，可是一直没有机会，两人只好继续往后面行走。

"会长，我昨天特别关注段天生的一举一动，发现特别怪异，不合常理。"郭天亮心思还在昨天的会上，"开始，他不以为然，神情冷漠；自从赵国忠发言以后，他突然变得不可理喻，甚至掩藏不住，暴露到脸上；最奇妙的是在李立林发言的时候，前半段，他恼羞成怒。后半段，他装模作样，把李立林抬举到了天上，这不合逻辑啊！"

从前院到后院，过道特别狭窄，张国军是个胖子，穿过去很吃力："一般来说，外表英俊的男人，智商不是很高，上天不可能把所有的优势都给一个人。段天生确实是个例外，长得一表人才，智商不在你我之下。他昨天怪异的表情，我太清楚了。"

"赵国忠要争矿的想法，是不是没有提前和段天生通气？所以，段天生沉不住气了。"在郭天亮看来，赵国忠是段天生的心腹，这么大的事情是不会掩藏的。

穿过过道，后面是一处安静的小院，里面栽满古木。张国军踱来踱去："这么大的事，他不提前与段天生沟通，说明赵国忠早就知道段天生心中另有所属，不能表白，只能借昨天开会的场合，霸王硬上弓，从而激怒了段天生。"

郭天亮抬头看到古树上停着几只黑色的乌鸦："那就麻烦了，如果段天生心有所属，那意中人究竟是谁呢？"

黑色的乌鸦发现树下有人，狂叫了几声，拍拍翅膀飞走了。张国军笑着回答："能有谁呢？当然是张巨海的情妇杨娟。那个小骚货，吃着碗里的，看着锅里的，肯定是她做了段天生的工作。"

"你怎么看出来的？"

"赵国忠发言的时候，除了他的女跟班肖助理不奇怪，段天生、张巨海、杨娟三个人几乎同一个表情：愤怒！而且事后，张巨海和杨娟看段天生的时候，愤怒中还夹杂着一丝责怪的神情。"年过半百的张国军经历的大风大浪太多了，一个微不足道的眼神都逃不过他精明的视线。

在几百年的古树里穿行，自然而然会感到有一股阴冷的气息，郭天亮："看来，赵国忠要扔掉拐杖，背水一战了。对了，李立林发言前半段，段天生为什么生那么大的气呢？"

"你说呢？"张国军从阴冷的树阴里走到阳光地带。

"我分析，李立林借题发挥，搞突然袭击，让段天生丢了面子。"郭天亮跟在张国军身后，来到阳光下。

"不仅仅如此，光是这个原因的话，他不会那么不理智。况且，不久之后，他的表情又云开雾散了，而且还肉麻地吹捧李立林。"张国军迈过小院的跨门，进入了旁边的花园里。

龙泉寺的花园，规模不大，可很有情调，上下错落有致。最神奇的是，顶端有一眼天然的泉水，从上飞流而下。一路上，郭天亮都没有揣摩出来昨天段天生的心思，只好继续请教张国军："还是你老人家指点指点吧，段天生那家伙究竟想什么？"

"对你很重要吗？"张国军不以为然。

"当然重要。摸清他的真实心思，最起码下一步竞争我就知道从哪里入手。"郭天亮的"狼眼"闪烁起来。

"那我告诉你那小子先怒后笑的真正原因。"张国军拍着他的肩膀，"开始，李立林暴露有人私下帮他活动。当时，段天生脑子短路，以为赵国忠或者杨娟背地里帮助李立林。段天生认为偷偷背叛他的人，肯定会流露出来不安。后来，他发现赵国忠根本不在场，杨娟对这事也充满好奇，没有一丝慌张。特别是李立林最后说他都不知道帮忙的人是谁，段天生才反应过来：他那两个爪牙根本不会做这种大义为公的事情，所以，段天生开始笑逐颜开，再加上会场上气氛热烈，他开始肉麻地吹捧李立林。你说，我分析得合理吗？"

"当然合理，没有比这更能说明问题的了。"郭天亮走到花园顶端，看到一汪清泉慢慢渗出，他十分惊喜，"看到底了，终于看到底了。"

"没有看到底。"张国军故意说。

"怎么还没见底？"

"当然！"

"还有什么？"

"我们最大的对手是谁？"

"不是赵国忠吗？我想到了。"

"还有……"

"那个不安分的小骚货。"

"还有……"

"目前，暴露出来的就只有他们两个吧？"

"不对！还有一个最危险的人物，你没有看出来！"

"那人是谁？"

"后沟村村长、小煤窑主大黑！"

"他？"

"他是这个项目竞争中最危险的人物。他的态度，有可能决定这场竞争的最后成败！"

"我知道，你曾经说过，争矿有几个关键的'潜规则'，其中煤矿所在村的村长，是关键中的关键。不过，你放心，我不违法违纪，照样拿下他……"郭天亮看着五台山远远的雪宝顶。

山泉顺着两人身边的土沟，缓缓下流，最后在龙泉寺停车场那里，汇聚成了一个小小的湖泊。

十二

东北有三宝：人参、貂皮、乌拉草。

大黑有三宝：骡子狗、青花瓷、黑煤窑。

说到大黑的骡子狗，那是张大娘和村里人的叫法。村里人没见过世面，看到大黑从北京拉回来一条狗，有骡子那么高，那么大，所以就叫它骡子狗。

其实这狗，不知要比骡子凶狠几千倍，它的凶狠从眼睛就能看出来，一旦盯住人，那黑黢黢的目光就能把孩子吓哭，把胆小的人吓个半死。大黑养的三十多条骡子狗，真正的学名叫藏獒。大黑的藏獒，村里只有一条，其余全在北京。说到大黑养藏獒，就不能不提到东北那个叫雪梅的女人。雪梅像所有东北美女一样，个子高大，皮肤白嫩，胸脯饱满。但雪梅有的地方也像山西美女，要不不引人注目，要引人注目一定是万里挑一的那种，看一眼就让人魂不守舍，终身难忘；看一眼就恨不得抛尽家财，据为己有。

大黑当初在北京，第一眼看到东北妹子雪梅的时候，她正身陷饲养藏獒的困境中。大黑是作为客户前来谈买卖的。

谁知他看了雪梅一眼，就身不由己说了一生中从来没有说过的糊涂话："我开黑煤窑挣过一个亿，目前还剩下三千万，今后我还能靠卖煤挣钱，愿意跟我吗？"

雪梅很漂亮，出生在农村，上过几天农校，大小也算个中专生。她听了客户的话，开始仔细地从上到下打量他：大黑个子很高，像所有农村后生一样身体结实，三十出头，年龄不算大，眼睛偶尔发凶，除了皮肤有些黑之外，总的说来，是一个不错的男人。

她有意无意问了一句："今后你每年还能挣多少？"

大黑老实回答："小煤窑关了，挖煤挣钱没希望了。可我能从沟里开的五个煤矿里，每年要出来五十万吨的低价煤，每吨按现在四十块钱的差价，毛收入就是两千万。当然这笔钱里还要应付其他开支，不然，村里人要闹事。"

雪梅："他们凭什么给你低价煤？"

大黑："这很简单，五个矿都在我们村的那条沟里，谁不给，我就动员几十个老百姓把沟口一封，他们产量再大，也运不出去，这就叫强龙不惹地头蛇。"

雪梅："我要跟你，得满足三个条件：一是手头的十几条藏獒，你必须买下，最少一千万；二是给我在北京买套好房子；三是每年不少于一百万的生活费。怎么样？"

雪梅身处困境，胃口不大，不说别的，每天晚上能享受这个白嫩美人，什么都值。大黑毫不犹豫地答应了。

满足雪梅的条件以后，两个人就睡到了一起。

那个晚上，黑黑的煤窑主，疯狂地享受了几番白白嫩嫩的东北妹子。

事后，大黑光着身子看着雪梅发呆。

"怎么？折腾了好几次了，还不够？"雪梅把被子掖了掖。

"不是不够，我是有个好奇的问题想问你，可又不敢张口。"大黑吞吞吐吐。

"什么问题？尽管问。我们东北人可没你们山西人心眼多。"雪梅性格中带着黑土地与生俱来的豪爽。

大黑扭过头来："要说，你这么好的女人，哪个小子最有福气第一个破了你，是对象吗？"

雪梅伸手拍了一下大黑的头："妈的，你们男人就是在乎第一次。我实话告诉你，老娘的身子，第一次并没有给了对象。"

大黑惊讶："那给了谁呀？给了野男人？"

雪梅眼睛瞪着天花板："不是野男人。"

大黑仿佛醒悟了："我明白了，像你这么好的女人，第一次肯定是让暴徒糟蹋了。"

"才不是呢。"雪梅无意中声音有些变化。

"那到底是谁呀？"大黑好奇心越来越强。

雪梅鼻子发酸："是我姐夫。"

大黑越发好奇："自愿的？还是被强奸了？"

雪梅突然对他刨根问底反感起来："妈的，是他引诱我的。满足了吧，别再问了，老娘什么都没有问过你呢！"

一听雪梅说到另外一个男人曾经勾引占有过她，大黑下体突然硬起来，爬到雪梅身上又做了一次，这一次雪梅有些不情愿，两人不是很和谐。

"那你为什么答应我？就看上我那点钱了吗？"大黑想试探试探她的人性。

"就算是吧。"雪梅看来是个实在人。

大黑黑暗中有了抽烟的欲望，光着身子下了地去找烟："我就知道你看上的是钱，不是我这个人。"

雪梅没好气地回答："废话！没有钱，那批藏獒能活下去？！当然，找你，也为了让那该死的姐夫彻底死了心，和我姐姐好好过，反正我们之间也不可能……"

"就是嘛，我俩再不好，也比你和你姐夫在一起鬼混名声好。"大黑在黑暗中冒起了火星。

雪梅叹了一口气："唉！"

大黑心软了："唉什么呀，今后我会对你好的。"

"别装模作样了，你能对我好到哪里。我们东北妹子，给山西煤老板当二奶的多了，无非就是图个好活法罢了，其他什么也不指望。"雪梅看来非常现实。

大黑感觉身上发冷，随手裹了一条毛毯："想那么多干什么呢？好吃好喝好穿戴就足够了，你姐夫给不了你的，我都能给你。"

雪梅身子一缩，把头蒙到了被子里："我也是这么想的。"

自从和雪梅好上，大黑无意间拥有了第一批宝贝——藏獒。

为了安置那批藏獒，他特意在北京郊区买了地，外面用高高的栅栏围起来，里面用来养藏獒。当然，有了投资，雪梅就不用亲自下手了，她雇了两个懂行的人，自己当起了小老板。两年下来，大黑和雪梅养的这批藏獒已经繁殖到了三四十条，他们搞的这个产业，突然间市场行情连连上跳，价钱也翻滚成了天文数字。

大黑的第二件宝贝青花瓷，与一个叫玉兰的上海姑娘有关。

玉兰，最早是做煤生意的，她和上海的电厂有关系，每年都要从山西倒卖一些煤给他们，从中牟利。

那年，电厂突然重新调整干部，玉兰的相好——电厂的副厂长杨超被怀疑有不正当交易，检察院把他抓起来了。大树一倒，电厂拖欠玉兰的煤款要不出来，一直给她供煤的大黑，就成了玉兰最大的债权人。开始，玉兰一直躲着大黑，后来大黑雇人盯梢，终于从茫茫人海中把玉兰捞了出来。

两人是在度假村见的面，那是一个夏天的晚上，玉兰穿着薄薄的青纱连衣裙。

"八百万怎么办？什么时候还？"大黑发现这个三十出头的女人陷入困境，几乎没有偿还能力了，不过他还是想亲自证实一下。

玉兰虽然人过三十，丰韵很足："还不了了。"

大黑追问："你还不了，还有电厂呢，我到法院告杨超！"

玉兰白皙的双手赶忙拦他，触到了他的胳膊，柔声地说："千万不要。"

女人一哀求，大黑心就软下来："为什么？"

玉兰抓住他的手："你一上告，杨超吃回扣的事就彻底暴露了。"

"那我要不告呢？"大黑感觉女人细腻的手紧紧抓住他不放。

玉兰被逼无奈说出了实情："那他最多五年就出来了，如果你告他，说不定就要被枪毙。"

大黑把手从女人手里抽出来："我都打听清楚了，你是杨超的二奶。他成天赌博，输掉不少钱，干吗还要帮他？"

玉兰眼圈有些发红："不管怎么样，过去他对我不错。即使二奶，也得做人，我不能落井下石。"

大黑绝望地问："我的八百万怎么办？"

玉兰看着他，咬咬牙："我……我……来……还！"

大黑觉得好笑："你用什么偿还？一个一无所有的女人。"

玉兰往前走了一步："你要不嫌弃，我用身体来偿还，从今天起我就是你的女人！"

大黑听了，从上到下重新打量了一遍面前的女人：月光下穿着薄丝裙的玉兰，个子小小的，嘴唇薄薄的，胸脯也说得过去，有江南女子那种小巧玲珑的美。比起老家的媳妇来，肯定强多了，人家还是大学生；比起北京的雪梅来，也不逊色多少，不过是另外一种味道。

眼看八百万就打了水漂了，只能捞到眼前这棵"美人稻草"了，他只好认命。

大黑一把将娇小的女人抱起来："不要白不要，反正那八百万也没了。"

"哎——哎——轻点！轻点！"玉兰感觉对方下手太重了，"快把我拧死了。"

那个夜晚，有明亮的月光，大黑和玉兰就在度假村开了房。

"你们北方人就是有劲！"被大黑折腾得筋疲力尽后，玉兰半是满足半是埋怨。

大黑望着窗外的月光："今后怎么办？跟我回老家？"

玉兰搂住他的身子："我才不到那个满是煤灰的鬼地方呢。"

"那你意思，跟我睡一晚，八百万就一笔勾销了？"大黑知道南方女人精明。

玉兰笑了笑："我还不至于势利到那个地步，即使我愿意，你也不答应啊。"

"那咱们在什么地过日子？"既然占有了，大黑心里就放不下这个女人。

玉兰矫情地说："就在上海！我哪也不去。"

"有房子住吗？"大黑心里没底。

玉兰倒是爽快："当然有，不用你买。"

"那杨超要出来，我就成了你的'二爷'了？"大黑还是有一种隐患。

玉兰想了半天才回答："我用身子给杨超还了八百万，还保了他一条命，就算对得起他了。从今以后，和他一刀两断。"

"说到做到？"大黑从心里喜欢上了这个女人。

玉兰从容回答："当然。"

"我有一个问题，不知该不该问。"大黑好奇心又上来。

玉兰："身子都给你了，还有什么不能回答的。"

"你的第一次是给的那个男人吗？"大黑转过身来看着她。

玉兰抬头："非得回答吗？"

"最好告诉我。"大黑仍然看着她。

玉兰眼皮一耷拉："不是。"

"那是谁？初恋？"大黑追问。

玉兰："我没有初恋。"

"那谁第一个破了你这个好女人？"大黑有些急了。

玉兰心里很沉重："我的化学老师，他乘我下夜自习强奸了我！"

"那我再强奸你一次！"大黑重新扑上来。

玉兰顺从地满足了他。

"今后，我想和你做买卖。反正你有钱，我有时间。"做完那事，停了一段时间，玉兰说出了自己的想法。

"还做煤买卖？"大黑觉得女人好笑。

玉兰："不做黑的，要做白的。"

"什么白的？"大黑从雪梅养藏獒那事明白，女人要做买卖并不比男人差，就是缺资金。

玉兰："做瓷器！我是学古玩专业的，上海有不少好东西，我们可以低价买来，放上半年，就能高价卖出去。"

"靠谱吗？需要多少钱？"大黑心里没底。

玉兰试探地说："肯定靠谱。启动资金八百万就够了，剩下的我慢慢倒腾。"

大黑沉默了好长时间，最终还是答应了："跟女人睡觉，总是有代价的。一晚上，不仅抹了八百万欠款，还得倒贴八百万。不过，白瓷生意可以做，黑煤生意也不能丢掉。我在上海还有其他客户，今后，你要帮我催款要钱！"

"好，我答应你，黑白两道都不放。"这个结果让玉兰很意外，在黑夜里，女人故意矫情："心疼吗？那么多钱呢。"

"当然心疼！"大黑搂紧她，又有了冲动，"不过，这么热乎的江南女人，比那冰凉的一千六百万强多了。"

从那以后，上海多了一家玉兰古玩文化发展有限公司。半年之间，这家公司就低价盘到一件元代青花大罐。

大黑听到这消息，开始不相信玉兰描述的那件东西有丰厚的利润，后来找故宫专家一鉴定，果然如此。他立刻攥到了自己手里，心里暗自佩服：玉兰做生意的天赋，丝毫不在雪梅之下。自己当初一千六百万的投资真是没有走眼！

从此，大黑有了第二件价值连城的宝贝：青花瓷。

如果说，大黑还有第三个价值连城的宝贝，那就是黑煤窑。

过去的黑口子，早就被关闭了，其间，大黑努力想重开，每次都让公安局、安监局的检查人员揪去教训一顿，不是吓唬他判刑，就是敲打他要劳教。

大黑想明白了，政府是动了真格的，不够十五万吨的规模就是不让开。可他并没有完全死心，原因很简单：利益太大了。一吨小煤窑的煤，开采成本不到一百五十块钱，只要拉出来，马上就有人出到四百五十块钱，一吨纯挣三百块，几乎和刨金子差不多。再加上后沟村附近开采条件简单便利，挖个坑就能看到煤层，这样好的买卖，真的会让人冒险也要干的。可政府的法令，真他妈不合理，好像就是专门给那些有钱人定的，他们的机器日夜响个不停，就像金子堆在大锅里，摇来摆去碰撞发出了声响，那诱人的响声成天在大黑和村民们耳边鼓捣个没完没了，气得大黑有段时间吃不下饭去。

就在矿难发生不久，村里的老太太张大娘找上门来。

"黑子，这次亏大了吧？"张大娘进来，坐到院子里的老柳树下。

"那还用问，死了这么多人，处理后事就是个大数。他们倒是补偿了不少，不过，人家给多少那是人家的。村里也得有点表示，毕竟死人是咱们村的，从小在一起长大，心里过不去，可怜的家属更是看不下。"从辈分上讲，张大娘算本家大娘，大黑从小就很尊重她。

"我不是说这件事。"老太太身体硬朗，自己倒了杯茶喝起来。

"那你说什么事？"大黑心情不好，没有主动招呼她。

"我说你去年竞争村长的事，还是你看走眼了。"张大娘唠叨起来，"你和前任村长老白竞争，最后你胜了，每家有个人头就得付一万，一千多万白扔了吧。"

"原来想的当上村长，好好开煤窑。谁知道刚上来，政府就不让开了，真他妈倒霉！"大黑的心事不避讳老太太。

"想不想捞回来？"老太太试探着问。

"当然想，做梦都想！"大黑蹲在地上挠头。

"我可是有个好办法！"老太太把茶杯一放，抬头看着村口的那棵千年古槐。

"什么办法？快说呀！"大黑着急得嘴里往外冒火泡。

张大娘拍了拍石桌："什么办法？抗日的办法呗。"

"我说大娘，你是不是老糊涂了？"大黑几乎泄了气，"日本人早走了，现在又来投资了，还抗什么日！"

"你才是糊涂蛋呢！"张大娘用拐棍敲了他一下，"当年抗日的办法，现在就不能用来挖煤吗?！"

"我还是不明白，抗日和挖煤是两回事，不能掺和到一起的。"大黑回答。

"你真是吃屎长大的，脑子怎么这么不开窍！"张大娘又拿起拐棍准备敲他。

就在棍子落到头上的一瞬间，大黑突然领悟了："大娘，我明白！咱们像抗日一样挖地道！"

"明白就好，你说怎么挖，我听听。"老太太终于笑逐颜开。

村长大黑脑子里突然冒出来那些抗战时候的电影镜头："咱们家家开个口子，可以从炕头上开，也可以从灶台上开，还可以从井里开……"

"对啊！"老太太赞许地说，"过去挖地道，是为了藏八路，现在是为了挖煤挣钱！"

"还是老革命有办法，还是老革命有办法！"大黑几乎把老太太搂在怀里，

"好啊，我怎么就没有想到呢！"

"你一个嫩鸡子，能想到什么！"老太太继续开导他，"要像抗日一样，男人从地道里挖煤，女人和孩子们要放好'消息哨'。我寻思，得安排三道哨，分别设在大路口、沟口和村口。只要检查的人一来，村里立即停工。"

上有政策，下有对策。那次秘密谈话以后，后沟村的黑口子又偷偷恢复起来。

只不过，由原来的大口子变成了小小的家庭作坊，家家户户掏出煤来，最后由村长大黑统一运输到外面出手。从此，大黑暗地里拥有了第三个千金宝贝。

十三

自从省里决定十五万吨以下的煤矿全部关闭的消息传出来以后，很多中小煤老板对自己的前途非常担忧。而坐镇北京的赵国忠，却从中发现了一个隐藏着的巨大商机，这几天他忙得不可开交。

前三天，他飞到新疆，与当地一个煤炭能源城市谈判，达成了建设能源产业园区的协议，一下子引进十一个从山西煤炭市场上退出来的老板，他们总共带来了五十六个亿的现金投资。作为中间人的赵国忠，除了获取百分之十的中间服务费将近六亿元之外，还占有了能源产业园区百分之八的股份。

这两天，赵国忠又从大西北直接飞到福建厦门，准备在这里建设一个能源码头，开始了与当地政府的谈判。谈判的最终焦点集中在土地出让价格上。当地政府希望每亩不低于三十万元，一次出让一千亩商业用地。

精明的赵国忠认为，煤炭不仅是当地的短缺资源，也是东南一带，包括福建、广东、浙江甚至台湾地区最缺乏的资源。山西煤炭通过河北秦皇岛煤码头中转到这里，可以解决这些地区所有电厂原料紧缺的问题。鉴于这种特殊情况，希望当地政府从长计议，减免土地税费或者象征性收取一些费用就可以了……

政企双方谈判分歧很大，一时间确定不下来。

正值晚秋时节，当地的风景是一年中最好的时候，赵国忠一行来到了美丽的鼓浪屿。

海水湛蓝，天空明媚，水鸟飞翔，小岛上绿树成阴，古道蜿蜒，两边错落有致的房屋一直延伸到小路的尽头。

"我要是从小生活在这个小岛上，也肯定是个钢琴家或者诗人。"赵国忠感慨。

"你是说，这里出了陈佐洱和舒婷吧。"跟在后边的美女肖助理是清华的研究生，才貌双全。

赵国忠突然想起了自己大山里的童年："在煤城长大，只能当个煤老板，否则没有出路。"

"我上次去过你那里。说实话，第一次去，就喜欢上了煤城。"肖助理轻声细语地说，"别看黑，有能量；别看脏，到处都是宝马、奔驰。"

"你好歹也是清华毕业的，怎么成天眼里就是奔驰、宝马，有点人文精神好不好？"赵国忠毕竟当过一段时间老师，身上有股泯灭不掉的书卷气，尤其到了书香琴韵的鼓浪屿。

"赵总，你别见怪，这是文化的差异性决定的。"肖助理解释，"我从小在苏州长大，满眼是小桥流水，满目是诗文画卷，见得太多了就有了排斥心理，反而觉得你们那种黄土风沙、奔驰宝马是一种别样的风景。"

赵国忠故意逗她："不愧是江南才女啊，看风使舵、溜须拍马的功夫就是不一般。"

肖助理拿出了江南女子的绝招："老板，别这么说话好不好？你不也在北大读过工商管理吗？埋汰我，不就是埋汰你自己嘛！"

"好了，好了，不说这些了；我们到这里来是散心的。"赵国忠登上最高处，海天一线的景致呈现在眼前。

"你心里只要有事，就拿人家开心！"小女人嘴唇红红的，十分让人爱怜。

"我安排你打听的那件事进行得怎么样了？"赵国忠主动转移了话题。

小女人心态立刻调整过来："我有一个同学正好在当地的国土局工作，据说，政府对我们的条件，可能一下子满足不了。"

"什么原因？"赵国忠对这个信息非常关注。

"土地审批权限的问题。"肖助理解释，"当地政府为了留住我们，愿意无偿划拨沿海的荒地，这最终要经过省政府批准，地市政府没有这个权力，他们正在办理报批手续。"

"能批下来吗？"赵国忠发现远处白帆点点，一摇一晃。

"说不准。"肖助理显然经过认真调研，"如果省政府对这个项目感兴趣，就什么都好说；如果不感兴趣，那就……"

赵国忠终于看到白帆消失在海的尽头："那订明天的机票回北京。我想起来，咱们万年青书画院好像有个老干部曾经在这里当过省长，通过他做这里的工作吧。"

"咱们的书画院真是藏龙卧虎的地方啊。"肖助理对老总的英明之举赞不绝口，"对了，你让我打听的关于沧海集团的黄有水也有了消息。"

"沧海集团黄有水是不是真的破产了？"赵国忠一直对这人耿耿于怀。

"沧海集团是破产了，可黄有水并没有破产，反而……"肖助理发现海上开始起雾了。

"难道说……黄有水他……"赵国忠感觉到海上大雾别有风情。

大雾从海上席卷到小岛上，肖助理几乎看不清老板的表情："听我当地的同学说，黄有水在短短的五六年间，就成了这里排行前十位的富翁之一。"

"情况属实吗?"雾里看花，更是一团迷雾，赵国忠开始下山。

在大雾里，肖助理用肯定的语气回答："绝对没有问题。我同学介绍，黄有水去年拿了一块地，光出让金就交了十三亿。"

"果然不出我所料，那小子假破产、真逃债!"赵国忠想起往事，恨得牙都发颤，"当年骗了我九千万的精煤，而且，合同规定，一旦拖延付款，按三倍的高利息支付，可最后一分都没有给我。"

"那要算起来，到现在连本带利三个亿都不止。"肖助理是个有名的活算盘。

"只要能打听到他的下落，只要他有钱，咱们就有办法。"迷雾里的赵国忠，顺着山路一直下行。

肖助理非常悲观："我看不是那么简单。我同学说，黄有水和他弟弟黄有池发了大财以后，绝大部分时间不在厦门。"

赵国忠在雾里穿行，湿润的空气扑面而来："黄有池，我也见过。当初就是那小子出面骗的我，一个好色之徒。他们兄弟俩经常在哪里?"

"说出来你都不敢相信。"肖助理跟在后面，两人相距很近。

"难道他们也在北京?"赵国忠惊呆了。

"怪不得你做那么大生意呢，真是聪明绝顶。"肖助理对老板佩服得五体投地，"你们一个山西人，一个福建人，彼此有那么大恩怨，却在同一个城市里生活，让人根本想不到。"

"真是太好了，肉都送到嘴边了。"山下的雾逐渐散去，赵国忠发出得意的笑声。

肖助理提醒他："老板，有些情况我还没有说完。"

"你想说，他现在手里有一个'王牌护身符'，我奈何不了他。对吗? 我猜出来了。"赵国忠回头看着肖助理白皙的脸庞。

"真的吗? 你有那么神?"肖助理越发惊奇。

"如果我说对了，中午饭你买单。"赵国忠十分狡黠。

"怎么能证明你说对了呢?"肖助理不甘示弱。

"我看这么办。咱们分别在自己的手机上输入一个关键词，最后一起亮出来，看看我说得对不对。"赵国忠想出了一个主意，"如果咱俩的意思吻合，你来买单；如果我的答案和你的准确信息差距很大，我来买单，而且买大单，怎么样？"

"好。"肖助理非常兴奋，"我就不信你会神机妙算。"

说完，两人分别掏出自己的手机，背对着背，往里面各自输入了一个关键词，最后两人同时转过身来，一起亮出了谜底。

"关系！"肖助理的关键词。

"网！"赵国忠的关键词。

赵国忠哈哈大笑，肖助理目瞪口呆。

"怎么样？买单吧，我中午要吃台湾鲍鱼。"赵国忠爽朗的笑声，引来路人注目。

肖助理愤恨："我这人真蠢！既要给人家打探消息，还要给人家买单！告诉我，你是怎么猜出来的？"

"经验！根据我多年做买卖的经验。"赵国忠如实相告，"一个聪明的商人，一旦身家过亿，跑到北京来混，无非是为了织网，关系网。"

肖助理反诘："我之所以上当，是不是因为我没有经验？尤其是当富翁的经验？"

"对了，不过，你天分很高，很快就会有的。"赵国忠得意万分。

"你要是让我请了这顿客，细节我就永远不说了。"肖助理故意瞅着他，"你能猜出来大概，永远猜不出来细节，对吧？请，还是不请？你选择吧。"

"那我情愿请客，快告诉我细节。"赵国忠当年毫不犹豫录用这个肖助理，看中的不仅仅是她漂亮的外表。

"这还差不多。"肖助理把他拉到耳边，"黄有水在北京的关系网，主要集中在公、检、法。其中和政法口一位退下来的副书记关系最铁，那人姓薛；而他的弟弟黄有池，主要在演艺圈、名人圈里混，和电视台的一个知名女记者在一起同居。兄弟俩在北京的落脚地点，听说是一家高档温泉会馆……"

"那我就采取第二套方案，借力打力、借刀讨债！"赵国忠下了最后的决心，"走！我请你吃台湾鲍鱼！"

赵国忠曾经在北京一口气买了六套豪华别墅，除了自己和家人使用其中的两套外，其余四套分别"借给"了老家的市委书记段天生、老家的银行行长、税务局局长和煤管局局长。这天下午，他从厦门飞回来，刚进家门，就发现一男一女两个重要人物正在客厅等他，男的是市委书记段天生，女的是煤老板杨娟。

聪明的赵国忠立刻猜出了两人的来意。

他把衣服挂起来："你们怎么知道我今天回来的？"

"赵总，你可不要忘了，我还有个身份，是你集团的副总呢，怎么会不知道你的行踪。"杨娟抬头妩媚地迎过来。

市委书记段天生看着时尚杂志："小赵，你是东跑西跳发大财了，也给我带来不少好名声啊。"

"怎么回事？"赵国忠最了解段天生，他向来爱说反话。

"你组织老家的煤老板又是到新疆投资，又是到福建发展，市里的人都说，我培养了一个好后生，赵国忠的本事比市里的招商局局长强多了。"段天生把杂志放到桌子上，抬头看着他的表情。

赵国忠非常尴尬："省里不是要关闭小煤窑吗，过去很多窑主挣了钱，如果不给他们找个好出路，那帮家伙就把挣来的钱挥霍了。投资正当买卖，总比赌博吸毒好吧。"

"小赵，我当初真是没有看错你。"段天生没有理他，眼睛盯着电视，"你不仅是个成功的煤老板，还是一个很有社会责任感的企业家。"

赵国忠突然意识到目前的父母官对他积怨很深，他开始为自己开脱："领导，你看，商人的本性是重利嘛。我介绍他们到外面发展发展，不就是为了从中挣些中介费嘛，哪有那么大野心呢。"

"不说这件事了。"段天生意识到把他逼急了，下一步对自己解决问题没有好处，他准备和赵国忠开始谈论正题，不过，杨娟不宜在场："娟子，晚上，我们就在这里吃饭，你去买些东西回来。"

"好，好。"杨娟马上明白了书记的用意，连忙穿上外套，躲了出去。

"小赵，从你离开山里到城市发展，我们认识有十多年了吧？"段天生开始欣赏主人客厅里陈列的古玩。

"是，是。"赵国忠感觉到下一步的谈话，决定着自己的得失成败，他处处小心翼翼，"这么多年来，如果没有书记的关照，我还是人们心中那个不值一提的小赵，不会成为人人尊敬的企业家，我的一切都是你给的，这个道理，我明白。"

"你的一切都是自己奋斗的，我一个公务员，除了给你找麻烦，什么忙也帮不上。"段天生发现了博古架上有个明代洪武年间的天球瓶，十分罕见，他不由得拿下来，认真观赏。

"书记，我能有今天，都有你的心血。你帮助我办煤矿，还给了我'十大杰出青年'、'明星企业家'、'人大代表'等等多种荣誉，我永远忘不了。"赵国忠极力摆出一副感恩的样子，努力拉近彼此的距离。

"你要这么说，我更不敢当了，那不成了赤裸裸的官商勾结！"段天生来回抚摸着天球瓶，分量沉甸甸的。

赵国忠的表演天分开始展露出来，声音中带了悲腔："领导，你让我怎么说，你才能像过去一样亲热地对待我。"

"我就是看在过去的情分上，今天才来帮你的，不然，我就不登你的门。"老狐狸感觉到火候到了。

赵国忠不是傻子，主动认错，以退为进："那天大会，我事先没跟你商量，就当众放炮要来拿煤矿，现在想来确实不成熟。"

"就是不成熟嘛！"老狐狸最善于抓住机会搞突然袭击，"你是我最信任的年轻人，我最想帮助的人就是你。杨娟呢，也想拿那个煤矿。你知道，我和她没有任何关系，可她背后站着个张巨海。巨海是我十几年的得力部下了，当了好多年区委书记，在政治上没有任何进步，我有愧于他呀！假如你是我，在你和张巨海之间，我会选择谁？"

"当然是张巨海，他毕竟是区委书记嘛。"赵国忠表面这么说，心里明白，杨娟用女明星摆平了老狐狸。

"你说错了，不管在任何时候，我都会选择你，不会选别人！"老狐狸把天球瓶放回去，又拿出来一件康熙年间的粉彩碗赏玩起来。

"既然你还支持我，那我肯定拿到了。"赵国忠也开始玩顺杆向上爬的把戏。

"我支持你，未必见得你就能拿到。"老狐狸想起了往事，"当初，你和郭天亮都想吃掉龙天大酒店。我明的暗的都在帮你，全市上下都知道，你更清楚，结果你拿到了吗？最后还是人家郭天亮胜了吧。"

"那是背后的操作人做了手脚。"赵国忠想起过去的失败，不由得动了真情，发泄出不满来。

"那，这次煤矿拍卖的操作人，我就能完全左右得了吗？我告诉你，这次拍卖，涉及当地农民的重大利益，区政府也要介入，恐怕你已经知道结果了吧。"老狐狸发现粉彩大碗在阳光下特别绚丽，"我反复说过多次了，只有我在不惜代价地帮助你。"

"区里也要介入？"赵国忠听了大为吃惊。

"我一个市委书记，是抓干部、抓思想政治工作的，能代行人家政府的职能吗？人家李市长假如要在区里操作，我没有充足的理由否定人家吧。"老狐狸装出一副无可奈何的样子，继续把玩着古器在阳光下晃来晃去，"你呀，既然知道结果了，干吗还要打破头竞争？最后矿拿不到，还得罪下人家。不要忘了，你还有个煤矿在人家区上，以后给你穿小鞋，怎么办？或者，突然找个理由关停了，那损失多大呀。开始，我就说了，是为了帮你才来找你的。你不想人财两空吧？！"

"书记，你别说了。"赵国忠实在接受不了对方阴阳怪气的腔调。

"好，我不说了。年轻人嘛，接受失败，面对失败，也是需要一个过程的。"老狐狸把精彩的古器重新放到架上。

赵国忠安静了一会儿，重新振作起来："领导，不管你怎么说，不管你怎么逼我，但我可以明确地告诉你，这场竞争，如果我退出去，最后拿到矿的，根本不是杨娟，而是郭天亮！"

"你是说李立林会帮他？"老狐狸有些意外。

"不是李立林帮谁的问题，而是杨娟自身的问题。"赵国忠坐下来，神态自若。

"我知道杨娟虽然没有大钱，可背后有个跨国公司支持她，不存在资金问题。"老狐狸感觉到屋里的光线突然暗下来。

赵国忠笑了："就是因为外国公司插手，她必败无疑！"

"为什么？"老狐狸突然有些震惊。

"违法！"赵国忠准确无误地说，"根据国家规定，外资要想进入能源市场，不允许大股，更不允许绝对控股！我想问问你，在他们的合资公司里，没有多大实力的杨娟，能当上大股东吗？"

"有这样的狗屁规定？！"老狐狸深感意外。

"如果不信，你可以翻翻外资能源投资条例，就什么都明白了。"赵国忠终于拿出了自己隐蔽多时的撒手锏。

"那她要联合国内的企业家，一起拿矿怎么办？"老狐狸反应很快。

赵国忠哈哈大笑："有些人看中张巨海手中的权力，可能给杨娟一点小钱；真要动用巨额资金，没有企业家会给他们的。"

"为什么？"老狐狸疑问越来越多。

"因为他们的人性决定的。无论杨娟也好、张巨海也好，都是贪得无厌的家伙，谁也不会把辛苦捞来的肥肉，平白无故喂进'鳄鱼'嘴里。"赵国忠说出自己的判断。

能言善辩的市委书记段天生，突然沉默了。

赵国忠看到天黑下来，拉开了灯，满屋生辉："中国人不同于外国人，外国人投资，是建立在利益和法律基础上的，有了风险和意外，通过法律渠道解决；中国人投资，一靠利益，二靠人性，如果人性不好，就是最大的投资风险。谁也不会冒生命风险，去和'鳄鱼'玩的。不信，我们走着瞧。"

"照你分析的，如果我把你劝出去，反而帮了郭天亮一个大忙。"一生自负的段天生，突然发现自己在市场经济的大海里也有愚蠢的时候，他苦恼起来，"可杨娟和张巨海那里……唉！"

"领导，我倒是有个三全其美的办法，一是肥水不外流；二是维护好你的尊严和面子；特别是第三点，保证杨娟和张巨海不争煤矿，照样也能挣到大钱。"

"真的？"段天生有些怀疑。

"当然是真的。"赵国忠成竹在胸，"我争矿的资本，他们没有；可他们的手段，我根本不具备。双方可以取长补短，我先垫资前期费用五百万……"

这些天，赵国忠无论在厦门，还是在北京，一直在思考如何处理黄氏兄弟和争夺煤矿这两件互不相干的麻烦事，开始理不出头绪；后来，偶尔把这两件互不相干的事统一起来考虑，突然有了奇思妙想。

他把自己的想法一一告诉了市委书记段天生，段天生听后一扫阴霾，哈哈大笑，连声称奇！

十四

西山公路与水峪沟路交错的地方，原来是个荒无人烟的路口。最近，突然搭起了一个简易帐篷，有人在这里摆起了地摊，一边卖方便面鸡蛋，一边卖当地出产的葡萄、核桃和红枣之类。

说来也奇怪，做买卖的，清一色都是女人，有老太太，也有小媳妇，还有大闺女，当然还少不了淘气的孩子。自从地摊支起来以后，过往的司机和游客，就有了一个累了歇脚、饿了填肚子的地方，买卖一天比一天红火起来。

这天，郭天亮驾着奔驰越野，拉着张国军准备去后沟村办事，刚到这个十字路口，就被一群女人拦路堵下来。

郭天亮摇开车窗："到后沟村是从这里进山吧？"

"那当然，没错。"一个老太太挤上前来，"老板，下来吃包方便面吧。"

还没等车里人回答，又一个中年女人挤过来："到后沟村干什么？老板，给你车上装点葡萄吧，不贵，才五块一斤。"

车里人对这种强买强卖显然很厌烦，刚要发作，一个模样俊俏的大姑娘就凑上来："看来你们是大老板了，开这么好的车，还不照顾一下我们的小买卖？这样吧，给个面子，拉箱核桃和红枣吧。"

"快闪开！"郭天亮有些生气，"哪有这么做买卖的。"

张国军也把窗户摇开："你们让让路，我是政府的，要去后沟村找村长大黑办事！"

"呀！真碰上政府的了。"几个女人慌张起来。其中有人迅速拿出手机，悄悄地不知跟谁通话。

老太太显然见过大世面，根本不在乎，仍旧不让路："不买东西，就不要从这里走。"

"老大娘，你这么做就不对了，这不成了车匪路霸了，公安要打击的。"张国军好心劝她。

"对！再不让开，我们就打电话报警了。"郭天亮也跟着吓唬。

老太太眼皮一抬，一连问了三个问题："你当老娘是吓大的？公安来了怎么样？他能不让老百姓做买卖？"

"对！开这么好的车，更不能让过去。"中年妇女撒起泼来，"不都是挖了我们村的煤发的大财，给我们留点买路钱也是应该的。"

"对！对！对！"一群妇女全都开始起哄，"买东西，买东西！"

郭天亮也好，张国军也好，从来没有遇到过这样的场面：一群撒泼的妇女把他们紧紧包围在郊外。周围还招来很多人围观。两人如果强行向前，难免撞伤人；如果退回去，车后地上也坐着女人，更不敢倒车。经历过大风大浪的郭天亮和张国军，被活生生堵在这里，前后动弹不得。

最后，还是张国军想出了办法："赶紧给大黑打电话，让他下山接咱们，只有他这个村长能对付这帮泼妇。"

"好，好。"郭天亮马上拨通了大黑的电话。村长大黑马上就答应下山，只不过强调了一句：千万要耐心等待，不要和女人们发生冲突。

眼看一个小时过去了，到了吃饭时分，一辆沾满泥水的越野车才从山那边下来。大黑慌慌张张跑出来："你们几个泼妇怎么搞的？连老市长的车也敢堵，太没有王法了！"

"管他市长，还是区长，只要不掏钱，就别想过去！"老太太谁也不怕，坐在地上。

中年妇女跳出来："哦！老市长啊，怎么连几百块钱都舍不得掏，还打电话让村长过来，好意思吗？"

张国军觉得下不了台："谁说我们掏不起？"

郭天亮站出来解释："不是我们掏不起，我早就准备掏了，老市长坚决不让。他说如果掏了，等于向泼皮无赖低头，老领导更没面子。所以，非要你大黑出面解决。"

大黑冲这帮妇女大手一挥，张口痛骂："快滚一边去，少给我惹麻烦！"

看见村长发火，妇女们终于让开了一条路。突然，其中有一个低声嘟囔："不是你让我们拦路的嘛！"

这不经意的一句话，不仅大黑听到了，身后的郭天亮和张国军也听到了，妇女们更是听得明白，老太太把那个乱说话的女人马上挡到身后："不是村长让拦路的，是我们想挣点零花钱。"

大黑反应很快："是我让拦路的，怎么样？我交代你们，在路口做个正当买卖，顺便留个心眼，不要让小偷小摸的家伙进咱村。你们坏人拦不住，却把老市长拦住了，像话嘛！"

"好了，咱们走吧，不跟老百姓计较。"张国军赶紧拉住大黑。

"实在对不起，老市长，刚才来的路上，正巧碰上大水冲断了马路，村民们忙活半天才修好，让你老人家久等了。"大黑赶紧笑嘻嘻赔罪。

"看那个奴才样，见了大官，屁股都撅起来了。"妇女们中间，又有人冒出肆无忌惮的讽刺，个别人偷偷笑起来。

"你妈的蛋！"大黑扭过头来动了粗。

"快走吧，快走吧！"张国军不想看到更加难堪的场面，使劲把大黑连拖带拉弄开。大黑进了他的车，张国军顺势钻进去，汽车发动了，向山里开去。郭天亮也上了他的豪华车，跟在后面。

他们终于在折腾一个多小时后，摆脱了那帮难缠的农村"泼妇"。

大黑说得一点没错，走了一段路，快要进村的那一截，村民刚刚修好被河水冲垮的马路。几个劳动完的妇女，却坐在路边休息，一边说说笑笑，一边看着他们的汽车行驶过来。

"怎么都是女人，修马路的也是。你们村男人们都干啥去了？"老市长张国军好奇。

"能干什么？"大黑眼睛盯着弯曲的山路，"都打工去了呗，现在不光我们村，其他村子也都是女人、孩子和老人留守，青壮年都出去赚钱了。"

等女人们把土路垫平，花费了又是半个小时，他们才继续发动汽车，最后开到了后沟村的打谷场上，打谷场对面就是关帝庙。不过，让张国军和郭天亮惊讶的是，现在的打谷场，突然变成了堆煤场，黑煤堆成了小山一样高，几乎挡了太阳的一半光线。

"小煤窑不是让关停了吗，哪来的这么多东西？"张国军下了车，看见煤山十分惊奇。

大黑不慌不忙回答："小煤窑肯定关停了，可我们的煤炭买卖并没有停下来。"

张国军感觉面前的村长身上有好多不解之谜："什么煤炭买卖？"

"你问郭总，他最清楚，这煤山里也有他支持的一份。"大黑转身把答案抛给了郭天亮，因为郭天亮是张国军的人，他的回答最有说服力，最能打消张国军的种种疑问。

"哦，是这样。"郭天亮把车锁好，面朝关帝庙，"我们几个煤矿，都在人家村子地下，村民们为此经常闹事，为了安抚他们，我们和村里有个不成文的协议，每个矿各给村里一百万吨的低价煤，由他们卖到市场上赚钱。村里保证做好老百姓的工作，不要闹事。"

"看来，老百姓为了保护自己的利益，有的是手段啊！"张国军这句话里是否有其他含义，大黑一时摸不清楚。

"不早了，咱开饭吧。"大黑十分热情地把两人请到了关帝庙里面。

村里的厨子已经把桌子擦好，饭菜已经摆好了。

"在庙里吃饭，情趣不小啊。"张国军洗洗手，坐到桌前。

"郭总最了解我们村，因为煤矿被关，没有收入，盖不起新房，所以村委会就设在关帝庙里。而且，这个关帝庙是郭总去年还愿修的。"大黑把酒打开，给两位客人斟满。

张国军抬头看看郭天亮，"灰狼"点了点头。

几个人刚要碰杯，突然闯进来一个蓬头垢面的汉子，不等大家说话，他就哇哇乱叫："大黑，是不是来了买煤的客户？先买我家的，娃娃上大学，着急花钱呢！"

张国军和郭天亮听后吃了一惊。

"老白，去！去！去！"大黑起身就赶，"哪是什么买煤的客户，快回去吃饭去！"

"你们能在这里大吃二喝，我为什么就不能?！"那个叫老白的不由分说坐下就要吃东西。

"厨子，拿过刀来，把神经病老白赶走！"大黑一声怒吼。

厨子果然拿来一把明晃晃的菜刀。老白一看村长要动刀，终于收敛住了："好，我走！大黑，我可是给你说清楚，家里的娃娃上大学等着钱花呢，只要有客户来，先买我的煤！"

蓬头垢面的老白，气哼哼转身离去。

"这是怎么回事？他家哪来的煤？"老市长张国军一连两个问题几乎把大黑噎住了。

"这……这……这……"狡猾的大黑马上解释不清楚，"领导，你不要听那个人胡说，他是我们村有名的神经病。"

"怎么，我感觉到他思路非常清楚呢？"张国军反问。

"我们农村人素质低，社会矛盾也多，听说上面来了人，不管三七二十一，当面胡说造谣，专门让我难堪的。"大黑当了这么长时间村长，应付复杂局面有了不少经验，"要不，我也不会动菜刀。"

"上午路口的那些妇女也是专门给你难堪的吧？"张国军有意无意地问。

大黑感觉出来，老市长不是那么容易糊弄的，他彻底解释不清楚了："这……这……唉！"

张国军看他回答不上来，哈哈大笑；郭天亮也觉得大黑表演得太拙劣、太差了。

"兄弟，老市长不是那么好糊弄的。不然，他也不会当那么多年的市长！"郭天亮拍拍大黑的肩膀，"好了，看在你亲自下山给老市长解围的分上，咱们不提这件事了，好好陪领导喝酒。"

土豆丝、烧南瓜、土鸡蛋、烤野兔、炖野猪肉、黑豆腐、大烩菜、酱野鸡……一道又一道山珍野味上来，让每天吃海鲜的郭天亮和张国军大开眼界，也让他们忘记了刚才的种种疑问和不快，大黑发现客人情绪很高，频频劝酒，这顿饭吃得气氛格外热烈……

"大黑，今天我们是朋友了，我告诉你一些关于你很有趣的事情。"老市长显然喝得有点多。

"我知道吗？"大黑又给两人满上酒。

"当然知道。"张国军神情兴奋。

"既然我都知道，还有趣吗？"大黑内心有些不安。

"你一直以为大家都不知道，所以才有趣。"张国军用眼睛的余光看着他。

"那就确实太有趣了，说说看。"大黑有一种不祥的预感。

"村长大黑有三宝：藏獒、青花瓷和黑煤窑。"张国军正面看着他。

"我一个贫困村的小村长，怎么会有那些宝贝？！"大黑尽管这么说，还是感觉到内心的隐秘被人突然撕开一个口子，他竭力想把光线堵上。

"我还知道，这三宝背后，还有三个神奇的女人：一个是热辣辣的东北妹子，一个是小巧玲珑的江南美女，还有一个是你们村的老太太。"张国军的眼睛像刀子一样，把大黑脸上刮出一层汗来。

"三宝和三个女人有什么关系？"旁边的郭天亮根本不知情，贸然问了一句。

张国军端起小酒杯来独自饮了一口："其中的关系，要问我们的村长大人。"

神情向来豁达的大黑扑通一声跪到酒桌前："老领导，别说了，千万别说了。要让我老婆知道，要让村里人知道，非剥了我的皮不可！"

"张会长，这些隐私，你怎么知道的？"郭天亮被吓了一跳。

"我怎么知道？你们可能忘了，我毕竟当过市长，虽然下了台，让公安局帮我调查一个人的真实底细，还是能做到的吧。"张国军伸手把大黑扶起来，"小兄弟，我不会让村里人知道，不会让你老婆知道的。我只是想告诉你一个最简单的道理：不要在我面前耍滑头，什么事情也瞒不了我。"

"那是，那是！"大黑心中的隐秘，不仅暴露了，还被人捅了一刀。

"那我问你几个问题，你要老实回答。"张国军正面盯着他。

"没有问题，决不撒谎！"到了这个份上，大黑明白只能被老头牵着鼻子走。

"赵国忠就水峪沟煤矿拍卖的事，是否找过你？"张国军喝酒速度很慢，很从容。

"上个礼拜六把我叫到北京谈过。"大黑明白无误地回答。

"他要你做什么?"张国军根本没有喝多。

"在拍卖的时候,组织村民到国土局门外闹事,向参加拍卖的人传递一个信息:村民们支持汇海集团。"大黑不得已背叛了赵国忠,"除了汇海公司,谁要拿矿,三千村民就把他赶走、打死!"

"这不是利用村民威胁拍卖人嘛。"郭天亮发现自己走得太慢了,幸亏今天来补救,不然后果不可预料。

"他给你什么回报?"张国军听了也吃惊。

"除了大会上讲的,每年给村里百分之十的红利外,还给我本人一笔现金。"大黑心想,目前的老市长比那个赵国忠可怕多了。

"你准备怎么办?"张国军说话的时候,眼光像针刺一样。

大黑考虑半天,十分妥帖地回答:"老领导说怎么办,我就怎么办,我听你的!"

"要让我说嘛,赵国忠提的条件,郭天亮同样能够满足。不过,第一,不能组织村民到国土局闹事,那样违法,只要你们从心底支持天亮集团就够了。第二,就是那笔现金,千万要处理好,算作郭总支付村里的服务费,合理合法结算,这是你们两人的私事,我权作不知道。"张国军俨然一个老到的商人,"另外,天亮集团还想做点公益事业,他出钱以煤炭文化促进和另外一个公益组织的名义,帮你们把新农村建起来。"

"其他我都没说的,只是新村在哪里建?"大黑感觉出来,张国军这么精心了解他的底细,肯定是为了争矿,对他来说,和谁合作都一样。

"你说呢?"张国军真心征求他的意见。

"我希望在山下建,山上旧村子也不放弃,我们还有其他用处。"大黑回答。

"我只管建设新农村。不管旧村子,那些麻烦事是你的,跟我们没有关系。"张国军明白,给大黑适当让些条件,更容易换取他的支持。

……

下山的路上,张国军和郭天亮看到那些修路的女人,仍然坐在路边闲聊;十字路口的买卖摊子边,很多卖东西的妇女仍在东张西望……两人不约而同都笑了。

"人活着,都是为了利益啊。"张国军慨叹,"像大黑这样淳朴的山里人,都到了不择手段的地步。"

"我们今天是不是也有些不择手段呢?"郭天亮由大黑想到了自己。

"都是被赵国忠那个家伙逼出来的。"张国军尽管达到了自己的目的,心中也有些自责，"我要不把大黑的老底兜出来，说不定那家伙自始至终都会跟我们玩猫捉老鼠的游戏。"

"自从上次那件事以后，不管市场竞争有多么残酷，我一直有个想法……"郭天亮开车上了回城的高速路。

"我明白你的意思。"张国军望着窗外，"我也是这么想的。"

"别人都说我是个硬汉子，可在你面前，我想说句实话，其实，中间我也曾经害怕过、担心过、犹豫过，尽管现在什么事也没有。"郭天亮第一次当面说出来自己内心的隐秘。

张国军拍拍郭天亮："你出事那段时间，最替你担心的人，就是我。我曾经把我们交往中间五六年发生的所有事情，来回想了好几遍，后来感觉到，可能卑鄙的事情做过，但严重违法的事情，从来没有过，就像今天一样，不太光明，但不违法。当初，担心你，就是害怕人家一用手段，你就挺不住了，开始说一些违心的话。"

"要想今后睡得着觉、睡好觉，我们还是不能干违法的事情。"郭天亮提醒自己，也在提醒对方，"反正我们现在什么都不缺，不需要付出违法的巨大成本，来满足自己的小小利益。"

"我之所以想方设法帮助你，不仅是因为上次出事以后，你没有乱咬人，而且因为你懂得守法，对于我们来说，这比什么都重要。"张国军看好面前的年轻人。

郭天亮也回应他："我把老领导当做知心的长辈，除了感谢你当年对我的支持，更重要的是，只有你能把握好守法和获利之间的微妙关系，别人根本把握不住，即使那些专业法律人士，除了书本上的东西，对社会缺乏深刻认识。"

"这就是我俩'臭味相投'的地方。"张国军感觉到市区马上就到了。

郭天亮的车速明显降下来："你说下一步……"

"还是那句话，只要有机会，我们就不放过。"张国军突然想起那个美籍华人，"史佳敏那边进展如何？"

"办公地方已经装修好，慈善资金已经准备好，只等人到位了……"郭天亮回答。

十五

春节的气氛越来越浓，山西煤老板过节的方式也很特别。

像郭天亮这样的，纠集了张国军等几个最知心的朋友，飞到了法国，在巴黎的唐人街过春节，那里既不缺少中国人的年味，也不必忍受中国人繁文缛节的拜年方式，更不用担心超市里人满为患地排队结账……

赵国忠把亲朋好友十几口人，包括段天生、肖助理等等集合到海南三亚，包了一个豪华五星级酒店十多个房间，白天畅游湛蓝的海水，赤身享受温暖的阳光；晚上一边吃海鲜，一边在月光下观赏春节联欢晚会。更让他们惊奇的是，在这个豪华五星级酒店过年的，很多都是山西人，有大同口音，有临汾口音，还有吕梁口音……

在这里过年，就和在山西一样，到处都是亲切的乡音，只不过这里没有山西的那份污染和嘈杂。

过年，最辛苦的煤老板，就是像大黑这样的人。他是这么计划的：大年三十到正月初二，在老家过年，陪老婆孩子垒旺火、放鞭炮，给村里的老人拜年，顺便接待下来慰问的各级领导；正月初三到正月初十到北京和雪梅在一起，顺便看看他心爱的藏獒；正月初十到正月十五，他飞到上海，和玉兰在一起生活几天，那里还有他心爱的青花瓷……

女人在大黑的心里，就像鲜花一样，过一段时间就得亲自浇点水、给点营养。不然，要不枯萎，要不被人偷走了。过年，尤其如此。

只有心事重重的女煤老板杨娟，要呆在煤城过年，理由很简单，春节期间，下属们，包括大大小小的老板们都要来给张巨海拜年，每个人都不会空手而来，这个合法捞钱的时机，不容错过。另外，杨娟有好多生意上的事，需要过年进行处理。

台港饭店贵宾楼的事情，就需要这几天结账。台港饭店，是一家福建人投资的高档海鲜楼，总共六层，在张巨海管辖范围内。因为是区委书记的相好，杨娟出面，很容易就承包到了其中最豪华的第五层，承包费自然很低。五层，虽然将近两千平方米的营业面积，杨娟只装修了四个豪华大套房，每个都有视线和风景很好的大餐厅，一左一右，分别是棋牌厅和休息室，这四个豪华包间，极少对外营业，真正的主顾，其实就一个人，那就是区委书记张巨海。

不过，他在这里吃饭，不是自己买单，而是那些排队请客的人来买单。

张巨海官不大，但他所在的区，却是煤城经济实力最强的地方，这个区，东边是一片开阔地，从南到北高楼林立，学校、商场、公司、机关一个挨着一个；西边是一片连绵不断的山脉，里面分布着大大小小上百个煤矿。区里每年上缴省市财政二十多个亿，自有资金也有三十多个亿。

在这么个肥得流油的地方担任一把手，每天想请客吃饭的人，都得排队。有的请书记解决煤矿问题，有的想解决安全问题，有的想解决治安问题，有的想解决资源纠纷问题，有的是接待上面检查，如果书记不出现在酒席上，必然落个工作不重视的骂名……还有的，眼前根本没事，只是手里有钱，想请书记吃顿饭，先认识一下，方便以后办事。

过去，请客的人安排到哪里，张书记就到哪里吃饭。不过，几乎天天遇到尴尬的事情，每顿饭，几乎都有好几拨人要请客，其中哪一个关系都很重要，书记都不想让人家落空，最后只能自己一顿饭来回跑好几个地方，饭吃完了，人也累得筋疲力尽，什么事情也干不成了，书记常常为此苦恼不已……

要不说小女人杨娟聪明呢，她一个小小的点子，就起到了一石多鸟的作用。杨娟出面承包下来台港饭店五层的贵宾楼，一共装修了四个豪华套间，但凡请书记吃饭的人，每顿最多安排四拨，同时到这里来请客，张巨海再用不着为了应付饭局四处奔波，只要每天一到吃饭时间，直接来到台港饭店五层贵宾楼就可以了，第一拨他可以到最重要的关系那里支持开酒仪式，随后转身出来，分别到另外三个相对不重要的关系那里转一圈，根据关系远近决定喝酒多少，最后再转回主桌上来，跟最重要的朋友一直喝到宴会结束……

中午一顿，晚上一顿，每顿四桌，张书记转得轻松，客人也觉得面面俱到。不过，每桌都由请客的人付账，付账的时候，经常有人傻眼，那都是天文数字，从来没有一桌饭低于两万块钱的……可每个人即使再不高兴，也要装出一副心甘情愿的样子，因为张书记跟你吃饭，已经给你天大的面子，如果你连这么个单都买不起或者不想买，今后，张书记就再不跟你吃饭，当然再不会给你办事，不会和你继续来往了。

这些吃饭的规矩，这些吃饭的行情，几乎每个煤老板都知道，几乎机关上每个干部心中都清楚。和书记见面机会越多的人，在贵宾楼也是花钱越多的。最后，大浪淘沙，那几个长年请客的人，就成了书记最铁的哥们儿，成了杨娟心目中最受欢迎的人。

马上就到年关了，杨娟今天亲自来对账，算盘、电脑，噼里啪啦忙了大半天，结果出来了，毛收入两千五百万，除了上缴投资人一千二百万的承包费以外，张巨海为了给大家面子，光吃喝一项就给杨娟带来一千三百万元的额外收入。

小女人杨娟为自己的创意收入惊喜不已。

如果你认为，杨娟很会敛财，不懂人情世故的话，那就大错特错了。每到大年二十九，也就是除夕前夜，杨娟都要把一年中在贵宾楼消费百万元以上的大客户，大概有将近二十多人，其中很多是煤老板，专门回请一次，一共三桌，不需要其中任何一个人买单。这次，她和张巨海隆重出席，每人都要亲自敬一杯酒，送一个过年的小红包……

这么做，为张巨海大吃二喝的行为，赢回一个讲义气、重朋友的好口碑，也为贵宾楼来年的发展奠定了一个好基础。

在大老板和公务员们心目中分量很重、影响很大的贵宾楼，在老百姓心目中，却有另外一个十分不雅的名字：杀猪楼！

外地客人到煤城来办事，如果打听台港饭店贵宾楼，不见得每个人都知道，可你要问杀猪楼，可以说妇孺皆知。大家还知道杀猪楼楼主，就是年过四十、面相二十的女煤老板杨娟。

"杀猪楼主"春节前后需要亲自办的第二件大事，就是处理礼卡和礼品。

从腊月二十到正月十五，前后将近一个月，每天下午只要五点以后，不管有什么事情没有处理完，她都得放下手中的工作，匆匆忙忙赶回家，接待登门拜年的人员。如果这个时候家里没人，社会上就认为张书记为人清高、不近人情、虚情假意，甚至善于伪装、人面兽心……

杨娟和每个到访的人员，都要寒暄几句，特别是要问清楚人家的姓名、单位以及和书记的特殊关系等等，等这些人前脚一走，后脚必须把他们的基本情况，主要是名字、单位、礼金、礼卡等等，一一做好详细的登记。

过去，杨娟很懒，接待完客人，自己就上床睡觉了，结果惹来不少麻烦。首先，第一个问题，不知谁来过，也忘了人家送过什么；因为自己的疏忽，就带来第二个问题，张书记上班以后茫然一片，见到大家，不知道哪些人该热情一些，哪些人该疏远一些，让同志们很不舒服。

最可气的是，这些年人心都坏了，有些狡猾的家伙早就预料到领导和领导相好忙不过来，就乘机做了手脚，比如送来假冒伪劣礼品、送来质次档低的东西，过年以后变现都变不了，家里堆满了"礼品垃圾"。还有让人气得发晕的事，有些家伙送礼卡，摸透了接受者礼多卡多、忙不过来的心理，搞起了恶作剧：明明银行卡里只有三百块钱，却在卡上写着三万的大数，让人当场高兴，事后气疯……

为了从芸芸众生中把坏人和搞恶作剧的人揪出来，提醒张书记永远不要和这些人继续打交道，杨娟只好采取最笨的办法：人前了解底细，人后记账处理……而且，她的账目处理得很清楚：送卡的是一个系列；送礼品的是一个系列；送现金的是一个系列；送两份以上的又是一个系列。

晚上，张巨海回来一看，一目了然。

不要小看接受礼品和礼卡，这是一门学问。张巨海就是从这些人中，来年挑选干部、挑选朋友、挑选远近亲疏关系的。杨娟记账，为他做了最基础的工作，为领导以后的决策，提供了非常可靠的人脉关系。

"今年，'庄稼'收成怎么样？"半夜，张巨海推门进来，一身酒气。

"和中国的大形势吻合，提高了十五个百分点。"杨娟点击计算器。

"我是说具体数目多少？"张巨海凑过身来。

"现金、礼卡外带礼品，总共价值一千三百多万吧。"杨娟只是粗略估计。

"真是巧合，咱们贵宾楼收入也是这个数字。"张巨海离不开杨娟，除了她年轻漂亮以外，善于理财是她最大的优点。

"肯定比贵宾楼多，离过年还有一天，再说年后也有人来。"杨娟把账本和计算器推过来，"你再核一核。"

"我才没那个精神呢！有你足够了。"张巨海非常信任自己的"理财专家"。

"别看我们收了两千六百多万，其实，全都提前预支出去了。"杨娟合起账本。

"你说什么？那么多钱就当过了一下手。"张巨海酒醒了大半。

"当然。你算算：你在海南三亚看好的那套别墅，连买房带装修一千万就没了；在那里需要买两部车，那么遥远的地方，我们总不能每次开车过去，只能飞过去，在那里生活总得放两部车子，又得两百万……

"你和前妻离婚协议约定，每年给人家三百万的生活费，到了付账的时候了；过了年，你想竞争市级领导的位子，总得拿出来五百万上下打点打点。另外，段书记如果帮忙弄到煤矿，谭小明那里的两百万要兑现；你儿子在国外读书，每年一百万的生活费；还剩三百万，我最起码得有两百万的生活费……你算算我们剩下多少？"

"人民币真是越来越不值钱了。"张巨海慨叹，"两千六百万呢，一眨眼，就从手里一过马上就溜走了，比泥鳅还滑溜！"

杨娟把窗帘拉住："但愿我们能把矿争到手，只要到手，每年就有好几个亿的收入，用不着这么抠抠唆唆了。"

"我预感能行，毕竟那个矿在我的辖区。"张巨海对这件事非常关注。

"千万别太乐观，不到最后一刻，不要说这么盲目乐观的话。"杨娟一直提心吊胆，"要知道争矿的人，没有一个善茬子。"

"谁能比我这个父母官更有影响?!"张巨海倒了一杯茶，洋洋自得。

"我说你盲目自信，你还不承认！"杨娟恨不得扇他一巴掌，"你看看那几个明显的对手，虽然他们没有你官大，但他们背后的势力，根本不是你一个区委书记能对付得了的。郭天亮背后有老市长张国军，还有李立林的影子。赵国忠背后，一大帮曾经位重权倾的大干部，特别是还有市委书记段天生。……比起他们来，你这个小小的区委书记，算个毛，再难听的，算个屎！"

杨娟光顾自己说得痛快，根本不给张巨海面子，区委书记心里火了。

"你他妈女人家，净说脏话。"张巨海显然受了刺激。

"我不说脏话，点不醒你这个狂妄自负的家伙！"杨娟反唇相讥。

两人正吵得不可开交，突然又听到了敲门声。

张巨海意识到该休战了，杨娟看了他一眼，起身去开门……

进来的人，竟然是被免职的副区长王文献。

"快坐，快坐！小王。"张巨海把他拉到了自己身边。

"王区长最近忙什么呢？"杨娟拿起刀子给他削水果。

"快别叫我王区长，我早就不是区长了，现在是下岗人员。"王文献憋了一肚子气，"书记，你说说，水峪沟矿难这事，跟咱们屁的关系都没有，都是省里的责任，为什么要摘我的乌纱帽？"

"不摘你的，难道摘我的？总得有人承担责任吧。"张巨海笑嘻嘻把削好的苹果递给他，"为了掩人耳目，不得已才把你免职的，你又不是不知道。况且，免职不等于撤职，如果撤职就不能继续安排了，而免职呢，在家休息一段时间，再给你换个岗位。"

"可我一个忙惯了的人，实在坐不住。"王文献不好再发牢骚了。

"你是不是觉得帽子没了，过年就没人送东西了，心里不舒服啊？"杨娟故意开玩笑。

"那还用说，如果在台上，逢年过节来看你们，最起码不用动老本，煤老板们送的东西，就足够孝敬你们了。"王文献感觉到，一介平民有一介平民的好处，最起码当平民说起话来，没有过去那么多顾忌。

"要想以后不动老本，光看看我是没有用的，人家不点头，我干着急办不成事。"张巨海心目中，王文献向来是班子里的心腹。

"我按照你的意思，看了好几次段书记，可人家就是不让进家门，每次把我挡在门口，冷冰冰地答复，东西一概不要，有什么事办公室谈！"王文献自从被免职的第三天就开始往段天生家里跑，结果一次都没进去，"办公室能谈什么呀？每天排队想见他的人一大堆，比集市还热闹，关键的事一句都不能说。"

"老段不是那种人呀！"杨娟奇怪，"那家伙又贪财又好色，怎么变成个清官了呢，真会装！"

"这有什么奇怪的？会吃的，吃一口；不会吃的，到处吃！"张巨海毫不避讳王文献。

"什么意思？"杨娟有些不解。

"这还不懂，段天生为了往上爬，只吃赵国忠一个人的。其余任何人都送不进去，即使强行送进去，也要被退回来。如果送礼人坚持不要，他还要假模假样把礼金送到纪检委。总而言之，他要把自己打扮成这个时代的最后一个清官。"最了解段天生的人，除了赵国忠，就是张巨海。

"伪君子，假道学！"杨娟说，"碰上这么个东西，苦了赵国忠，也苦了我们呀!"

"不提他了。文献，你找了段天生这么长时间，总得有个说法吧。"张巨海想了半天，"他知道你是我的人啊，不应该啊……"

"是不应该嘛，当替死鬼，也该有个说法吧。出了那么大的事，他们的官位照样坐得稳稳的，连给替死鬼买副棺材都想不起来，晾在那里没人管，时间长了会发臭的。"王文献说这句话，一多半埋怨段天生，一少半埋怨张巨海。

张巨海听出来他的牢骚，没有在乎："老段不好接触，你可以接触接触他的秘书小孙。老段心里怎么想的，小孙最能琢磨出来。只要打听到他的真实心态，我就有办法。"

"这工作我想到了，也做了，今天就是来跟你汇报的。"王文献抬头看了杨娟一眼，面露难色。

"有什么避讳我的，不用你说，我也明白。小孙那家伙是个赤裸裸的变态狂，在领导面前装得像个没见过世面的处男，领导一走，见了好看女人就想强奸人家。"杨娟对那个小孙从来没有好印象，尤其是段天生和张巨海不在的时候，他的眼睛里立刻就冒出骚火来，处处想点着她。

"嫂子说得没错。我开始找他，小孙装得一本正经，和他吃了顿饭，尤其是洗了个澡，他就给我透露了一个绝密消息。"王文献专门把那次吃饭送钱的事，悄悄掩饰过去了。

"你是不是洗澡的时候，给小伙子'下了药'？"张巨海明知故问。

"不是我主动'下药'的。"王文献解释，"那晚，他一进桑拿，就点了两个漂亮小姐，跟他搞'二凤戏珠'。"

"别跟我说那些无聊的事情了，说点正经的，他跟你透露了什么绝密消息？"张巨海觉得王文献口无遮拦说下去，自己也尴尬。

"他说……"王文献不知是犹豫，还是不相信，"奇怪！赵国忠一直在老段面前为我说话，想安排我到区法院当院长，可我和赵国忠没有任何交情啊，他凭什么替我说话呢？"

"法院院长确实到了退休年龄了。"张巨海想起来，"决定谁来接任，老段说了算。赵国忠有时背后帮人跑官，老段经常采纳他的意见。可赵国忠为什么推荐你呢？真是奇怪！"

"对啊，赵国忠插手这件事干什么？没有道理。难道想通过你办案？"杨娟也猜不出来。

"小孙还说了什么？"张巨海只有从小孙那里猜出谜底。

"其他的，小孙就不知道了。"王文献努力回忆半天，也猜不出来他们的真实用意，"如果他还透露出一点有用东西的话，就是听赵国忠悄悄跟书记唠叨过，让我去了法院给你办案！我奇怪：你一个堂堂区委书记，有什么案子自己还摆不平，还需要用得着我去办？莫名其妙。"

"我有什么案子要办？我根本没案子！"张巨海吃惊不小。

"是啊，老张怎么了？摊上什么官司了？"杨娟心里有些不安。

"我就是来问你们的呀！你们反倒问起我来了。"王文献下意识地感觉到，一张大大的无形的黑网，悄悄向自己张开了，说不定，这次又要当一个莫名其妙的替死鬼！

十六

元旦前夕，美籍华人史佳敏的能源天使基金会就在龙天大酒店举行了挂牌仪式。那时，郭天亮和张国军还没有出国度假，两人为这项活动很卖力，请来了煤城大大小小一百多位煤老板，另外还有不少政府官员、新闻记者和社会名流。

史佳敏心里清楚，这些人脉资源都是郭天亮和张国军的，而她在这个城市，真正的人脉资源只有一个，那就是她昔日的恋人、现在的市长李立林。结果，出乎她意料的是，她唯一的一个人脉关系却没有出席活动，没有给她捧场。

那天李立林的电话一直处在关机状态，史佳敏直到会议结束都没有联系上他。人到中年，经历种种磨难的史佳敏，会议结束后，还是克制不住自己的情绪，躲到拐角里偷偷啜泣起来……

也正是这时候，张国军和郭天亮不经意地来到她的身后，他们每人说了一句最普通不过的话，可那些话几乎让她感动一辈子。

张国军说的是：孩子，别在意，我也当过市长。那岗位每天干的，都是身不由己的活儿。否则，就不叫市长。

郭天亮安慰她：小妹，我不是冲着市长来给你捧场的。我是冲着你的这份事业支持你的，千万不要多心。

相比之下，自己最信任的那个人，却在最关键的时候，辜负了自己。

昨天，李立林给她来电，她立刻把手机关了。结果，李立林半个小时以后，就亲自到了她的办公室，同时带来了一大束鲜花。

按照自己过去的性格，史佳敏早就摔门走了，从此不愿看到这个熟悉的面孔。可是，现在的她，毕竟人到中年了，毕竟不能再耍孩子脾气了。她站起来，竭力装出友好的样子，热情接待了这个特殊的"客人"。

"虽然来迟了，可我的祝贺却是最真诚、最真心的。"李立林把大朵的鲜花放到她的面前。

"祝贺，有的时候就像感情，往往来得越迟，越让人珍惜。"面前的女人有了另外一种成熟的美。

"我的祝贺，不想和别人的祝贺混杂在一起。那样，玷污了我的感情，也玷污了你自己。"李立林不等史佳敏招呼，就一屁股坐到沙发上。

"对于现在的我来说，只要是真心祝贺的，就不分单独还是混杂，更不分高下、不分先后，如同选择朋友一样，因为不愿意和人家在一起，只愿意和我一个人独处，这样的朋友，未必见得我就欢迎他。"史佳敏一语双关。

"不管怎么样，我只想和你一个人在一起，不愿和那些根本不想来往的人碰面。"李立林最终说出了自己的心里话。

史佳敏几乎把脸拉下来："对不起，我的这份工作，是一份社会性的工作，不是专门为哪个人服务的，希望你能理解。"

"好了，不说了。为了表达我的诚意，我以个人的名义，向你们基金会捐款十万人民币，怎么样？满意了吗？"李立林赶忙掏钱。

史佳敏此刻动了真情，眼眶突然湿润："你以为十万块钱，就能让一个伤透心的人回心转意吗?！就能让一个人重新找回自己的尊严吗?！"

李立林觉得自己那天的举动实在不近情理："我还有一个补偿的方式，这个星期天，我放弃其他安排，专门给你当一天义工。随便你支使，不要一分报酬。怎么样？"

史佳敏没有表态。

"做完义工后，如果有必要，周末晚上我做东，请你最重要的朋友撮一顿，帮你把面子找回来。"李立林继续让步。

"我最重要的朋友？你不是说有些人根本不想来往吗？"史佳敏反问。

"只要你觉得有必要，我的感受可以暂时不考虑。"李立林真正站到她面前，发现她对那天的事耿耿于怀，很不开心，自己感情上说什么也过不去。

"算了，还是照顾照顾你的感受吧，周末只有我俩呆在一起，不叫别人了。"史佳敏体会出来，刚直不阿的李立林让了很大的步，自己也不能得寸进尺，"说好了，周末给我当一天义工，陪我去考察一下龙泉堡，那是我们马上需要资助的一个项目。"

这个周末，其实是大年二十九，李立林之所以愿意出来当义工，是为了躲避那些络绎不绝的送礼者。

现在，过年送礼，几乎成了一种文化，甚至在煤城形成了这样一种氛围：但凡送礼的人，都是积极向上的人，来年肯定兴旺发达。那些躲在家里不送礼的人，必然是节节落败的人，来年肯定沉沦没落。越送大礼，越有朋友，越有出息。越是小气，越没能耐，越要倒霉……

从李立林来说，不是不喜欢人家送东西，而是不愿意被人胁迫。那些登门送大礼的人，要么是大煤老板，要么是显赫的政府官员，前脚拿了人家的东西，无形中就等于和人家签署了不成文的"合作协议"，年后人家找上门来，就得给人家办事，办不了，就要遭人家白眼，遭人家唾骂；有的即使办了，也不合规、不合法，别人高兴地走了，自己每天提心吊胆过日子。

可是，自己如果不要人家的东西，那更麻烦。绝大多数送礼者，都是这个城市的精英人物，他们活动能量很大，拒绝他们，必然给自己招来一大堆难缠的问题：在机关里，自己被孤立，威信降低，说话没有人听，这个市长成了摆设；在社会上，没有了同盟，没有了朋友，没有了支持者，最后表现在人代会上，信任票很低，折腾得你大庭广众之下颜面扫地，甚至成了嘲笑的对象；在家里，亲戚朋友会认为你缺乏魄力、缺乏情义，也缺乏手段，更缺乏责任，胆小怕事……

收也不是，不收也不是，最后只能一跑了之。

史佳敏提议去的龙泉堡，他早就听说过。

龙泉堡，属于相邻的另一个地级市管辖，坐落在内长城脚下，明代曾经是屯兵的住所，是防范外族入侵的七十二堡之一。后来兵寨废弃，逃难的老百姓住进来，久而久之，变成一个村落。那里最多不过百十来口人，没有一个人认识他。

去这样的地方走一天，是过节"避难"的最佳选择。

从煤城到那里有三个多小时的车程，既然当义工，李立林就承担起了司机的角色。

"这个霸道车新买的吧？性能真好。"李立林一开发动机，就感觉到一种喷薄而发的能量，"你这个女人真不简单，刚到煤城几天，就在五星级酒店里有了办公室，还坐上这么好的车。"

史佳敏感觉出来李立林话里有话，不怀好意："别那么醋酸醋酸的好不好？你要知道，我们基金会在美国的捐赠人，都是世界上排名前几位的大老板，我们自己难道还买不起一辆车？况且搞慈善要经常下乡，没有一辆好的越野车行吗?!"

"我是担心……"李立林有些尴尬。

"你担心我打着你的旗号招摇撞骗，是不是?"史佳敏甩头给了他一句难听话。

"我不是那个意思。"李立林更为难堪。

"快别为自己辩护了，一个大男人家连点器量都没有。"史佳敏故意嘲笑他，

"看看人家郭天亮，你老在我面前诋毁人家，说他涉黑，吓得我都不敢跟他来往。后来，实际一接触，根本不是你说的那样！就拿挂牌那天来说，你心存龌龊，不敢前去，我觉得特没面子。还是人家郭天亮开导我：重要的是真心做善事，重要人物来不来，其实没关系。相比之下，你就实在太小家子气了。"

"不要拿我和别人比较！"男人最忌讳一个女人当着自己的面，把他和别的男人比来比去，尤其忍受不了的是心爱的女人这么做。李立林自尊心受到了挑战。

"我不说这些，难道别人就不说了吗？"史佳敏想把那天窝在心里的气全都发泄出来，"那天参加仪式的人，十有八九都是冲着我和你的特殊关系去的，没错吧？结果呢，和我关系最近的男人，不敢当众承担责任；和我关系最远的男人，义无反顾帮我做完一切。在场的每一个人都看见了，我相信，他们每个人都会把你和郭天亮无意之间做一个比较，你们谁高谁低；谁心存私心，谁高风亮节，大家心里一清二楚吧……"

"求你了，别说了。"在平路上，李立林车开得颠来颠去。

不得已，史佳敏只好停止了谴责。

此后，几乎一个多小时，两人一直没有说话。开始爬山的时候，史佳敏主动打破了沉默："在你们中国男人心目中，美国女人是什么样子的？"

"在男人心中？"李立林想了想，突然想起来玛丽莲·梦露："美国女人嘛，就是那种随时可以和有魅力的男人发生一夜情的电影明星。"

"倒是挺有意思。你这句话里包含着美国女人的三个特点：首先会打扮，外表像个电影明星；其次，思想开放，没有陈规陋习；最后嘛，你也暗贬美国女人性生活比较随便。我理解得没有错吧。"史佳敏上大学的时候，思想就很有条理，很有逻辑。

"我是你说的那种美国女人吗？"史佳敏有意问他。

李立林尽管过去最了解她，可史佳敏毕竟在美国生活了多年，那方面有无变化，他也不清楚，不好回答："这个……这个……"

"告诉你，尽管在美国生活多年，可我是一个很传统的中国女人。"史佳敏明白无误地说。

"那美国女人心目中，中国男人是什么样子的？"李立林比较好奇。

"就是你二十多年前那种样子。"史佳敏不假思索地回答。

"我二十多年前是个什么样子？"男人比较现实，尤其是成功的男人，对那些不愉快的往事，几乎都抛在脑后了。

"二十多年前，你说自己是个什么样子？"史佳敏对过去的事情难以忘怀。

"我也说不来，主要是不明白你指哪些方面。"提到过去，李立林毕竟有些发虚。

"那我告诉你：二十多年前，你是一个刚考上大学的农村青年！"史佳敏根本不在乎面前的人是这个城市的风云人物。

"刚考上大学的农村青年和美国女人对中国男人的印象有什么关系？"李立林看来，这分明是两码事。

"当然有关系！"史佳敏又开始了她的逻辑推理，"刚考上大学的农村青年，首先觉得鲤鱼跳龙门，有了出人头地的感觉；其次，从农村出来，与生俱来一种无拘无束的活力；最后呢，毕竟在农村长大，没有见过世面，到了关键场合，没有礼数，更谈不上绅士风度。就像目前的中国男人，苦熬了多少年，终于有了钱、有了权，马上觉得自己不可一世；另外呢，中国男人不缺乏活力；最后，什么都有了，就是没有风度，没有教养！这是成长中的缺憾。"

"你这是拐着弯骂我吧，别当我听不出来。"李立林发现又中了她设的套。

"你说，那天的行为，能说明你有教养、有绅士风度吗？"史佳敏还是耿耿于怀。

"什么是教养？什么是风度？"李立林反驳她，"难道，强迫我和那些根本不愿见面的人同流合污，就是有教养和风度？！"

"那你和我在一起，也是同流合污？"史佳敏气愤地说。

"你偷换概念。"李立林车速明显加快。

"我郑重告诉你，他们是我的朋友，如果你也是我的朋友，请你绅士一些，学会尊重别人。"史佳敏亮出了自己的底牌，"这么多年，没有你这个朋友，我的事业照样做起来了；过去如此，今后也如此。"

一条蜿蜒的长城，顺着山脊起起伏伏、升升落落。这一段的长城，不像北京八达岭的长城，都是用青砖砌成的，远远看去，华美而壮观。而龙泉堡附近的长城，城楼是用山石垒起来的，剽悍而凶险；城墙是用黄土筑成的，厚重而苍凉。

龙泉堡就坐落在长城的怀抱里，准确地说，是在长城下面的半山腰里，依山而建，层层叠叠，错落有致。如果不是因为开着现代化的汽车进村，人们会感觉到，时间倒流回了明朝。

一条高低不平的曲折村路，村口是一座像城门楼一样的重檐过街楼，上面吊着一口大钟，过街楼里沿着石路两旁排列着几十处深宅大院，不过因为年久失修的缘故，许多门楼都不同程度地倒塌了，原来的雕梁画栋变得面目全非，甚至许多木门腐朽得残缺不全，从外往里看去，几乎没有一处完整的照壁，没有一处修补的痕迹……

最奇怪的是，整个村里几乎看不到人，更没有鸡鸣狗吠、牛羊成群。整个村子，如同从明代开始一直沉睡到现在，只不过沉睡的过程中，很多东西经不住岁月的侵蚀倒掉了，而人们却因为睡得太死，几乎没有任何感觉。

"如果不是亲眼所见，我根本不敢相信，这里还保存着如此完好的古代民俗村，就像活化石一样，让人惊奇。"李立林赶紧拿出相机，拍下一张又一张希奇的风景。

"这里，不只是一个民俗村！"史佳敏在前边带路。

"那还是什么？"李立林回头一望，古钟在正午的日光下变成了金色。

"到了祠堂，你就什么都明白了。"史佳敏时尚的穿着与这里古朴的环境，形成了鲜明的对比。

说是祠堂，其实是倒塌了多半院落、多半房屋的古建废墟。那里有五六个衣衫褴褛的老太太在等着他们，显然，这次见面，史佳敏事先已经打过招呼了。

"史同志，快坐，快坐。"其中一个老太太，脸如枯树雕刻的一般，她主动招呼客人。

"这是我们基金会的顾问。"史佳敏把李立林介绍给老太太。

"好啊，好啊。"老太太伸出枯树般的双手，给他们倒水，"走了这么长的路，辛苦了。"

"马上就过年了，你们还跑来帮助我们，真是活菩萨啊。"另一个老太太牙都掉光了。

"奇怪？都快过年了，你们村的男人都哪去了，打工还没回来呀？"李立林下过不少村子，这样古怪的村子还真没见过。

"哪有什么男人，我们这是寡妇村！"没牙的老太太回答。

"佳敏，到底怎么回事？"李立林吃惊不小。

"问我干吗？听听老百姓怎么说。"史佳敏低头喝了一杯水。

枯树老太太："你们是为了帮助我们，下来搞调查的，换了别人，县里不让说，我们也不敢说。"

"为什么？"李立林感觉到惊奇的事一件连着一件。

"谁要说了，县里就要把补偿谁家的两万块钱要回去。"另外一个老太太唠叨。

"难道说男人们都……"李立林猜出来大半。

"对，我们村的男人都死到矿井下了。"枯树老太太神情有些异样，"我们村男人本来就不多，连老带小，能干活的总共二十九个，都在附近的黑煤窑里挖煤。去年黑煤窑发生爆炸，成年男人们全被活埋了，连尸首都找不到。"

"那矿主呢？"李立林激愤起来。

"爆炸声还没落地，那家伙就卷钱逃跑了。"没牙的老太太说话咬字不清。

"政府是怎么处理的?"李立林着急地追问。

"政府能怎么办?政府里有人拿了窑主的钱,肯定要把这件事情压住。"枯树老太太显然了解全部情况,"最后,为了不让我们闹事,一家补偿了两万,还特别吩咐:谁要举报,谁就得交回补偿金。"

"对啊,"没牙老太太继续补充,"开始,大家接受不了,又哭又闹。后来泪哭干了,闹没劲了,仔细一想,反正人已经死了,继续闹下去,男人们也活不过来,每家就领了两万闭嘴了。"

"怪不得叫'寡妇村'呢,原来是这么回事。"李立林环视,眼前都是老太太,没有一个年轻媳妇,"那年轻女人都干什么去了?"

"咳!别提了。"枯树老太太,"男人都死了,总不能让人家守活寡吧,很多媳妇领了补偿金,不久下山嫁人了,全村只剩下我们二十多个老太太,还有十一个不懂事的娃娃。"

"听说史同志要把这十一个娃娃带到城里上学?"没牙老太太看着史佳敏。

"对啊,你们舍得吗?"史佳敏拉着大娘的手。

"怎么舍不得?"枯树老太太眼圈发酸,"我们都是一大把年纪的人了,有一天没一天的,说不定哪一天就倒下来,连个办后事的人都没有。最不放心的,就是这帮没爹没娘的孩子,他们真可怜啊。"

没牙老太太:"史同志,从面相上看,你很有菩萨相。收留了这帮孩子,你会有好报的。"

枯树老太太:"对啊,过去有个贼眉鼠眼的人来过,提出来要收留孩子,我们没给。"

"为什么不给那个人?"李立林眼睛里泛着泪花。

"那个人面相不好,一看就是个人贩子,我们坚决不能把孩子交给他。"没牙老太太毫无遮掩。

"你们真是找对人了。"李立林在刺眼的阳光下重新打量史佳敏,突然感觉她有点像庙里供着的那尊观音大士。

"大娘,孩子我过几天带走。今天来,主要是给你们拜年的。"史佳敏突然拉开大提包,从里面拿出来一大沓早就封好的小红包,"这是煤城一个郭先生捐赠的善款。你们拿去,买些年货吧。"

"孩子,你帮我们收留那些娃娃,我们就感激不尽了,钱,我们绝对不要。"枯树老太太把钱推回去。

"对,我们不要钱。"大家几乎是异口同声。

旁边的李立林深受感动的同时,表情微微有些异样。

......

回来的路上，还是李立林开车："我终于明白，你为什么要选择带我来看这个寡妇村了。"

"你说为什么？"史佳敏发现夕阳挂在天边。

"你想改变我对一个人的看法。"说这句话的时候，李立林语气很缓慢。

"改变了吗？"史佳敏有意无意地问。

"没有！"李立林非常坚决。

"为什么？"史佳敏明显感觉到车速加快。

"但凡精心设计圈套的人，总会圈中有圈，套中有套，一个接着一个，直到你钻进来为止。"李立林为自己的深刻发现洋洋自得。

"我还是那句话：你太没绅士风度了。"史佳敏流露出来鄙夷不屑的口气，"实话告诉你，今天的安排，只有我们两个人知道。郭天亮和张国军早在飞往欧洲的航班上，对一切根本不清楚。"

"那钱可是他资助的，你怎么解释？"李立林心中不满，"有人出钱，有人出力，这双簧唱得真是精彩绝伦。"

"闭上你的臭嘴！"史佳敏终于忍受到了极点，"老郭，为什么要把钱捐到这个不属于煤城管辖的'寡妇村'来，你想过没有？"

"你说为什么？"

"老郭主要是看着'寡妇村'孩子们可怜。另一方面，不想让煤城那些拙劣的政客感觉到他的慈善行为是为了追捧政客们的臭脚！"史佳敏愤恨地回答。

多少年来，李立林第一次面红耳赤。

十七

大黑，从小天不怕，地不怕；不信鬼，不信神。可是，自从出了两次矿难，村里死了那么多人，他开始对鬼神迷信起来。

尤其是亲眼看到郭天亮盖了关帝庙以后，他的矿不仅没出任何事故，而且买卖一天比一天好，他对面前的关老爷敬畏起来。

村委会办公室从关帝庙的前院搬到了后院里，只要来村委会办事的，只走后门，不走前门。前门，专供那些朝拜上香的人出出进进。特别是每月的初一、十五，如果他在村里，就亲自给关老爷上供上香，如果他在外办事，村委会的会计也要代替他，办好敬供这件大事。

前几天，有个晋南的风水先生给他建议：要想转运转势，过年之前，要搞一次分供。什么是分供呢？就是自己必须亲自到运城解州关帝庙搞一次祭拜，从那里专门请一尊大家共同做过法事的关老爷回来，替代目前这尊草草雕塑的关老爷，这样，转运更快，效果更加灵验。

大黑一听，也有道理。当初，郭天亮把建庙的钱给了他以后，一切建造工作都是自己完成的，大殿里的关老爷，是请邻村张木匠雕刻的，他尽管手艺不错，毕竟没有仙气，特别是没有人家关帝老庙里，整天接受信徒们跪拜的那些"关老爷"有仙气。他按照晋南那个风水先生的指点，很快跑到运城解州的关帝老庙，花大价钱请回来一尊红木雕刻的关老爷。

运回以后，大家看了，发现这个根本没有上过漆的红脸关公，气色很正，特别是眼神亮得吓人，当下大黑还有不少村里人就感觉到运道运势马上就要变了。

果不其然，没有几天，当初捐建关帝庙的郭老板，还有老张市长，就来到村里提议搞新农村规划，并拨来两百万的前期费用。大黑为此忙得不亦乐乎，又是跑乡里，又是跑土地局，又是跑规划局……

大家共同议定的选址，是村口和大路交接的地方，那是一片相对平缓的丘陵地带，过去学大寨的时候，是村里的样板田，这些年干旱越来越严重，样板田变成了龟板田，到处都是不规则的大裂子，根本不能种地。不过，要是盖新农村，没有问题，只要把水从山沟里引过来就可以了。最后，只有一个问题存在障碍，那就是土地性质。尽管这片地方，早就成了弃耕地，可在土地局的台账上还是基本农田，所以，土地局不敢在村里的申请报告上签字，大黑跑了好多次，都跑不下土地局这个手续来。

老市长张国军知道这事以后，立刻到国土局局长办公室，把那个自以为是的家伙破口大骂一顿，最终国土局的大章盖上了。手续一全，郭天亮的两千万资金就到账了，剩下的资金缺口不太大了，只要家家户户筹点钱，一个崭新的后沟村，马上就要由图纸变成现实了……从这件事上，大黑感觉到关老爷第一次显灵了。

还有让大黑更惊喜的，自从采纳张大娘的建议，村里搞起了新的"地道战"，家家户户挖起了黑煤，再加上最近运气很好，煤价一直上涨，每家"地道"里运出来的煤，都卖了个好价钱。农民手里一有了钱，就憋不住了，有的在城里偷偷买了房，有的买起了小汽车，还有的经常到外面吃喝玩乐。对他们来说，家里添置冰箱、彩电、空调就成了家常便饭。

后沟村这些偷偷摸摸的变化，大黑心里清楚，农民心里清楚，可上面的领导一无所知，在他们心目中，后沟还是那个穷山穷水穷样子。为此，还闹了个大笑话。

那是大年二十八，市、区两级领导前来慰问。大黑知道消息后，提前做了安排，所有"地道"里的所有活计，全部停工，迎接上级领导的到来。

过年来慰问，领导也是人，不能空手而来，他们准备了不少礼物，特别是考虑到山区百姓生计艰难，又要看春节晚会，慰问团特意采购了十台二十一英寸的大彩电，准备作为特大新年礼物，赠送给后沟百姓。在领导看来，这项德政工程，一定会感动山里人，一定会看到现场许多激动的眼泪，一定会看到很多人高呼领导万岁……

市里特意安排电视台做现场报道，结果让他们大跌眼镜的是，当领导振聋发聩地宣布赠送十台二十一英寸彩电的时候，台下不仅没有眼泪、没有掌声，更没有人高声呼喊，反而响起了一片嘘声。

领导非常尴尬，也非常纳闷，如果不是大黑及时安排一些初中生上来接受礼物，说不定都没人领情。后来，领导分成几路把白面和彩电分别送到农户家中，这时候他们才找到答案：家家户户的彩电，不是五十英寸的就是四十英寸的……

对村里人来说，二十一英寸的彩电，纯属过时和多余，现场的领导，尽管一再夸赞大黑的工作有成绩，可始终掩饰不了自己的尴尬和难堪。而那些现场跟踪做报道的电视台记者，一时陷入了两难处境：仔细拍吧，现场气氛与当初宣传部布置的意图相去甚远；不仔细拍吧，领导一再夸赞后沟村变化很大，自己回去以后不知如何处理……

这件事，说起来非常尴尬，可在大黑看来，还是"关老爷"显灵了，从一个侧面说明，村里人的口袋已经鼓鼓的，对那些小恩小惠不屑一顾了……

最让大黑惊喜的还有一件事，这事发生在大年三十中午。他在村里关帝庙前放了半天鞭炮，现在的鞭炮和过去的不一样，过去的能听到炸雷一样的响声就是好炮。现在，那可变化大了，鞭炮几乎和炸煤窑的雷管一样，只要一点，响声就能炸得大树摇晃，房子抖动，甚至鞭炮炸响时的强烈气流，都能把近处的人掀个跟头。就是在这样暴烈的环境中，大黑放了一上午炮，等中午吃饭的时候，他才发觉耳朵什么也听不见了。

大黑下意识地把手机拿出来一看，有二十多个未接电话，都是从北京同一个电话上打来的。大黑心里明白，那是雪梅的电话。他连饭都没顾上吃，赶紧发动汽车，来到村外一个比较偏僻安静的地方，这里远离炮声，他的耳朵才慢慢有了些反应。

大黑匆忙接通了北京的电话，谁知雪梅告诉他一个意想不到的消息：肚子里有了孩子！并且征求大黑的意见：这个孩子要不要？

大黑当即给了她非常肯定的答复。

雪梅仍不放心地问：你在老家已经有了一男一女两个孩子了，为什么还要？

大黑在电话里哈哈大笑：孩子就和钞票一样，当然是越多越好！

得知雪梅怀了孩子的消息，大黑兴奋地赶到城里，又买了许多鞭炮，许多猪肉。猪肉不是自己享受，也不是为了带到北京，而是为了供奉村里的财神关老爷；继续放鞭炮呢，当然是为了让关老爷听见他感恩戴德的心声。

"孩子，你的命真好！"才办完心事，出门就遇到了张大娘，大黑努力想掩饰住自己的兴奋，结果还是让老太太看出来了。

"大娘，村里人有了钱，不都是你出的主意嘛。"打内心来讲，如果不是张大娘想出来"打游击、挖地道"的办法，村里人还要守着金碗要饭吃。

"不管怎么样，都是你干出来的，你是一村之长嘛。"张大娘牙都掉光了，可精神头十足。

"大娘，为了感谢你，我跟几个干部合计了一下，准备给你老人家奖励一笔钱呢，至于多少，等定下来，我送过去。"这件事，确实曾经在村委会上讨论过，大黑主张给十万，有几个干部认为过高不同意，因为此事比较复杂，大黑担心强行去办，容易引发告状，他想过年后再做做其他人的工作。

"孩子，我有吃有喝就够了，其他不需要！"毕竟是经历过抗战的老太太，境界和一般人不一样。

"那怎么行！"大黑脸朝着庙里的"关老爷"，"大娘，村里人说，你就是他的化身。"

"胡说什么呢，我可不是关老爷。"张大娘虽然嘴上这么说，可听到村里人感激她，心里很高兴。

"过年还缺什么？"大黑真心想给老太太办些实事。

"不缺。"张大娘也看着庙里香烟缭绕的关帝，偶尔皱了一下眉头，"不过……"

"不过什么？"大黑明白老太太是村里唯一经历过大世面的人。

张大娘用手指指远处的关老爷，本想说出来，可犹豫半天，最后还是把话咽回去了："咳！大过年的，说这些干什么！"

"大娘，别担心，有什么顾虑，尽管说。哪怕是不吉利的，只要说出来，就没事了。过年这段时间，家家户户给关老爷放炮，为什么？就是为了让关老爷赶快动手，把那些不吉利的事炸掉！"大黑预感到老太太有难言之隐。

"要照你这么说，我就敢开口了。"

"说吧，让关老爷炸掉它！"

"大孙子，阴阳五行中什么代表财富？你明白吗？"老太太故意问大黑。

"那还用说，水呗！"大黑笑了，"这个问题，小孩子都知道。"

"那我要说的，就跟财富有关、跟水有关。"张大娘神情严肃。

"跟水有关?"大黑蒙了,环顾四周,"咱村是个严重缺水的地方,过去人们喝水都要到半山腰去取。前年刚安上水泵,把水抽上来的,大娘你应该知道啊,还担心什么水?"

"我当然知道了!"张大娘显然心里有数,"怕就怕你不知道。"

"难道这靠抽水机生活的村子,还能发生水灾?"大黑觉得不可思议。

"那真要发生了呢!"张大娘一点没有开玩笑,"你要知道,从风水上来说,钱多了,那是因为水多。水多了就要发大灾的!"

"大娘,别吓唬我了,风水上的'水',和实际生活中的水,不是一回事,差着远呢。"这个道理,大黑比较清楚。

"你就是太笨了,说半天什么也不懂。"张大娘火了。

"不是我不懂,而是你把我说糊涂了。"大黑从张大娘一本正经的神态上看出来,她的担心说不定有道理。

"你刚才说什么了?"张大娘反问。

"我没说什么。"大黑想了半天刚才的话,没有一句有价值。

"你说半山中间怎么来着?"张大娘启发他。

"我说,过去咱们村取水要到半山中间……"大黑回忆起来,是有这么一句。

"那你明白没有?"张大娘追问。

"不明白。"大黑确实不是那种一点就透的人。

"我说你是个糊涂虫吧,你还不承认!"张大娘把拐杖举起来,"半山中间只要有水,尤其有大水,当然就会发水灾了!"

"大娘,那可离村子远着呢!"大黑看看山下,放下心来,"水只能往低处流,怎么能倒灌到高处来呢!"

"不要跟我说高处还是低处,净说些废话。"张大娘生气了,"我问你一个问题:水离村里人远不远?"

"当然远啦。"大黑回答非常肯定,"半山中间的水,最起码离村子有二三十米,当然离村里人肯定也有二三十米,没什么危险的。"

"你这家伙,怎么这么不开窍!"张大娘用拐杖重重敲了他一下,"那些整天'挖地道'的人,是在山上,还是在半山中间?"

"啊!"大黑终于被敲醒了,"大娘,我明白了。'挖地道'的人在半山中间,泉水也在半山中间,万一挖到泉脉上,那可闯下大祸了!"

"我说的就是这个理。"张大娘又用拐棍敲他,不过,这下力量轻多了,"别看咱们村缺水,可咱们村地下不缺水。当年抗战的时候,鬼子占了咱们村,游击队员躲到半山腰的山洞里,用枪把子就能砸出一大股的泉水来。"

"是啊，幸亏关老爷保佑，这段时间没出事。"大黑几乎后怕起来，"那些'挖地道'的，挖了半年多，一些人都挖到山脚下了，如果有人不小心，把半山腰的泉水刨出来，那可就糟了。"

"一个从高到低的黑洞，人在下面，水在上面，水要从上往下直灌，躲在底下黑洞里的人能逃命吗？"张大娘棍子真是敲得再及时不过了，"所以，我提醒你……"

"我彻底明白了，马上安排干部通知村民们，只要发现有水线痕迹，为了大家安全，不由分说，立即停工！"大黑从内心非常感激老太太，"大娘，还是你老见多识广，眼力不寻常，我代表村里人谢谢你的救命之恩。"

"要谢，你就谢关老爷吧。"张大娘回头看看赤面红须的关云长，"我也是从他老人家主财主水这一点上，想到了这个可怕的危险问题。"

和张大娘分手以后，大黑通知村里所有的主要干部马上召开紧急会议。

在大家嘟嘟囔囔、骂骂咧咧的气氛中，村长大黑把今天下午和张大娘谈话的主要内容复述了一遍，在场的每一个人都被这种潜在的可怕事情惊醒了，刚才所有的牢骚和埋怨都被大家抛到了脑后。

一个村委会副主任，经常和大黑闹矛盾，他感叹："张大娘都快成了妖婆子了，我们看不到的财路，她能看到；我们看不到的灾难，她也能预料到。等老人家将来百年以后，我们干脆把她供到关帝庙里算了，让老人家和关老爷享受一样的待遇，只要逢年过节，咱村人都给她老人家上供品。"

"你他妈说的是屁话。要孝敬，就得趁人家在世的时候好好孝敬。"另一个副主任是大黑的亲信，显然和前面说话的人有矛盾，"人家现在身体还好，连十万块钱奖励你上次都反对。老人真要走了，谁相信你会给她上香火?!"

"你们俩别吵了。"支部书记很不耐烦，敲了敲烟袋锅，"只要开会，你们就吵架，素质太低了。我给你们提个醒：大年三十紧急叫大家来开会，研究的是下一步怎么避免窑口透水的事情，不是张大娘的事情。至于奖励张大娘的事，让村长大黑做主就是了。"

"对啊！"治保主任站起来，"透水要是死了人，不比瓦斯爆炸差多少。上次，咱们邻县有个煤矿发生透水，里面三十多人没有一个出来，全都被淹死在井下了。咱们村表面缺水，其实，地下水很丰富，这可是悬在我们头顶上的一把利剑。"

"我上学的时候，学过一些这方面的常识。"团支书是个才从学校毕业的高中生，是村里最有文化的人，"预防透水，要比预防瓦斯爆炸复杂得多。预防瓦斯爆炸，只要杜绝火苗，基本上就可以控制住。而透水呢，谁也不知道哪个地层有水线，更不知道什么时候暴发出来。那些大矿，很多是机器设备一流的大矿，面对透水，除了发现险情、紧急撤离、马上抽水之外，科学预防手段不能说完全没有，但有效的实在太少了。"

"既然大矿都没有好办法，我们还有什么好办法？"妇联主任一筹莫展。

"真要透了水，不仅村民倒霉，我看村干部们都得受连累，说不定大家一起住监狱。"最早说话的副主任实在憋不住了。

"那有什么！"另一个副主任装出坦然的样子，"有福同享，有难同当。那才叫弟兄。"

"要住监狱，你住去！我可不住，家里还有老婆孩子呢。"支部书记马上把那个假仁假义的家伙顶了回去。

"我看，这件事，大黑知道得最早，考虑的时间都比我们要长，他肯定有了些眉目，不然的话，不会这么快把我们叫来。"治保主任看着村长大黑，发现他神情并不紧张。

"村长，说说你的主意吧。"团支书也督促他，"透水这事，科学的办法没有效，说不定土办法有效。就和看病一样，死马当做活马医吧。"

大黑发现大家都盯着他，只好把自己不成熟的意见端出来："刚才，团支书讲了一个很重要的问题，透水事故，没有办法从根本上治理。我认为：只能进行简单的预防。怎么预防呢？想了大半天，办法也同样简单：采取重金悬赏的措施。只要有人发现水线，立即停下来，报告村委会，马上就可以得到十万元的奖励。悬赏的过程，其实是个教育的过程。不悬赏，不会引起大家的重视；不重金悬赏，大家头脑中对这件事的可怕性认识不到位……"

"如果没有别的更好的办法，就按照大黑提出的悬赏措施来执行。"村支书痛快地表态。

大家连连附和……

开完村委会，天就快黑了，大家赶紧回家，忙着去包饺子、放鞭炮、过新年。

村长大黑也不例外，出了关帝庙后门，他就发动汽车向市区开去，半个多小时后，他来到了自己居住的丽花小区。

大黑匆匆下了车，刚要进门，一场灾难突然降临到他的头上：大黑身后，不知从哪里蹿出来三个彪形大汉，不由分说，他们提起厚厚的麻袋就套住大黑的头部，没等他反应过来，嘴里又被塞进了一把棉布，堵得密不透风，说不出话来。随后，一瞬间，那口大麻袋把他从上到下裹了个严严实实，封口很快被扎紧。

三个大汉，像搬运大白菜一样，把装着大黑的麻袋，扔到了一辆没有牌子的越野车后座，刹那间，他们就消失在暗夜中……

这个意外的灾难，前前后后不到五分钟，站在屋里窗前一直盼儿子回来的大黑妈，看得都傻了眼……

几分钟以后，大黑妈终于醒悟过来，大呼小叫"大黑被绑架了！大黑被绑架了！"的时候，绑匪连同他的儿子大黑早就没有了踪影……

十八

得知大黑大年三十晚上被绑架的消息，很多人都吃了一惊。

后沟村村委会在书记主持下，连夜开会，商量解决办法。不过，这次紧急会议的地点，不在关帝庙，而在书记家里。

"大黑出了这么大的事，有些人不要幸灾乐祸。"书记特意看着一个平时经常和大黑闹矛盾的副主任，"不管怎么样，上次村委会换届选举，是我把咱村的煤老板大黑鼓动回来当村长的，有些人背后说我吃了他的东西，纯属胡说八道。今天，说句良心话，我就想利用大黑手里的钱、手里的关系，为咱们村办些实事。事实证明，我当初的这个选择没有错，你们当中的每个人，都从大黑身上捞到了好处。咱们的新农村也快建成了。可偏偏这个时候，他出事了……"

书记说着说着，激动起来，几乎说不下去了，用眼睛看了一下治保主任。

治保主任明白书记已经定了调子，下面需要他再添把火、出把力："不管怎么样，即使素不相识的外人遇到灾难，我们有良心的人也应该伸一把手。况且，大黑还是我们的村长。我知道，大黑那小子有不少黑煤窑主的不良习气，比如吃喝嫖赌等等，可看人要看大局、看本质……"

治保主任没有讲完，大黑提拔起来的一个年轻副主任就打断他的话，接着说："要从本质和大局上讲，大黑是个不错的大哥，别的不说，就说一点，为人大方，谁也比不了。我们在座的，谁能做到无偿赞助每一家两三万块，做不到吧？我相信，只有大黑能做到，所以，村民们才信任他，选他当村长。现在，他出事了，我们要想方设法解救，也算对他的报答，谁要背后使坏，我第一个饶不了他！"

那个平常和大黑作对的副主任，突然感觉到大家的发言，几乎都是冲着他来的，他明白自己触了众怒，赶紧转移话题："书记召集咱们大年三十半夜开会，肯定不是为了解决村委会的团结问题，而是为了解救大黑。我在这里表个态：只要知道大黑的下落，我立刻带领几个民兵去镇压了那几个匪徒，把咱们村长救回来，怎么样？"

"这才像个副主任的样子。"书记彻底放心了，"你们分析分析，大黑平常得罪过哪些人？他们绑架他为了什么？怎么才能找到他的下落？"

治保主任琢磨半天，尽管有些可能，但并不确定："是不是和煤有关？"

妇联主任当即否定："不可能，咱们村挖煤，没有触犯任何人的利益，也没有雇用任何外来人员，怎么能和煤有关呢？"

治保主任顺着原来的思路继续分析："你们要知道，大黑不仅帮村里挖煤，自己还倒腾煤炭买卖，是不是欠了人家外地客户的钱款，没有及时发煤，被人家绑架了？"

"也不可能。"大黑的亲信副主任说出自己的看法，"大黑是做煤炭买卖，可他干这一行有个原则：只要收到人家的钱款，肯定一个月之内要把货发给人家。据我了解，这么多年，他发出去的货多，而收回来的钱少，也就是说只有别人欠他的，没有他欠别人的。"

治保主任皱皱眉头："有没有这种可能：年后水峪沟煤矿矿产就要拍卖，是不是有人绑架他，逼他就范？"

团支书觉得这种看法站不住脚："你要了解争矿的都是什么人，就明白他们没有一个人会干这种蠢事！他们都是什么人？都是郭天亮、赵国忠那样有势力、有背景的人，特别是他们背后，牵扯着许多政府官员，即使有人有贼心，那帮大官也不会允许他们胡作非为。"

"不管你们怎么说，我坚持自己的观点，这次绑架肯定和煤有关。"治保主任固执己见。

"理由呢？没有理由嘛。"民兵连长也否定他。

"什么时候看到结果，就知道理由了。"治保主任回了一句。

"要等到那时候，说不定大黑脑袋都保不住了。"团支书嘲笑了一句，随后问大黑那个亲信："除了村里人，大黑在社会上是不是有仇人？"

"没有，没有。"那个副主任毫不犹豫地回答，"你们也了解大黑，他平时爱喝酒、爱唱歌、爱交朋友，请客吃饭十有八九都是自己掏钱，很少占人便宜，很少得罪朋友。"

"是啊。"村里的副书记很纳闷，"像大黑那样性格豪爽的人，一般是不会得罪人的，这方面，我还是了解他的。"

妇联主任突发奇想："大黑那家伙爱喝酒，自然也喜欢女人，对不对？"

亲信副主任抬起眼皮："大姐，有什么话，你直说吧，不要绕弯子，绕得多了，我听不懂。"

"那我就直说，也是为了救他，没有别的意思。"妇联主任快言直语，"大黑没有当村长之前，那可是手里有钱的煤窑主。现在的煤窑主没有一个不泡歌厅的，是不是霸占了哪个女人，被人家男人知道后绑架了？"

亲信副主任一下子被问住了，现场的气氛突然转了弯，大家对大黑感激和报恩的心情很快降温了。

团支书随声附和："这个嘛，正常！哪个男人有了钱，不想开开荤。"

"这么说，你小子早就有这个贼心！"治保主任突然发现身边潜藏着一个好色之徒，"你是不是经常和大黑去歌厅？"

"哪有的事，我是说大黑！"团支书慌忙为自己辩解。

"不要说那么多废话！"很久没有开口的村支书，心中有些火气，"副主任，你几乎每天和大黑在一起，当着大家的面，说句实话，他是不是经常下歌厅、找小姐？"

"非要说？"副主任再次看着书记。

"当然，不能撒谎！"书记脸色沉重。

"是！"副主任声音很低、很诚实，大家听了个一清二楚。

现场气氛非常复杂。和大黑关系近的，觉得没有面子；和他关系远的，心里暗自高兴。

"那他有没有相好？"书记眼睛像刀子一样盯住他。

"在煤城没有。"副主任如实回答。

"外地呢？他可是经常往外跑啊！"常和大黑作对的副主任，感觉机会来了。

"少啰嗦，轮不上你插嘴！"书记恶狠狠训斥那个心怀鬼胎的家伙。

"你们问我，我问谁去?!"看到书记向着大黑，亲信副主任也急了，"你们都知道，大黑出门，从来是独来独往，他在外面的行为，我一概不知道！总不能逼我说些不负责任的瞎话吧。"

"我看这么办吧，从目前的情况来看，大黑在煤城的情况比较简单，既没有仇人，也没有情人。要想弄清绑架的原因，我们不妨把重点对准大黑外面的社会关系，从中慢慢找出一些线索来。"治保主任说这句话，表面上为大黑着想，实际上暗中帮书记的忙，他俩是多年的老兄弟。

亲信副主任反应很快："我粗浅了解一些大黑在外的社会关系，到外面调查的事，我来办！"

"非你莫属！"书记最后做了总体安排，"妇联主任、团支书明早去大黑家，做好老人、媳妇的工作，千万记住：只能说好，不能添乱；治保主任和我，明天分别到乡里、区里主要领导当面汇报一下，村长过年被绑架，毕竟是个大事；其他村干部老实呆在村里，做好稳定工作，尤其要防止有人胡说八道、借机生事！"

书记布置完工作，有人愤恨、有人焦虑、有人着急、有人懊恼、有人脸红，大家反应各不相同。

大年初一，村支书给区委书记张巨海拜年，顺便汇报了大黑被绑架的事，张巨海惊出了一身冷汗："回去以后，不要轻举妄动，一切等区委的吩咐。大黑既是煤老板，也是村干部，社会影响大，目前主要控制好不良消息的传播，避免引发社会恐慌。"

村支书连连点头，离开了书记家。

张巨海的小女人、女老板杨娟看着村书记离去的背影，悄声嘀咕："你说这个精明过人的老头，会不会是幕后指使？"

"理由呢？"张巨海隔窗望去，老头刚好迈出大门。

"煤炭啊。"杨娟双手搭在胸前，"现在煤炭行情暴涨，谁当村长，谁就能主宰各方进贡的好处，只要地下有资源，再穷的村子，村长也能捞两千万。"

"你不懂，在村里，书记是真正的一把手，村长不过是二把手。他要有那个心思，完全可以书记兼村长，根本不用把大黑引进来。"张巨海望着门外满地的鞭花碎炮。

"人啊，官当得越大，权力就越大，胆子也越大，根本不知道规避风险。"看着人们送来的满屋鲜花，杨娟神色非常得意。

"什么意思？"张巨海回过头来。

"村支书是个芝麻官，比你懂得规避风险。"杨娟把盛开的牡丹，移到屋子正中间。

"怎么规避风险？"张巨海发现水缸中的名贵观赏鱼加快了游弋速度，可能是受到了满屋花香的诱惑。

"前门安排一个傀儡收钱，后门再把傀儡口袋里的钱掏出来，这么做，中间隔着道防火墙，肯定比自己直接捞钱安全得多吧？"杨娟在牡丹花的后面，摆上了鲜红的杜鹃，"大黑是不是那老头的傀儡？我看他鬼精鬼精的。"

"女人就是心眼儿多。"张巨海帮着她整理鲜花，"老头和我打了十多年交道，人精是事实，可人品没问题。"

"要是这么说，大黑被绑架，真成了无头案了。"杨娟打理鲜花，就和打理自己的头发一样，充满了创意，不一会儿，家里凌乱的各种鲜花就有了层次感与和谐感。

"村里人怀疑大黑栽在外面女人手里，你觉得可能吗？"张巨海最后坐到沙发上欣赏家里层次分明的"花海"，"大家不了解雪梅那个女人，可你认识，是不是因为雪梅的缘故？"

"我觉得不会。"杨娟想起来那个雪白的东北妹子，还有一大群难忘的藏獒，"她自从跟了大黑，心里特满足，连那群藏獒都感觉找到了好主人，都欢喜不过来呢，没有必要报复他呀。"

"女人太出色了，也是祸害。"张巨海随口说了一句。

"说谁呢?!"杨娟扭头厉声责问。

"当然是雪梅啊，那还用说。"张巨海赶忙解释，"男人一旦拥有了天姿绝色的女人，就拥有了整个世界、拥有了一切。谁要动她一下，就可能遭到灭顶之灾。大黑动了雪梅，难道不可能遭到别的男人报复吗?"

"也不可能!"杨娟想起来雪梅凄惨的身世，"雪梅到目前为止，真正接触过的男人，只有两个，一个是强奸过她的姐夫，另一个就是大黑。据说，她那个姐夫又懦弱又胆小，根本动不了大黑，也不敢动他!"

"照你这么说，真成了无头案了。"张巨海想了半天，始终理不出头绪来，"我看还是给段书记说一下吧，大黑他毕竟认识。"

海南三亚、亚龙湾，五星级香格里拉大酒店。春节前后，很多山西煤老板都到这里来过年，其中就有我们非常熟悉的赵国忠。看到他潇洒轻松的样子，我们自然会看到另外一个追求轻松享乐的人，他就是赵国忠形影不离的"幕后老板"——市委书记段天生，他也住在这里。

忙碌的人，只要一开机，总有几百个电话打进来。这其中，报喜的电话一般很少很少，而报忧报灾找麻烦的电话，却一个接着一个。特别像段天生这样的市委书记，身处煤城，麻烦多、纠纷多、骚扰多、灾难多……为了摆脱那些麻烦事、或者故意与那些烂事保持一定的距离，段天生自己有手机，却很少开机，除非特殊情况。熟悉段天生的人，如果有突发事情找他，一般通过两个渠道，一个是秘书小孙，另一个就是赵国忠。

春节期间，秘书小孙在煤城值班，而报告有关情况，就必须通过赵国忠。区委书记张巨海把大黑被绑架的消息，就是通过赵国忠报告给市委书记段天生的。此时的段天生，刚游完泳从海里钻出来。

"大黑让绑架了?!"大黑和段天生毕竟认识，大黑出了事，对段天生多多少少有些触动，"通知市公安局赶快成立专案组，尽快解救人质。"

"目前，公安不需要有大动作。"一般事情赵国忠很少表态，对大黑绑架这件事，他看似无意实则有意，主动参与进来，"公安动静大了，反而对大黑不利。"

"什么意思? 苦肉计? 逃债计? 金蝉脱壳计?"段天生擦干身上的水，躺到阳光下，头顶也盖了个遮阳帽。

"大黑尽管没文化，属于那种土得掉渣的老板，可为人仗义厚道，不会为了躲债，故意导演这么一场闹剧，况且，他也没有那个智商。"躺椅上的赵国忠，透过遮阳草帽，可以看到斑斑驳驳的天空。

"你也是煤老板，听你的口气，知道大黑被绑架的真正原因。"段天生从赵国忠的语气中感觉出来，他最起码了解这方面的情况。

"去年春节就知道。"赵国忠笑了笑。

"什么？去年春节就知道？"段天生颇感意外，"大黑去年不是好好的吗？如果你真要事先知道的话，只有一种可能。"

"什么可能啊？"赵国忠意识到书记在和他开玩笑。

"你是幕后的真正元凶！不然，你怎么会有先见之明？"段天生用手指指他，哈哈大笑，"是不是从去年春节开始，就秘密策划了？"

"策划实施这件事的人，不仅有中国人，还有外国人。"赵国忠发现远处的海滩上，有不少老外在裸泳。

"这么说，你小子还勾结国外犯罪分子搞跨国犯罪？"从赵国忠嘴里，探听出来他了解事情的底细，段天生反倒不急于知道答案了。这样做，也给自己一个猜谜的时间。

"他们在国内实施绑架，在两国边境线上，特别是与中国相邻的一些弱势国家进行交易，这样既逃避了中国的法律打击，那些弱势国家对边境控制力不够，也拿他们没有办法。交易的地点，经常是中俄边境、中缅边境，还有中越边境……"赵国忠描述得非常详细，就和身临其境一样。

"这么说来，'你们'搞的是'绞肉计'。"段天生绝对是个聪明绝顶的家伙，不然混不到这样的高位，"'你们'专门把绑架的对象锁定在中国的新富豪身上，在国内搞绑架，要求他们的家属在国外付款，对不对？这些年，山西的煤老板名气大了，'你们'开始就地取材？"

"领导我求你了，不要一口一个'你们'、'我们'的，我和他们根本不是一回事，那些绑架者都是东北人或者湖北人，没有一个山西人。"赵国忠心里很难受，自己辛辛苦苦给书记提供这么有价值的线索，他却一直漫不经心开玩笑。

"既然不是一回事，为什么你知道得这么清楚？为什么你去年就知道？为什么我就什么都不知道？要是拿不出对你有利的证据，只能说明'你们'是一伙的，最起码，你赵国忠给绑架者提供山西煤老板名单，由他们来实施绑架，最后国内国外一起分钱。"市委书记段天生不依不饶，继续开玩笑。

赵国忠突然摘掉草帽："真想知道为什么？我不想说，说出来丢人。"

"当然丢人了，堂堂山西大煤老板赵国忠，里应外合绑架自己的同乡同行，这要传出去，不仅仅是丢人的问题。"段天生玩笑越开越大，几乎成了恶作剧了。

"领导，我明白了你为什么要这么恶搞？"赵国忠也猜出来段天生的隐私。

"为什么？"

"你想把最精彩的谜底放到最后，自娱自乐，也拿我取乐。"赵国忠一脸苦相。

"既然猜出来了，那你就告诉我最后的谜底吧，看看和我设想的一样不一样。"段天生也把遮阳帽扔到一边。

"书记，你知道，我去年是在广西北海过的年。其实，我根本没心思欣赏银滩的风光，而是到了中越边境的公海上，花了三百万，把我那个开煤矿的哥哥赎回来！"赵国忠不愿公开这件事，一方面为了自己的面子，另一方面想起来后怕。

"兄弟，对不起，我的玩笑开大了。"市委书记段天生根本没有预料到，今天大黑被绑架的事件，去年就曾在赵国忠的亲人身上发生过，这么多年来，他第一次主动给人道歉："请原谅大哥的鲁莽。"

十九

大黑给雪梅买的房子，是在北京郊区。尽管距离市中心很远，可是很方便、很热闹。

出门不到一百米就是全北京最大的一座温泉度假酒店，里面餐厅、电影院、按摩中心、医疗中心、游艺中心等等应有尽有；特别是这里的温泉设施最为齐全，有仿海南的蓝天碧水泳池、有土耳其的水疗、有水上飘满气球的儿童水疗、有俄罗斯式的黄金盐床，还有日式的天然室外温泉……

可能是从小在冰天雪地里长大的缘故，雪梅最爱泡日本那种天然室外温泉，汤池的温度，在摄氏五十度左右，人下到里面，觉得浑身发烫、热汗淋漓。而水面外的温度却是零下几度，如果遇上下雪，空气中的温度就降到了十度以下，天空中雪花飘舞，滴水成冰；水汤里热气蒸腾，火气逼人。那种一半是火气、一半是冰雪的感觉，真是奇妙无比。

温泉酒店的西边，是一处三十六洞的高尔夫球场，经常有那些开着豪华车的红男绿女到那里打球。可大黑也好，雪梅也好，对那些富人的运动不是很感兴趣，也从来没有玩过一次。大黑和雪梅当初选中在这里买房子，一方面考虑这里是远郊，饲养藏獒方便；另一方面，主要是特别喜欢那个温泉宾馆，在北方这个特别缺水的地方，有这么一处天然的温泉，有这么一座设施齐备的豪华酒店，与其比邻，难道不是人生一大享受吗？

温泉酒店旁边的别墅，当初买的时候不过一百万一栋，两年过后，什么变化也没有发生，而别墅却涨到了三百万一栋。大黑在的时候，经常说这样一句话：人如果长着后眼，当初一出手就买五栋，闲置两年后出手，光这一项的收入，就把花在雪梅身上的钱全赚回来了。外地人老说，山西那地方出暴发户，而真正大批生产暴发户的地方是北京。随意一个偶然的机会，就能让一个身价几十万的人变成几千万的富翁。

大黑精明，比起自己那当村长的父亲精明得多。同样是当村长，自己那个在东北老家当村长的父亲，除了种粮养狗，什么都不会干。大黑不一样，种庄稼不陌生，开煤矿有经验，特别是山西不让开小煤窑以后，很多煤老板都转行了，而大黑仍然混在煤炭圈子里，重点搞起了煤炭买卖，这一项每年的收入就不下几千万……

大黑厚道，比起糟蹋过自己的那个男人来厚道得多。糟蹋过自己的那个男人，也是自己的姐夫，不光想着霸占自己的身子，还想霸占自己微不足道的那点收入。大黑不一样，给了她房子，还给了她几百万的存款。最感动她的是，大黑把自己一年辛辛苦苦赚来的钱，大概不下两千万，都毫无保留地让她代管。说明厚道的大黑，对她无比信任，也无意中透露出来一个最重要的信息：不管大黑有几个女人，最终他还是把自己这里当成了最可靠的归宿，那几千万的存款就说明了一切。

大黑最重情义，比起自己的亲生姐姐来，大黑还要重情义。父母就生了自己和姐姐两个孩子，按村里人的说法，姐姐是东施，丑得要命；自己是西施，俊得要命。可丑陋的东施，从小就是自己的守护神，只要谁敢欺负自己，姐姐一个女孩子就要和人家打个一塌糊涂，非把人家制服不可。

不过，只有一件事例外：那就是姐夫当初糟蹋了自己，自己到现在不敢告诉姐姐，其中的原因，首先自己丢不起那个人，另外也怕姐姐接受不了。按照她的火暴脾气，非把那个男人阉割了不可。事情真要闹到那一步，坏人当然得到了惩罚，自己心中的仇恨也没了。可姐姐呢？必然是身死家灭。姐姐，一个丑得不能再丑的女人，在这个世界上活得心满意足，无非有两样东西是她的支撑：一个是天仙一样的妹妹；另一个是家犬一样效忠的丈夫。自己，毫无疑问，是她真正的信仰；而另一个毫无疑问是假的，即使是假的，只要不到万不得已的地步，自己没有必要付出血的代价来揭穿他。

这个道理，自己以前也糟糟懂懂考虑过，可真正让她下定决心、毫无疑问接受这个事实的人，就是大黑！大黑曾经讲过这样一个道理：煤炭和感情，在某种意义上就是一回事。就拿煤炭来说，现在是最值钱的东西，可我们村地下的煤炭，不让我们自己去挖，别人仗着有权有势，披着合理合法的外衣，想怎么挖就怎么挖，想怎么偷就怎么偷，我们一点办法都没有。不能因为别人挖我们祖宗留下的东西，我们就不惜一切代价去拼命吧，那样不值。话又说回来，感情也一样，你最珍惜和你姐姐的感情，可你姐夫不择手段去糟蹋她，你姐夫的行为尽管不道德，可是合理合法，你犯得着鱼死网破吗?! 自己觉得大黑最重情义，就是因为他能从内心深处，帮助揭开自己无法绕过的人生死结。

还有，大黑也是个特别细心、特别体贴的人。他从饲养的藏獒中发现了一只小藏獒，对主人心情温顺、对陌生人凶狠眼黑，大黑专门给它取名叫"小黑"。把它从饲养场拉回家里来，专门和她做伴。

说来也怪，小黑在大黑的训练下，学会了一项最令人惊奇的生活技能：大小便能够自理! 藏獒小黑，一般经常活动的地方有两个：一个是在房间里，另一个是在后院里。只要在房间里，小黑从来不拉屎撒尿，都是跑到后院的"厕所"里解决一切。有一次，女主人出门在外两天，不小心把小黑关在屋里出不去，等女主人回来，发现小黑憋得摇头晃脑，而地上根本没有一丝的粪便。女主人马上打开后门，小黑箭一样射出去，直奔"厕所"。

从那以后，只要女主人出门，首先想到的是把后门打开，不然时间长了，小黑受不了。最近，大黑每次回来，又在教小黑一项新的本领：只要主人嘴里发出"呼呼呼"睡觉似的声响，小黑不管在哪里，都要悄悄卧到主人的房间里，承担守卫的责任；只要主人嘴里连续干咳三下，小黑就爆发出野狼似的凶残，扑向陌生的目标……

每次大黑训练小黑的时候，站在大黑旁边的自己，<u>总要从内心涌起一股温泉般的暖流。</u>

又到过年下雪的时候了，说起来很怪，今天天气特别反常，入冬以来的北京，竟然没有下过一场雪，自己住在温泉宾馆旁边，除了每天泡日式温泉、感觉到水蒸气凝结成的雪花外，其他地方没有一丝雪花。从小在东北长大，如果过年看不到下雪，对自己来说，就少了很多瑞气，缺了很多乐趣，而平添了一些烦恼和不安……

都到了大年初一晚上了，还联系不上大黑，雪梅心里很落寞，只好紧紧搂着小黑。

去年的大年初二，大黑一早就进了家门，把从山西带来的酱肉、火腿、野兔、野鸡、大葱、韭菜等等一大堆东西，摆到桌子上，开始吆喝雪梅一起包饺子、做大菜。可是，今年呢，眼看就中午了，给大黑打了好几次电话，都联系不上，雪梅心里越来越着急。

是不是煤矿出了事了？上次，大黑来北京，兴奋地说起来，尽管政府出台了十五万吨以下煤矿必须关闭的禁令，可老家搞起了地道战，家家户户都出煤，男女老少都有钱花，大黑高兴得不得了。是不是煤矿出事了？不可能啊! 现在信息这么发达，不管哪有个大事小情，早就捅出来了。

是不是家里出事了？也不可能，家里出了事，他不至于关掉手机啊。从大年三十到正月初二，已经整整三天了，联系不上他。即使家里出点事，大黑绝对能摆平。上次在北京吃饭，桌上的客人，既有市委书记，也有区委书记。从吃饭的气氛就能感觉出来，大黑和他们关系不一般，席间，他们还频频向大黑敬酒，说明他们正有事求助于大黑呢。如果，家里真有个三长两短，大黑摆平他们没有问题……

是不是飞机出事了？长时间不开手机，如果排除主人的因素，那只有一个原因：飞机出事了！雪梅想到这里，顺手拨通了机场的咨询电话。结果人家告诉她：从大年三十到正月初二，飞机运营完全正常，特别是从山西到北京的飞机，大多数正点到达，很少有晚点的……

是不是……

雪梅把一切可能都想到了，可是，最后又一个一个把所有的可能都排除了。

到底是怎么回事呢？连蜷缩在她身边的小黑，都替主人着急得流下泪来。

中午，一个人没有心情吃饭，雪梅糊里糊涂就在客厅的沙发上睡着了。不知什么时候，听到小黑"汪汪汪"狂叫起来，雪梅在梦里听到狗叫，猛地感觉到希望降临了，她迅速睁开眼睛，笑嘻嘻前去开门，迎接大黑的到来。

谁知门刚打开，迎进来的不是她朝思慕想的大黑，而是今生她最不想见到的人——姐夫。当然，身后还跟着那个最疼她、也最让她绕不过去的姐姐，就是村里人常说的东施。

"怎么？妹子，不欢迎啊，大姐可是三年没见你了，想你啊！"大姐手提着一大堆山货。

"这骡子咋这高呢！这骡子眼睛咋这凶呢！"猴精猴精的姐夫，突然看到雪梅身后跟着一头前蹄很短、后蹄很长的大黑骡子。

"进来吧，进来吧。"不管怎么样，人家大老远过来，不给猴精一个面子，也得给可怜的姐姐一个面子，雪梅努力装出一副热情的样子，"这不是骡子，它叫藏獒，是猎狗中的猎狗。没有我的同意，你们千万别轻举妄动，不然会遭到它的袭击。"

"路上，你姐夫还一再唠叨，你一个人呆在北京，不安全。这下，看到这么凶狠的藏獒，我啥都放心了！"姐姐长得膀大腰圆，心肠一向很好。心肠好的人，一般做人坦坦荡荡，对凶狠的动物不怎么害怕，她提着东西，大摇大摆进了客厅。

"妹子，看在你姐姐的分上，千万看住藏獒，别让它动手啊！"猴精一样的姐夫，用手高高举着包裹，挡住自己的脸，生怕藏獒电一样的火光射过来。他一边走，腿肚子不停地哆嗦，连雪梅都觉得好笑。

三人进屋。姐姐、姐夫看到雪梅这么好的生活环境，一人真心夸赞，一人酸溜溜的，这些都在雪梅预料之中，她不厌其烦回答他们提出的各种问题，并且偶尔问问家乡的事、家乡的父母。

躺在他们身边的藏獒小黑，不仅嗅觉灵敏，而且智商也不低，自从一男一女到来，它发现，那个胖女人不怎么关注它，小黑自然没心思关注女人。而那个猴精猴精的男人，贼一样不停地打量它，它专门把乌黑的电光和喘出来热乎乎的气流，都对准"贼猴子"。后来，"贼猴子"吓得都不敢和它对视……

"和有钱的山西煤老板过在一起，真是幸福。"在厨房里做饭，姐姐一边炒菜一边羡慕，"我要是有你那个俊模样，也傍一个大款，才不找那个穷猴子呢！"

"你俩不是挺好的吗？"雪梅从表面来看，姐夫是大学生，姐姐尽管是村长的女儿，可毕竟是农村户口，两人差距这么大，能安稳多年，说明夫妻之间还过得去。

"好什么呀好！"好多年不见面，姐姐看到亲近的妹妹，一时口无遮拦，兜出一个天大的秘密，"穷猴子一肚子坏水，从搞对象那时候我就知道了。为了报复他，我在村里还有一相好，整天给他戴绿帽子！"

雪梅一听，心都凉了半截。怪不得那小子处心积虑勾引自己，原来是……

"你咋啦？不舒服？"姐姐看她脸色苍白。

"没有。"洗菜的雪梅有气无力地说。

"你脸色怎么这么难看？"姐姐眨巴眼睛，想了半天，"噢，我明白了。那个不回家的煤老板把你折腾的！妹子，别在意，反正你有了这么多钱，就是他抛弃了你，也算值了。有了钱就是富婆，那富婆的日子多滋润啊！"

"怎么滋润呢？"雪梅对她胡乱猜测很不满，但仍然努力克制自己。

"养个小白脸呗！"姐姐肆无忌惮，"有钱男人能包二奶，有钱的女人当然能养小白脸！"

"说什么呢！"雪梅有些不高兴了，"我们家大黑说不定今晚就回来了！"

直到天黑，雪梅苦苦盼望的大黑也没回来。肥胖的姐姐最后支撑不住了，倒在客厅边上的卧室打起了呼噜。而猴精猴精的姐夫，却精神头十足，一边看电视，一边瞅瞅雪梅，如果不是顾忌旁边流着口水、射着电光的小黑，说不定早动手了。

"这么多年没见面，既然是一家人，你不想和我多聊聊吗？"看到雪梅想上楼休息，"猴子"终于克制不住了。

"聊什么？"雪梅没有好气。

"聊委屈啊！""猴子"一副无赖的神情，"你觉得自己委屈，我难道就不委屈吗？"

"你委屈什么?!"雪梅尽管火冒三丈,可尽量克制声音,生怕吵醒睡觉的人。

"你别担心,她要睡着,天塌下来都听不见。"精明的"猴子"几乎在用怨恨的眼光对着她,"我和她在一起,你说我哪一点不委屈?论长相,我是人见人爱的灵猴,她是人见人烦的蠢猪;论学历,我是大学生,她连初中都没毕业;论才干,我是全区的教育能手,她除了打麻将,什么都不会。就是这个破女人,还整天给我戴绿帽子。你说我委屈不委屈?"

"那是你们之间的事,用不着在我面前唠叨!"雪梅毫不客气。

"我是想……""猴子"一副可怜的样子。

"想什么?"雪梅把脸扭过去。

"想从你身上找到我当年那种春风得意的感觉!""猴子"厚颜无耻地说,"妹子,这么多年,我一直想你!只有你,才般配我;只有和你在一起,我才没有任何委屈!"

"你再胡说,我就让小黑扒了你的皮!"说完,雪梅咚咚上了楼。

而一直默不做声的小黑,却从门口爬到了楼梯口,最后卧在那里一动不动。电光闪得越来越凶,热气吐得遍地都是沫子……

看到这一切,猴精猴精的姐夫,绝望地回了自己睡觉的房间。

后半夜,熟睡中的雪梅突然被尖厉的狗叫声和男人绝望的呼喊声惊醒,她来不及换衣服,穿着睡衣来就到了楼梯口,迅速打开吊灯,往下一看,眼前的惨象令人毛骨悚然:猴精的姐夫,趴在地上捂着脑袋,大声咆哮;小黑厚厚的爪子搭在他的背上,长长的舌头舔着姐夫的脖子;红红的鲜血,从楼梯中间一直滴洒到客厅里……

"小黑,住手!"雪梅本能地惊叫。

"老公,你能叫喊就说明你活着。"睡得死沉沉的姐姐最后赶过来,"半夜三更不睡觉,你跑出来干什么?"

"我……我……我找厕所!"小黑听到主人呼叫,躲到了屋角,安静地躺下来。从地上爬起来的"猴子",不由分说,立刻为自己辩解。

不知姐姐明白没有,雪梅对刚才发生的一切心知肚明:"你们进门的时候,我就说过,未经允许,不要乱动,否则会遭到小黑突然袭击的。"

"你小子肯定是起了贪心,半夜偷人家的宝贝,才让藏獒收拾你的,活该!"姐姐往屋里一瞅,里面就有厕所,她开始有意无意骂起自己的男人来。

"是……是……是!""猴子"一边擦身上的血,一边胡乱应承,"这么富丽堂皇的家,肯定有不少值钱的宝贝,我不是偷,只是想见识见识!"

雪梅听了好笑:"你刚才不是自己说半夜出来找厕所的吗?!怎么又变了?"

这句话，不光让姐夫面子抹不开，也让姐姐开始难堪，毕竟是夫妻，"东施"主动出来解围："哪是找厕所？房间里就有厕所，根本用不着找。他肯定是老毛病犯了。"

"是、是、是。""猴子"惊慌失措，"小时候，我经常半夜偷人东西，这个毛病，只有你姐姐知道。"

"今后还偷不偷了？"雪梅感到特别滑稽。

"不偷了，不偷了！""猴子"不是害怕雪梅，而是害怕躲在屋角里的小黑。

"你这个丢人现眼的东西，都偷到自己家来了！""啪"的一声，姐姐重重给了"猴子"一耳光，自己抽手回来，发现手掌里满是鲜血。

"你怎么打人？""猴子"捂着脸连声喊疼。

"刚才小黑打得不够，我再补上一巴掌。"姐姐越说越气。

"姐，你这是何必呢？"雪梅感到姐姐下不了台，连忙走下来阻止她。

"我就是想让这个忘恩负义的东西记住：别人家的东西，想怎么'偷'我不管；自己家的东西，坚决不能'偷'，否则，我就打死他！"姐姐义愤填膺。

"好了，好了，别闹了，咱们各自睡吧。"雪梅万般无奈，只好劝姐姐回到自己房间。

"这屋里有鬼，我们明天就回东北！""猴子"看着屋角里的小黑，大声咆哮。

"快回吧，别在这里给我丢人现眼。"姐姐冲他叫喊，"你他妈神经病！来，是你哭着要来；走，也是你狂吼着要走！什么时候，你这个王八羔子神经就正常了。"

"只要我回到东北，就一切正常了！"看着小黑平静下来，姐夫凶狠地大喊大叫。

次日一早，也就是大年初三，雪梅最不想见到的两人，终于卷起铺盖回了老家。经历这么一场惊天动地的闹剧，孤孤单单的雪梅更加盼望大黑尽快回来。

二十

已经是初三晚上了，大黑仍然没有消息。尽管电视里的每一个节目都搞笑，可雪梅不仅笑不起来，还认为那些节目故意在嘲笑她，雪梅索性关了电视。

藏獒小黑非常善解人意，只要门外稍稍有所响动，它立刻前去迎接，最后每一次都耷拉着脑袋回来。小黑似乎明白，主人到了将要崩溃的边缘，它不敢抬头瞅主人，生怕自己失落的情绪，把主人心理的最后防线冲垮，最后导致主人哇哇大哭。

晚上，躺在地上的小黑，隐隐约约听见了女主人低声的啜泣，它赶快伸出滑溜溜的舌头，在主人的光脚面上舔来舔去，同时尾巴摇得像花一样灿烂。可能，小黑的安慰，最后终于起了作用，主人擦干了泪水，到厨房拿来许多熟肉犒赏它。如果是往常，小黑不顾一切就狼吞虎咽下去了，可今天情况特殊，它尽管很饿，还是克制住自己，把肉食叼起来，轻轻走到外面，慢慢享用，生怕发出饕餮的声音，刺激女主人脆弱的神经。

看到小黑如此懂事，雪梅沉重的压力减轻了许多。

半夜，雪梅突然想起来，大黑曾经有过交代：今后，如果万一有急事，联系不上他，可以直接找他的朋友赵国忠，就是那个外号叫"白熊"的人。

自己尽管见过赵国忠，而且在一起吃过饭，可并没有赵国忠的电话。怎么能联系上他呢？大黑无意也说过一次，赵国忠住在飞机场附近的一个高档别墅区里，里面还有很多明星，安保措施十分到位，所以，赵国忠买了那里的房子。可自己不知道那个别墅叫什么名字，也不知道他住几楼几号，怎么找他呢？再说，山西煤老板都有个习惯：喜欢大海，喜欢温泉，喜欢洁净的空气，只要一有时间，就往海南或者国外跑，眼下正在过年，赵国忠会在北京吗？

不管怎么样，明天去飞机场附近转转，只要是豪华别墅，就去打听打听。山西煤老板最爱买豪宅，尤其像赵国忠那样的大老板。即使找不着他，权当户外运动运动，同时散散心。当然，出门要带上小黑，自从腊月以来，自己很少出门了，小黑肯定也腻烦透顶了。

昨晚折腾了大半夜，今天又没情绪，很快，雪梅就在客厅的沙发上睡着了。

这一觉，睡到了大天亮，雪梅刚刚进了卫生间洗脸。

突然，门外响起了急促的敲门声："雪梅在吗？开门，快开门，有急事！"

男人，是男人的声音，而且是山西男人的声音！

不等雪梅反应过来，大黑风一样就蹿了出去。

雪梅紧跟着跑出去，门一打开，女人差点跌到身后的小黑身上。

小黑只要见到陌生人，立刻由原来沉默，变成了疯狂的怒吼，汪汪汪……叫得整个小区都不得安宁。

"怎么是你啊！"雪梅尽管没有如愿，但还是有些意外惊喜。

"你当我想来吗？把狗看好。"来人听女主人这么说，有些神色懊恼，满脸不快，"大过年的，扔下一家老小，大老远跑你家来，你当我愿意啊！"

"赵大哥，快进来啊。我昨天还想了你一夜，今天正要去找你呢！"来人虽然不是大黑，毕竟是大黑交代的朋友"白熊"。他的意外到来，比起那个令人讨厌的姐夫来，要让雪梅惊喜得多，她用手摆摆身后的藏獒，小黑迅速明白了主人的意图，停止了咆哮，欢快地跑到前面引路。

"想我？还想了一夜！"赵国忠迈进小门，有些说不出来的滋味，"我说，咱俩就见过一面吧？"

"当然，还在一起吃过饭。"雪梅看到大黑的朋友，心里升腾起了不少希望。

"你不是那种一见钟情的女人吧？要是那样，我兄弟可就苦了。现在的绝代佳人都怎么了？看到有钱人就往上扑。可我再好色，也不能乘人之危啊，这要遭报应的！朋友之妻不可欺，我还要做人呢！"赵国忠思量再三。

"赵大哥，你胡说什么呢？"雪梅把客人引进门来，脸色有些不快。

"是你说的想了我一夜，而且你的表情告诉我，你说话是认真的呀！"赵国忠一屁股坐到沙发上。

"我确实想了你一夜，可我想你的真正原因，是因为你是他的大哥，肯定知道大黑的下落，不是因为那个……"雪梅这才意识到，自己思念心切，说起话来颠三倒四。

"这我就放心了。要不，来到你家，浑身不自在。"赵国忠心里坦然了很多。

"快告诉我，大黑怎么了？"雪梅根本没有顾及其他。

"怎么！他没给你打电话？"赵国忠抬眼一看，雪梅紧张得要命。

"没有啊，整整五天，没有他的音讯，到底是死还是活呀？"雪梅眼泪冒出来，让任何一个铁心的男人，都会产生怜香惜玉的感觉。

"这可怎么办呢？他怎么没有交代雪梅呢，看来这东西难拿了。"赵国忠自言自语。

"不要拿东西，先告诉我他在哪里？"雪梅大眼瞪着他。

"不拿东西，告诉你没用啊。"赵国忠显得迫不及待。

"怎么没用呢？他到底出什么事了？"雪梅猛然发现赵国忠说话很啰嗦，"快告诉我呀，都急死了。"

"大黑现在越南！被人绑架到了那里。"赵国忠非常肯定也非常遗憾，"我以为你早知道了，早就把东西提前准备好了呢！"

听了赵国忠的话，雪梅顿时眼前发黑，什么都看不见了。小黑赶紧扑过来，用身子使劲扛住她，过了好大一会儿，她才缓过气来。

看到女人这个样子，此时的赵国忠心神不安，不知如何是好。

女人醒过来，第一眼看到的就是忐忑不安的赵国忠。

"原来，我以为你是他的大哥，是来帮我们的！"雪梅眼睛里冒火。

"我是来帮你们的！"赵国忠赶忙解释，"自从知道大黑被绑的消息，我立刻买机票飞到北京来找你。"

"说吧，需要多少钱？"雪梅终于明白了大黑失踪的真正原因。

"不多，三百万！"赵国忠把数目告诉了她。

"我哪来那么多钱?!"雪梅几乎咆哮起来，小黑也跟着狂吠。

赵国忠把手一摊，神情严肃："弟妹，别装了。大黑在你这里最少存有两千万，三百万还拿不出来吗?"

"大哥，你就不怕我报警?"雪梅冷眼相对。

"报警管什么用！人又不是在国内。"赵国忠环顾四周，"大黑在越南绑匪手里，你一报警，他说不定就没了。到了这个时候，是钱重要? 还是大黑的命重要啊? 你自己衡量吧。"

"当然是要命了。"雪梅实在挺不住了，"咕咚"一下跪到了地上，"大哥，他真的没事吧?"

"交了钱就没事了。"赵国忠明白绑匪的主要目的在钱。

"可我一下拿不出来三百万，怎么办呢?"雪梅表现出无奈的样子。

"时间是有限期的。迟一天，说不定大黑就短一件东西，或者是胳膊、或者是腿，要是缺了男人那东西，不光苦了他，也苦了你啊，如果你真心对他好的话。"对绑匪的行径，赵国忠再了解不过了。

"不要那么残忍，好不好?"跪在地上的雪梅哭求。

"钱不到位，谁也没有办法。在绑匪眼里，只认钱，不认人。"赵国忠是过来人。

"大哥，我求你了。"雪梅哭成了泪人，"求求你！你们毕竟是兄弟，如果这事传出去，对你也不好。"

"我就是考虑到兄弟交情，考虑到对我们谁也不好，才来找你的。"赵国忠发现窗外新的一天的太阳已经升起来了。

"大哥，你就看在你们兄弟多年的分上，先把人放了，让他来给你……"雪梅想万无一失。

"什么意思?"赵国忠突然发现面前的这个女人口气不对。

"没有什么意思。"雪梅泪水涟涟，"你们既然是兄弟，还在乎这几天嘛！你又不是不知道，过年银行能取出这么多钱? 况且，我手头真的没有。"

"大黑可是说钱都在你手里啊。"赵国忠脑子都发蒙。

"他怎么不亲自跟我说呢?"雪梅泪水里仍然有火光。

"那我怎么知道！"赵国忠越发感到意外，"他说钱在你手里，为什么又不给你打电话呢?"

"咚！咚！咚！"雪梅再次给面前的男人磕了三个响头，"大哥，你行行好。只要放了他，正月初八，银行开了门，我们肯定把欠你的送到府上，决不报案，我向你保证！求求你放过我们吧。"

"这么说，你……你……把我当成绑匪了?!"赵国忠突然清醒过来。

"你不是，谁是?! 你就可怜可怜我们吧。"雪梅继续哀求。

"为什么? 你咋会想到绑匪是我呢?"赵国忠分外诧异。

"不是你，谁能知道大黑的钱在我手里? 不是你，谁能知道大黑被绑架了? 更重要的，你到我家来直接要钱，如果不是你，大黑干吗不打电话通知我?!"雪梅把自己能猜测出来的，全部倾泻出来，最后哇哇大哭。

赵国忠一切都明白了，自己闯进来就要钱，大黑事先也没有通知她，雪梅误以为自己是主动上门敲诈的。

女人要着了急，比狗都愚蠢。

造成这个误会，肯定是由于大黑考虑不周，可大黑又不在现场，一时半会儿解释不清。

赵国忠觉得又好气又好笑，急得在屋里踱来踱去。

最后，聪明过人的赵国忠还是想出了应急的办法："这么办吧，三百万，对普通人来说，是天文数字。而对于大黑、对于我，都不是大数目，都能输得起。我就先垫上，你收拾东西，跟我走!"

"这么说，大哥，你愿意网开一面了?"雪梅泪水里冒出了惊喜，"放心，我虽然是女人，可说话算数，钱一分不少，决不报警，只要让我见到活人。"

"你这女人，从外表来看，聪明伶俐，可真要遇上大事，脑子就怎么都转不过弯来。"赵国忠一声慨叹，"关好门，走吧。"

"到哪里? 一天能回来吗?"雪梅看看小黑。

"什么意思?"

"如果一天回不来，就得把小黑送到养殖场，不然它会被尿憋死的!"雪梅心目中，除了大黑重要，其次就是小黑。

"我都快被你憋死了!"赵国忠没有好气地说。

两人开车去送小黑到养殖场的路上，赵国忠看到路上行色匆匆的人们，突然醒悟过来："雪梅，你没有看错，大黑对你真是重情重义。"

"只要大哥你放过他，我什么都依你!"雪梅还在哀求。

"你不懂我说这句话的意思! 我们之间根本无法沟通。"赵国忠发现面前这个女人毕竟很善良，没有和她过分计较。

"那你是什么意思?"

"我从那些行色匆匆的人身上，体悟出来大黑为什么不给你报信，而要给我报信。"赵国忠说出自己的感悟。

"为什么呢?"

"他是为了保护你!"

"怎么就是保护我呢?"

"绑匪是一伙跨国犯罪分子,大黑如果直接打电话给你,他担心隐藏在国内的罪犯,会顺藤摸瓜找到你!到时候,钱没了,人更没了,人财两空。而打给我呢,我一方面是男人、是企业家;另一方面我身边有的是人,罪犯会有很多顾虑的……"赵国忠详尽地说明了一切。

"大黑哥要是真这么想,我就冤枉你了。"雪梅有所醒悟、有所抱愧。

"你就是冤枉我了!"赵国忠实在不想和头脑发蒙的女人计较。

"安顿好小黑,我们去哪里?"雪梅追问。

"先去中越边境的公海上交钱,然后就能领到人!"赵国忠忍受到了极点。

二十一

这是热带雨林中一处绝佳的风景:东边是湛蓝湛蓝的大海,西边是一望无际的群山。

海上泛着点点渔舟,群山之上是密不透风的原始森林。海天相连,绿色无边。

大海的颜色,是随着周围的环境不断变换的。如果附近有大江大河入海,那么这一大片的海水都是黄黄的,里面沉淀着大量的泥沙;如果附近是一望无际的白沙,那么大海是湛蓝湛蓝的,呈现出她纯洁的本来面目;而在这个热带雨林附近,因为大片的森林,因为无数的浮游生物,因为水底蔓延的大量海草,海水变得像森林一样墨绿,像森林一样看不到边际……

连接森林和外面世界的是山路,因为树林太密,不熟悉的人根本找不到山路;连接大海和外面世界的是渔船,因为渔船太小,可以随时隐藏到森林边上,不熟悉的人根本不敢来这个地方。

半山腰间,有一个天然的大溶洞。从里面看世界,群山、森林、小路、渔船几乎样样都能看清楚;如果从外面看溶洞,就像大海里捞针、群山里找石头,什么也看不到,什么也捞不着。就是这样一个天然洞府,却成了绑匪的天堂。

山西煤老板大黑醒来的时候,就到了这里。四周黑乎乎一片,臭烘烘一团。至于怎么到的这里,他根本不知道。更不知道,这里有个溶洞,溶洞外面有森林,森林下面是大海。

大黑唯一能感觉到的,是自己躺在一个狭长的木箱子里,之所以没有憋死,是因为木箱子被人掏了一个小洞,外面的空气就能顺着这个小洞穿进来;之所以没有饿死,是因为每天有人把一棵白菜扔进来,当喂狗一样,给他提供唯一的食物；之所以出不去，是因为木箱子太重太结实，几乎像厚厚的棺材，把人关得死死的……

还有，那个唯一对外的小洞，实在太小了，除了能扔进来一棵白菜，连脑袋都伸不出去；人在里面，难受得要命。吃、喝、拉、撒只能在"棺材"里完成，汗味、屎味、潮味、尿味……混杂在衣服上，也混杂在皮肤上，紧贴着自己，甩也甩不掉。

这样的日子，生不如死。

可是，真要死了，自己还舍不得那些钱、那些女人、那些朋友、那些村民，还有那些好日子……宁肯被别人杀掉，决不能自我了断。

不过，别人是不会杀掉自己的。为什么？因为他们需要钱，而自己有的是钱，存在雪梅那里。他们总有开口的时候，只要他们开口，让雪梅破费一些，还是能够捡回自己这条命的。

反正，只要自己不了断，就有活下去的希望，就能摆脱"棺材"里的日子。

他们能在自己家门口实施绑架，说明他们盯自己不是一天两天了，最起码摸清了自己的生活轨迹，最起码了解自己的活动规律。可惜，自己太傻了，一心一意倒腾煤炭买卖，根本没有留心身后跟着"黄鼠狼"。

关于绑票的事情，过去曾经在电视里看过，也曾经隐隐约约听周围的人说过。谁说的？好像老支书无意中说过的：

晋南一个煤炭局长，半夜回家，结果被隐藏在卧室的两个绑匪绑架了。

煤炭局长低声问绑匪：要多少钱？

绑匪不敢说话，生怕留下蛛丝马迹，只好伸出一个手指头。

煤炭局长立刻明白，马上拿出一千万满足了绑匪的要求。

绑匪放了人质，欢喜而去。

路上，那个伸指头的绑匪对另一个绑匪说：兄弟，我们原来只打算想要一百万，谁知那小子出手就是一千万，这票买卖，真是发大了。

另一个马上回答：我们有了这一千万，回去也开个小煤矿，这下有了淘金的本钱了……

过去，村支书说这个故事的时候，大黑开怀大笑，觉得这事不会摊到自己头上；眼下，却变成了现实。不过，自己不能像那个煤炭局长那么傻。

对绑匪来说，开口最多就是五百万，不会超过这个数的。做煤炭买卖，是大生意。同样，绑票也是大生意。尽管两者不同，可毕竟都是生意。既然是生意，做生意的人都会想尽一切办法做成它，只有做成了，才有钱赚，才会有利润。谁也不会开始就想做砸，做砸了的后果，生意人都明白。正因为如此，天下所有做生意的，都有担心、都有顾忌、都有害怕的时候……

只要他们有这些，自己就有余地，就有讨价还价的本钱，就有生存的希望。

玉碎瓦全的事情，生意人很少考虑。

"新来的鲜货，是哪里的？"旁边有个瓮声瓮气的声音，说的也是山西话。

"既然你们把我绑来，还不知道我是哪里人？"大黑没有好气。

"误会了。我也是被人绑来十多天了，一直困在棺材里，哪知道你是从什么地方来的。"对方显然是个"老货"。

"原来是患难兄弟。"大黑口气缓和了很多，"我是煤城的，听你口音好像是山西北路的。"

"老货"距离大黑不远，说话声音很恐怖："对！北路人。这帮王八蛋真残忍！他们将来下了地狱，也会被炸油锅的。"

"怎么了？"大黑吃惊。

"昨天，你没来的时候，一个女煤老板被他们弄死了。""老货"说话声音颤抖。

"怎么死的？"大黑禁不住询问。

"硬生生被割掉双奶疼死的。""老货"回答的时候，感觉到炎热的空气里始终有一股阴风。

"你不是绑匪专门放进来吓唬我的道具吧？"做生意之前，买卖双方都有一番心理战，这个，大黑有经验。

"都是老乡，都是苦命人，都是人家案板上的肉，有那个必要吗?!""老货"声音带着悲腔。

"是不是绑匪要价太高，那个死了的女人掏不起钱？"大黑除了关心女人死因之外，也想打探一下"行情"，"你进来得早，肯定明白一切。"

"要说高嘛，也不算高，绑匪开口叫三百万。""老货"回忆起来昨天的情景，"连女老板都觉得能够接受，可是，她给小老公打电话，小老公手机一直关机。"

"什么小老公？难道女煤老板找了个比自己年轻的？"大黑知道了绑匪的底价，剩下的就只关心女煤老板的事情了。

"当然。""老货"和女人同处一室好几天，和她沟通不少，"她原来有老公，可惜出车祸死了。女人后来开煤矿发了大财，就找了个比自己年轻十多岁的。那个女人缺心眼，一直以为小老公对她忠心耿耿，就把所有的钱交给他保管。谁知出事以后，小老公故意把手机关了，说什么都联系不上。"

"真是人心难测呀！"大黑感慨的同时，隐隐约约开始不相信自己的判断，开始后怕起来。

"现在的人，什么情呀、义呀，到了关键时候，全是假的。""老货"为死去的女人愤愤不平，"那个小老公，一看女人遭了难，就觉得自己发大财、甩包袄的机会来了，借刀杀人。那样的男人猪狗不如！"

听了这番话，大黑的心事越来越重。

"老乡，我问你句实话，老实告诉我，我就教你一条生路。不然，你就和那女人一样。""老货"说话突然拐了个大弯。

"什么意思？什么实话？"大黑有些心惊肉跳。

"我说的，你难道不明白吗？""老货"语言虽少，分量很重。

"你是担心我的钱也在情人手里？"大黑明知故问。

"难道不是吗?!""老货"老谋深算。

"是！在我相好手里。"大黑无奈回答。

"看在你诚实的分上，也看在同病相怜的老乡分上，我教你一招既保命也保财的办法。不过……""老货"故意放慢了说话速度。

"不过什么？"大黑紧急追问。

"事成之后，怎么报答我？""老货"原来有条件。

"看你的意思。"大黑打探对方的底线。

"我不是绑匪，不要你的钱，只要你给我那守财奴父亲捎件东西就可以了。""老货"说话很悲凉。

"什么东西？"大黑意外。

"我咬下来的手指头和一封血书。""老货"十分难过。

"为什么这么做？"大黑百思不得其解。

"我那守财奴的爹，不见血是不会掏钱的。""老货"担心地说，"这次，他还以为我在用苦肉计骗他。如果真的不出钱，我就没命了。"

"这么说，你曾经骗过他？"大黑终于听明白了。

"别说我的事了，说你的事吧。""老货"再次转移话题，"别看你有钱，其实，你的危险要比我大得多。"

"那你说我该怎么办呢？"眼前死去的女人，足以让大黑怀疑一切。

"我告诉你一个绝招。""老货"神秘地说，"绑匪向你要钱，千万不要给管钱的小蜜打电话，防止她乘机卷款潜逃、借刀杀人！她要逃了，你就成了昨天的女人了。"

"怎么办呢？"大黑的心提到嗓子眼里。

"两个条件，缺一不可。第一，你要给自己最信任的、特别是有钱的朋友打电话，没钱的不行！第二，让朋友出面找你的小蜜，把你出事的消息当面告诉她，千万不能电话通知。""老货"显然经过深思熟虑。

"这样有效吗？"大黑怀疑。

"当然有效。""老货"讲出了理由，"让最信任的朋友去找你的小蜜，既把你出事的消息通知了她，也无形中派人看住了她，最后让两人一起出面救你。"

"为什么两人都来呢？"大黑还是不明白。

"为什么？双保险呗！""老货"继续开导他，"假如小蜜一时拿不出钱来，只要她出面，有钱的朋友就觉得背后有人担保，他会毫不犹豫垫资救你！不信，试试看。"

"看来，到了关键时候，还是朋友比女人保险啊！"大黑终于心中有了底。

"那当然！""老货"头头是道，"古人早就说死了：朋友是手足，女人是衣服嘛！"

暗夜中，两个受苦受难的老乡，一边聊天一边打发难熬的时光，不知什么时候，外面传来了脚步声，大黑和"老货"自动停止了交谈，两人都明白：绑匪来了。

"大黑老板，饿了吗？"外面说话的绑匪操着南方口音。

"你们说呢？"大黑了解对方脾性，不敢发怒，也不敢抗拒，不过有一点，大黑意识到对方开始找他谈价钱了，"每天不给水，不给饭，只扔给一棵白菜，能不能活下去，你们心里应该清楚吧。"

"今天，给你改善改善伙食。"南方人说完，从棺材上面的小洞里扔进来两样东西，"一瓶红可乐、一只大猪蹄子，吃饱喝足了，给家里人打电话，只要交三百万赎金，我们就放了你。"

看见东西扔进来，口干舌燥、饥肠辘辘的大黑，不假思索，立刻打开可乐瓶，一口气喝了个精光，随后不顾一切啃起了猪蹄子，不一会儿，两样东西就全部填进了肚子。

"味道怎么样？"绑匪笑着问，"吃饱喝足了吗？"

"平常的可乐都是甜的，你这可乐怎么有点咸？还有，你们这猪蹄子也太大了，饿了这么多天，一口气吃下去这么大一个东西，差点把我撑死。"大黑对外面的人讲。

"可乐味道太咸，那是因为里面兑着人血；猪蹄子太大，那是因为它不是猪蹄子，而是人蹄子。不是你吃不出来，所有饿昏头的人都吃不出来。"绑匪哈哈大笑，"如果明天我得不到肯定的答复，你的血就是别人的可乐，你的脚就是别人啃的猪蹄子！"

听了绑匪的话，大黑几乎把吃进去的东西吐出来一半，那股腹腔里带出来的恶臭味都快把他熏死过去！

"求你了，给我电话。"大黑无比绝望，对外面的绑匪彻底屈服了。

"咚"的一声，一个黑乎乎的手机扔进来。

"记住，给你有钱的朋友打电话！""老货"突然提醒他。

"叫什么，这里没有你说话的份。"绑匪回头怒斥。

大黑第一个想到的有钱的朋友，就是援建他们新农村的郭天亮。

可是，郭天亮手机不开！一连打了好几次都接不通。

突然，大黑回忆起来：前几天，郭总亲口告诉他要出国度假。

情急之下，大黑为了活命，立刻拨通了第二个有钱的朋友赵国忠的电话。

苍天保佑，赵国忠电话处在开机状态，大黑兴奋得从地狱一下回到人间。

"谁啊？"尽管接得慢了一些，还是传来对方嘶哑的声音。

"大哥，我是大黑，求求你，赶快和雪梅一起来救我……"

几句简简单单的话，要在往常，相当容易。可现在，在这么一个生死抉择的环境下，比爬一座高山、渡一条大江都费力、都艰难、都耗心。

当大黑说完的时候，筋疲力尽，当场昏了过去……

绑匪解决完了大黑，转过身来对着第二个"棺材"："姓马的，你家的赎金还没有到账，已经过了期限了，怎么办？"

"棺材"里的"老货"："我自行了断。"

"哎呀，干了这么多票，还是第一个碰上痛快的，不用我自己亲自动手了。"绑匪有些意外，"既然你痛快，我也想问句痛快话，你家为什么不出钱？"

"因为我没有把东西带回去。""老货"回答。

"什么东西？"

"你看吧。"说完，只听见里面"哎呀"大叫一声，随后，一件血淋淋的东西扔了出来。

绑匪低头一看，原来"老货"自己咬下来一截手指头。

"我是被吓大的吗？难道你敢自残，我就怕了你！"绑匪觉得"棺材"里的人票荒唐可笑。

"那件东西，不是给你的，而是给我老爹的，让我老乡捎给他！""棺材"里的人强忍着疼痛，"再宽限我十天，如果我爹还不掏钱，你们想怎么处置都行！"

"有种！"绑匪得意洋洋，"看来，你还是想真心和我合作的，这就好。我答应你，再给你十天时间。"

绑匪两个目的都达到了，撕下一块布，包好那截指头，哼着小曲，离开了两具活棺材。

不知什么时候，大黑终于醒过来："兄弟，你那么自残，值得吗？"

"大哥，我也是没有办法呀，谁让我那抠门的老爹不掏钱呢！""老货"无奈"哇哇"大哭起来，"我自己咬一个指头，还能留条命，还能多活几天。让那个残忍的家伙动手，无论卸胳膊还是卸大腿，当下就没命了。"

看来，再坚强的人，面对深不见底的恐惧，大黑也好，"老货"也好，只能无条件服从绑匪的要求。两人最后终于明白一个简单的道理：这是一桩根本没有讨价可能的交易，除非自己不想活命。

可是，要去死，更不是一件容易的事情，是世上最痛苦的事情，尤其是从生到死这个过程，实在太可怕了。

第二天，突然，有人来抬装着大黑的那具"棺材"。

大黑意识到，自己没有走眼，昨天的一个电话起了作用。

赵国忠真的把钱汇到绑匪账户上了！只要能见到赵国忠，先给他磕三个响头，然后答应他：这辈子永远给他当牛做马！

"老乡，别忘了把我的东西捎给我爹！"身后那具"棺材"里再次发出叮嘱的声音。

"兄弟，你放心！我会告诉你爹：儿子真的出了大事，决不是苦肉计！"大黑说完，流出了眼泪。

二十二

一望无际的大海上，行驶着一艘白色的豪华邮轮，它的名字叫"海上公主号"。"海上公主号"注册在巴拿马群岛，往返于越南、澳门与广州之间。

在灿烂的阳光下，在湛蓝的大海上，"海上公主号"，如同一只白色的巨靴，挺立在大海与天空之间。说它是豪华邮轮，是因为它的设施，目前是这条航线上最齐全、最完美的大船。上上下下、层层叠叠，有如一座流动的高达十几层的豪华五星级饭店。里面停车场、游泳馆、高档客房、高级餐厅、歌舞厅、赌场、咖啡厅等等生活、娱乐设施应有尽有。

乘坐这艘豪华邮轮的，不少是生性爱赌的中国新富翁，当然也有追求享受的豪华客。"海上公主号"一般行程有五天，其中有两天停留在公海上，因为停留在公海上，自然不受任何一个国家的法律约束，所以它的赌场全天开放、它的歌舞厅里充斥着下流肉麻的色情表演……这些内容，自然成了这艘豪华邮轮最大的卖点，不仅吸引了很多岸上追求刺激的有钱人，也吸引了海上流动船上的不少客人。

大黑坐着流动快艇，接近"海上公主号"，顺着悬梯爬到豪华邮轮的甲板上，第一眼就看到了几张熟悉的面孔：赵国忠、雪梅、赵国忠漂亮的女助理小肖……

大黑激动得号啕大哭，激动得捶胸顿足，他终于从暗无天日的地狱，回到了阳光灿烂的人间。

"大哥，我会用剩下的半辈子时间，好好报答你。"大黑给赵国忠深深磕了三个响头。

"兄弟，不说其他的。咱们有句俗话：大难不死，必有后福。你躲过了这场大难，剩下的全是好时光了。"赵国忠搀扶他起来，发觉他沉重得要命。

"大黑，我终于找到你了！"雪梅不顾一切扑到他的怀里，脸上泪水纵横。

大黑谨慎地把她推开："雪梅，我想知道一个答案。"

"什么答案？"雪梅有些惊诧。

"那三百万，是你出的还是大哥出的？"大黑眼珠子纹丝不动盯着她。

"当然是大哥出的。不过，我答应大哥，只要见到你，回去我们就还给他。"雪梅一五一十回答。

"我什么都明白了。"大黑顿时万般失望。

"你明白了什么？"雪梅含泪使劲摇晃他。

"我那个患难兄弟说得对：兄弟是手足，夫妻是衣服！"大黑冷眼相对。

"什么意思？"雪梅莫名其妙。

"什么意思？！难道你还不明白？！"大黑突然狂吼起来。

"兄弟，冷静一点。"赵国忠赶忙相劝，"你也不给雪梅打个电话，我只好先垫上。不管她出还是我出，只要你能出来，就比什么都强！"

大伙都弄不明白大黑心里到底在想什么，只能眼巴巴看着事态向前发展。

"你出和她出，是不一样的！"大黑在泪光中凶狠地看着自己的女人。

"有什么不一样，都是自己人。"聪明的赵国忠最先感受到了大黑心底的失望，继续安慰他，"兄弟，你可要明白：大陆现在正过年，很多银行都不开门，雪梅想提那么多现金也不方便啊。"

"越是这个时候，越能看到一个人的本质。"大黑愤恨至极。

雪梅终于意识到自己犯下了不可饶恕的错误："大黑哥，是我错了，对不起。你怎么惩罚我都行，说吧，只要你满意！"

"那我非得惩罚你一次，不然你永远记不住。"大黑从口袋里摸出来一用布裹着的血糊糊的东西，"这是一截手指，还有一封信。你立刻上岸，坐飞机赶回山西，马上送到晋北马老爷子家。"

在场的人听说是一截断指，吓得都往后躲，包括赵国忠在内，只有雪梅没有挪地方："有什么话，要交代马老爷子的？"

"告诉老爷子，他儿子真的被人绑架了，立刻交钱，不然，儿子就没命了……"大黑一定要完成那个兄弟的重托。

"我这就出发，请赵总给我派个人带路，好吗？"雪梅急切地想将功补过。

"好，没问题！"赵国忠指着旁边的一个小伙子，"小丁，你和雪梅去。"

小伙子立即点头。

"大黑哥，原谅我。"雪梅仍是满眼泪水，"如果说不动老头，那钱我出了，只要你肯原谅我！"

听了这句话，大黑沉重的心里才稍稍减轻了压力。

雪梅和小丁，因为时间紧迫，事情紧急，马上从大家面前消失了……

"兄弟，你去餐厅弄点吃的东西，大黑这一段受了不少罪。"大黑没说，赵国忠意识到大黑经历过的一切，"还有，吃完东西，领他到客房好好睡一觉。"

"好的。"手下一个兄弟马上回答。

"大哥，还是那句话，剩下的半条命都是你给的！"大黑再次流出感激的泪水。

"我们是兄弟嘛，哪来那么多客套话。"赵国忠看到大黑这副表情，心里也暗暗害怕。

大黑等人转身去了餐厅。

"我可是不吃猪肉，特别是不能看见猪蹄子，更不能喝可乐！"大黑交代那个兄弟。

"我听你的吩咐。"手下兄弟回答大黑。

看着他们远去的身影，大家还有好多疑问悬在心头。

别人不敢说，而肖助理却不在乎："赵总，大黑过去那么爱吃猪肉、爱喝可乐，怎么经历这次变故，连生活习惯都改了？"

"你问我，我问谁去？！"赵国忠显然没有好气，"你们几个到餐厅附近，观察观察有没有可疑的人。肖助理，你跟我去咖啡厅！"

听了老板的吩咐，几个大模大样的男人朝着餐厅方向走去。

小巧玲珑的女助理，跟在老板后面，走进了温馨可人的咖啡厅。

在海上看日落，是一件十分惬意的事情。天空中的白云，一层层、一片片逐渐被红色的夕阳浸透着、漂染着，最后变成了红彤彤的云霞。湛蓝湛蓝的海水，经过万丈霞光的浸染，也折射出斑斑点点的金光，让看日落的人心中产生了激荡，也产生了惆怅。

"海上公主号"的咖啡厅位于顶层，一半座位在舱内，一半座位在舱外，中间有一个通道连接。整个咖啡厅，装饰风格都是地中海那种墨绿色的，包括桌椅的颜色，故意刷成被海水长期浸泡过的那种绿蓝绿蓝的，还有舱外许多墨绿色的帐篷，金发碧眼的侍者，让每一个在这里尽享饮品的人们，都有一种回归自然的感觉。赵国忠和女助理小肖，就一直坐在咖啡厅的外面，静悄悄看着太阳一点点沉到大海下面。

此时，豪华邮轮上星火点点，而远处的天地间漆黑一片。

"世界上最宝贵的，并不是金钱财富。"赵国忠万般感慨。

"是自由。"肖助理特别善解人意，"尤其是在海上轻轻松松看日出日落。"

"比诗情画意更有韵味的，是你这种风情万种的女人。"黑夜里的赵国忠，尽管看不清神色，但能想象出来，一定有诗人的浪漫和淡淡的哀伤。

"这也是世界上最宝贵的吗？"肖助理说者无意，内心也起了波澜。

"当然，比自由还宝贵。"赵国忠经商前，曾经是中学的语文老师，那时疯狂地喜欢海子和骆一禾的诗。

"成功男人，一般对世界上最宝贵的东西都有占有欲，对吗？"特别善解人意的女人，说话方式自然十分特别。

"当然。"赵国忠不假思索，"成功的标志，就是能把欲望变成现实。"

"可你有些时候，并不现实啊。"跟了赵总很长时间，小肖感觉出来：赵总身上，开始吸引她的是成功和财富，最终吸引她的是诗情和魅力。

"如果要现实的话，里面就有啊。"赵国忠指指船舱内歌舞升平的地方，"那里边的女人，一个个身材清瘦又丰乳肥臀，享受起来，大快朵颐。"

"那种低级的境界，对你这种男人来说，还有情趣吗？"肖助理有些醋意。

夜晚的海风轻轻吹来，赶走了一天的烦躁，赵国忠从里到外，浑身清爽："对我来说，老婆常年在美国，经常偷偷摸摸搞一些猎艳活动，满足满足低级趣味，也是一种人生的享受。"

"这种享受，非得在那些低级趣味的女人身上满足吗？"肖助理有些按捺不住。

"清华毕业的高才生，说这种低级趣味的话，亵渎你的教养吧？"赵国忠神色严肃，"我的青春期，是在山西一个不知名的师范学校度过的。那时候，刚刚开放，红男绿女、七情六欲一大片，如果在学校没有性伙伴都低人一等，今天想来，荒唐透顶。"

"难道清华大学就是一片净土？难道清华的毕业生就没有七情六欲？"肖助理在暗夜中，眼神透着幽幽的火光。

"在我看来，最起码多些诗情画意，少一些七情六欲。"赵国忠在世俗的世界里挣扎多年，泯灭不掉身上的诗人气质。

"变态！纯属变态。"肖助理突发愤恨，"有钱人享用的肉欲女人太多了，彻底变态了。"

"真的吗？"赵国忠没有感觉。

"当然。"肖助理歇斯底里回答，"如同一幅名画表现的那样：平常捉鬼的钟馗，喝醉酒以后，见到女鬼就到处躲避。最邪恶的人，最向往清纯，不是变态，是什么?"

"我就是变态!我就是变态!你要怎么样?"赵国忠刹那间勃然大怒,"实话告诉你:我就是喜欢你的清纯,喜欢你的智慧,更喜欢你诗情画意,但看不上你的肉体。如果,就肉体而言,你有那些搔首弄姿的女人有味道吗?!"

"可我需要现实的生活。"肖助理没有被他的疯狂吓住。

"我不需要!"赵国忠的吼叫,引来里面不少人注目。

"那我要和别人呢?"肖助理故意打探。

"更不允许!"赵国忠根本不怕世俗的目光。

"你不给我,为什么不允许我和别人?"肖助理感觉到自己跌入了深渊。

"因为我曾经是诗人。"赵国忠咆哮,"那是我一生最美好的时光。"

"顾城也是诗人,你是山西版的顾城。"肖助理万般无奈。

"知道就好。"赵国忠突然声音低下来,"既然,你知道顾城,就应该知道英儿的下场。如果,我知道你和别人有了那种关系,等待你的就是斧头!"

"我的天!"肖助理头发都竖起来,"顾城,那是彻头彻尾纯正的诗人,而你是一个俗不可耐的煤老板啊。"

赵国忠阴险地说:"你只了解我的一半。"

"我不想了解你的另一半。"肖助理后退两步。

"可你已经了解了。"赵国忠的眼睛在暗夜里闪着幽光。

"那是因为我爱你世俗的一面。"肖助理终于掩饰不住。

"可我喜欢你清纯的一面。"赵国忠没有撒谎。

"我宁肯相信你是一个世俗的煤老板。"肖助理想起来第一次接触赵国忠,自认为他是那种挥霍无度的暴发户。

"我见你第一面,知道你出身苏州,直觉告诉我:你就是再世的李香君、董小宛!"赵国忠回忆起来,第一次在清华园见到小肖的时候,她的穿着打扮是那么的清新可人。

"那你肯定是看错了!"肖助理又一次歇斯底里,"我不是古人灵魂附体!你是个变态狂。"

晚上八点以后,"海上公主号"上的夜生活就真正开始了:歌舞厅里的演艺表演彻底变成了赤裸裸的色情表演,红男绿女现场展示中国最古老的三十六种房中术。

不过,说来也怪,现场看表演的人,不少是老年人,准确地说,是失去性功能的老年人,他们只能依靠眼前的表演,刺激自己的回忆,在回忆中,慢慢享受自己年轻时候的风流韵事。

那些疯狂至极的年轻人,还有那些平日里一本正经的中年人,早就抵御不住荷尔蒙的冲动，真刀真枪上了"战场"；还有不少赌客，对各种性刺激根本不屑一顾，摩拳擦掌上了赌桌……

只有两个人，还泡在咖啡厅，那就是赵国忠和他年轻的女助理小肖。

"我想辞掉这份诱惑力很大的工作。"小肖冷静了许多。

"你不能!"赵国忠明白无误告诉她。

"是你世俗的心里舍不得，还是你崇高的理想离不开?"肖助理努力想使自己变得超脱一些。

"不是我，而是你的原因。"赵国忠慢慢品着咖啡。

"我的原因?!"肖助理没有自信。

"当然。"赵国忠不时看看里面的花花世界。

"为什么呀?"肖助理只盯着眼前的男人。

"因为你喜欢我，喜欢这份优厚的待遇。"赵国忠漫不经心。

"我根本不喜欢你。"肖助理坚决地说，"凭我的条件，换个单位，待遇也不会差到哪里。"

"你就这么自信?"赵国忠问话中带着嘲笑。

"那当然，我清华毕业!"肖助理为自己的教育背景而自豪。

"清华毕业的女孩子，只要到了大集团，马上就可以当老板的半个家?!"赵国忠不仅是嘲笑，还有些讽刺，"说不定，那些好色的男人，用当家来诱惑你，满足了你和他的世俗要求。最后会一脚踹了你，信不信?"

"我……我……"肖助理接不上话来，因为职场上这样的例子太多、太普遍了。

"所以嘛，只有我真心器重你，也只有我，能让你保持一个女人的自尊。"赵国忠年轻的时候，曾经得过演讲大赛的冠军，最懂听众心理。

"那我就再呆呆看。"肖助理万般无奈。

"时间不早了，不说情感的话题了。"赵国忠主动岔开话题，"说说工作上的事。"

"哪一方面的?"肖助理感觉到工作也是一团乱麻。

"关于大黑。"赵国忠测试她，"你知道我为什么要不惜代价帮他?"

"那还用问，为了争矿。"肖助理从老板动身回京的那一刻就明白了一切，"我说，这下郭天亮彻底栽了。"

"那是他命不好，大黑出事的关键时刻他在国外，如果在国内，大黑肯定第一个想到的人是他不是我。"赵国忠有自知之明，也感谢苍天保佑。

"一个村长真是厉害，不仅能左右政府，还能左右资源的分配。你们这些大老板一个个都得争先恐后巴结他，就像巴结市长、省长一样。"小肖觉得山西有好多事情不合常理，非常可笑。

"那当然。现在提倡以人为本，村长就代表民意。如果他要捣乱，谁也不敢拿矿，即使拿到了，也得倒霉。"赵国忠这么多年来，一怕市长，二怕村长。市长可以用法律约束他，而村长可以鼓捣不明真相的老百姓折腾他，后者更可怕。

"我说，大黑这次被绑架，给我们敲了个警钟。"女人特别心细。

"我就是想问问你下一步怎么加强安保工作，特别是我们的安保工作。"赵国忠特别喜欢面前的女人，除了清纯，还特别精明。在女人中真是少而又少，精而又精。

"我说，重点要从生活习惯进行改变。"肖助理有条不紊地分析，"过去，我们为了工作方便，为了事业保密，已经养成了自己开车的习惯。其实，很不好，主要是不安全。如果大黑那天不是自己独自驾车回家，而是司机把他送回去，绑匪发现有人保护就不敢轻易动手。"

赵国忠突然想起来，去年自己亲哥哥出事，也是独自驾车旅游，被绑匪乘机得手："回去以后，你办一件事，从退役的特警里面招聘几个会开车、功夫好的人，给咱们当司机，也当保安。"

"还得加一个条件。"女人毕竟要比男人心细。

"什么条件？"赵国忠没想那么多。

"人不能太精明。"女人悄悄回答，"我们的事情许多地方需要保密。如果招来耳朵长、头脑活、嘴巴快的人，就麻烦了。"

"我早就说过，咱们两人之间，有好多互补的地方嘛。"赵国忠听了，十分满意。

"你要像对待那些世俗的女人那样对待我，岂不更好吗?!"肖助理忍不住看了看里面的红歌女。

"我已经说过了。"赵国忠一听这些就感到不快，"你可要记住：你是我心目中高寒更高处永不结冰的一滴水。"

"我宁愿是世俗世界里的一瓶酒。"肖助理没有让步，"让你好好品尝，也燃烧我自己！"

二十三

赌城澳门，一年中最热闹的时候，就是正月十五前后。座座酒店张灯结彩，个个娱乐场所人气高昂，趟趟航班前赴后继，艘艘邮轮往来穿梭。

自从澳门回归祖国，赌城迎来了最大的市场——大陆。国内每个城市，包括香港在内，实行禁赌禁色，等于把一大部分消费人群都挤到了这个开放狭窄的小岛上，使这里的生意不仅没有冷落，反而变得比任何时候都红火、都热闹。

当然，澳门人也十分精明。他们知道，赌博只是吸引众多游客最大的手段，但不是唯一的手段。职业赌徒在游客中的比例很小，大部分游客除了在赌场偶试身手以外，还希望欣赏这里的地域风光，还希望逛街购物，还希望参观文化遗址，还希望看到各种民俗活动……

澳门政府针对游客的不同需要，开展了各式各样的活动，丰富旅游者的行程。比如，举办"大三八牌楼"文化论坛，吸引的是那些对文物感兴趣的游客；举办"岭南珠宝首饰购物节"，吸引的是那些习惯大包小包买东西的女人；举办"十九世纪油画大师精品拍卖会"，吸引的是手攥万金的收藏家；举办"裸体艺术展"，吸引的是那些上半身光鲜下半身肮脏的好色之徒；举办"澳门投资高峰论坛"，吸引的是寻找项目、寻找资金的企业家……

总之，只要在这个时候到澳门来，除了参观赌场之外，都能到自己最喜欢的活动中娱乐一把。

煤城的市委书记段天生本来在海南过节，无意中看到报纸上刊登澳门正在举办油画拍卖会的消息，他从海风椰林中钻出来，立刻赶到了澳门。苦心巴结市委书记的张巨海、杨娟，还有那个等待分配工作的王文献，从孙秘书那里得知领导的行踪，也飞到了这里，特意住在赌城大酒店十六层，早上一出门，迎面就碰到了段天生。这种奇怪的"偶遇"，对老谋深算的段书记来说，不算新鲜，不算意外，只能"佩服"部下的"忠诚"。

在他们入住酒店的第二天，从公海上返回澳门的赵国忠等一行人也上了澳门的码头。赵国忠随即给老段拨通了电话，一番交流以后，他就带着大黑等五六个人，最后也来到了豪华的赌城大酒店。

不过，十六层客房已经爆满，赵国忠等人只能住进酒店最昂贵的三十六层。因为收费昂贵的原因，这里还有几间空房，正好满足了赵国忠等人的需要。

三十六层客房，都是豪华的海景房。

远处一望，一边是辽阔无际的大海，另一边是绿色葱茏、秀美宜人的口岸城市——珠海。近处一看，是车水马龙、井然有序的交通网，栉比鳞次、光怪陆离的豪华酒店。在三十六层的窗外，还有一个巨大的露天平台，上面是游泳池、网球场、花园走廊、瀑布水景……

晚上，赵国忠就在赌城大酒店的三十六层水景餐厅宴请段书记、张巨海、杨娟、王文献、大黑、肖助理等等一大群人。开场的三杯酒喝完，坐在正中的市委书记段天生主动站起来。

"大黑，我先敬你，祝贺你喜获重生。"段天生端着酒杯主动走到大黑身边，"你这次出事，也是一个好事，让你彻底看清了赵总才是你真正过命的朋友。"

大黑非常激动："书记，你放心。争矿的事，我会尽最大努力协助我的恩人。"

"这就好，这就好。"段天生满面春风，"做人也好，做官也好，首先要懂得知恩图报。"

连市委书记都给自己接风，大黑觉得过去一切的委屈，都化成了杯中的啤酒，一口干了下去："段书记，你的大恩大德，我会报答。"

"好了，好了，坐下。"段天生拍着大黑的肩膀，"我们在澳门好好玩，不说报恩的事。"

"大黑呀，你好歹是个村长，属于干部范围哪。"打扮时尚的杨娟，突然站起来，走到书记和大黑的中间，"不能因为个人感情，影响公务决策呀。"

杨娟这么一说，段书记收敛了笑容，赵国忠、肖助理极不高兴，张巨海、王文献有些尴尬。

"杨总，难道你……你也想……"大黑突然明白了什么。

"正好煤城最大的领导段书记也在，最能影响决策的大黑村长也在。刚才我听到争矿什么的，我补充一句：是不是应该给我们一个公平竞争的机会呀？国家一而再、再而三强调：煤矿拍卖要阳光作业，不能暗箱操作啊。"别人怕段天生，杨娟不怕，因为众所周知的原因。

"可……我……我……"大黑想说我已经答应赵国忠了。

"不要我、我、我了！"杨娟先看着为难的大黑，随后盯着正在暗自生气的赵国忠等人，"如果，赵总真要得到煤矿，社会上肯定会产生一种对你们谁都不利的传闻。"

"什么传闻？"大黑急问。

杨娟不紧不慢："人家会说，你这次被绑架，是某些人专门导演的苦肉计、连环计和感恩计。"

"什么这计那计的，我只记得赵总是我不折不扣的大恩人。"大黑明白，这个场合，也是报恩的场合。

"杨总，你好歹也是赵总的'副手'，再独立核算，也不应该这么说话吧。"肖助理实在看不下去了。

"肖助理，这里好像轮不上你说话吧？"杨娟白眼一挑。

肖助理针锋相对："书记刚说了半句话，就轮到你说三道四了？你是市长啊？就是市长也得等书记说完才能发言吧。"

"你……"聪明的杨娟遇上了更聪明的对手。

"好了，好了。"段天生显然不快，"关于争矿的事情，吃完饭，我和几个人单独谈一次，包括你杨娟。"

"杨娟，我求你了，赶紧坐下吧，别说了。"张巨海意识到再这么折腾下去，不仅煤矿争不到手，而且彻底把书记得罪了。

如果真把段天生得罪了，他那针眼一样的心胸，非把自己整死不可。女人，没有一点远大目光。

"现在是为大黑接风，不谈其他的。"宴会的主人赵国忠意识到自己讲话的时机成熟了，"大家喝酒，喝完以后，小肖陪大黑到赌场玩玩，我们再谈别的。"

针对赵国忠的提议，赞同的、不赞同的都端起了酒杯，特别是那些不赞同的，勉强举杯，不是为了赵国忠，而是为了段天生的面子。

大家再次欢快地喝酒。

"兄弟姐妹们，给大家拜个晚年。"段天生第一次这么柔情蜜意，"我这个市委书记，说穿了，就是给你们当的。别担心，我会一碗水端平，让你们每一个人都觉得不吃亏！"

书记说完，赵国忠一行自然高兴，杨娟等人还是忐忑不安。

澳门的夜晚，是亚洲最富活力的夜晚。数不清的妖艳美丽女人，不知从什么地方钻出来，遍布澳门的大街小巷。这些身材火辣、眼神妖媚的女人，有的散发着南国风情，有的散发着东北魅力，也有的折射着西北情韵，还有的透露出俄罗斯的气质……

这些妖艳的女人，用她们的躯体和眼神，勾引着欲火焚身的男人，特别是那些赌客。其中赌赢的男人，再次从这些女人身上寻找到了成功的快感；当然这些女人，也用自己的特殊方式，抚平了那些赌输男人心灵的创伤……

这也是澳门的一种特有风情和魅力。

"肖助理，带着大黑到赌场痛痛快快玩一晚，当然不止是赌博……"酒喝得差不多了，赵国忠开始安排下一步的活动。

"我……我……不会赌。"大黑有些畏惧。

"兄弟，美女教练两分钟就能教会你。"赵国忠哈哈大笑，"当然，本钱嘛，我早就给你准备好了，尽管刺激地玩，不用担心。"

"我……还是……"大黑从小听说过赌博不是什么好东西。

"大黑，尽管你现在忘乎所以，可毕竟前几天发生的一切，会给你一生带来阴影。消除这个阴影最好的办法，就是人世间最刺激的活动——赌博。"赵国忠是山西煤老板中最见多识广的人物，"无论输还是赢，都会像过山车一样，让你在人生心理的最高点和最低点之间反复徘徊，激烈震荡，最终忘掉人生的一切不快。这就是赌博最大的魅力，也是治疗心理疾病最好的良药。"

"去吧，大黑，赵总说得一点没错，他是为了你好。"连漂亮的女助理小肖都鼓励他，"如果你今后不想有心理残疾的话。当然了，赌博只是怡情，今后，千万不能深陷其中。如同鸦片能治疗咳嗽，但不能成为精神依赖。"

大黑忐忑不安地跟着肖助理进了赌场……

酒桌上的其他人，都没有动。只是赵国忠吩咐侍者把饭局变成了茶座，撤下来吃剩的所有东西，换上了另一块干净整洁的台布，端上来精致的茶杯和茶碗，一股淡雅的清香慢慢扩散开来。

剩下来的主持人，由赵国忠无意间转换成了市委书记段天生。

酒喝得恰到好处，市委书记段天生长袖善舞的本领显露出来："杨娟，我的美女老板，不要那么不开心，你一皱眉头，花了几百万的美容手术就白做了，真实年龄就暴露出来了。在这个世界上，对于女人来说，魅力要比金钱和事业重要得多，对不对？"

"我不知道段书记说这番话是什么意思？恐怕不是对女人的年龄和魅力感兴趣吧？"杨娟第一次抽起了烟。

赵国忠也好，张巨海也好，王文献也好，他们都明白，接下来的谈判，重点是段天生和杨娟之间的心理博弈，他们不好介入，也不敢介入，只能当看客。

大家从冷静观看中，直接了解自己最关心的结果。

"那当然。"段天生喝茶，是在用心体味，"对于一个城市的一把手来说，无论走到那里，真正关心的问题只有一个：经济。"

"经济？这么一个大而又大的话题，适合在这个场合谈下去吗？"杨娟明白，段天生从来是一个狡猾的老狐狸，他说话，从来爱说反话，而他做的一切，恰恰是他说的另一面。

"非谈下去不可。"段天生胸有成竹，"一个问题，男人和女人看问题的角度不一样，所以，得出的结论也不一样。如果，我是你，肯定和你一样；反过来，如果，你是我，结论自然也和我一样。因为，我们俩都不是糊涂蛋，都是聪明人。"

"段书记不愧是做思想政治工作的，三言两语就用绕口令把我绕糊涂了，也给我洗了脑，我们成了一条战线上的人了。"杨娟这句话，既是对段天生善意的提醒，也警告自己千万不能上了老狐狸的当。

"一个问题，对你来说，是争矿；对我来说，是经济。这就是我们看问题的不同角度。"绕来绕去，段天生终于绕到大家都能听懂的正题上，"小妹啊，不管怎么说，我是你的大哥。对你来说，有个熟悉的大哥当市委书记，总比一个非常陌生的市委书记好得多吧？"

"大哥不仅会说绕口令，还会玩迷魂阵。越说，我越听不懂。"杨娟听到对方说大哥的时候，感觉到他真正的手段使出来了。

段天生的智慧，决不是浪得虚名："如果，只是争矿这么一个简单问题，大哥我和小妹你的观点和结论，肯定没有区别，非你莫属，只要你能筹措到足够的资金。"

看客中的赵国忠突然有些紧张，而其他人稍稍有些惊喜。

"后来为什么有了区别呢？要知道我可是有筹资能力的。"杨娟关心的是下面的问题。

"这就涉及到经济问题。"段天生抑扬顿挫，"争矿，是个小问题，是市场竞争行为，实力决定结果。这个道理，我明白，大家都明白。"

"我一个小女人，境界没有那么高深。大哥，能不能用我能听懂的语言，告诉我咱们之间到底有什么区别？"杨娟最怕段天生玩玄妙，玩到高处，自己还没有反应过来就把自己玩进去了，煤城好多人，就是这么被段天生忽悠的。

"如果把争矿上升到经济层面，你就能认识到，我的看法也是你的看法。"段天生为了今天，显然做了充分的准备。

"我的看法，就是公平竞争，不能暗箱操作。我相信，段书记再怎么绕弯子，有个弯子也绕不过去：这就是法律。"杨娟针锋相对，"我知道，争矿的背后有很多潜规则，尤其是要把两个关键人物搞定：一个是有决策权的大书记，另一个是有否决权的大村长。现在，大村长已经被搞得服服帖帖，难道公正无私的市委书记，也被别人'绑架'了?!"

"杨总说话，是不是有些出格？"赵国忠忍耐不住了。

"杨娟，不要在领导面前胡说。什么'绑架不绑架'的，你这么做，才是'绑架'领导呢。"张巨海看到杨娟不顾一切挑战段天生的权威，有些后怕。

杨娟并不怕段天生，她真正怕的人，还是张巨海。听见对方发火，她气焰终于有些收敛："书记，你是大哥，我说话是有些出格，你别见外。"

"没有出格，根本没有出格，你说得完全在理。比如法律、比如公平竞争、比如不能暗箱操作、比如权力不能让'绑架'……几乎没有一句出格的话，讲得完完全全都是为了我好嘛。"大家都不动手，只有市委书记边说边品茶，越品越有滋味。

段天生的这些话，听起来光明正大，可越光明正大的东西，对别人来说，都能体会出来：段天生做的恰恰是另一面。不光张巨海担心，杨娟更为担心。

"杨娟小妹，你刚才提醒我的那么多没有出格的话，让我十分担心哪。"段天生不仅在品茶，更在品人性，"如果，我违背那么多东西，会是一个什么下场？"

"这个……"能言善辩的杨娟突然结巴起来。

山西煤老板

"这个我来回答。"赵国忠乘机插进来,"如果'绑架'段书记,让他违背法律、暗箱操作,不能在争矿这个问题上阳光作业的话,等待他的必然是法律的制裁,不仅市委书记保不住,而且可能锒铛入狱。我想,杨总不至于把你的书记大哥送进监狱吧?!"

"你这话什么意思?谁想把大哥送进监狱?"杨娟有张巨海在背后撑腰,自然不把她的"顶头上司"放在眼里。

"当然是你啊。"段天生突然用手指着她,笑嘻嘻地说,"小妹啊,今后你让大哥帮忙,一定要事先搞清楚一个原则问题:违法不违法。如果不违法,我怎么都能帮你!如果违法,你不是故意把大哥往监狱里送吗?!要知道,山西出了这么多事,中纪委一直盯着我们这些高级干部,你难道想换个陌生的市委书记吗?!"

"我要求公平竞争,难道就是违法了?"杨娟根本听不进去。

"小妹啊,你先好好学习学习,外资入股煤矿能不能占大股就什么都明白了。"段天生轻轻拍着她,"国务院外资管理条例,那是不折不扣的法律。"

"真的?"杨娟相当震惊。

张巨海等人大感意外。

"我这个当大哥的,什么时候骗过你?"段天生要的就是这个震惊的效果,"小妹,开始我就跟你说过,看问题,要从不同角度来看。争矿,如果简单是市场行为,那实力决定一切;如果上升到经济层面,那就是法律决定一切。你赞同我的结论吗?"

"赞同。"杨娟无话可说。

张巨海用眼睛剜自己的女人,那意思很明白:蠢货!十足的蠢货!连基本法律常识都不懂,就胡乱作为,结果呢,赔了夫人又折兵。

"段书记,您今天这番话对我们来说,是再生动不过的普法教育。"遭遇难堪的张巨海肉麻地拍上级的马屁。

"是,是,是。"王文献简直是个跟屁虫。

出奇制胜的赵国忠,此时尽量克制自己得意的情绪,他十分明白:胜利的时候,有时也是最容易麻痹大意的时候,一不留神的得意,有可能种下难以挽回的祸根。自己的对手,是政府里的小人,他们的破坏力不可估量。

所以,这个时候的赵国忠,尽量装出同样惊诧的样子,不能让他们看出来,自己是段书记的"幕后推手"。

"小妹啊,我突然想起来,那个谭小明最近怎么样了?"段天生说这句话,正中杨娟的痛处。

杨娟没好气地回答:"一直没见。"

当初为了搞定段天生，杨娟精心策划了"美人计"，花了不菲的金钱，最后还是打了水漂。现在，真是有苦难言。

"我还想见见她。"段天生也不避讳。

"还想见?!"杨娟惊得心痛。

"当然。"段天生不加掩饰，"她认识很多大人物，比如首长部下韩秘书，还有美国的文化大师卢峰先生，他们对煤城发展都很有利啊。"

"怎么见呢?"杨娟话外之音，只有张巨海等少数几个人能听明白：见大人物是要花大价钱的！谁来花呢?

"肯定不会白让你帮忙的，我毕竟是你大哥嘛。"段天生满肚子别人看不透的花花肠子，"再说，王文献的事，老张说了好几次，也应该安排了。"

王文献最想知道的结果终于盼到了，他分外惊喜。张巨海意外的同时，也感到欣慰。

"这两件事有关系吗?"只有付出巨大代价的杨娟，头脑非常冷静。

"当然有啊。"段天生的笑容，很多时候让人琢磨不透，"你们区的法院院长，到了退休年龄。尽管很多人跑官，可我还是倾向于小王，法院院长不比副区长差多少吧。"

"那是一个肥差，比有名无实的副区长强多了。"区委书记张巨海最了解各种岗位的暗门暗道，"还是段书记体恤干部呀，上次矿难，王文献被免职，那是为市里、区里堵了枪眼，好人终于得到回报了。"

"你这是表扬我呢，还是批评我?!"段天生对谁都可以客气，却对自己的直接部下向来不开玩笑。

张巨海不知所措，还是他的女人杨娟站出来岔开话题："大哥，你还没有回答我的问题：这两件毫不相干的事情，到底有什么必然联系?"

"你应该能想到吧?"段天生提醒她，"看问题，要有大角度，不能老用女人的眼光看问题，而要学会用男人的眼光看问题。尤其是你这个做生意的妹妹，没有大角度、没有大眼光，是做不成大事情的。"

"我要有大哥的角度和眼光，那我就能像大哥一样当大官了。我之所以当不了大官、做不成大事，就是因为我不会绕弯子，还是大哥用小女人能听懂的语言和角度告诉我吧。"杨娟实在不想继续玩猜谜游戏了。

二十四

赌城澳门，在每天晚上的十二点钟以后热闹异常。惊艳绝伦的粉红女郎，在这个时候开始了一夜风流；豪情万丈的赌客，在这时候疯狂到了极点；嗜酒如命的饮者，在这个时候睁开了惺忪的眼睛；平静了好久的老虎机，在这个时候开始狂吐硬币；门前冷落的剧场，这个时候人满为患，掌声不断；就连白天波澜不惊的大海，也在这个时候开始频频冲击码头，发出一阵高过一阵的怒吼咆哮……

酒宴结束后，赵国忠陪着市委书记段天生走马观花逛了一圈疯狂的澳门夜景，最后在赌场门前的广场上停下了脚步。

"怎么，还想再进去看看？"赵国忠试探地问。

"不去了，刚才已经去过了。"段天生仰望着光怪陆离的赌场。

"想不想试试身手？刚才只是进去简单参观。"赵国忠心想，只要书记愿意，他立刻吩咐人准备筹码。

"当领导，有好多不自由的地方啊。"段天生怅然若失。

"澳门，距离煤城万里之遥，谁也不会知道的。"赵国忠安慰他，"老张、杨娟、肖助理等等，不管怎么说，都是自己人，不会对外声张的。"

"那也不能去啊！"光怪陆离的灯光，有时从段天生脸上晃过去。

"为什么呢？"赵国忠还是不明白。

"因为科技太发达呗。"段天生说出了自己的真实感受。

"赌博，和科技发达有什么关系？"赵国忠经常和书记在一起，可思想脉搏也经常和领导脱节，摸不透他的话外之音。

"如果不是科技发达，那么多大陆官员到澳门来赌博，中央怎么会知道的？"段天生经常从内参上看到一些官员栽在澳门的赌场上，"不少官员都是独来独往，最后仍然出事了。这些例子告诉我：要想人不知，除非己莫为。"

赵国忠明白了，那些光怪陆离的灯光中，说不定哪一个就连着监视器，而监视器的终端，恰恰就直通北京。还是段天生的警惕性高，他不由得佩服起来："那咱们回酒店，按摩按摩，这总可以吧。"

"好，这个主意不错。劳累了一天，也该放松放松了。"段天生心目中，小赵是最信得过的企业家，"你经常来这里玩，是不是？"

"书记怎么看出来的？"赵国忠一边问一边猜测他下一句想说什么。

"还用看吗？"段天生笑了，"我只要说一个地方，你不用问任何人，也不绕道，立刻就带我到了目的地。说明你对澳门非常熟悉，就像逛煤城的大街小巷，根本不迷路。"

"是不是当市委书记，必须具备侦探的本事？"只有他们两人在一起的时候，赵国忠偶尔也和大人物开开玩笑。

"如果不具备侦探的本事，根本在这个位置上坐不住。"段天生显然没有把赵国忠当外人，"说句实在话吧，官场上的陷阱比起生意场上的只多不少。"

"怪不得你对付杨娟那么从容自如、行云流水呢。"赵国忠从段天生身上学了不少东西。

"别说那些肉麻的吹捧话，没用。"段天生在欲望之都的林阴道上走得轻松自在，"刚才，我进了赌场，发现一个奇怪的现象：里面有不少人似曾相识，有的还冲我点头微笑，到底怎么回事？"

跟在身后的赵国忠马上揭开了谜团："那还用问，他们都认识你呀。虽然你见他们面熟，叫不上名字来，可他们都知道你是赫赫有名的段书记。"

"你是说，那些似曾相识的都是煤城人？"段天生纳闷：这里是澳门，不是煤城啊。哪来那么多老乡呢？

"这么给你说吧。"赵国忠讲起了自己的独特体会，"经常来这里的大陆赌客，十有八九都是大陆改革开放成长起来的暴发户，大致可以分为金、木、水、火、土等等五种人，其中'火'就是在煤城开煤矿或者是倒煤炭的暴发户。"

"金、木、水、火、土……有意思，给我详细讲讲。"段天生来了兴趣，"当然，你也是其中的'火'。"

"'金'是指在金融领域呼风唤雨的暴发户，他们以北京人和上海人为主；'木'是指利用木材为主装修领域和建材领域的暴发户，他们大部分是浙江人和江苏人；'水'是指依托海运搞走私贩私的暴发户，他们主要是广东人和福建人；'土'呢，不用问，是指房地产领域的暴发户，他们以东北人为主；'火'，我已经说了，就是山西煤老板。"赵国忠不仅善于玩，而且善于观察思考。

"你应该当赌场的老板，把客源市场划分得这么精细，实在是个有心人。"段天生很早就觉得年轻人里，赵国忠最具备经商的天分，"山西煤老板，在赌场里怎么样？"

"当然好啊。"赵国忠十分自豪，"可以这么说，过去十年，澳门是广东人的天下，他们占尽了地利之便。最近几年，可以说是山西人的天下，输赢暂且不论，在这里下赌最大、豪气最大、影响最大的都是山西的煤老板。他们只要一来，十几个甚至几十个人，把澳门最豪华的五星级酒店包下，一玩最少一个星期，不输掉最后一分钱，决不回家。山西人的豪气把广东人压得抬不起头来。"

"这不算什么好事吧？"段天生有些感叹，"纯属败家子嘛，回去以后要遭父老乡亲唾弃的。"

"有坏的一面，自然也有好的一面，任何事情都要辩证地来看。"赵国忠不知不觉继续为他们辩解，"书记，你说全国这么多省，为什么大家对山西人另眼相看？最现实的例子，澳门各大赌场招录服务生，有个额外条件：只要会说山西话的优先录用，为什么？山西人的名声是谁打响的？"

"你说谁打响的?"段天生觉得荒唐好笑。

"当然是经常来澳门豪赌的煤老板啊!"赵国忠心里的自豪有些变态,"山西的官员,见了人都低三分,打不出牌子吧;山西的文化人,只知道坐井观天,几乎成了全国的笑话;山西历史上出美女,如:貂蝉、武则天、杨贵妃等等,可那是有限的几个,还都是历史人物。要说美女,还得看四川、看重庆,人家十个女人里,九个都是绝代佳人,而且是摆在面前活蹦乱跳的……山西,现在的名片就是煤老板,就是我们,那是大家用数不清的赌资在澳门闯出来的!"

"可惜了,可惜了。"段天生终于流露出了十分懊悔的神情。

"可惜什么了?"赵国忠猛然发现书记根本没有被他的豪言壮语打动。

"可惜你曾经是个诗人!可惜你曾经当过教师!可惜我这么多年来苦心孤诣教化你!"段天生感叹,"这灯红酒绿的世界,毁了多少像你这样有前途的年轻人啊。"

"段书记,我……我……我……"赵国忠突然从段天生的长吁短叹中,明白了一件最可怕的事情,"我是不是没救了?"

"你还知道自己没救了?"段天生责问,"如果,你再这么折腾下去,我真不敢和你来往了。"

"为什么?"赵国忠后怕起来。

"整天和赌徒鬼混在一起的官员,大家会怎么评价?再说,人和人交往,靠的是什么?靠的是责任和诚信,世上最没有责任感和诚信意识的人,就是赌徒!"段天生是个有底线的人,"我这个人,包括我的朋友,当然有不少毛病,但有一样东西肯定没有,那就是赌博!"

"那我……我……我和那帮人保持距离,都是他们拉我下水的呀!"赵国忠明白:失去段天生的支持,是今生最大的输局。自己输不起,也不能输,他想尽办法努力挽回……

半夜,肖助理回来,她的房间与赵国忠紧挨着。

肖助理刚要开门,突然发现一个金发碧眼的妖艳女人从赵国忠房间出来,外国女人的脸上流露着非常满足的微笑。肖助理有些怒不可遏,直接推开了赵国忠的房门。

正在洗澡的赵国忠,赶紧穿了一身浴服出来:"怎么、怎么是你?"

"洋妞可以进来,我为什么不能?"肖助理狐媚的眼睛直勾勾看着他。

"她和你不一样。"赵国忠把浴室的门关住。

"难道她是人妖,不是真正的女人?"肖助理竭力想克制自己的情绪。

"她不是人妖,是真正的女人,我没有变态到那个地步。"赵国忠穿着舒适的便鞋走到窗前,外面是光怪陆离的世界。

"既然她是真正的女人，你也没有变态到那个地步，她能得到的，我为什么不能？"肖助理希望有一个正常的情感和生活。

"我说了，你和她不一样的。"赵国忠面对这种纠缠，实在想不出来太好的解决办法，"她是什么人？是妓女！你是什么人？清华的高才生。能一样吗？"

"我自甘堕落，行不行？"肖助理站在他身后，"你能不能在我面前，放下那个清高的臭架子？"

"不行，我已经说过了。"赵国忠明白无误告诉她。

"为什么？"肖助理其实知道答案。

"男人嘛，是有各种需要的。有的时候需要肉体和快感，有的时候需要诗情画意、智慧人生。这是不同层次的需求，也需要不同的女人才能满足。"大款赵国忠看到外面的霓虹灯闪烁不停。

"我一个人是能够同时满足你的两种需求的。不信，你试试。"肖助理有些哀求。

"满足不了。"赵国忠肯定地回答，"你只能满足一种，最高尚的那种。"

"为什么我满足不了你的低级趣味？"肖助理紧追不舍。

"因为……因为……"赵国忠有些支支吾吾。

"我能承受得了，你尽管说，我什么地方不如她？"肖助理看来很自信。

"你说呢？"赵国忠还是没有直接回答。

"我要你亲口说出来！"肖助理忍无可忍。

赵国忠转过身来，从上到下，重新打量了她一下："比如，先说外表的，你的屁股有她丰满吗？你的胸乳有她性感吗？你的大腿有她那么诱人吗？还有……"

"还有什么？"肖助理目光如炬。

"再说，内在的，你的性经验有她丰富吗？你的技巧有她那么娴熟吗？"赵国忠目不转睛看着她，"我说的这一切，你都没有吧。但是，你有你的长处，有的地方，任何女人都不如你，比如精明、清纯和智慧。"

"我还有一点长处，任何女人都比不了。这一点，可能你也不知道。"凶狠的女人，突然变得冷静下来。

"真的吗？什么长处？"赵国忠一边询问，一边体悟女人说话的含义。

"自杀的勇气！别的女人恐怕根本没有。"肖助理突然要推窗户。赵国忠眼疾手快，马上把她抱住。

"放开我！我实在忍受不了你这个情感变态狂。"肖助理歇斯底里，"既然知道我喜欢你，既然你也不拒绝我的感情，为什么要专门当着我的面泡别的女人？为什么不满足我一个正常女人的正常需求？"

"如果，你能冷静下来，我就把真实的一切告诉你！"赵国忠死死抱住要跳楼的女人。

女人一听，冷静了很多："说吧，给我一个合理的解释。"

"因为……因为……因为我真心爱你！"赵国忠感觉到女人折腾的力气小了很多。

"这个解释，对我来说合理吗？我能接受吗？"肖助理不相信他的谎言。

"当然合理。"赵国忠不再玩世不恭，"你要能回到沙发上，彻底冷静下来，我就把自己的一切秘密告诉你，最后，由你来做出一个明智的抉择。"

"什么？说吧。"肖助理一听"秘密"两个字，她本能地产生了好奇。

"你知道咱们这个公司的管理结构是什么吗？"赵国忠故意问她。

"当然知道。"肖助理在公司呆了这么长时间，有所了解，"不是三个股东吗？一个股东是你，另外还有两个股东，好像都姓叶，是父女两人，他们到了海外，一切委托你来全权管理。"

"你知道姓叶的父女俩和我是什么关系吗？"赵国忠把窗帘拉上。

"这个不知道，公司没人说过。"肖助理说了实话。

"当然没人知道。"赵国忠坐到肖助理对面，"因为，这个集团公司是在他们父女俩出国后才注册成立的，而且成立的时候，我们曾经共同约定：公司股东结构对外保密，一切由我出面掌控。"

"原来是这么回事！"肖助理没有想到，公司确实存在不为人知的秘密。

"那你知道，我的第一桶金是怎么淘来的吗？"赵国忠靠得她更近了。

"知道啊，你说过。"肖助理记性很好，"是一个银行家给了你第一笔贷款，你买了一个小矿，当年煤炭价格暴涨，你不仅还了银行的款，而且大大捞了一笔。"

"那我再问你。"赵国忠眼睛盯着她，"我贷款之前，是干什么的？"

"大家都知道，一个乡村中学的穷教师呗。"肖助理想说，这事地球人都知道。

"你是学经济管理的，我问你一个最简单的问题：一个一无所有的穷教师，凭什么能拿到银行的贷款？凭什么可以白手起家成为今天的亿万富翁？"赵国忠继续反问。

肖助理有些吃惊："这……这……就是你要告诉我的秘密？"

"对了。"赵国忠突然拉住她的手，"从我告诉你的两件事上，你猜出来多少？"

"公司结构？第一桶金？这根本是两个互不相干的事情。"肖助理一筹莫展，"你们的秘密，真是掩藏得太深了，我一点都猜不出来。"

"那我告诉你，这两件事，其实是一回事。"赵国忠彻底摊牌，"我能白手起家，在没有任何担保手续的情况下，拿到贷款，淘到第一桶金。其实，这个秘密很简单，因为我不是真正的老板，真正的老板是银行家本人。我只是个挂名的矿长，真实身份是打工仔。"

肖助理吓了一跳："如果两件事是一回事的话，你现在还是挂名董事长，真实身份还是打工仔？"

"如果是这样，你还这么不顾一切追求我吗？"赵国忠说了一半，突然有意停下来问她。

肖助理突然笑了。

"笑什么？"这下，担心的人变成了赵国忠。

肖助理笑着回答："如果命运真是这么安排的，那就太好了。"

"好什么呢？"赵国忠越来越担心。

"好在今后我们之间的感情，一切由我来主宰，不能让你肆意欺负我！"肖助理眼睛里迸出了笑花，"既然都是打工的，我们就不在这个集团挂羊头卖狗肉了，我们一起远走高飞，重新创业去。"

"那我要不是打工的呢？"听了女人的话，赵国忠情绪稳定了很多。

"你这人说话怎么颠三倒四的，刚才不是说替人家挂名的吗？"女人收敛了笑容。

"我是说，第一桶金是替人挂名的。后来不是了，尤其是成立集团公司以后。"赵国忠决定把所有的秘密和盘托出，"淘完第一桶金，我就成了银行家的女婿，成了那个势利女人的丈夫，自然就成了煤矿的小股东。"

"后来呢？"肖助理急于知道底细。

"三年后，银行家退休，原来准备到自己的煤矿大干一场。谁知，有人举报他违法放贷，他得到消息，连夜烧光银行账本，以治病为名，和女儿跑到了美国。临走前与我约法三章：第一，公司改组，表面上我占全部股份，其实我只占百分之二十，其余百分之八十都是他们的；第二，新公司由我全面掌控；第三，我和别的女人可以有肉体关系，不能有婚姻关系，否则我的股份自动废除，我的管理权也自动让出，由他们重新指定……"赵国忠说的这个秘密，实在惊天动地。

"啊，世上还有这样荒唐的契约！"肖助理想来想去，"这根本不合法呀！外逃贪官哪有权力遥控国内的大公司呢。"

"当然有的是办法。这个办法，在外国看来十分荒唐，可在国内绝对有效。"赵国忠把最后一道谜底揭开，"人家的约法三章，百分百有效。关键在一个重要人物，银行家有个亲戚，是省里位重权倾的大官。目前，我还不知道他是谁。

只知道人家在暗处，我在明处。我的一举一动都受别人监控。"

"这么说，你一旦违规……"肖助理脑子都蒙了。

"假如我违反约定，那个大官随时可以找个借口，把我送进监狱。"赵国忠显然害怕失去一切。

"怪不得，我喜欢你，你不拒绝，也不和我发生关系。原来是担心这个!"肖助理什么都明白了。

"我就是因为喜欢你，想和你谈婚论嫁，才不敢马上发生关系。"赵国忠提醒她，"哪个领导是人家埋伏的眼线，我根本不知道。我在明处，人家在暗处，我和不相干的女人睡觉，他们不以为然，因为符合'三章约定'；如果，我和自己喜欢的女人睡觉，人家就要有行动了。"

"我明白了。"肖助理说出了"约法三章"背后的秘密，"你已经死亡了的婚姻，其实是维系你们之间利益的纽带；如果你的婚姻另外复活了，而且复活的对象是公司高管，就要从中分成，公司股份结构可能面临重新洗牌。他们担心自己的利益受到威胁，所以会不惜代价搞掉你!"

"我最喜欢你的这份聪明和睿智，下一步，我更需要你的这份聪明和睿智。"赵国忠深情地看着女人，"记住：小不忍则乱大谋。"

"怎么谋?"女人急切地问。

"这么……这么……这么……办!"赵国忠已经想好了打开死结的良策。

"如果我告诉你，我是银行家派来的'卧底'，你怎么办?"到了最后，肖助理突然一本正经地问。

"有拿处女的清白做代价当'卧底'的吗? 况且，你这个'卧底'，还是我自己亲自到清华挑来的。"赵国忠哈哈大笑。

二十五

赌城，到了凌晨两点，进入最疯狂的时候。

此时，还没有找到猎物的天价粉红女郎，突然大幅度跳水降价，寻求今夜的廉价"知己"，用来支付豪华酒店的房租。赌场的豪客，胜券在握的，乘胜追击，寻求人生的最大价值。那些输红了眼的赌客，开始了最后一轮的反扑。有剩余现金的，全部抵押；没有剩余现金的，开始借高利贷；借不到高利贷的，只有用珠宝、古玩、房产、公司、汽车等等甚至美女做抵押，立刻变现……

输红了眼的赌客都明白：命运之神，到了生死关头，谁也不怕，最怕不择手段的人。只要自己不择手段，那还有翻身的最后一线机会。如果自己舍不得最后的本钱，等待他们的将是破产，将是一无所有，将是生命的终结，将是……

看到那些狰狞的面孔，大黑绝望地对旁边的赵国忠说："大哥，我已经输了六百多万了，我怕……"

肖助理给他打气："刚才我们进来的时候，你都输了八百多万了。自从我们进来，你就转运了，没有半个小时，就刨回来两百万。继续玩下去，说不定能全部刨回来。别怕，我和赵总给你压阵！"

"万一再输了呢？大哥，饶了我吧，我没有赌场上挣钱的命。"大黑觉得，光怪陆离的赌场比那暗无天日的越南洞穴还可怕。

"兄弟，不用担心。"赵国忠一边抽烟一边安慰他，"我给你准备了一千万，就当坐过山车的高价费用，输完了，我们回去睡觉。"

"那可是你说的啊。"大黑听了，有了精神，"那我再试试，输了不怨我！"

"放心大胆地玩，今年我们有的是挣钱机会，只要你听我的，还在乎这几个小钱！"赵国忠，那是山西煤老板中数一数二的风云人物。

……

在赌场里转来转去的，还有几个熟悉的人物：张巨海、王文献和杨娟。杨娟扭着屁股，仰着脸蛋，挺着胸脯，把这里当成了选美的赛场，她满不在乎地在这个特殊的场合里张扬着自己妖艳的魅力。

而身为官员的张巨海和王文献，却越看越不自在，除了杨娟的因素之外，他们无意碰到不少熟悉的面孔。当然，这些熟悉的面孔都是来自万里之外的煤城，都是那里的煤老板。

煤老板们毫无顾忌，看到父母官也在这里"潇洒"，十分好奇，也十分热情。令他们没有想到的是：自己的热情，迎来的却是冷若冰霜，甚至对方故意装出一副毫不相识的神态。他们开始感到不理解，仔细一想就明白了冷面背后的"玄妙"——父母官，毕竟是官员，在这个地方让人认出来，不是一件愉快的事情，主要是见面的场合太不对味了。

不久，三人离开赌场，回到了房间。

"你他妈少给我丢人现眼！"一关门，王文献还在场，张巨海不顾一切破口大骂杨娟。

"我怎么了？"杨娟其实明白，刚才的妖艳，招来男人的目光，也打翻了张巨海的醋坛子。自己原想再留下来看看，老张非要把自己拽回来。

"你当你是谁啊？"张巨海撕破了脸面，"你以为自己把二十岁女人的皮贴到自己脸上，就真成了二十岁的女人了！看来，做过美容手术的女人，都不要自己的脸了！"

"书记，何必呢。"王文献赶紧相劝。

"老张，你绅士一点好不好？"杨娟忍受不了对方的谩骂，"老娘在你面前，就是四十岁了，我从来没否认。可我做了美容手术，打扮成二十岁的样子，不是为了让你看着舒服，避免你对二十岁的女孩子下手吗？客观上也是为了保护你。"

"放你妈的屁！"张巨海简直失去了理智，"老子从来见不得'二皮脸'的女人。"

"大哥，你们干什么呢？"王文献看着两人吵个不停，自己浑身不自在，"今天是个好日子，我盼望已久的工作问题终于解决了，你们应该高兴才是，吵来吵去有什么意思。"

"兄弟，我不是说她当着男人的面搔首弄姿，我是说……"张巨海突然觉得在部下面前吃醋，会让人笑掉大牙。

"那你有什么好说的！"杨娟当众挨骂，不依不饶。

"老子是说你，在我的领导段天生面前……"张巨海猛然间想起了晚宴上的不快，"你他妈就知道不择手段捞钱，把老子的前途都丢了。"

"那是段天生不对，享用了我送的女人，花了我的钱，还不给我办事。有这样无耻下流的领导吗?!"想起段天生来，杨娟更不舒服，"后来，要不是你们使劲打压我，看我怎么……"

"你想怎么办？"张巨海引蛇出洞。

"老娘非让他身败名裂不可！"杨娟疯狂了，"都是赵国忠给老段下了药。几个愚蠢的男人，一个最简单的常识都不考虑：女人要疯狂起来，比男人可怕十倍百倍！"

王文献、杨娟谁都没有预料到最疯狂的男人出现了：张巨海老远扑过来，不由分说，把女人按倒在地，卡住脖子，左右开弓："我让你疯狂！我让你疯狂！我让你疯狂到极点！"

"救命！救命！救命！"杨娟发出了死里求生的号叫，"文献兄弟，快救我，求求你。"

王文献赶紧跑过来，用了很大的力气，才把愤怒疯狂的张巨海拉开。自己挡到张巨海与女人中间，站成了一堵隔离墙，女人终于有机会从地上爬起来，躲到一角哇哇大哭。

"兄弟，你评评理。"张巨海脸涨得通红，"我们的前途重要，还是这个婊子的几个臭钱重要？"

"说什么呢？两个都重要。"王文献心里最明白，虽然两人都在火头上，现在打得一塌糊涂，可人家毕竟有肉体关系，毕竟晚上要在一个被窝里睡觉。如果现在附和了张书记，一旦两人和好了，女人说不定会吹枕边风，报复他迎合强者、出卖弱者。

不管怎么样，眼前的两个人都得罪不起。

"你怎么没有原则呢？"张巨海眼睛突然瞪他，"你说，假如我丢了这个乌纱帽，社会上谁还认她这个不值一提小煤老板！连赵国忠都能一脚踩死她。"

"没有那么严重。"王文献故意不赞同张巨海的意见，还说起了反话，"段天生，堂堂一个市委书记，心胸没有那么狭隘，杨娟说说自己争矿的意见，不会得罪他的。"

"你们两个都是蠢货！"张巨海谩骂，连王文献也捎进来，"老市长张国军怎么样？位置比我高，影响比我大，社会经验比我丰富，可怎么被纪检委抓起来的？就是因为他在常委会上一句玩笑话得罪了段天生。老段处心积虑给他捏造了一个罪名，不仅把他送进去，而且市长位置也丢了。这个血淋淋的教训，还不够深刻吗?！"

区委书记张巨海一阵藏獒般的狂叫，吓了王文献一跳。

过去，王文献只听说老段心眼小，不知道他这么手黑。

连一边哇哇大哭的女人也被吓住了，停止了哭声。

"社会上秘密流传这么一句话，可能你们都没听说过，现在，我郑重告诉你们：煤城有'三害'，永远得罪不起：疯狗、绑匪、段天生。"张巨海叫喊得嗓子都哑了，"特别是你，臭婊子，再在书记面前出洋相，为了保护自己，我可以当场'大义灭亲'！"

……

就在杨娟等人在房间里大吵大闹的时候，赌场里的那三个山西老乡的命运，又发生了戏剧性的变化。

自从进了赌场就连连输钱的大黑，突然迎头撞上了命运之神，短短的一个小时之内，刨回来一千八百多万，不仅把本钱捞回来，而且净赚一千多万！

"哎呀，把把都赢钱，这赌桌都变成提款机了。"肖助理惊喜万分，"这么玩下去，明天一早我们就能挣回来一座煤矿。"

"大哥，太神奇了。"大黑简直不相信眼前的一切，"我不仅还了你的八百万垫款，还要把你出的三百万赎金也还了。"

"你要集中注意力，现在运气都在你身上，乘机大大捞一把。"肖助理兴奋至极。

赌桌上大黑一边，几乎成了蓄水的大坝，所有的筹码都朝这边源源不断滚来。那些输了钱的"红眼"，愤恨地看着这边的每一个人。

"大黑，看来'越南事件'已经把你一生的灾难都透支完了。从今以后，你一定会鸿运当头、步步生金莲了。"肖助理故意拍马屁，"如果你还是个有心人，知道谁改变了你的命运吗？是那个叫'雪梅'的女人吗？"

"当然不是，是我大哥赵国忠。"大黑尽管手在摸牌，但心思并不紊乱。

"山西人就是好，都是关公的后代。"肖助理故意这么说。

"什么意思？怎么扯上关老爷了？"大黑手有些发抖。

"懂得知恩图报啊。"肖助理说话是很有艺术的，"当年关公落难的时候，曹操收留了他；后来赤壁大战，关公感念旧情，华容道专门放了曹操。"

"赵大哥怎么是屡战屡败的曹操呢！"大黑脑筋也很快，"借你吉言，我是关公的话，大哥就是刘备，今后，我们就是生死兄弟。"

"对！对！对！你们是生死兄弟。"聪明过人的肖助理也有说话不恰当的时候。

"我要是刘备，你就得听我一句。"赵国忠紧盯着牌局。

"大哥，我肯定听，你说出什么牌？"大黑兴奋得脸都变成猪肝色。

"不出牌了，我们已经赢够了。"赵国忠好言相劝，"命运之神撞了我们一下，我们见好就收。再玩下去，命运之神就该开车拐弯了。"

"好！我听大哥的。"大黑尽管想继续玩，但最终还是收敛住了，"我要让大哥知道：只要你说的，就是我要做的。"

"兄弟，不管过去发生过什么，正月里，你能在澳门一把赢来这么多钱，就是个好兆头，今年我们好好干一把！"赵国忠喜不自禁。

"大哥，放心，村里的三千多老百姓都会感谢你的，都会死心塌地跟着你干！"大黑想让对方吃颗定心丸。

"你们真是生死兄弟、患难兄弟！"肖助理感觉到澳门扑朔迷离的月光，让人兴奋，更让人陶醉。

三人回到酒店，情绪高涨。进了房间以后，专门吩咐服务生端来了酒菜，开始在房间里支起了夜宵摊子。大黑尽管重获自由好多天了，可今晚真正从生理和心理上，达到了无比自由轻松的状态。

而赵国忠、肖助理也把昨晚和杨娟等人发生的不快抛到了脑后。三人叫来一瓶洋酒，畅快淋漓地喝起来。

"郭天亮那个人怎么样？"肖助理说这句话，显然有一定目的。

"别人都说他阴森森的，不好打交道。我觉得还不错。不管他好坏，肖助理放心，郭天亮的问题我能处理好，不会成为咱们的障碍。"大黑喝洋酒的姿势，有点像喝啤酒，一大杯一大杯往肚里倒，"人们都说洋酒好喝，我感觉不怎么样，和咱们山西出的那个龟龄集味道差不多。"

"可不要小看了对手，我听说郭天亮不是一个等闲人物。别的不谈，在监狱里住了那么长时间，宁肯打掉牙也不吐一个字，连收拾他的人都佩服得不得了。"肖助理喝起洋酒来十分优雅，"他保护了张国军，而张国军又提拔过一大批人，郭天亮势力不小啊。"

"和郭天亮打交道，我比你们任何人都有经验。"大黑虽然是小煤老板，可当了好长时间村长，脑子非常活泛，"有的人吃硬不吃软；有的人吃软不吃硬。郭天亮就属于第二种人，你要给他来硬的，他比你还强硬。如果你要来软的，他就受不了了。"

"什么是他的软肋？"赵国忠对这个话题十分感兴趣，"孩子？女人？眼泪？"

"都不是。"大黑抓过一只烤鸡，吃得满嘴流油。

"那是什么？"肖助理恨不得把大黑嘴里的鸡肉抠出来。

"义气！懂吗？是义气。"大黑终于把烤鸡完全咽到了肚子里。

"难道我不讲义气？"赵国忠有些不悦。

"大哥误会了。"大黑把手擦干净，"你当然讲义气，要不，兄弟就死在越南了。我说郭天亮的'义气'，那是对付他的手段。我们村里也有不少郭天亮这种性格的人，口碑不怎么样，可为人义气。对付他们，我从来都是把'义气'当做手段，最后摆平他们。"

"你小子，表面上看大大咧咧的，心眼可不少。"赵国忠给他把酒满上，"你给大哥讲讲，用什么'义气'手段摆平郭天亮呢？"

"再简单不过了，当然需要大哥你们稍微配合一下。"狡黠的大黑看着赵国忠和他的女助理。

"怎么配合呢？"肖助理凑到近前。

"回到煤城，你们让一个有分量的人出面，到社会上传播这样一个消息：绑匪原来的目标，是绑架大煤老板郭天亮。结果他出国过年了。于是绑架了他的兄弟大黑；因为郭天亮人在国外，联系不上，结果汇海的赵国忠见义勇为，救出了大黑……"大黑诡秘地笑着，"后半段是真的，前半段是编的。前后混合在一起，没有人能分辨出来真假。只要让郭天亮感觉到：他亏欠我的，我又亏欠你的。争矿的事，郭天亮就主动退出了。"

"将来有机会，我也得当当村长。"肖助理眼睛一亮，"只有当了干部，才能长大智慧。"

半夜，赵国忠、大黑、肖助理三人密谋大事的时候，住在同一个酒店的另外三个老乡张巨海、王文献、杨娟也彻夜难眠，处心积虑策划另外一件大事。

"晚宴上，人员太复杂，段书记简单说了一句，要用什么'移花接木'的办法，补偿给咱们一个两亿多的大买卖，到底是什么买卖？"张巨海看着杨娟，想从女人那里了解事情的细节，"难道，补偿给咱们一个煤矿？不对啊。要是补偿煤矿的话，为什么还要安排文献当了法院院长才能实施呢？"

"那是为了让咱们主动退出争矿，故意端给咱们的迷魂汤。"杨娟被段天生花言巧语劝退，一直耿耿于坏。

王文献突然想起来，临分手的时候，段书记送给他一摞案卷，并且吩咐他一上任就处理。

法律专业出身的王文献，立刻把案卷翻出来，开始分析隐藏在案件背后的"秘密"。

"我刚才是不是白说了？哦，不管怎样，老段毕竟是我的上级，不能让你这个臭婊子肆意糟蹋。"张巨海瞪起驴眼，"人家要是和咱们玩心眼，有必要安排文献当院长？有必要让赵国忠提前垫支五百万的办案经费？有必要补偿两亿多的大买卖？"

"肯定是赵国忠出的鬼主意，设下套子故意让我们往进钻的。"在杨娟心目中，世上最不仁义的家伙是赵国忠，世上最阴险的家伙也是赵国忠。

"这个案子确实和赵国忠有关。"看了半天案卷的王文献抬起头来。

"看看，我没说错吧。"杨娟为自己准确的判断得意起来，"赵国忠出鬼主意，让段天生充当猎手，最后把我们当猎物来捕获。"

"少他妈在那里放狗屁！"张巨海仍然火冒三丈，"老段可是当着那么多人说过：只要这个买卖做成，只还赵国忠的本钱和办案垫款一个亿；剩下的经费，五百万给段书记做特殊经费，其余的两个亿都是我们的。"

"我才不相信那个老色鬼的话呢！"杨娟还是不服气。

"你他妈就是脑子缺根弦，不管怎样，文献是法院院长，主动权在我们手里。只要能拿回钱来，老段再精明，还能从我们手里抢过去？"张巨海越看女人越不顺眼。

"今晚，不就是煮熟的鸭子让老狐狸骗走了吗?!"杨娟又挨骂又挨打，说什么心理也不平衡。

"女人真他妈是世上最愚蠢的家伙。"张巨海骂起人来，一口一个"他妈的"，情绪很不正常，"你他妈的就知道赚钱，也不看看国际形势。现在全球经济状况怎么样，你知道不知道？"

"你也学会了老狐狸那一套：大角度、大视野？"杨娟故意讽刺他。

"废他妈话！"张巨海把烟头狠狠扔到地上，"现在全球都发生金融危机，你他妈一个破老板能搞来争矿的大钱吗？那是多大的一个数字；口口声声给你投资的老外，马上都破产了，他们自己都活不了，从哪里筹措那么大一笔资金？"

看来，当官的人对于搞经济不完全是外行。杨娟终于被张巨海说服了，她沉默下来。

张巨海气焰高涨："人家老段，不讲这些人人皆知的大形势，那是看在我的分上，给你臭女人面子，懂不懂？"

杨娟彻底熄火了，脸上很尴尬、很难堪。

"文献，看得怎么样了？这个买卖到底是怎么回事？"骂累了，火气都发泄完了，张巨海转身盯着自己的部下。

"这是一个相对来说比较简单的欠款案。"当副区长的时候，王文献专门进修过法律专业，"五年前，福建商人黄有水、黄有池兄弟俩，拖欠赵国忠贸易公司将近一个亿的煤款。当时煤炭比较紧张，兄弟俩为了尽快拿到煤，和赵国忠签署的协议里面有这么一条：如果不能按时还款，将来要按高额利息赔偿赵国忠。按照这个条款，到目前为止，兄弟两人的欠款，连上高额赔偿费就是三亿多……"

"啊，赔偿费比本钱还多。"杨娟惊讶。

"后来，黄氏兄弟搞假破产、真逃债，从福建蒸发了。最近，赵国忠派人调查并举报：黄有水、黄有池跑到北京发展，目前拥有几十个亿的资产。光他们旗下的黄氏温泉会馆，价值就超过三个亿。赵国忠提出起诉，要求法院以诈骗罪逮捕他们，并帮助追回连本带利总共三个亿的欠款……"王文献说清了案件的来龙去脉。

"好买卖，好买卖。一个亿，过了五年，连本带利滚成了三个亿，真是一个天文数字啊！"张巨海发了一晚上脾气，第一次露出了笑容，"文献，你学过法律，告诉我，这个案子强制执行，合不合法？不要像这个臭婊子，因为法律上有漏洞，最后不仅让人嘲笑，还得给人家赔不是。"

一听男人又借机骂她，杨娟气呼呼进了里屋。

"法律上倒没有什么明显的漏洞，欠债还钱，天经地义。关键是……"王文献欲言又止。

"关键是什么？"张巨海突然有些担心。

"这个买卖有些恶心。"王文献回答。

"怎么恶心呢？"张巨海还是不明白。

"虽然合法，但不道德呗。"王文献悄悄说，"书记，你看，咱们动用司法公权力为个人讨债，道德吗？如果传出去，会让大家耻笑的。"

"你他妈又不是道学老先生，管什么道德不道德的。"张巨海不以为然，"要说道德，你跑官道德吗？你拉扯孙秘书去嫖娼道德吗？你跑到澳门来争法院院长道德吗？现在挣钱的哪个讲道德？！"

张巨海几句话，把王文献说蒙了。

二十六

立春时节过了，山里的景色和寒冬时节没什么太大的区别。

树仍然是光秃秃的，山仍然是灰蒙蒙的，路仍然是冷清清的，冰河仍然是硬邦邦的，特别是那些山里的动物，比山里人还怕冷，山里人不时就能稀稀拉拉看到几个，而活蹦乱跳的动物，就像从这个地方消失了一样，整个冬天、春天都不见踪影。

没有动物的世界，就如同死一般的沉寂。

美籍华人史佳敏要在后沟村捐建一所希望小学，邀请郭天亮参加，也邀请到了她的同学市长李立林。郭天亮开车送史佳敏到村里。

"准备得怎么样了？"汽车进了山谷里。

"你那个朋友大黑相当够意思，一说我是你的朋友，立刻把村里小学的校长叫来，前前后后都安排好了。"史佳敏和郭天亮合作了一些事情，发现，只要有他参与，无论在不在现场，相关的人都像报恩似的，真心真意支持她，"对了，大黑说找过你好几次，都没见着你。"

"那是我故意躲他的。"郭天亮不紧不慢地说。

"为什么要躲他呢？你不是要帮他搞新农村建设吗，能躲得过去吗？"史佳敏感觉到汽车在坑坑洼洼的山路上行驶，把自己颠簸得非常难受。

"为什么？就像李立林躲你一样，不知道见面该说什么好。"不知为什么，只要和史佳敏在一起，就不由得想起那个偏执的李市长。

"李立林躲我？没有的事。我可给你说清楚，过年前，他还专门开车送我到龙泉堡搞调研呢。"史佳敏突然想起来，"我还把你的捐款，送给寡妇村的那些老太太了，她们对你感激不尽。"

"看来，只要我不在，李立林就敢毫无顾忌地接触你了。"郭天亮感觉开始爬坡，特意加大了油门。

"你是什么意思？吃醋啊？"史佳敏扭头看着他，"我可是告诉你：我们年轻的时候……"

"你们年轻的时候，是青梅竹马的恋人。"郭天亮不用她说，也明白两人的关系，"不是我吃他的醋，而是他吃我的醋。"

"真的吗？"史佳敏眼睛望着窗外光秃秃的一片。

"那还用问。"郭天亮开车转弯的时候，特别小心，山路十分陡峭。

"我……我……"史佳敏突然想起来，上次一起出去，只要他提到郭天亮，李立林就立刻变脸。

"你要不信的话，咱们再试一次。你不说今天他也到场吗？咱们打个赌：只要他看到我，肯定浑身不自在，肯定想方设法要挖苦我，肯定要摆足摆够他那个市长架子。"看到村子里的老槐树了，郭天亮明白，转过山弯就是后沟村。

"你说他为什么要这么做呢？好歹也是四十大几的人了，还和孩子一样斤斤计较。"史佳敏百思不得其解。

"说明他在乎你呗，说明你在他心中的分量不轻啊。"郭天亮看到村口光秃秃的老槐树越来越清晰。

史佳敏有些脸红，故意岔开话题："我问你，什么原因不愿意见大黑，没问你我们之间的事情。"

"不是说过了嘛，难为情呗。"郭天亮看到大槐树下正在等候他们的村民的影子，"过年，我到了欧洲，那些计划绑架我的匪徒，结果绑架了大黑。你说，我怎么有脸见兄弟？见了该说什么好呢？想了好几天，都没想出个法子来。"

"谁给你说的这一切？"史佳敏问。

"前几天工商联开会，市委书记段天生悄悄透露给我的。"说完，村子到了，两人下车。

大槐树下，苦苦等待他们的人，除了大黑、村支书等几个意料之中的人，还有一个人出乎他们两人的预料：市长李立林。

李市长穿着一件军大衣，在寒风中显然等了好长时间，脚不停地点地，脸色都变得酱紫酱紫的。

"走，大家赶紧到关帝庙暖和暖和。"大黑和村支书招呼所有来宾进了关帝庙的后屋。里面生着一个大铁炉子，冒出火红火红的光焰，热气扑面而来。

客人们呆了一会儿就由"冰棍"变成了"油条"。

"还是人家煤老板面子大呀，身后还跟着个美国女保镖。"市长李立林显然因为长时间等待，非常不快。

"不要那么尖酸好不好。"史佳敏看着老同学，想起路上的赌约十分好笑，"我是中国人，也不是什么保镖。"

"我可没说你啊。"李立林装出不和女人一般见识的样子，"我说郭总，你看看你们煤老板把好好的大山糟蹋成什么样子了：整个山上没有一棵树，整个山上没有一棵草，整个山上不见一只野兔，整个山上看到不一滴水。这都是挖煤糟蹋的呀！"

当着村民的面，郭天亮没有辩解，而是偷偷看着史佳敏，流露出不易察觉的微笑。

这个细微的动作，传达到女人那里，变成了哈哈大笑："我说市长，现在是什么时候？刚过数九寒天，不要说采煤区什么都没有，就是任何一个北方地区，包括那些所谓的塞北江南，也爆不出一丝绿、一棵草、一滴水来呀！"

"不说这个。"市长李立林还是看着穿着裘皮大衣的郭天亮，"你们这些煤老板啊，把人家山里的宝贝挖出来，自己赚得盆满钵满，又到北京买房，又到澳门赌博，又到海南度假。可这里的老百姓呢，又没吃的又没喝的，能不仇恨你们吗？大黑村长，你代表群众站出来说说，我说得对不对？"

郭天亮没有正眼看市长，还是偷偷地把笑意传达给女人。史佳敏没有顾忌，仍然笑得前仰后合。

最难堪的是大黑，市长把难题突然抛给了他，大黑一下不知如何回答。

"因为采煤，造成环境被破坏，地下水被污染，村庄发生地质灾害，村民居无定所重新返贫，社会矛盾被严重激化，特别是老百姓恨透了给他们带来灾难的煤老板、暴发户。"市长李立林历数煤老板的种种罪恶，"大黑，你说我说得对不对？说话呀，不要当哑巴。"

郭天亮实在忍不住了，转过身去故意咳嗽。而不远处的史佳敏像看喜剧表演一样，喜不自禁。

"市长，你让我说真话还是假话？"大黑觉得，如果简单迎合领导，会失去一个最好的大哥。所以，他专门抛出来一个下台的绿色通道，让市长允许他钻进去而又不能怪罪他。

"当然说真话了。"在李立林心目中，村民对煤老板，就像穷人对地主，一定苦大仇深，血泪一片。

"那我就实话实说，你千万别怪我。"大黑再次强调。

"说吧，把最想说的，当面都说出来，一点都不要隐瞒。"市长显得胸襟很开阔。

"我说，立林，你这不是自讨没趣吗？"史佳敏感觉到喜剧马上就到了高潮。

"让老百姓倾诉自己的苦难，怎么会是自讨没趣呢？"李立林最不舒服的，就是当着大家的面，史佳敏心里还向着别人，"大黑，快，实话实说，今天本市长给你做主。即使有错，决不追究。"

"那我可真说实话了。"大黑像倒豆子一样把心里话都倒出来，"别人都觉得煤老板是黑心老板，可我们村的人，都认为郭天亮是天底下大大的好人：关帝庙是他修的，村里村外的路是他修的，逢年过节鳏寡穷困是他救济的，连新农村建设的前期资金都是他筹措的！……乡亲们，对不对？"

"对！"大家随声附和。

市长李立林吃惊地发现，面前的气氛与他想象的截然相反。他不仅难堪至极，而且成了大家的笑柄。

大黑还在喋喋不休："大家都知道，春节前后我被人绑架了。可能大家都不知道，为什么绑匪要绑架我？开始我也不明白，到后来我才彻底清楚：绑匪原来计划要绑架我们恩人的，正好恩人出国在外，把我当成目标绑走了。尽管我受了不少难，吃了不少苦，可为了我们的恩人，我付出多大的代价都值得！……"

大黑不是个演讲家，可他不经意的演讲，赢来满堂喝彩。

郭天亮和史佳敏突然被他意外的演讲感动得掉下泪来。

此时，神情最不自然、脸色最不正常、逻辑最为混乱、思想最为复杂的人，就是站在屋子正中间的市长李立林……

希望小学剪彩完之后，村民们都回家去了。大黑提出来要和郭天亮专门坐坐，他们两人进了关帝庙，关起门来继续深谈。而史佳敏搭着市长的专车回城里。

"想不到啊，想不到。"市长李立林心中的懊恼，一直挥之不去，"佳敏，好赖我们还是……你怎么能和别人一起设计这么难堪的局子，把我最后装进去。"

"谁给你设局了？"史佳敏很不高兴，"人家一进门，你就把煤老板数落得体无完肤，竟然荒唐到点名让别人给你作证，证人说了几句真话，你就认为是套子和骗局。哪有你这样的市长！"

"从你们一进门，我就感觉出来你们相互诡秘的微笑，说明你们提前就设计好了一切，当我是傻子吗?!"市长李立林开始报复自己的老同学。

"那你点名说话的证人呢？"史佳敏为自己辩解。

"也是你们提前设计的！"市长不容置疑。

"荒唐！"史佳敏开始真正嘲笑他，"不给'证人'办实事，不给'证人'作贡献，不和'证人'交朋友，单单依靠自己市长的权威，随随便便把人家拖出来，给你荒唐透顶的观点作证，不觉得羞耻吗?!"

"你！……"在这个城市，有好长时间了，没有人敢当面顶撞自己，更不敢肆无忌惮羞辱自己，李立林遇到了麻烦的对手，而且这个对手，几乎是自己放纵出来的。

"你什么啊，你！"史佳敏没有好气，"李立林，我没有记错的话，上大学之前，你是农民的孩子吧？"

"那当然了。"走到哪里，李立林都以农家子弟自豪。这份自豪背后，闪烁着他从"奴隶到将军"的成功史。

"奇怪，一个农民的孩子怎么会忘记农民本色呢?!"史佳敏感叹。

"谁忘了农民本色了？"李立林为自己辩解。

"你啊，还有谁！"史佳敏没有给他留一点面子，"不给农民办事，不给农民好处，不和农民交朋友，就要硬把农民拉出来给自己荒唐透顶的观点作证。你哪像个农民的后代？分明是娇生惯养、不识时务的暴发户的后代嘛！"

"看看，又来了。你干脆说我是郭天亮的儿子、煤老板的孙子好了。"李立林火冒三丈，"我就是再有什么不对，也不能这么被糟蹋吧。"

两人严重对立到了极点。史佳敏主动选择了沉默，看到对方一句话不说，市长李立林也开始专注开车，不再言语了。

快到市区的时候，感觉到公路越来越平坦了，外面的景物越来越清楚。两旁的大树因为包裹着厚厚的绿色防冻布，显得有一种勃勃的生机被有情有义的人们小心翼翼呵护着，史佳敏的心情舒畅了很多。

"以后不要那么赤裸裸地挖苦我是暴发户的后代，可以吗？你知道，我是农民的儿子。"市长李立林小心翼翼地说。

"你要真是农民的儿子，就不要忘本，踏踏实实为农民当市长。"史佳敏说这句话的时候，变得柔声细语。

"你今天给我上了最生动的'为人民服务'的一课。"李立林发自肺腑地说，"煤老板能做到的，我会比他们做得更好。"

"不要给我打官腔，你是我的老同学，也曾经是我最喜欢的人，要用当年那种平和的语言、平和的心态和我说话。"史佳敏尽管不会开车，可懂得人生的大路怎么走。

"不知为什么，我死活看不惯郭天亮那个暴发户一副假仁假义的样子，见了他我就来气。"在自己曾经最心爱的人面前，李立林毫不掩饰自己的情绪。

"在你的心中，郭天亮原本是一块堵在胸口的黑炭，因为我的出现，这块黑炭被彻底燃烧，变成了熊熊烈火，对不对？"史佳敏上学的时候，那种高人一等的聪慧，就让农村出身的李立林羡慕不已。

"你怎么知道的？"李立林非常惊讶。

"你那狭隘的胸怀告诉我的！"史佳敏有些无奈，"你说，这个世上，最了解你的人，我算不算其中的一个？"

"你是唯一摸透我内心的人。"李立林开车慢起来，"我心胸确实很小，暗室地方更狭窄，只能容下你一个人。"

"那你妻子呢？"史佳敏突然觉得他不怀好意。

"她虽然和我生活了将近二十年，并且我们还有了个女儿，可她始终进不了我内心，尤其是内心的暗室。"李立林完全打开了内心暗室的通道。

"怎么说，你们夫妻不和谐？"史佳敏明知故问。

"难道你和你那个在美国离婚的丈夫，曾经就过得很和谐吗？"李立林没有正面回答，反而追问起对方的私密来。

"是我问你，不是你问我，你没有权力揭开一个女人的隐私。"史佳敏不客气地回绝了他。

"你不想正面回答，恰恰印证了我的猜想。"李立林的车速越来越慢，因为路上堵车太严重了，"人生啊，真正的、纯洁的、荡气回肠的、生死难忘的恋情，其实只有一次，不是吗？除了这一次，其他任何一次都无法替代，甚至越想替代越是痛苦。"

"有妇之夫说出这种没有边际的话来，居心叵测。"史佳敏非常冷静。

"因为有市长这个紧箍咒，我没有告诉过任何人。"李立林把秘密和盘托出，"其实，我们在两年前就协议离婚了，那时，我根本不知道你已经回了国。"

"下次，我们最好不要单独见面了。"史佳敏内心出奇地冷静，"有些内心的秘密，已经彻底死掉了，完全没有可能复活。"

"为什么？这是为什么啊？"李立林根本没有想到，自己满腔热忱把一切说出来，迎头碰到的却是一块坚冰，"我什么障碍都没有，你也没有。"

"可我有！"史佳敏内心无法抉择。

"难道你真的和他……"突然，李立林恐惧起来。

"和他什么？"史佳敏马上猜出来，"你的妒火又开始燃烧了是不是？"

"既然没有那个，还有什么？"李立林稍稍放心。

"你们复婚吧，我们之间绝对没有任何可能。"史佳敏神情坚定，"告诉我，她在什么地方，我去做工作。"

"你这不是纯属戏弄我的感情吗？怎么，年轻的时候，戏弄得还不够？"李立林像开着一辆牛车，在堵死的城市道路上，一步一步往前挪。

"我没有戏弄你，况且，我们再见面的时候，你已经离婚了。我明明白白告诉你：你的婚姻出了问题，那是你的问题，我没有任何责任。"在慢慢挪步的车子里，与此形成鲜明对比的是，一个头脑冷静的女人干脆利落的语速。

"你不是第三者，不用担心。"李立林感觉出来女人的难处，"我已经说过了，我和她那一段在前，我们这一段在后，根本不是因为你插足造成的。"

"我们没有后面一段。"史佳敏决心要把情感的"溃坝"严严实实堵住，不能让大水流出来，"你死了这条心吧，我们之间只是工作关系，就像和郭天亮之间一样，真心相处的好朋友，清清白白，磊磊落落。"

"告诉我你坚决不放一滴水的理由。"李立林紧紧追问。

"因为我是一个最普通不过的女人。"史佳敏经历了四十多年风风雨雨，早就明白了自己的宿命，"我再不敢奢望那些纯洁、动荡的爱情，那些貌似激情、纯洁、动荡的东西，对我这个最普通不过的女人来说，是人生最大的灾难，对我伤害最深，最为痛苦。我已经四十出头了，根本没有自我疗伤的能力和机会了。"

李立林听着，内心像刀割一样难受。

"况且……"史佳敏痛苦不堪。

"况且什么？"李立林追问。

"况且，我这个美国哈佛大学的毕业生，现在到中国来工作，最怕别人议论我利用旧情，攀附权贵！"史佳敏有着严重的心理障碍，"所以，咱们一切都没有可能！我宁肯找个普通人。"

李立林终于明白，今天的一切努力，都变成了泡影……

二十七

新年过后，市委书记段天生接到神秘女人谭小明的电话：首长最信任的韩秘书愿意出来见他一面，立刻来京。

老段突然联想到赵国忠讲过的怪事：从来没有下过手的大黑，在澳门赌场上被命运之神迎头撞上，不到一个小时，挣回来一千八百万。

尽管自己很讨厌赌博，但不讨厌金钱，当赵国忠分给他一百万赌利的时候，他对赌博根深蒂固的看法，稍稍发生了一点变化，最起码能说服自己的理由是，赌博，不完全是在赌钱，而是在赌命运、赌人生。

今天，谭小明一个电话隐约告诉他，赵国忠的预言马上兑现了，命运之神，由大黑身上传递到自己身上了。他马上拨通了赵国忠的电话，立刻吩咐订机票，安排接机，做好到京后结交韩秘书的准备工作。

这些年来，老段把汇海集团当成了自己的企业，只要他们遇到困难，毫不犹豫帮他们摆平。特别是杨娟这件事，处理起来非常棘手。张巨海是自己的心腹部下，杨娟是一个难缠的女煤老板，王文献也算自己外围圈子里的人。再说，杨娟虽然讨厌，可她毕竟给自己介绍了一个非常可人的谭小明。

面对如此密集的关系群，最终说服他们主动放弃与汇海集团的竞争，自己前思后想，用了整整两个月时间，最终把"移花接木"的方案，成功地嫁接到他们身上。

他们的中心人物张巨海，昨天带着王文献来汇报案子的进展情况。从他感恩戴德的神情中，段天生才彻底感觉到：这招死里求生的险棋中心开花，胜利收官。

他悬了好长时间的一颗心，终于放下来。

这年月，当官是高危职业。可怕之处就在于自己的亲信，亲信最了解自己的私密，最懂得自己的软肋，如果亲信离心离德，甚至背后鼓捣，那么自己就离死不远了。

在最信任的朋友和最信任的部下之间，作出抉择，还要没有一丝一毫的后患，绝对需要大智慧、大手笔、大作为。

他庆幸自己，终于平安无事地走过了钢丝绳。

世上最可怕的事情，是亲信被人利用和背叛，自己还把亲信当拐杖使用，谁知拐杖早就被人掏空了心，最后把使拐杖的人在关键时候扳倒，最终失去了一切……在这方面，自己有正反两个方面最生动的故事。

先说反面的，因为对聪明人来说，反面的东西往往是教材，最早启发了自己的创造性思维。年轻的时候，自己在下面当区委书记。这个区盛产煤炭，许多人因此发了大财，看得机关许多公务员眼红耳热，甚至一些干部经不起诱惑，干脆下海折腾煤炭买卖去了，等他们爬上岸的时候，已经由原来的小公务员摇身一变为大老板，整日和厅长、市长吃吃喝喝，出出进进，让自己很不舒服。

特别是有一次，自己到市政府汇报工作，市长秘书说领导办公室有重要人物商谈重要事情，请在外等候。身为区委书记的段天生在楼道里等了足足半天，市长办公室紧闭的木门才打开，市长十分热情地把"重要人物"送出门外，连连作揖道别。

自己一看，那个所谓的重要人物，过去曾经是自己区委办下面的一个小干事，下了海就变成大老板，把自己这个堂堂的区委书记"晾"在门外，和比自己级别高许多的市长在里面"亲密接触"了这么长时间。

尽管自己气得要命，可人家"大老板"从自己身边走过的时候，<u>趾高气扬</u>，装作根本不认识他的样子，大摇大摆就走了。那一刻，自己差点晕过去，连市长招呼他进来都没有听见……

受了那次刺激，自己明白了一个最普通的道理，什么道理？就是现在中国进入了市场经济，具体到大官们来讲，他们不再把有权的人当做心腹，而是把有钱的人当成了心腹。自己要成为领导的心腹，光有权没用，因为领导不稀罕权力，而领导最愿意接近有钱人，只有有钱人能让他们活得滋润自在。

当然，自己这个区委书记，不能下海去挣钱，那样毁了自己大半生的政治积蓄，而且下海太晚，未必能竞争过别人；也不能不顾一切贪污受贿，那样出事的风险太大了，自己奋斗到今天，是干出来的，背后没有大靠山，没有大靠山的人，千万不能违法乱纪。

要想挣钱，有一个相对来说比较安全的办法：利用权力，不知不觉做买卖。他把自己的亲信、建行行长叫到了办公室，密谋了好长时间，设计出了一套安全可行的办法：找几个毫不相干的人，成立一个矿业公司，由他们来负责表面上的生产经营。而背后呢，自己负责解决一切的政府批文，建行行长负责解决一切启动资金和财务监管。

最重要的，为了避免出事，每个环节之间就像过去的地下党一样单线联系，自己只对联系人负责，其他一概不过问……

果然，这个方案实施以后不到两年，一个皮包公司就变成了资产过亿的大公司。正当自己和建行行长欣喜若狂的时候，灾难突然降临了：那个成天和金钱打交道的行长，因为习惯了和人斤斤计较，最后把自己的亲信女会计给得罪了。

最操蛋的是那个女会计，表面上依然百依百顺，背地里却和自己的奸夫副行长串通一气，秘密寄出了举报信……

如果不是单线联系，如果自己也暴露了的话，说不定自己就看不到这封举报信了。自己利用职权，拆开举报信，读完全部内容，吓了个半死。第一个反应，立刻通知行长出国避难……

经历那次大难，段天生明白了一个最简单的道理：亲信最可信，亲信最可怕！亲信一旦背叛，一切全都玩完。自己那个好朋友，就是因为被亲信出卖，至今还流落在异国他乡。

再讲一个正面的例子。

老谋深算、根基稳固的前市长张国军，最终能够被扳倒，靠的就是成功策反了他的亲信——政府的秘书长大吴。

上面会经常接到反映张国军问题的举报信，可举报人反映的内容，要么不着边际，要么生硬杜撰。上面看了，往往一笑了之。可张国军的亲信大吴，秘密反映他勾结商人、违法放贷……

上面一看，亲信举报，问题不容置疑。非常重视，当即把张国军拿下……

大吴跟了张国军好多年，从基层跟到市政府，最了解张国军的底细。不过，张国军提拔大吴，已经使完了全部力气，最终把他送上秘书长的高位。可要再往前走，没有段天生的支持，就止步不前了。

在张国军看来，大吴应该知足了，从一个小学教师一步步成了政府秘书长，应该好好做事，不应该奢求其他。可偏偏张国军看走了眼，而自己看对了眼：大吴是一个欲望无穷的人。

看准了他，就有办法。这种人可以利用，但要有条件，给上面写一封举报信；可以提拔，不能在自己手下提拔，那样，对自己也好，对张国军也好，都非常不利。自己可以推荐他到另一个城市做副市长，这样，既满足了他的要求，也达到了自己的目的。

当大吴三番五次恳求自己的时候，自己感到机会成熟了，这才把精心设计的方案和盘托出。一切都在预料之中：势利小人大吴，按照自己设计的路线图，一步一步走完。

最终，大吴的恩人张国军出了大事，不得已只能辞职。

而大吴呢，如愿以偿，在邻近的一个城市的副市长岗位上干得生龙活虎……

这个正面的例子再次告诉他：亲信有多么可怕，亲信有多么重要。

所以，得罪谁，都不能得罪亲信。无论什么时候，只要亲信对自己感恩戴德，那才叫手腕高明，那才叫顺水乘舟。

在这么一个复杂的抉择面前，既要满足赵国忠的要求，还要让张巨海等人发自内心地退出，真是让自己绞尽脑汁，费尽心机……

当领导难啊，当一个城市的一把手更是难上加难。尤其在煤城这种盛产暴发户的地方当官，每天面临的都是重大利益的重新分配、重新抉择。这种艰难的处境，如果给了一般人，根本支撑不住，尽管有些人看得眼红眼热，你们根本不配在这里为官做事！

道理很简单：你们承受不了这种巨大的心理压力，也没有巧妙化解复杂问题的本事和经验。这些，毫不客气地说：只有老子有，你们谁也没有！

昨天，看到张巨海的时候，自己明确告诉他：那笔"移花接木"的买卖，利润的大头都归他。另外，关于他的提拔问题，自己已经在考虑之中……

张巨海出门的那一刻，就差给他跪下谢恩了……

段天生乘晚班机赶到北京，赵国忠接上他以后，没有回家，直接来到了位于北京西边的一家最豪华的温泉会馆。

从温泉会馆外表来看，和别的五星级酒店没有什么区别，进去以后才知道，别有风情：一楼是接待大厅，里面温泉流淌，气温很高，客人都要在这里脱下厚厚的冬服，换上东南亚风情的度假装，穿上舒适的拖鞋，就可以来到二楼的特色餐厅。

整个餐厅，是按照东晋王羲之曲水流觞的意境来设计的。中间是曲水池，所有的瓜果蔬菜、鲍鱼鱼翅等等都是通过曲水池表面流动的水盘送过来的，客人可以随时抽取品尝。紫檀餐桌，零零散散分布在曲水池的两边，桌上摆着白酒、红酒等等各式名贵酒品，客人同样可以随时自助饮用……

三楼以上是温泉包间、温泉泳池，还有中式、西式等等名目繁多的水疗馆。在这里泡温泉，可以单独享用，也可以大家混用，里面有不少鸳鸯池，专门满足那些元配鸳鸯或者是露水鸳鸯来享受人生……

从装修和设计就能感觉出来：这是北京最豪华的娱乐场所之一，每个客人在这里的消费都是天文数字。

七点半一过，谭小明与一个中年男人来到段天生面前。

"段书记，这就是韩秘书。"谭小明给双方互相介绍，"韩秘书，这就是我常给你提起的煤城市委书记段天生。"

因为今天的主角是段天生、韩秘书，所以，作为随从的赵国忠主动退到后面，扮演着领导跟班的角色。谭小明也没有特意介绍。

"欢迎，欢迎。"段天生伸出热情的双手。

段天生一边招呼大家就座，一边仔细打量这位韩秘书：中等个，年龄大约在三十五岁左右，寸头，皮肤白嫩。此人最有特点的是，一边接二连三地抽烟，一边掏出手机随时接听打来的电话，显然公务特别繁忙。

三男一女，很快把曲水池里的美食盘端来，有荤有素，满满摆了一大桌。赵国忠主动打开了茅台酒，没想到四人都喝它，没有一个人喝啤酒或者红酒，连谭小明都不例外。

"韩秘书，认识您很高兴，希望今后多关照。"段天生在酒场上是<u>八面玲珑</u>的人物。

"别客气，说起来，我们还是半个老乡。"韩秘书很爽快，"二十多岁的时候，我曾经在山西吕梁山当过兵，对那里的一草一木再熟悉不过了。"

"这么说来，你们真是有缘人啊。"谭小明一改初次见面时的冷漠寡言，主动承担起了酒桌上穿针引线的任务，"韩秘书，你也知道山西班子马上要调整，段书记在基层工作二十多年了，从乡党委书记、县长、<u>县委书记</u>，一直干到市委书记，那是政绩卓著啊。可惜，就是上边没有人说话，你在领导身边工作多年，有机会给推荐推荐。"

韩秘书没有正面回答，反而询问起了段天生："好像你们书记、省长都不是那种主动揽事的人，尤其在敏感的人事问题上，他们的惯例通常都要搞民主推荐，你能进入民主推荐的考察名单吗？"

"这个，这个，不好说。"段天生确实心里没有把握，"从几百个厅局级干部中产生考察对象，变数很大。要是……"

"要是什么呀？"谭小明明知故问。

"要是上面有个非常得力的领导给下面打个招呼，希望就很大了。"段天生说出了自己的最终目的。

"上面也有上面的难处啊。"韩秘书一手不停吸烟，一手不停吃菜，"首长对身边工作人员约法三章：不准参与下面的人事调整；不准参与下面的重大工程招投标；不准参与下面的重大司法案件。你说，我该怎么办？"

"这……这……"段天生有些<u>心灰意冷</u>。

碰到尴尬的时候，就需要谭小明解围了："我说韩秘书，首长提出的不准插手人事调整，那是为了防范坏人进入决策圈。遇到好人怎么办？特别是遇到像段书记这样德才兼备的干部，如果你们不站出来当伯乐的话，他这匹千里马就被埋没了……"

谭小明一边说，一边给他抛媚眼。女人细小的举动，段天生没有看出来，因为他的全部心思在韩秘书身上；而无所事事的赵国忠，却捕捉到了谭小明不易察觉的"细节"。

韩秘书似乎有了感应："那就试试看。"

"感谢韩秘书知遇之恩。"段天生重新燃起了希望。

"不说这些好吗？咱们说说别的。"韩秘书主动提出来，"咱们四个人，有三个是山西人，包括我在内，谭小姐是浙江人除外。我想问你们一个问题：过去一百年，谁能算得上最杰出的山西人？"

段天生、赵国忠谁也没有想到，北京的重要人物谈论的、关心的，竟然是如此有意思的娱乐话题，他们没有思想准备，一时答不上来。

"我看是阎锡山，上次我演了个电视剧，里面就有阎锡山，大家都叫他山西王，连剧中的蒋介石也这么称呼他。"看到两人一时沉默，谭小明主动补了场。

"败军之将，不足为提。"韩秘书笑了笑。

"那就是徐向前。"段天生受到谭小明的启发，想到了阎锡山的小老乡徐向前，"他是十大元帅中唯一的北方人，是我们山西五台人。"

"尽管徐帅非常优秀，可他的影响仅仅局限于军事领域。"韩秘书显然不赞同。

"那就是薄一波，薄老。他在经济领域的贡献那是相当大的。"段天生再次回答。

"我还是不能苟同。"韩秘书品了一口白酒。

"那领导你认为是谁呢？"谭小明十分好奇。

"我认为是黄老。"韩秘书不紧不慢地说。

"为什么是黄老呢？"谭小明不解，"他可是离开中央决策层三十多年了，一直过着非常普通的百姓生活。"

"好像前一段刚刚去世，中央对他评价很高。"段天生从报纸电视上看过黄老去世的消息。

"那当然。"韩秘书流露出来敬佩的神情，"黄老尽管后来过着平民生活，但他可官可民，高风亮节，平易近人，无怨无悔，在我心目中，黄老就是二十世纪最伟大的山西人。"

"那是，那是。"段天生连连赞同，随声附和。

谭小明又用异样的眼光看着韩秘书。韩秘书尽管非常克制，可还是用不易察觉的得意神态回应了美女，这个细微的"回应"也被赵国忠捕捉到了。

"你知道吗，黄老生前酷爱书法，他的字师从颜真卿，如果把两者的作品放到一起，根本分辨不出哪幅是古人的，哪幅是黄老的。"韩秘书不经意的谈话中，透露出很深的文化底蕴和书法修养。

"他的书法这么好啊?"段天生出乎意料。

"那得值多少钱啊?"谭小明大眼睛瞪得几乎跳出来。

"我手里有两幅，上次有个香港人出到三千万，想要其中的一幅，我根本舍不得出手。"韩秘书专门看着段天生，"段书记，你说山西人杰地灵，出了黄老这么大的人物，他的作品，背后还渗透着他的高风亮节，难道只值三千万?"

"绝对不止，绝对不止。"在这个场合，一向作威作福的段天生，只有随声附和的份儿。

"韩秘书，你可是遇到知音了。"谭小明的欣喜，在冷漠的赵国忠看来，简直就是装出来的："怎么样? 段书记和你英雄所见略同吧，黄老的作品最少不低于三千万!"

......

二十八

赵国忠当年在北京一口气买了好几套别墅，除了自己使用两套以外，其他的分别借给了煤城各大银行行长还有段天生居住。

那些"借出去"的房子，后来应"借住者"的要求，都把房屋产权转到"借住者"的亲戚名下，只有段天生这套还在自己名下。

晚上，赵国忠开车把段书记拉回别墅，两人一边喝茶一边闲聊。

"你知道我今天带你去的用意吗?"段天生在赵国忠面前，自然恢复了居高临下的说话口气。

"当然知道。"赵国忠主动把茶沏好，端到书记面前，"当好司机，当好账房先生。"

"还有呢?"段天生脱掉外衣，换上了休闲装，马上觉得轻松许多。

"没有了。"赵国忠在书记面前就像酒店的服务生，赶紧把他脱下来的衣服挂到衣柜里。接下来，他把跑步机上的尘土擦干净，然后插上开关。

"你的眼睛告诉我，你隐藏了不少秘密。"段天生站到跑步机上，开始了激烈的运动。

"我没有秘密。"赵国忠随后拿起家里的拖把拖起地来，"不管怎么说，韩秘书是谭小明介绍的，谭小明不是一般的女人。"

"假如你有顾虑，我就先告诉你：那个女人，我确实睡过。但睡过的女人，不一定都可靠。就像你在澳门，睡过不少外国妞，你觉得她们可靠吗？"运动中的段天生说出了心里的秘密，"还有顾虑吗？把你怀疑的一切告诉我。"

"不能随便怀疑首长的秘书。"赵国忠在回来的路上，就感觉出来段天生肯定要咨询一些问题，只是怎么回答，才能做到既不伤害他，也能把自己的思考表达出来，他想了很久很久。他明白：市委书记段天生太不好打交道了，又爱面子又想知道自己认识不到的东西。

于是赵国忠说："我最近听老乡讲了一个故事：一个东北的话剧演员，在东北混不下去了，跑到北京了，买了一身将军服，租了一套四合院，还雇了几个假战士在门口站岗。他把自己包装到位后，找来几个真正的老将军一忽悠，最后组织了几十个整天在家、闲得发慌的老将军成立了'老将军联谊会'，利用这个名头，到企业拉赞助，今天说要举办'将军书画展'，明天说要建立'将军希望小学'，很多企业都掏了腰包，那个协会的活动搞得红红火火，四合院里挂满了将军们活动的照片。不过，除了组织者是假的，其余全是真的……"

"我再给你讲个故事吧。"赵国忠拖完地，坐在沙发上休息，"有个人本来是中南海里一个首长的厨师，春节期间回老家。县委书记知道他在中南海里工作，但不清楚他做什么具体工作，于是主动请他吃饭。厨师吹嘘自己是首长的秘书，把首长的大事小事尤其是个人隐私，说了个一塌糊涂。县委书记听得入了神，最后完全痴迷了。临走的时候，县委书记主动提出来，要求帮他跑官。厨师满口答应，拿了好几百万跑回了中南海，再不出来。书记干气没有办法。"

"我怎么越听越不对劲，觉得那个上当受骗的县委书记就是我呢！"连段天生都笑了，"小赵，你他妈不是编故事专门糟蹋我吧。"

"完全真实，完全真实，书记千万不要对号入座。"赵国忠原来不想说这个故事，就怕引起误会，结果还是误会了。

"对于黄老的书法，你再给我编个故事，必须编！"段天生生怕他不说话了，因为小赵讲的故事，离自己太近、太近了，近得就像故事里的主人公站在眼前一样。

"不用编，一会儿我让你看件东西。"赵国忠把段书记从跑步机上扶下来。

"什么东西？"段书记跑得满头大汗。

"黄老的书法作品。"赵国忠把毛巾递给段天生。

"你怎么会有那么珍贵的东西？"段书记有些嫉妒。

"去年，几个山西老乡给黄老拜年，老人家每人给写了一幅。"赵国忠回答。

"当时，你付了黄老多少润笔费？"段天生追问。

"我给老人家准备了三十万，可他一分没要，坚决不要。"赵国忠想起老人来，非常难过。

"为什么不要呢？"段天生根本不理解。

"老人说，天底下最宝贵的东西，就是权力。那么大的权力，我都能舍下，几个小钱算什么！"赵国忠突然想起来，"老人好像还说过：因为他名气大，外面有人模仿他的作品造假，因为这个原因，他有段时间还封了笔。"

"原来是这样，一会儿让我好好开开眼。"段天生敬佩之情油然而生，"为什么韩秘书说，有个香港人出价三千万他都不想卖呢，什么意思？说说你的看法。"

"会不会有这样一种情况，当然，前提都是假设的：你如果继续追他办事，他提出来，现在手头比较紧，能不能帮个忙，把黄老作品中的一幅变了现，救救急，你该怎么办呢？该作价多少呢？会不会低于三千万呢？"赵国忠一边说一边看他的反应。

"哎，我真蠢！"段天生懊悔不已，"我为什么不假思索就附和他呢。"

次日，谭小明过来看段天生，原来准备邀请他到保利博物馆参观一个展览，谁知赵国忠却提出要先到天安门，看望一个老乡。

而且赵总口气特别坚决，不容商量，两人只好依从了他。

赵总说的"老乡"，其实是个刚刚退休的干部，姓马，大家都称呼他"老马"，比较厚道实在。老马曾经在国务院工作过，目前住在天安们附近的一个四合院里。

"老马，你好啊，我给你说的父母官段书记，专门来看你了。"赵国忠在前提着土特产品，段天生、谭小明跟在后面。

"快进屋里坐，快进屋里坐，欢迎，欢迎啊。"正在院子里浇花的干巴老头，放下手头的活，邀请客人进了客厅。

"你这客厅，真有意思，像个展览大厅。"段天生等人进去一看，墙上挂满了名人字画，桌子上铺满了笔墨纸砚。

"年轻的时候，就喜欢写写画画，退休以后没事干，权当愉悦身心。"老马把茶水端上来，"还是赵总心眼好啊，做生意还不忘做公益，专门成立了一个万年青书画院，把我们一帮退休的老头召集到一起，经常切磋切磋。"

段天生、赵国忠对书画很有研究，开始认真欣赏起老马的收藏作品来。老马一看客人对他的宝贝感兴趣，主动当起了讲解员。谭小明尽管不懂，也装作一副认真学习的样子，跟在身后听老马唾沫飞溅地宣传自己的收藏。

"这不是董寿平董先生的《黄山云海》吗？真是气势不凡！"段天生惊叹地说。

"那当然。"老马得意洋洋，"董老是近现代史上的书画大家，如果把近现代的书画家比做一座大山的话，董老那是山上的顶尖人物，与齐白石、张大千一样，都是千古不朽的大家！"

"老马，我没有记错的话，董老是咱们山西人。"赵国忠突然想起来。

"是啊。"老马又拿出来一幅董老作品《广胜寺飞虹塔》："咱们山西洪洞人，就是京剧《苏三起解》唱的那个洪洞县。董老有不少作品，表现的是三晋风光。"

"怎么，你还有黄老的作品？"赵国忠指着墙上的一幅画说，"你认识黄老？"

赵国忠吃惊的同时，段天生和谭小明更是出乎意料，特别是谭小明，还有些尴尬。

"何止认识呢。"老马大嘴一张，吹嘘起自己和黄老的交情，"文化大革命的时候，我就在黄老手下工作。他下台以后，我也退了休，因为是老乡加文友的原因，我们几乎天天在一起。这么说吧，黄老的作品全部都是由我出面给他装裱的，他临终前，专门委托我把他书写的毛泽东诗词捐给家乡山西。"

"这么说来，你收藏着不少黄老的作品？"赵国忠"不怀好意"地问。

"当然了，不下一百幅吧，从他中年以后到去世前，各个时期的代表作都有。"说完，老马从书房里一下抱出来一大摞作品，都是黄老的，"段书记是老家的父母官，承蒙你们看得起我，从中挑一幅吧，做个纪念。"

老马这么一说，段天生欣喜万分，赵国忠暗自得意，最有趣的是女明星谭小明，开始很无聊，中间很尴尬，现在很愤恨，可又不好意思表现出来。

段天生是那种表面上推辞谢绝、手却不自觉伸过来几乎要抢东西的家伙："黄老的作品，那可是价值连城啊。昨天首长秘书小韩说，他收藏着两幅，一个香港人出价三千万都没有卖。"

老马诚心诚意给他选了一幅最好的："不对啊，黄老作品确实不错，也不至于上了三千万吧。最了解黄老作品的人，应该就是我了，能卖到一千万，就是天价了。再说，黄老生前特别反对恶意炒作，曾经针对社会上假冒他作品的人，厉声痛斥……"

赵国忠偷偷一看美人，她脸上泛红，一直红到脸颊。而段天生无端收获了一个天大的惊喜，兴奋之情，难以克制。

回到沙发上，老马突然想起来什么："你们刚才说的韩秘书，是不是中等个、方脸，一边不停抽烟一边不停打电话，还自称在山西吕梁山当过兵？"

一听老马这样发问，三人都感到意外，特别是谭小明。

"对啊，你认识他？"赵国忠惊奇地问。

"当然。不仅我认识他，而且黄老也认识他。我刚才说黄老生前痛斥的那个造假者，就是那个姓韩的。"老马无意间抖出了一个天大的秘密。

"不过，我们没有上他的当！"段天生庆幸不已。

赵国忠终于印证了自己的判断。

谭小明突然急了："大爷，我刚才听赵总说，您曾经在国务院工作过，对吗？"

"是啊，有什么疑问吗？"尽管不认识面前的女人，可毕竟是书记带来的朋友，老马没有怠慢，"想了解什么？"

谭小明看了老段一眼，狠狠心，咬咬牙，显然不顾面子了："你刚才说，认识韩秘书，对吗？"

"他哪是什么秘书！"老马气愤地说，"纯属骗子，曾经在中南海里干过几天临时理发员，出来以后，凭着自己了解一些中南海里的私事，对外宣称自己是领导的秘书，专门蒙骗那些不知情的人。领导会选这样的家伙当秘书吗？"

老马还没有说完，谭小明大哭一声跑了出去。

老马万分不解："我没说错呀，怎么哭了？"

"谢谢老乡，我们下次再聚，先走一步。"说完，段天生卷起字画，追了出去，赵国忠紧随其后。

坐在车里的谭小明，一直不停地啜泣。

赵国忠发动汽车，离开了四合院。

看着老马的身影渐渐消失，段天生怜惜地说："尽管姓韩的是骗子，可我们没有责怪你，也没有上当，哭什么呀？"

女人一把鼻涕一把眼泪："你们没有上当，可我上了他的大当！"

赵国忠明白过来："是不是他诱惑你，只要做成三千万的买卖就给你提成？"

"还不止这些。"谭小明哭成了泪人，"段书记，快派警察抓了他，那家伙不仅骗了我的身子，还骗了我一套房子，你也知道北京一套房子，怎么也值两三百万呢！"

段天生听了，吓了一大跳。

赵国忠惊得几乎把汽车开到隔离带上。

二十九

农民，对天气异常敏感。从去年入冬以来，到现在过了立春，竟然没有下过一场雪。不仅黄土高原上的山西面临严重旱情，而且中原大地，包括河南、山东一带，大部分海绵田都变成了龟板田，土地长时间得不到雪雨的滋养，旱得裂开了数不清的口子，拼命从空气中掠夺水分，最后导致空气也"渴"得要命，变得尘土飞扬，干燥如烟。

后沟村农民老白，从电视上看到，河南、山东等地，为了解决旱情，像当年抗洪一样，都动用部队背水输水，他不禁当着半精半傻的儿子唠叨：罪孽啊，罪孽啊，请关老爷保佑，赶快来水吧，不然就要出大事了。

他唠叨一次，傻儿子没有当回事，一连唠叨了好几天，傻儿子反应过来，立刻下山帮爹办了一件大事：买回来一个大电器。老白好奇地拆开一看，原来是个饮水机，上面还带着一个大脑袋似的水桶。农民老白气得数落傻儿子：人家城里人，能用这个解决喝水问题。咱农村人，又要喝水又要浇地，能用得起嘛！滚！快给我下地道掏煤去。

儿子看到父亲发火，无奈地从锅灶上面的洞口爬进去，开始了一天"暗无天日"的劳动。父亲老白出了门，不知是生儿子的气，还是生自己的气，拿起镐头来，莫名其妙在院子的菜地里刨开了一个大洞，甚至越刨越深，直到刨了一米多深，发现黄土都是干巴巴的，没有一丝的湿气，老白最后绝望了：罪孽呀，罪孽！关老爷，开开眼吧，赶快下雨吧，赶快来水吧，不然真的出大事了！

中午过后，绝望的老白回头一看，傻儿子不知什么时候，从地道里钻出来，站到墙根下，傻乎乎看着他发呆。老白从上到下，重新打量了傻儿子一眼，发现他人没什么变化，倒是衣服上出现了细微的变化，除了地道里带出来的尘土和煤灰之外，膝盖以下的部分，都让水浸湿了，而且湿得很厉害，可能是大冬天的缘故，特别显眼，特别清楚。如果自己的儿子也像别的孩子一样精明，他早就把浸湿的裤子换掉了，正因为发育不太正常，所以，儿子意识不到这些基本的生活常识。在大冬天，仍然穿着浸湿的裤子，站在院子里，傻乎乎看着父亲刨大洞。

父亲训斥他：为什么又把水盆打翻了？现在的水多金贵啊！

儿子的回答出乎他的意料：没有啊，我从地洞里出来，根本没有到过厨房，咱们家的水瓮放在厨房里。

父亲皱起眉头：真的？

儿子：那当然，洗衣做饭是我妈的事情。

父亲非常奇怪：那你的裤子怎么湿了？

儿子也非常奇怪：我哪知道，下地道以前干干的，出来就是湿湿的。

父亲对这个答案心存疑问：肯定？

儿子表现出来非常自信：肯定。别人都说我傻，我一点都不傻，从来没有胡说过一次。

父亲激动地跑过去，把儿子抱起来：我的傻孩子，我的傻孩子，你一下子就给我挣了十万块钱！

儿子莫名其妙：爹，你是不是傻了？一上午，掏那么一点煤，最多值两百块，哪来的十万？

父亲：没错，肯定十万！他娘，给准备酒菜，我好好犒劳犒劳咱们的傻儿子。

儿子一把将父亲推开：爹，我不傻，顶多挣了两百块。是不是你真的傻了？

父亲：咱们谁也不傻，是老天爷傻了，把十万块钱送到咱们家地洞里。

儿子心灰意冷：爹，你就是傻了。地洞里只有煤，没有十万块钱。

父亲把眼睛瞪得大大的：怎么没有？你那湿裤子就是证据？

儿子根本不明白：湿裤子？湿裤子怎么了？怎么变成了证据！

父亲：别说那么多了，帮助你妈炒菜吧，我到村委会把十万块钱领回来。

儿子：傻爹，你是不是盼雨盼雪得了癔症啊？

父亲脸色突变：你才得癔症呢！

说完，老白出门就往村委会方向跑去。

中午时候，关帝庙后院里只有两个人在秘密谈心，一个是村支书，另一个是大黑。

大黑把一堆用报纸包着的钱拿出来："书记，这是十万，拿去给了老嫂子，原来准备过年给的，结果被坏人绑去了。"

"不明不白的钱，我不要。"村支书把钱退回来，"再说，你能平安回来，绑匪那里也不是小数。"

"书记，我是经历过大难，可你也听说过，大难之后必有大福，被赎出来的第三天，我就在澳门赌场挣回来一千八百多万，老人们留下来的古话真是灵验。"大黑把纸包推过去，"这是孝敬你的，快拿起来别让人看见。在群众面前，你是书记，我是村长；在背后，你是长辈，我是晚辈。如果不是你支持，我一个小煤窑主，根本没有机会当村长。"

"你要挣了大钱，我就塌实了。"说完村支书把纸包揣进怀里，"外面有人议论：绑匪原来计划绑架郭天亮，结果他出了国，你成了'替死鬼'，真的吗？"

"是真的。"其实，大黑说了假话，"他们计划绑架的是大煤老板，一票就能挣上千万；最后，老虎没有逮着，逮了个老鼠。"

"我也觉得绑匪的目标不是你，肯定是大老虎，郭天亮还不相信。"村支书无意透露出来一个"秘密"：郭天亮曾经找他求证过。

大黑不动声色："上次，希望小学落成典礼，就是李市长来的那次，我那么抬举他。结果，你猜怎么样？"

"他说什么了？散场以后，我看你们单独进了关帝庙。"村支书想起来那天的事。

"他告诉我，自从听说'我当了他的替死鬼'后，就把自己两三个月来行动过的地方，包括酒店、别墅、煤矿等等所有地方的监控录像调出来，没有发现有人故意跟踪他，更没有发现坏人'踩点'的痕迹。言外之意，绑匪的目标不是他，就是我！"大黑说完，仔细观察村支书的反应。

村支书在烟雾缭绕中问他："郭总这话什么意思？"

"那还用问，不想退出争矿的行列。"大黑把一筐大炭倒进炉子里。

"你准备怎么办？支持谁呀？"村支书感觉到屋子里热气冲天。

"我看咱们这么办，不管怎么样，咱们只是最基层的政权，终归要听上面的。市委支持谁，咱们就支持谁，和市委保持一致，这是一个共产党员最基本的立场。"大黑冠冕堂皇一段话，其实已经表明了自己的态度。

"市委书记段天生，毫无疑问是支持赵国忠了。"村支书明白他们之间的特殊关系，"不管是谁，对我们来说，首先要保证后沟村自己的利益，那个大煤矿毕竟在我们村的脚下，是祖先留给我们的东西，不能让他们白白拿走！"

"还有咱俩的利益，我们不能白白为他们办事。"大黑特别强调。

两人正说话，突然看见村民老白气喘吁吁进来："给我十万块钱！"

"为什么给你？难道我们欠你的？"村支书对老白向来反感。

"当然是你们欠我的！"老白拨开满屋的烟雾。

"老白，我可告诉你。"村支书义正词严，"你当村长那会儿，还有一笔烂账堆在那里，是人家大黑上任后才给你偿还的，如果要说欠钱，那是你欠人家大黑的！"

"我没说过去，我是说现在，你们不能说话不算数！"老白和书记搭了多年班子，一向不和，所以换届的时候，村支书以引进人才的方式，换上了煤窑主大黑。

"你又在胡搅蛮缠！"村支书毫不客气，"你也是五十大几的人了，怎么臭毛病一点都不改！"

"要改，得你来改。"老白寸步不让，"你在大门口重贴一张告示，必须清清楚楚写上：我是猪，说话不算数，所以，每天摇头晃脑。"

"你才是猪呢！"村支书几乎要上来打他。

大黑赶紧拦到两人中间："书记，别闹了，我们说话一定要兑现。"

"我们什么时候承诺要给他十万块的？"村支书瞪着眼睛。

"年前啊，你是不是忘了？"大黑提醒他，"老白说得没错，我们张贴过告示：为了保证安全生产，谁家发现地道里进水，奖励报告人十万块……"

"看看，还是大黑兄弟记性好。不像'猪'，什么都记不住。"老白得意洋洋地说。

"不能随便给钱！"村支书满肚子愤恨。

"怎么？想赖账？"老白往前走了一步，"别看你是书记，真要敢赖账，我就当着全村人的面，把你揍趴下，而且揍了白揍，不信试试看！"

"你他妈的！"村支书几乎跳起来。

"你们老哥俩别闹了，这事我说了算。马上去现场，只要发现你们家地道里进水，立刻兑现十万元奖励！"大黑用自己特有的方式，结束了这场争执。

他们进了村民老白的家，在傻儿子的带领下，从灶台进入到地道里，走了老长老长的路，终于在路的尽头，也是煤层的尽头，发现水滴从山体里渗出来，下面的积水虽然不多，但已经没过了鞋面……

情况属实，尽管书记不情愿，大黑还是做通了他的工作，村委会当场兑现承诺，给老白奖励了十万块钱。

老白激动地感慨：看来，坏事变成了好事，上天不下雨，地下反而往出冒水，不管哪里来的水都是财啊！

为了谨慎起见，大黑和村支书专门把退休的地质专家老李请来，第二天又钻进老白家地道一趟，认认真真重新考察一番。

晚上，村委会几个核心人员关起大门，在关帝庙召开紧急秘密对策会。

"开煤矿有三怕：一怕火、二怕水、三怕地质复杂。"村长大黑是老煤窑主了，"过去，我开小煤窑的时候，李工就是我的技术顾问，帮助我避免了很多灾难，今天专门把他老人家请来，就是帮助我们会诊，会诊咱们地下煤窑存在的问题。"

"首先，我声明：我自己只是一个老技术人员，只能从技术上讲讲我的看法，真正的大主意，还要你们来拿。"李工说这番话显然有用意，"就好像我是个医生，只能给大家讲讲病人得的什么病，治疗这些病有几种办法。至于采取哪一种办法，最后还要病人和家属拿意见。"

"李工，尽管放心，我们死马当做活马医，不给大夫找麻烦。"村支书亮明了大家的态度，目的只有一个：让李工不要有任何顾虑，毫无保留说出自己的办法。

"那我就说了。"李工放心了，"首先我要表扬你们这种悬赏十万寻找隐患的办法，就是这个最简单的办法，让我们在第一时间了解到生产过程中发现的重大问题……"

尽管李工表扬，可大黑也好，村支书也好，谁也没有自鸣得意，道理很简单：下面存在的问题，隐患很大。

"刚才大黑讲了开煤矿有三怕,一点不假。具体到咱们村来说,地下地质结构相对并不复杂,这些在我当年为水峪沟煤矿做勘探的时候,结论已经明确了,这个隐患基本排除;第二个隐患是'火',煤矿发生火灾,爆炸都是因为用火不当引起的,可以说是'人祸'。这些年来,水峪沟煤矿接二连三出事,直接原因就是管理不善,井底有人抽烟造成的。在很多遇难者中,绝大多数都是咱们村的人,血淋淋的教训给了大家最好的教育,所以,这个'人祸',大家都警惕性很高,不需要多说,这个隐患也基本上可以排除;怕就怕在这个'水'上……"

李工说到水,感觉嗓子发痒,喝了一口茶水,继续说:"矿井里有水,最怕发生透水事故,发生透水事故一般有三种情况:一是井底的水泛滥,淹没挖煤的人;二是地上水,特别是暴雨和洪水泛滥,直接冲进矿井,形成透水事故;还有更严重的,地下水和地上水共同形成透水事故……"

李工尽管讲的都是专业术语,可每个人都能听明白,因为矿区经常发生类似事故,只不过大家没有像李工这么总结和分析罢了,这就是专家不同于常人的地方。

"预防透水事故,目前对于大型煤矿集团没有太好的办法。"李工提了提气,暗示大家大夫开药方了,"第一种是关闭出现透水隐患的煤矿,确保绝对安全;第二种是积极治理透水层,采取各种措施,把地下水抽到地上,确保矿井始终保持在干燥状态;第三种是采取科技投入和设备投入,在井上建立防洪设施,彻底避免地上水冲入地下,引发矿井灾难……我的方子开完了,你们决策吧。"李工向来如此,把自己的各种意见表达出来,由决策者最终拿主意,这也是一个科学工作者应有的科学态度。

大家面面相觑,好长时间没有发言。

"副书记,你先说。"村支书只好点将。

"我,我……"副书记支吾的原因只有一个——没有主意,"咱们村搞地道战的,哪来钱投入?如果能投入起,我们就不搞地道战了。"

"这也是实情。当权的人,为了避免煤矿出事,为了保住乌纱帽,唯一的办法就是规定:投入不起的人,不能开煤矿,十五万吨以下的全部关停,最后剥夺了我们的采煤权……"村支书发半天牢骚,继续点将:"该副村长说了。"

"我没有好说的。"副村长表态,"反正咱们村的煤矿,不能关,关了老百姓没饭吃。而且,建议村口的三道流动岗要继续加强,不能让一个检查人员混进来。"

"好,和我的意见一样,煤矿不能关。"村支书表示赞同,继续点将,"团支书和妇联主任,也要表态。"

"两个班子的最后决定就是我的决定。"团支书耍了个滑头。

"你他妈的，让你说意见，不是让你瞎表态。"村支书火了。

"我不是不懂业务嘛！"团支书只好自我解嘲。

"我团结带领全村妇女全面落实书记、村长的最后决策。"另一个不懂业务的妇联主任只好跟着瞎说。

"又一个跟屁虫。"村支书好笑，"别说大话，让妇女同志们站好'瞭望哨'，我就满意了。"

"没问题。"妇联主任，"我再组织一个妇女班子，专门搞督察；谁偷懒，谁没有责任心，立刻下岗，还要进行重罚。"

"我要的就是你这句话。"村支书终于满意了。

在场的所有人见怪不怪，只有第一次列席会议的李工，实在忍不住笑出声来。大家没有计较，他毕竟是请来的贵宾，毕竟给村里的"地道战"做了会诊。大家感谢都感谢不过来，更没有人和他计较什么了。

"大黑，说句实话，今天所有人中，除了李工和你之外，大家都是外行，七嘴八舌说半天，都是不着边际的瞎话。李工已经声明，只出方子，不拿主意；看来最后的主意，还得你来拿。我说得对不对？"村支书把决策权交给了他最信任的村长大黑。

"是啊，只有村长真正开过煤矿，也懂煤矿。"副书记醒悟过来。

"我们都赞成书记的提议，由村长最后决策。"副村长是大黑嫡系，自然最拥护他们。

大黑还是有些犹豫。

村支书继续给他打气："大家刚才讲了半天，已经明白了李工的三个方子，最后同志们补充了三个'三不'原则：投入不起、不能关停、不出大事。在这三个原则下，你说说自己的想法，出了事大家一起承担责任，不让你一个人承担，不要有顾虑。"

"对，我们一起承担。"大家异口同声说。

看到那些平常反对自己的人也表了态，大黑彻底放了心："我用排除法，来选择李工的'药方'吧。李工刚才讲了三点：一是关停，大家不同意，排除；三是投入，大家觉得没有钱投入，排除。那么，只剩下第二点，采取措施往外抽水，保证井下干燥，只能这么办。办法很简单，我们投不起大钱，小钱还是能投得起，买几台水泵往外抽水，没有问题……"

"还是村长有经验！"副村长立刻拍马。

"如果地下水多，就需要不停地抽，抽上来那么多水，不就自我暴露了嘛！"副书记说，突然觉得有些不对，因为自己向来和大黑闹意见，大家都拥护村长的时候说这些话，容易犯众怒，"当然，我没有为难村长的意思，担心地下水都抽到地上来，容易引起别人，特别是外面人的怀疑。"

"这个，我想到了。"大黑不等大家咒骂副书记立即表态，这样，显示自己不仅高人一筹，而且善于团结，"咱们不是要在旧村沟下面建设新农村吗？可以把抽出来的水做成景观瀑布，流到新农村，一方面增加景观效果，另一方面可以供新村使用。"

"如果大黑村长的理想能实现，我们就成了黄土高原上的江南水乡了。"副村长这次拍马，谁都不感觉肉麻。

"啪……啪……啪……"村支书带头鼓掌，大家跟着热烈拍手。

"我给你们选的村长，怎么样？"作为伯乐的村支书，显然利用这个难得的机会，充分展示自己的用人之道。

"啪……啪……啪……"这次连续不断的掌声，是给村支书的。

……

"天才啊，大黑！"晚上吃饭的时候只有三个人：村支书、大黑和李工。在两委会上没有发言的李工，这下找到机会，发出了自己的赞叹。

"我不关心掌声，我只关心安全生产，尤其在'水'的问题上，还有没有别的漏洞？"大黑开过煤矿，最懂得这是一个高危行业。

"如果有，就是老天爷惩罚你们了。"李工喝了一杯酒。

"什么意思？"村支书出现了担心。

"算我胡说，山西十年九旱的地方，根本不可能。"李工突然又否定了自己。

"李工，你是大专家，还有什么问题尽管说，好让我们有个防范。"大黑恳求。

"那我可说了，当然，这个可能性不到百分之三，当然，人力也控制不了。"李工想了半天，又犹豫了："是不是泄露'天机'，也要遭惩罚？"

"难道，还真有麻烦。"村支书突然怕了。

"你要不泄露'天机'，老百姓就要遭殃的。"大黑几乎到了哀求的地步，"李工，不，李叔叔，如果出现万一，也让我死个明白。"

"那我真说了，说之前，先扇自己三个大嘴巴子。"李工果然扇了自己三下，"你们在力所能及的范围内，什么都考虑到了，就是没有考虑到'天命'。'地道战'最怕'水'，最怕上天突降的暴雨洪水，不仅会把你们的'地道'全部淹掉，甚至水淹七军，附近矿井无一幸免……当然，我说的概率只有百分之三，而且已经扇过嘴巴子了，山西十年九旱的地方根本不可能发生，况且，你们还供着关老爷……"

三十

自从得知"韩秘书"是骗子的底细后，谭小明整天缠着市委书记段天生，要他动用公安把被骗的房子追回来。为了达到自己的目的，谭小明无所不用其极。

白天，无论段天生走到哪里，她都跟到哪里。过去吃饭、喝茶、会友，谭小明都是一副高不可攀的样子，从来不看消费单，从来不掏钱，仿佛看一眼，就像玷污自己的神圣、高洁一样，消费一完，扬长而去。

现在，发生了一百八十度的大转弯，只要段天生看一样东西，谭小明立刻买单；到了饭店吃饭，不用段天生点菜，谭小明一口气把他最爱吃的东西全叫上，随后刷卡结账。

特别是到了夜晚，到了床上，过去的谭小明心不在焉，随意应付，尽管段天生投入得激情澎湃，山崩地裂。而谭小明从头至尾只有简单的一句："完了?"段天生软弱无力回答："完了。"他们的激情戏，就彻底完了，结束了。

这几天，谭小明发生了意想不到的变化：只要上了床，就像一只发情的母狗，从动作、声音、节奏，甚至快慢、上下，跟段天生配合得天衣无缝，丝丝合扣……

最后，把段天生感动得主动说出来：人，我坚决不能抓；不看僧面看佛面，"韩骗子"毕竟在中南海工作过，就看"中南海"三个字就应该网开一面；房子，你最关心的房子，我重新给你买一套，算对你的回报……

三天以后，谭小明重新拥有了一套精装修的豪宅，价值三百多万。

买房的当天晚上，谭小明在国际俱乐部咖啡厅宴请段天生，出入这里的客人，几乎都是外国人或者与国外有着千丝万缕关系的华人。

"浓香的咖啡，悠扬的乐曲，使我回到了洛杉矶，回到了曼妙的少女时代。"女人最难忘的，往往是无忧无虑的少女时光。后来，只要遇到幸福满足的时候，记忆都会自动倒流回那个难忘的年代。

"怎么? 你是……"市委书记段天生惊讶地审视面前的女人，突然觉得非常陌生。

"杨娟没有给你讲过我的身世?"谭小明品咖啡的姿态也非常性感。

"没有啊。"段天生从头到尾回忆了一遍，杨娟只说过，认识谭小明不久，觉得奇货可居，马上介绍给了他。

"那我亲口告诉你。说来也巧，按照你们的政治思维来讲，我们之间是不共戴天的仇人，可我们偏偏能睡到一个被子里。你说，这是不是张爱玲小说里的'传奇'？"谭小明说话的时候，总有一般女人没有的玄妙。

"听不懂，我们怎么会……"段天生品咖啡的瞬间，脑子不停地转动，"你从小在洛杉矶长大，我从小在山西长大，怎么会不共戴天？"

"那还不简单，你是共产党，我是国民党呗！"谭小明觉得男人要是变成情种，再精明的男人智商也会直线下降，"我的父亲，曾经是蒋介石的高官，不过，老蒋跑到台湾，我们一家流落到美国。在洛杉矶大学艺术学院毕业以后，我才回大陆'寻根'。"

"怪不得你有那种出奇的魅力！"段天生知道了她的身世，也就彻底可以解释她所作所为的合理性。

"什么出奇的魅力啊？"谭小明似乎反应过来，"是不是很傻啊？是不是不服水土，特别容易上当？"

"我不是指'韩秘书'那件事。"段天生赶紧解释，"比起大陆的女人来，你有一种超乎寻常的开放魅力，当然我说的开放，不仅仅局限于性生活，还有你的为人处世，你的落落大方，你的艺术修养……总之，女人只有开放了，才有出奇的魅力。"

"哼，有钱有势的男人，当然都喜欢开放的女人，别以为我在美国长大，就不知道中国男人的鬼心理。"谭小明莫名其妙变得自私起来，"你给我买了房子，就算我们俩有了情感契约。我可告诉你：大陆女人也好，外国女人也好，只要是女人，都是醋坛子里泡大的，最见不得男人花心。"

"不会的，不会的。"段天生表白的同时，心想：死在花树下，做鬼也风流。守着这么一棵迷人的花树，还花什么心呢！

正当他们窃窃私语的时候，突然一个披着长长金发的男人出现在面前。

男人苦苦哀求："小明，我终于找到你了！你和我走，我要和你说点私事。"

"我不想和你说什么，快走开！"谭小明看到这个金发男人，不仅非常吃惊，而且十分害怕，"你要不走，我们就走了！"

"别走，我想和你好好谈谈。"金发男人绝望中透露出来一丝乞求。

"我什么也不想和你谈！"谭小明看了一眼段天生，毫不犹豫拒绝他。

"你非要这么做，我就活不下去了。"金发男人动了真情，眼泪都流出来，"给我一个面子，给我一个活下去的机会。好吗？"金发男人纹丝不动看着谭小明。

段天生根本没想到会碰上这么难堪的要死要活的闹剧："你是谁呀？干什么？"

金发男人这才意识到，旁边还有一个"护花使者"："我是艺术研究院的卢刚，小明和我是大学同学，我们从小一起长大，都是我爸的学生。你是什么人？"

"我是她的朋友。"年近五十的段天生，突然有了英雄救美的勇气。

"你要是她的朋友，好好劝劝她：不要在情感上走火入魔，我实在受不了了。"金发男人绝望的时候动作太大，头上假发套的丝线都露了出来。

"天生，我们走！不理他。"女明星始终不敢正面看金发男人，低着头，恨不得马上离开这里。

"对，不和这种无聊的人纠缠！"段天生觉得，眼下最好的救美方式，就是赶快脱身。

"小明，我们从小在一起，千万不能这么做！否则，我就没脸活下去了，求求你！"身后还是传来那个叫卢刚的令人讨厌的声音。

经历这场意外的寻死觅活的闹剧，谭小明显然受了惊吓。

上了汽车，开始头疼，几乎连说话的力气都没有。

开车的段天生安慰她："想开点。在中国，只要有魅力的女人，无论走到哪里，都会受到骚扰和纠缠，如果没人纠缠，说明女人没有魅力。"

"不要这么说，我们毕竟从小在一起长大……"谭小明长叹一口气。

"这就是命运！"段天生无意中想起来另外一个女人的命运，"我认识晋剧团的一个花旦，从上艺校开始，就有一个唱花脸的男生没命地纠缠她，到现在二十多年了，还不放手。最让花旦生气的是，她最不想看到的人，天天和她在一块配戏。你说，碰上这样的命运，谁能躲得过去？……"

"那个花旦，你不简简单单是认识吧？"女人有一种天生的直觉，无论是大陆长大的，还是美国长大的。

"就是认识而已。"段天生心里发慌，汽车开得微微跑偏。

"就是认识那么简单？我怎么觉得汽车轮子有些失控呢！"谭小明精神好了很多。

"刚才不是有人纠缠你嘛。"段天生努力把汽车开到马路正中。

"这么说来，是花旦纠缠你了？"谭小明把头贴过来，软软地靠着段天生。

"就算是吧。"开车的段天生受到干扰，努力使自己平静下来。

"我可跟你说过，你是共产党，我是国民党，从上一辈开始，我们就是不共戴天的仇人。"谭小明用手紧紧搂着他的脖子，"虽然，现在国共合作了，只是培养感情的初级阶段，目前，首要的，就是让'第三者'出局。你也是，我也是。只有这样，我们才能真心真意谈下去！"

"告诉我，你是不是特务？"段天生开起了玩笑。

"什么特务不特务的，我讲的是感情。"谭小明一本正经地说。

"你要不是特务，那我就是特务。"段天生和她兜起了大圈子。

"什么意思？"谭小明睁大眼睛看着他。

"只有特务，才一边谈感情一边谈政治的。"段天生哈哈大笑。

"笑什么，笨蛋一个。特务只谈感情，不谈政治。如果一谈政治，不就暴露了吗?!"谭小明觉得市委书记段天生不至于愚蠢到这种地步。

"唉，天底下再不会有你这样的女人。"段天生万般感慨。

"情人眼里出西施。在我看来，天底下再不会有你这样的男人。"谭小明回敬了他一句。

"有才的女人没有貌，有貌的女人没有才，才貌双全的女人，尤其是中西合璧的女人，都让山上的野狼刁走了，只剩下你一个。"段天生非常庆幸自己的命运。

"这么说你是'野狼'了?"谭小明看到快回家了，汽车要拐弯，马上放开了段天生。

"就算是吧。"段天生小心翼翼，生怕狭窄的对面过来汽车。

"怪不得，你一上床就那么野性十足呢!"在谭小明看来，任何事情都有它合理的逻辑性。

"怎么那么难听呢! 你好歹也是洛杉矶艺术学院毕业的。"进了小区里面，段天生把汽车停到小别墅的露天停车场。

"你觉得中国人心目中，男女绝配是什么?"谭小明下了车。

"当然是梁祝，当然是张生与崔莺莺，当然是董永与七仙女啦。"段天生把汽车锁好。

"这么说，是'才子配佳人'喽?"谭小明从蜿蜒的石子路上走过。

"当然，你说我们之间是不是?"段天生感觉到在宁静的别墅区里走过，灯光暗淡，气味芬芳，不妨也是一种享受。

"不是! 绝对不是。"谭小明不假考虑就回答。

"为什么不是?"自己幻想的理想模式被插进来电锯一样难受。

"我的老师告诉我：美国人的绝配是'美女配野兽'!"谭小明说完哈哈大笑，"你这家伙表面上斯斯文文，上了床就是野兽一个，是标准的美国模式。"

"原来如此，原来如此，我忘了你是美国人了。"段天生为自己解嘲，"对了，讲述这个理念的老师了不起。"

"他也是中国人，今年都六十多岁了。"谭小明突然想起来遥远的洛杉矶。

"六十多岁? 洛杉矶艺术学院? 大学教授? 那一定是文化大师啦!"段天生一边猜测一边说，"我也认识一个洛杉矶艺术学院的文化大师。"

"你没有出过国，怎么会认识?"谭小明觉得大为意外。

"不要忘了，越是文化大师越要到中国来；越是华人文化大师，越要到煤城去！"段天生说这句话的时候，非常自负，"远古遗址、北魏佛像、北齐园林、大唐碑刻、宋金木雕……中华文化最精粹的实物，都在煤城。如果没有到过煤城，没有见过文化实物的大师，一定意义上，算不上真知灼见的文化大师。"

"你要这么说，我真想起来了，我的老师说过，他到过煤城。"谭小明在暗夜里眨巴着眼睛。

"那我就知道他的名字了。"段天生除了懂经济，对文化产业更是痴迷。

"这么说，你认识我的老师？"谭小明惊得后退几步。

"是卢峰！我没有说错吧。"段天生得意地说。

谭小明惊得几乎把包掉地上。

"没想到我这么神吧？"段天生得意万分，"你刚才说老师是华人文化大师的时候，我就猜出来了。卢老曾经到过煤城，帮助我们鉴定过隋唐文物，我曾经接待过他。卢老是海内外公认的文化大师。我能跟他的女弟子同床共枕，缘分哪！"

"既然你认识卢老，怎么不认识刚才跟我吵闹的卢刚？"谭小明追问。

"卢老每次来，都是国家文物局的人前呼后拥地陪着，谁会注意旁边有没有那个名门逆子呢！"段天生拉起谭小明的手，"如果不是因为你，我永远不可能注意到那个纠缠不休的家伙！"

谭小明听段天生这么一说，终于摆脱了尴尬："你要认识卢老，我们的关系就更近了。以后，办什么事就更没有障碍了。"

"你这话，我怎么觉得有些刺耳呢？什么地方不对劲呢？"要是往常段天生对什么东西产生疑问，从来不说，而是偷偷观察，最后做出结论。可今天在美女面前，不知是故意还是无意，反正是把自己的疑虑暴露出来了。

"我说的更没障碍，是指你和卢老交流没有障碍。懂不懂？"谭小明有些生气，"你肯定明白：卢老那么大的人物，那么知名的权威，最恨什么？"

"最恨他儿子！"段天生没有好气地说。

"是恨他儿子不成材，可不是最恨。"谭小明了解自己的恩师。

"那老人家最恨什么？"段天生站在门口，等着女人拿钥匙开门。

"你这么聪明的人，是真的没有猜出来，还是故意跟我打哑谜？"女人从包里取出钥匙，哗啦啦在锁眼里转来转去。

"我真的猜不出来，我虽然崇拜他，可和他并没有很深的交情，只是在公共场合见过两次面，国家和省里的领导都陪着，我能挤进去说几句话，就已经很荣幸了。"在别墅外的门口，光线不是很充足，段天生说话也没有刚才那么自信。

"那我告诉你：卢老平生最恨不懂装懂、不学无术、自以为是的家伙。如果你见了他，千万少说话，不要像跟我在一起那么随随便便，他可是海内外景仰的大师，懂不懂？"谭小明打开别墅的门，拉开灯，里面灯光灿烂，富丽堂皇。

"这么说，我有机会能再次见到他？"段天生努力睁开眼睛，适应里面的环境。

"当然了。"谭小明把大衣挂到木头架子上，背对着他，"有个新加坡人，催了卢老好几次，邀请他到北京鉴定一件隋代名画。他那个性格，我最清楚，只要听说哪里发现了隋唐宝贝，即使不让他鉴定，只要能允许他看一眼，说不定南极都要马上去。卢老是海内外公认的'文物疯子'。如果不出意外，下个月就到了。"

"太好了，太好了。"没等女人转过身来，段天生就从背后紧紧抱死她，"知道吗？我更是'文物疯子'，要知道我有多疯，赶快脱衣服，实在等不及了！"

"你们都是'疯子'！"谭小明仰天长叹，"我的命怎么这么苦，最后落到了一个'疯子'手里，上帝呀，救救你的孩子吧！"

"我就是你的上帝，我来救你，到床上拯救你！"段天生猛然间感觉到，自己不知什么时候，重新拥有了二十多岁的力气和疯狂。

三十一

赵国忠好不容易才见到了市委书记段天生。

段天生是来找他要钱的，要提一百万现金。赵国忠因为办公室和书画院找的人太多，所以把见面的地点安排在东四环一个不引人注目的咖啡厅里。

"书记，赶紧回煤城吧。"赵国忠四下环顾见没有熟人。

"出了什么大事了？煤矿爆炸、恶性治安案件，还是群体性冲突械斗？"段天生煤城那个手机大部分处在关机状态，只有北京这个手机在使用，一般煤城人根本不知道。同样，段天生也不知道煤城发生了什么事。

"孙秘书没有和你汇报？"赵国忠心里清楚，别人不知道书记北京的号码，秘书知道啊。

"昨天晚上，我刚跟他通过电话，没什么要紧事。"段天生觉得赵国忠有些小题大做。

"你好多天不在，煤城议论纷纷，有的说你这，有的说你那，还有的说你如此、如此……反正都对你不好。连张巨海都来电话，让我劝劝你，早点回去，到电视、报纸上露露面，谣言不攻自破。"段天生是自己的后台，为了搭建这个后台，这么多年赵国忠投入了大量的血本。

"这……那……如此……如此……到底指什么？"段天生有些生气，"小赵，你知道我这个人，从来不喜欢遮遮掩掩，也不怕遮遮掩掩，有话当面说清楚，如果你真心为我负责的话。"

"那我可说了，错了，不要怪罪我，不是我的本意。"赵国忠拿到"尚方宝剑"就没有顾忌了，"说你'这'的是指车祸，说你'那'的是指被绑架，说你'如此、如此'的，是指你和某个女人携款出逃了……"赵国忠说的，都是煤城议论的热点话题。

段天生面色冷酷。

"总而言之，煤城好多别有用心的人，在电视和报纸上，最少一个星期没有看到你了。你和我们不一样，我们企业家不往外跑，那些家伙会说我们没有进取心。而你跑的时间长了，大家就不适应了。"

"你少和我在这里耍'花腔'，作为市委书记，离开城市，那是要履行请假程序的。我走的那天，专门给常务副书记说过：要到北京的党校进修三个月时间。"段天生轻轻抿了一口茶，"是不是最近花了你几百万，你心疼了？"

"绝没有那个意思，绝没有那个意思。在我赵国忠眼里，书记能把这个机会给我，那是看得起我，相信我的人品。"赵国忠给书记续水，"别人不明白，我小赵明白，那些想给书记做大贡献的煤老板，都在后面排队呢！"

"既然不是这个原因，为什么要着急让我回去呢？"段天生看着赵国忠的眼睛，书记一向认为：只要想说谎的人，眼睛转动起来都不正常。

"这么说，书记就能明白我的诚意。"赵国忠想来想去，只有一个理由能取得对方的谅解，"我是企业家，一般没有大事，不需要每天和你泡在一起。而你那些官场上的部下，比如张巨海他们，就不一样了，他们会认为你故意疏远他们，或者故意躲避他们。要知道，他们的心理支柱和人身依附就是你，如果连续好长时间看不到你，就彻底没有自信了，没有自信就容易慌乱，一慌乱，不该发生的事情就都发生了……"

"你不仅是煤老板，还是心理学家。"段天生不再那么严肃、那么认真了。

"做买卖嘛，多多少少要摸一摸客户的心理，不能强买强卖吧。"赵国忠努力想使自己笑得自然一些，越想这么做越不自然。

"那你就摸摸我这个'客户'的心理。"段天生眼睛开始转移到窗外川流不息的人群。

"书记，别开玩笑，我把谁当'客户'，也不能把你当'客户'啊，你是我的后台，我的靠山，我的老师，我的信心，我的……"赵国忠说这么多，无非想表达一个意思，不能胡乱猜测领导的意图，猜对了不是，猜错了更不是，猜得半真半假，简直把领导当"猴"耍，最为忌讳。

"别跟我耍滑头，我知道，你是我认识的年轻人中最出色的。"段天生说的完全是真话，"我问你一个问题，必须如实回答，如果说假话，我立即换个买单的人，不再把你当心腹看待。"

"为什么要把这个世界上最难最难的问题抛给我呢？"赵国忠预感到，接下来的问题，一个比一个棘手，一个比一个让人头疼。

"不为什么，就是想看看你是否是个诚实的人。"段天生继续逼他。

"我诚实不诚实，你心里最有数，不需要拿别的问题来测试。"赵国忠几乎到了哀求的地步，"如果，实在太难，能不能不回答。"

"不回答或者回答太慢，都是欺诈行为。"段天生明白无误告诉他。

"为什么呀？你问的问题，我总得有个思考的过程吧。"赵国忠心里很沉重很痛苦。

"我的问题，再简单不过了，你凭第一直觉马上就可以告诉我最真实的答案。如果，还需要，还需要比较，只能说明一个问题……"段天生欲言又止。

"说明我欺诈？或者故意隐瞒？"赵国忠随口回答。

"看看，我刚才测试了一下，你马上就知道答案了吧。"段天生笑了，那种笑非常诡秘，"我再提醒一遍：我的问题，你凭直觉回答，不需要思考、不需要比较，因为思考和比较背后，说出来的只有欺诈和隐瞒。"

"只要领导不在意，我什么都敢说。"赵国忠话是这么讲，可还是有顾虑。

"我根本不在意，如果我在意，就不会这么苦苦相逼。"段天生完全打开了心灵的栅栏。

"那我彻底放心了，彻底没有顾虑了。"赵国忠最终决定以真诚的心态，面对一切。

"好，请听题！"段天生滑稽得像某个电视台的主持人，"作为市委书记，段天生最喜欢的第一件东西是什么？"

"立刻回答，毫不犹豫：权力！"赵国忠遵守约定，不假思索。

"段天生最喜欢的第二件东西是什么？"段天生盯着他的眼睛，生怕转动。

"没有比较，马上回答：女人。"说完，赵国忠还是有些紧张，不过，他从对方的赞许中，解除了顾虑。

"段天生最喜欢的第三件东西是什么？"段天生严肃提问的时候，内心觉得小兄弟十分可爱。

"是金钱！不对，错了，刚才回答出错，现在正式纠正：是文化！段天生第三喜欢的是文化，不是金钱。因为，在段天生眼里，金钱没有文化值钱。"第三个问题，回答得啰里啰嗦，赵国忠出了虚汗。

"就算你对吧。"段天生没有深究,"请听第四个问题,也是最关键的问题,记住游戏规则:不能犹豫,不能思考,不能比较。记清了吗?"

"牢记在心,请提问!"赵国忠想挽回刚才的不利。

"请听题:如果权力、女人、文化,段天生都喜欢,都割舍不下,请问段天生最后的结局是什么?马上回答,不要思考。"段天生问得快,强调得也快。

"是毁灭!"赵国忠立刻说出直觉答案,可马上又觉得错了:"不是毁灭!是……"

"够了,不许胡说。再胡说,我就毁灭了你!"段天生知道答案后,并没有生气,反而变得温和起来,"兄弟,你说得都对,这些后果,我也是这么想过,我知道的。"

"书记,你苦心孤诣这么做,就是为了印证你的猜想?"赵国忠感觉出来,段天生几天没见,变化很大,尤其是突然有了很大的思想压力。

过去谈笑风生、玩世不恭的段天生眨眼间不见了。

"最直接的答案,最靠近真实;最直接的答案,最能说明问题。"段天生多愁善感起来,"兄弟,我让你这个最聪明的人说最真实的话,怎么就和我想的答案一样呢?!"

"说明我们都不是傻子,都能预感到事情的最后结局。"赵国忠突然醒悟过来,"胡说,胡说。问题都回答过了,我怎么还凭粗浅的直觉说话呢。"

"兄弟,不是你错了,而是大哥错了!"段天生快五十岁的人了,突然像二十岁的男孩子一样糊里糊涂,"我真后悔呀!"

"后悔什么呀?"赵国忠不明白。

"你说,我和你嫂子,当年,别人介绍了一下,总共没有谈三次,什么事情都没谈出来。两家大人就整天督促我们结婚,就这么着,我们在感情上,根本没有任何经历,就直接进了洞房,第二年就生了孩子……"段天生懊悔不已。

"什么意思?今天,大哥到底怎么了?"赵国忠突然害怕起来。

"我为什么就没有过那种从生到死的经历呢!你说呀。"段天生摇晃着他。

赵国忠也发起抖来:"我说什么呀?"

"你有没有过从生到死的经历?"段天生继续逼着他回答问题。

"没有!根本没有。"赵国忠竭力想使自己镇定下来。

"那你,肯定有倒霉的时候。"段天生凶狠地看着他,"别看你现在人模人样的,你是没有遇见,如果遇见了,肯定在劫难逃。"

"大哥,我明白了,我什么都明白了!"赵国忠一身冷汗冒出来,从里面湿到外面,"我今天一切都明白了。"

"真的吗?真的明白吗?"段天生眼睛翻起来,让人可怕,"明白我为什么失常？为什么从生到死，从死到生。"

"当然，我们回去吧。"赵国忠感觉到，回去以后慢慢开导他。

"你悄悄告诉我，你明白了什么？"段天生把耳朵贴过来。

"你……你……你中了情魔！"赵国忠感到眼前一黑。

"不对！你只说对一半。"段天生还是把耳朵贴过来，"告诉你吧，我遇到了今生最喜欢的人。如果，你没这种经历的话，也快了。"

"我宁愿没有！"说完，赵国忠把他拉出了门外。

"那是因为你没有遇见！"出来以后，迎面吹来一股大风，段天生清醒很多，变得异常冷静，与刚才判若两人，"把一百万现金，放我后座里，我自己开车走。"

"我送你吧。"看到段天生清醒了许多，赵国忠仍不放心。

"有些事情，是不是忌讳第三者在场呢？"显然，段天生想自己单独离开。

望着段天生驾车消失在茫茫人海里，赵国忠心情特别沉重，特别担心，特别劳累……

回到家里，赵国忠一股脑脱掉衣服，脱掉所有的伪装，钻进屋子后面的游泳池里，来来回回游了一个多小时，直到太阳落山，直到玻璃房外面的光线彻底消失，变得漆黑一团，他才爬上岸来，穿起一件休闲服，筋疲力尽，躺在椅子上睡着了。

醒来的时候，发现游泳室里泛着柔和的灯光，身上盖着一件薄薄的棉毯，旁边的流动茶桌上整整齐齐摆着酒菜、饮料和新鲜的水果。

特别让赵国忠感到温馨的是，冬天里那些温室里培养出来的娇艳的花朵，都被悄悄撤走；取而代之的是迎春的桃花、杏花，还有不知名的绿草，星星点点装饰了整个泳池。

不用看就明白，那个娇巧玲珑、善解人意的苏州女子回到了身边。

"肖助理，从现在开始，你的工作重心必须在煤炭业务管理上。我的生活，尤其是个人生活，不需要任何女人插手。"赵国忠睁开眼，第一句话非常严肃。

"我明白。"肖助理殷勤地把吃的东西推到赵国忠眼前。

"这叫明白吗？这不是阳奉阴违吗？"看到流动茶桌推到面前，赵国忠没有食欲。

"怎么了？就我们两个人，又没有外人，按照你的要求，我们还没有那种肉体关系。"肖助理大失所望，"金钱和事业当然重要，可不能为了这一切，我们就被压抑成变色龙吧。"

"女人啊，可怕的女人，可怕的知心女人！"赵国忠突然想起来下午分手的段天生。

"我有那么可怕吗！"肖助理以为在说她，"如果我太可怕了，你完全可以辞掉我！"

"我不是说你。"赵国忠挺起腰板，"当然，你也很可怕。"

"老实说，你又掉到哪个女人的陷阱里了？"肖助理最忍受不了的是，这个男人口口声声说喜欢自己，可背后经常偷腥，和别的女人上床，就是不和自己……

"是段天生彻底掉到谭小明的陷阱里了。"赵国忠忧心忡忡。

"人家中了'情魔'，和你有什么关系？是不是……"肖助理想到这里，吓得几乎捂住嘴巴，"你……你……"

"我怎么了？"赵国忠觉得肖助理特别可笑，"你以为，谭小明有那么聪明？布置得陷阱特别完美、特别深，一下子可以掉进去两个男人？"

"如果不是的话，你担心什么？"肖助理缓过劲来，"段天生拈花惹草、眠花宿柳，不是一天两天了，值得你这么大惊小怪吗？"

"当然值得关注！"赵国忠把酒拿起来，大大喝了一口，"他要中了'情魔'，损害最大的是我们。"

"为什么呀？"肖助理似懂非懂。

"要想知道答案，你必须不假思索、不加比较，凭直觉立刻回答我的问题，不能造假、不能隐瞒。"赵国忠想起来段天生的手法。

"好。"肖助理奇怪，几天没见，赵国忠说话的方式都有了变化，她想探个究竟。

"请听题！"赵国忠摆出某个电视台女主持人熟悉的手势，"如果，一个男人，权力、女人、文化都想要，会有什么结果？"

"自取灭亡。"肖助理根本不假考虑，"回答完毕。"

"第二个问题，请听题：为了避免灭亡，他会优先舍弃三种嗜好中的哪一种？请回答。"赵国忠喝着酒，看着面前的女人。

"优先舍弃文化，错！"肖助理随口而出，立刻又否定了自己，"不对，不是文化，文化是多年浸淫而成的，不可能一下舍弃。"

"那是什么？凭直觉立刻回答，不容思考。"赵国忠催促她。

"是女人！"第二个答案，肖助理脱口而出，可也立刻推翻了自己，"错！根据'狗改不了吃屎'的定理，尤其是中了'情魔'的男人，更不可能舍弃女人！"

"我要你回答，舍弃哪个；不是舍不得哪个，听明白没有？"赵国忠有些恼怒。

"只能舍弃权力了。"肖助理直接回答完毕。

"是啊。"赵国忠失望了，"和我分析的一样，最终会放弃权力。为了爱，为了女人，像英国的温莎公爵一样。"

"人家放弃权力，你操什么闲心！"肖助理回答完问题，把脸凑到他的近前，彻底轻松下来，"你需要操的是咱们的心。"

"段天生已经中了谭小明的'情魔'，你可别让我中了你的'情魔'，离我远点好不好。"

赵国忠看她过来，主动把桌椅往后挪了挪。

"怕什么？你又不是段天生，定力强得像个太监。"肖助理不依不饶。

"别，千万别。我也从来没有经历过从生到死的感觉，我害怕！"看着肖助理走过来，赵国忠突然想起了段天生说过的话。

"那不说咱们。还说段天生，他放弃权力，你有什么可怕的？"肖助理觉得这个问题，赵国忠始终没有明确回答。

"你这么聪明，刚才回答问题那么老练，应该想得到啊。"所有的灾祸，赵国忠都不想从自己嘴里说出来。

"你要让我想，我也能想明白，不知道和你想的是不是一致。"肖助理狐狸一样的媚眼一转，就什么都出来了，"煤炭经济，不就是权力经济吗?! 如果没有强势权力做靠山，我们绞尽脑汁设计的争矿计划就……"

"知道就行，不要往下说了。连段天生和我在一起，都是猜谜一样，蜻蜓点水，点到为止。"赵国忠赶忙拦住，"段天生放弃权力，即使不放弃，稍微懈怠一下，对我们都有不可估量的损失。我们必须防患于未然……"

听了赵国忠的话，肖助理不知是表扬还是挖苦："这么大的中国，鬼心眼最多的，就是你们山西人，是新晋商，是你赵国忠！"

三十二

在大多数人心目中，豪华娱乐场所，都是在交通显眼的路口，都是在高档大酒店里，都是在山清水秀的风景区里，都是在金碧辉煌的霓虹灯下。

可北京最高档的一个私人会所，却颠覆了所有人的思维：这是一处外表看来非常普通的几进院落的大宅院，青砖灰瓦，门前冷落，寂静无声，除了大门口挂着几个吉祥的红灯笼，红灯笼上悬挂着私人会所的名号：黄氏温泉会馆。其他没有任何迹象能看出来，这是纸醉金迷的地方。

大宅院，曾经是明代一个王爷的府邸，大大小小几十个房间，砖墙陈旧，门楣无光，甚至院落里的地砖因为经历了太多的风风雨雨，变得坑坑洼洼，凹凸不平。如果能看到整修的痕迹，那就是走廊和后面的花园，过去蜿蜒曲折的走廊，年久失修，倒塌不少，近来有人把废墟清掉，重新做了一次彩绘，当然不是那种艳俗的浓墨重彩，而是轻描淡写之后又重新做旧，不仔细看的话，以为是前朝遗物。

大宅院的新主人对宅院真正动过大手术的地方就是后花园，因为经年历久，王府花园变成了垃圾堆放场，人们从这里都要掩鼻而过。

经过大规模的投资整修，垃圾全部被清理出去，地下的大坑重新铺上石头，种上荷花，引来清泉，大坑的周围，遍植柳树，并且从河北曲阳买来大批的珍贵石头，最后堆成了一座崎岖高耸的假山，更让人想不到的是，假山上还建造了圆锥形的风波亭，围绕这个制高点，零零散散布置了几个建筑小品：回廊、碑亭、小桥……

当然还少不了许多名贵的树种，当水满为患、野鸭成群的时候，一幅江南园林的画图，就完整地展现在人们的面前。

大宅院那大大小小几十间房子，外表没有什么大的变化，就是坍塌危险的局部，进行过加固处理。里面却花了不少工夫：不结实的木梁，全部换掉，取而代之的是原汁原味的新材，并且进行了细微的描绘处理。房间里面的结构，进行了完全的改造，通水、通风、通暖，特别是专门设置了外表看来古典考究的卫生间，彻底弥补了老旧建筑的天然不足。

在这里吃饭、洗浴、聊天、喝茶……一切消费行为都要付出昂贵的代价，在那些不懂行的人看来，这个地方有些漫天要价，每一项消费都要比豪华的五星级饭店高许多，心里多多少少会有些牢骚和不满，有人发作出来，有人即使不发作，也流露到表情上。

最让他们接受不了的，是这里穿着唐装的接待员，他们针对客人的不满，不仅不做任何解释，反而隐隐约约流露出来鄙视的神情，弄得彼此非常尴尬……

只有像段天生这样的人，来到这里，会感到满心欢喜，物有所值。那些别人看来黑糊糊、油乎乎的老旧家具，却是货真价实的明代紫檀；那些别人看来暗淡无光、陈旧破败的书画，却是原汁原味的黄公望、王原祁、傅青主的真迹；那些别人看来奇形怪状、毫不入眼的破旧摆设，却是唐代浑源窑、宋代介休窑、元代霍州窑、明代阳城窑烧造的精品；那些放在位置显眼处外表风化、斑斑驳驳的佛像，却是毫无悬念的隋唐"圣物"……

总而言之，在这里每一件不起眼的东西，只要任何一件流落到香港或者国外的拍卖行，就是一栋大楼也换不来的天文数字。

"兄弟啊，你越来越有品位了，能找到这么'奢侈'的地方。"段天生一边走一边夸赞。

"有你这么好的师傅，怎么也能带出一个会消费的弟子吧。"赵国忠从书记喜出望外的谈话中就能感觉出来，自己精心设计的大戏悄然拉开了成功的序幕。

"不说吃什么、喝什么、玩什么，单单就凭让客人大开眼界，多高的价位，也不过分。"段天生选择了一个风情别致的大套房，客厅里摆放着古代的鸦片床，躺上去非常舒适，往里面一看，不用多问，就知道那是传说中的"豹房"。

珠帘背后，"豹房"的前面，是晚明风格的木雕大型龙凤洗浴木桶，鸳鸯们赤身裸体钻进去，漂浮着雪莲的热水就慢慢没过上半身……

当然，最舒服的，还不是鸳鸯木桶洗浴，而是那个特别精致、雕满明代春宫图的檀香木架子床，它体量庞大，像个小阁楼一样，有上下两层床那么高，中间有扶栏和护床。

过去的王爷，就是一边看着木雕的春宫动作，一边双手扶在架子床上，身临其境，做着各种魂飞天外的动作……

段天生和赵国忠躺在客厅的鸦片床上，从木雕花窗往外看，那是后花园的"江南园林图"：奇石、飞泉、圆亭、名花、奇树……

江南春色，尽收眼底，让人心旷神怡。在他们欣赏风景的同时，一桌古色古香的饭菜，就摆满了鸦片床中间的细长条桌上。

"咱们煤城要有这么一处高档会所就好了。"赵国忠说话，向来有言外之意，"又是文化名城，又是大款云集，好像咱们那里也有不少过去晋商的豪宅，改造成这么一个样子，既能展示文化底蕴，又不缺乏消费人群。"

"做不起来。"段天生当头给他浇了一盆冷水。

"为什么？"赵国忠不明白，市委书记段天生最热心文化产业，主政煤城这么多年，从来没有过任何实际动作。

"消费人群层次太低。"段天生尝了一口江南小菜，特别地道。

"这和消费人群文化层次有关系吗？"赵国忠理解了他的半句话。

"当然。"段天生用筷子夹起来一片酱鸭肉，没有送到嘴里，夹到半空欣赏，"就和这江南风味一样，品尝文化产业的人，一方面需要很好的经济基础，另一方面需要很高的鉴赏水平。不然的话，这片最富特色的江南酱鸭，和咱们乡下农民做的鸭肉没有什么区别。"

"你是说，咱们的煤老板，有钱但没有消费品位，所以，咱们的文化产业做不起来。"赵国忠发现，段天生已经把那片酱鸭送到嘴里，细嚼慢咽，认真品味。

"不是我说的，而是很多北京人都这么说。"段天生嘴里含着东西，说起话来齉声齉气。

"别听北京人的，他们忽悠你。"赵国忠一语双关。

"我认为不是忽悠。"段天生近来常常和赵国忠意见相左，"我想也是这么回事。"

"怎么回事呢？"赵国忠把温好的古越龙山花雕酒给他斟满。

"这么说吧。"段天生把酒一口喝下去，"不管什么产业，消费主体都是有钱人，只要有钱人喜欢的，这个产业发展得就好，比如房地产、豪华汽车等等。文化产业也如此，北京的大款里，文化人居多，所以这里的文化产业特别发达。一个小画廊、一个小古玩店，就是我们一年的收入……

"而山西呢，有钱的都是山里的土老帽儿，像大黑那样的人占了大多数，他们有了钱，想的就是买房子、买汽车、去赌博、搞女人……他们根本不懂在文化领域投资和消费！"段天生鄙夷不屑。

"他们不懂，可是你懂啊！"赵国忠回敬了他一句。

"我懂，我敢在那个破地方大手大脚地消费吗？我那不是吃多了自我暴露吗？再说，光咱们几个人就能把煤城的文化产业消费起来？"一连几个反问，段天生就把赵国忠说得哑口无言。

"那你说怎么办呢？文化产业，不是一般的产业，里面包含着祖先给我们留下来的精神财富，做大文化产业，也能把祖先的精神发扬光大。"赵国忠这个时候，像当年的诗人、当年的教师，充满了责任感。

"还是我那个老办法。"段天生说话的速度要比吃饭的速度慢很多。

"什么办法？"赵国忠加紧动筷子，下面还有"大戏"要唱。

"只有在电视剧里做文章。国家台也好，北京台也好，谁做山西题材的电视剧，咱们赞助他三五百万，但必须给我们署名，必须给我们荣誉。至于人家怎么具体操作，怎么挣钱，我不管，也管不着。只要这些片子一播，老百姓不明就里，看到署名里有我们，大家就认为政府在文化产业上是很有作为的。"段天生在这方面的经历，屡试不爽，名声不小。

"原来政府和我们煤老板一样，在文化上不思进取，不扶持原创，只是在花钱买虚名啊。"赵国忠一下明白了那些轰动全国的电视剧是怎么回事了，"怪不得好些山西题材的电视剧，都在糟蹋山西人。起初，我还以为本土作家、艺术家因为个人失意，借机发泄仇恨。原来根本不是这么回事。人家一开始就戴着有色眼镜观察我们，戏弄我们，你还给人家大把掏钱，实在太冤枉了！"

"个别细节戏弄戏弄、个别人物挖苦挖苦，这样才有看点嘛。"段天生脸色微红，不是因为听了小赵的批评，而是因为喝酒太快，"只要总体不错，能让山西露脸，能让个人露脸，我就很知足了。"

"书记，你错了。"赵国忠好像这么多年来第一次纠正他，"现在这个年代，细节决定成败，细节决定一切。现在的电视剧，编剧、导演、演员一起糟蹋山西人包二奶，做土匪，当奸商，嫖女人，贿赂官员……那些肮脏的细节，可把山西人名声糟蹋坏了。这样的电视剧，影响越大，山西人形象越坏。再这样下去，山西人的名声连河南人都不如。"

"你没有资格跟我讲清高吧？煤老板没有资格谈山西形象问题吧？难道，你们比我还懂人心、细节、艺术和文化？"段天生简单几句反问，把赵国忠噎得说不出话来。

在两人短暂的沉默过程中，不知什么时候，窗外飘起了淅淅沥沥的春雨，自去冬以来，北京第一次看到了雨，开始轻飘飘的，像细细的雪花，几乎发现不了它的踪迹，后来逐渐加大，淋湿了窗棂，滴出了微微的响声。窗外的那幅《江南园林图》，似乎被轻轻打湿了，更有了一番春杏江南的味道。湿湿的江南味道，从外面飘进来，湿润了整个屋子，也湿润了两人的心。

这场意外到来的春雨，给赵国忠精心设计的大戏正式拉开了帷幕。

"大哥，这里还有更好玩的，要不要看看？"赵国忠眼睛专门盯着里面的那些古代"设施"。

"看看呗。"段天生也意识到这里的高消费，不仅仅是展览、吃饭，肯定还有别的项目。

随后，赵国忠轻轻击掌，门外风轻云淡似的飘来三朵"盛唐彩云"。"盛唐彩云"从上到下配的都是唐代大画家周昉《簪花仕女图》里面的贵妃妆：珠圆玉润的脸庞上面，绾着牡丹花一样大小的发饰；胸部丰满的双乳，一多半祖露在外，一少半被长长的衣裙遮挡。她们袅袅婷婷飘落到段天生的面前。

"大哥，这是三朵并蒂莲，都是搓澡、按摩的高手，体验体验当年来自西域的大漠胡风？"赵国忠努努嘴。

"好！好！好。不过，兄弟，你可不能走掉。"段天生喜出望外，在三朵并蒂莲的搀扶下，进了里面的"豹房"。

赵国忠非常得意地走出了门，到旁边的茶亭里品茶赏雨。不久，那间豪华"豹房"里就传来了哗哗的水声和疯狂的浪笑。

赵国忠内心说了一句：这才是真正本色的段天生段大书记！

看来，自己精心设计的大戏，第一场如愿开锣了，他哈哈大笑。

两个小时以后，三朵"盛唐彩云"从里面飘出来，袅袅婷婷向另外一个方向走去。

赵国忠赶忙来到"豹房"外的客厅，段天生仍然意犹未尽，赤身泡在木桶里。

"还有东洋艺伎，喜欢吗？"赵国忠隔帘垂询。

"当然好啊。"里面的段天生声音兴奋，"十九世纪末，山西人阎锡山、姚以价他们远渡重洋，到日本留学，那时候的日本，谁也看不起东亚病夫。只有温存迷人的东洋艺伎，用她们的才艺和身体温暖了来自弱国的留学生，鼓舞了年轻人的勇气，最后促使阎锡山他们提着脑袋闹起了革命……"

"那我就让大哥品味品味东洋艺伎的身体和才情。"赵国忠精心设计的"大戏"第二场正式上演了。

说完，两个穿着和服的日本女人走进了"豹房"……

这场戏，前前后后又是两个小时。

"大戏"第二场落幕的时候，段天生已经躺在木架子床上，赵国忠继续隔帘垂询："还有一个当红的电视女主持人，怎么样？要不要进去？"

"快进，快进，说那么多废话干吗！"里面显然急不可待。

一个玲珑小巧的大众明星，作为"导演"赵国忠"大戏"中第三场的女主角，进了"豹房"。这场戏，时间很短，不到一个小时就谢幕了……

等明星女主持人走后，赵国忠进了"豹房"客厅，段天生已经躺在外面的鸦片床上，红光满面，精神亢奋。

"大哥真是好身体，三轮大战下来，仍然虎虎生威，好让我羡慕啊！"赵国忠看着他饱满的神情，由衷地赞叹。

"我们这些中年人，和你们这些欲火焚身的年轻人不一样。"段天生看着窗外的烟雨江南。

"当然不一样。我们呢，干柴烈火，玉石俱焚；大哥你们呢，肯定是有张有弛，采阴补阳。"赵国忠说出了自己的看法。

"什么采阴补阳？"段天生皱着眉头。

"这还不明白？"赵国忠给他详细解释，"我们做爱，纯属为了享受，一直会耗到筋疲力尽。你们呢，就不一样了，做爱，很有节奏，既享受了女人，还能通过有节奏的动作，从女人身上采集阴气，弥补自己的阳气。"

"我还是第一次听说有'采阴补阳'。"段天生好像开了眼界。

"里屋架子床上的春宫图里就有这些。"赵国忠说完有些纳闷，"不对啊！你没照着那些动作模仿？"

"这三场大戏下来，我只吃了'素'，没有'开荤'。"段天生坦然地说。

"什么意思？"赵国忠脑子有些发空。

"没有什么意思。'盛唐彩云'给我搓了澡，东洋艺伎给我活血按摩，女主持人跟我聊了好长时间。"段天生认认真真回答。

"那你真的没有……"赵国忠感到迎头棒击。

"没有，我已经给你说过了，根本没有'开荤'。"段天生轻描淡写地说。

"为什么呀?"赵国忠大失所望。

"不为什么。"段天生笑起来,"我早就知道你小子没安好心,故意拖我下水的。"

"嗨! 这场大戏砸了!"赵国忠内心非常痛苦,"我的好大哥,这是你吗?"

"难道不在这里'开荤',就不是我段天生?"煤城的市委书记得意大笑。

"你过去不是这个样子的!"赵国忠还想把他拉回过去。

"不管过去还是现在,我就是段天生,根本没变。"段天生突然认真起来,"兄弟,我问你一个最简单的问题:当官为了什么?"

"别人我不知道,你当官,就是为了金钱和女人。"赵国忠还是不假思索就回答。

"说得没错,我当这个破官,就是为了金钱、女人。"段天生没有任何回避,"金钱呢,有你这个大款兄弟,我不愁没钱花;至于女人呢,自从碰到谭小明,我就感觉到,她是我的前世姻缘,是我的最爱,有了她,其余任何一个女人都黯然失色了。"

"你什么时候才能从'情魔'陷阱中爬出来?"赵国忠眼睛急得冒出了血丝,"绝色女人到处都是,这里就不下几十个,你怎么就被一个女人迷成那样呢!"

"兄弟,还是那句话:你还没有碰到那个让你从生到死的人!"段天生眼睛里流露出来异样的神情,"对了,你还要给我准备两百万零花钱,我要用来接待卢老。"

"你就能让我从生到死!"赵国忠几乎控制不住了。

"兄弟,我理解你的心思。"段天生反过来安慰他,"放心,你争矿的事,我一定尽最大努力。我和谭小明的感情,不会影响到我们的兄弟之情,这完全是两码事。"

"可我怕……"赵国忠心事重重。

"放心吧,兄弟。汇海集团是你的,也是我的,不对! 说错了,是我花钱的靠山。"段天生把手一抬,"兄弟,我这里不需要你操心。争矿的事,我会给公安局、国土局和办公厅打电话的。你把下面摆平就行!"

三十三

新农村建设眼看就要上马,按照村里两委会的决定,新的后沟村,要建在老村下面相对平缓的半山坡上,依坡而建,层层叠叠。最重要的,从坡顶上要引一股泉水出来，飞流直下，形成一个大瀑布。

大瀑布最后在低洼之处汇集成一个大湖，碧绿碧绿的湖水，环村流淌，弯弯曲曲，四季奔流。后沟村的老老少少，从此就生活在一个江南水乡式的新农村里。

设计院的专家对大黑说，设计江南水乡最好的规划建筑师都在上海，你不妨去上海咨询咨询。说到上海，大黑突然想到了玉兰，最起码有四五个月没有见到她了。

大黑马上以到上海考察规划建设的名义，下午就飞到了浦东。

看到自己家里摆着那个珍贵的"青花瓷"，总是要想起那个小眉小眼的上海女人玉兰。比起浓眉大眼、肌肤雪白的雪梅来，玉兰是另外一种风情，尤其是她张嘴一笑，眼睛就小得眯成一条光亮的丝线，那条光亮的丝线，引起了他的冲动和欲望。

每当自己的冲动和欲望得到满足的时候，细眉小眼的女人就躺在他的身边和他聊天。女人毕竟接受过高等教育，而且身处中国第一大城市上海，见多识广，奇闻众多。

美国当选总统奥巴马的同母异父兄弟在深圳开咖啡屋；女明星刘嘉玲在黄浦江畔投资的夜店明星云集等等奇闻逸事，都是小女人赤身裸体的时候告诉自己的……

小女人穿上衣服的时候，经常鼓动自己做投资生意。如某某大街有个黄金旺铺，现在出资盘到手，每年能挣几十万；某某股票最近有内线交易的机会，如果马上投资，半年之内就能挣几百万；某某国外服装品牌寻求国内代理，如果竞争到手，每年坐收上百万的红利……

女人说的致富信息太多太烦，最后大黑总是不怀好意地问她：你那么精明，怎么杨超进了号子？怎么你连八百万都还不起？细眉小眼的女人马上就火了：我给你买的那个"青花瓷"，几个八百万都不止！杨超不进号子的话，你能霸占了我?!

说完，气呼呼走了，大黑的耳朵这才彻底清净下来。

这次，下了飞机，刚刚入夜。

大黑原来准备给玉兰打个电话，毕竟四五个月没见了。后来一想，要给她个意外惊喜，于是没有和玉兰联系，直接坐出租车来到了她住的小区楼下。

大黑熟悉地按响了一零一二的门铃，往常，话筒那边很快就传来玉兰娇媚的声音，接着"哐当"一下，楼宇防盗大门就打开了。

这次，很奇怪，大黑连续按了三次，那边都没有反应。大黑退后两步，往楼上一看，玉兰的家里亮着灯光。更让他不舒服的是，自己往上仰望的刹那，高空中窗帘后面显然有人同时也在向下俯视，发现大黑往上观望的时候，赶紧退了回去……

大黑前进几步，继续按门铃，同时呼叫："玉兰，我是大黑，赶快开门。"

让大黑意想不到的是，话筒那边传来的却是一个男人的声音："玉兰不在这里，你走吧。"

大黑惊叫："不可能！这个房子是我给她买的，肯定没错。你是谁？玉兰在哪里？"

"玉兰已经把房子卖给我了，至于她在哪里，我不知道。"男人的声音很小，但听起来有些熟悉。

"房子卖了？怎么不通知我一声！"大黑赶紧拨通玉兰的电话想问个明白，结果对方关机。

"玉兰联系不上，你到底是谁？"大黑冲着话筒怒吼。

"我是谁？已经给你说过了，我是买房子的。明天，你联系上玉兰就什么都明白了。"男人说完，把听简电话挂掉了。

接下来，任凭大黑如何敲门都无济于事。

万般无奈的大黑，只好到对面的鸿运大酒店住下。

那个男人到底是谁？我娇媚的玉兰哪里去了？为什么要把房子卖掉？为什么这么大的事情，玉兰事先没有通知一声？

躺到鸿运大酒店豪华客房的大床上，大黑一直前思后想这几个简单问题。

上海人天生爱做投机买卖，玉兰更不例外。那家伙是不是炒股亏空了？最近，股市直线下跌，不少股民都破产了，玉兰是不是其中的一员？

不可能！前几天，玉兰还神秘地给自己打电话：有一笔大钱要进账，怎么会破产呢！

那女人是不是耐不住寂寞，有了新男友，给自己戴了绿帽子？上海是花花世界，上海女人都很开放，自己好长时间没有光顾，她是不是找了别人？是不是就是刚才的那个男人？

不对！别的女人琢磨不透，玉兰的人品自己还是很放心的。她不是那种朝三暮四的女人，更不会给自己戴绿帽子。

如果她是那样的人，自己早就看出来了，不会在她身上下那么大的心血。

那家伙是不是被别人绑架勒索了？就像上次那样，被绑匪强行弄走，失去人身自由。现在的绑匪，不仅绑架男人，更容易把目标对准女人和孩子，他们更好下手。玉兰是不是遭受了和自己同样的命运？

不可能！上海富人多的是，为什么要绑她？玉兰根本没有多少钱，只不过比常人过得舒服一些罢了，根本没有敲诈的必要！即使自己再倒霉，也不至于两三个月之内自己和亲人连续遭受两次绑架吧。

还有……

大黑胡思乱想的时候，外面突然响起了门铃声。

大黑起身一开门，三个水灵灵的年轻女人站在面前，其中一个开口："大哥，需要特服吗？"

大黑明白了，这是每家高档酒店必不可少的延伸服务。

他认认真真把三个水灵灵的女人，从头到尾观察了一遍，两个身材高挑、浓眉大眼，另外一个娇巧玲珑、细眉细眼。

"就你吧。"大黑指着那个眉眼细小的女人，两个大高个自动退了出去。

"咱们先聊会儿天，一会儿再做那事。"今晚被人堵在门外的大黑，特别迫切和女人交流。

"今晚是你的女人了，一切听你的安排。"娇媚的女人脱掉外衣，露出来短袖衫。

"先穿上衣服。"大黑站起来。

"为什么？"细眉小眼的女人非常不解。

"帮我去办一件事。"大黑拍拍她的肩膀，"我给你双份的价钱。"

"什么事？好办吗？"女人抬头看着他。

"当然容易。"大黑指指对面的楼房，"你去敲敲一零一二的门，最好能进去，看看里面除了男人之外，还有没有别的女人。"

"我怎么能敲开门呢？"女人感觉出来，大黑已经尝试过但失败了。

"你就说是物业公司的，楼上有人报修漏水，看看渗没渗到下面一家。"大黑教她。

"好。"女人把衣服扣好，"只看看里面有没有女人？别的呢？"

"别的不需要。如果有女人，看清楚长得什么样，回来告诉我。"大黑叮嘱她。

"这钱好挣。"说完，女人提包出了门。

没有半个小时，细眉小眼的女人就转回来了。

"怎么样？"大黑急不可待，"里面有女人吗？长得什么样？"

"确实有。"女人抬起头来看着他，"长得和我差不多。"

"他妈的！婊子一个。"大黑破口大骂。

"骂我干吗？"眼前的女人很不乐意。

"我不是说你，是骂她！"大黑指着对面的楼房。

"她是你老婆吧？"女人把衣服脱掉，"你那老婆比起我来差远了。"

女人不经意一句话，去掉大黑心中一半的火气。

"你有什么好？"大黑觉得女人都一样。

"我是大学生，我比她年轻，我的奶比她大，还不够吗？"眼前的女人非常自信，"她要跟别的男人跑了，我就跟你跑！"

女人的主动和执着，让大黑受伤的心灵非常温暖。

"为什么？你知道我是干什么的？"大黑不再发火了。

"你是山西煤老板啊。"细眉小眼的女人盯着他。

"从我的山西话里猜出来的？"大黑不解。

"不是。刚才楼上的那个男的，当面就指出，我是山西煤老板派来探底的。所以，我知道了你的身份。"小女人解下了胸罩，露出来……

"你们上海女人为什么喜欢跟山西煤老板跑？"大黑一半好奇一半闲聊。

"你说呢？"小女人故意逗他。

"山西煤老板傻呗！"大黑无意间说了一句真话。

"那可是你说的，不是我说的！"小女人把自己的一切，完全展示在大黑面前。

第二天，大黑醒来，已经接近中午。他第一件事情，就拨通玉兰的电话，这下女人接了。两人约定：中午在鸿运大酒店的餐厅吃饭。十二点半，女人如约而来。

"为什么要背叛我？"大黑尽量抑制自己的情绪。

"咱们之间的事情，不存在背叛与忠诚的问题。"玉兰化了妆，显得非常年轻，就像昨夜的那个女孩儿。

"那是什么问题？"大黑觉得玉兰口气显然不对。

"两个问题，一个是经济问题，这是主要的；还有一个问题，是情感问题，是次要的。"玉兰接受过高等教育，说话逻辑分明。

"怎么解决吧？"大黑约她见面，就是要个说法。

"经济问题，好办。过去，杨超欠你八百万煤款，还有，你给我买房花了一百多万。"玉兰从包里拿出一张支票来，"这是一千万，算我还清了。从今以后，不需要再用肉体偿还了。你以前占了的，就算白占了。总的来说，你这个人不错。"

"哪来的钱？"看到现金支票，大黑毕竟舍不得。

"杨超出来了，他的好朋友把他赎出来的。"玉兰理了理头发，"前一段时间电厂调整班子，杨超的大学同学竞争上了电厂厂长。新厂长和杨超是生死之交，上任不久，花钱把他赎出来，还偿还了电厂欠我们的巨款。"

"昨天，那个男的就是杨超？"大黑突然想起来昨晚熟悉的声音。

"哦。"玉兰不敢抬头。

"这么多钱，我只能要一半。"大黑心灰意冷。

"为什么？我前前后后总共欠你一千多万的。"小女人低声说。

"你帮我买了'青花瓷'，我要出手，肯定能赚不少，其中也有你的一份，我不能独吞。"大黑情绪很不好，"先给你五百万，算做酬劳吧。再说，这两年，你还有别的付出……"

"那些付出是应该的。"小女人突然动了情。

"告诉我一句真话，过去的一切，是自愿的吗？"大黑拉住她的手。

女人在泪光中，使劲点点头。

"你要是自愿的，我内心就没有愧疚了。"大黑觉得轻松许多。

鸿运大酒店坐落在黄浦江边，黄浦江两岸的春景非常迷人：一边是古老的建筑，以无声的语言讲述着过去的上海。一边是望不到边际的高楼大厦，以特有的方式，讲述着当代中国的传奇。古老与现代之间，只隔着一条悠悠的黄浦江，黄浦江岸边，春花烂漫，芳草无边……

"剩下的事情怎么办？"大黑显然是说女人眼中次要的问题：感情。

"昨天，我不想见你，却来来回回想了一夜。"小女人抬起头来，泪眼蒙蒙、楚楚动人。

"是躺在他的怀里想的我吧？"大黑故意调侃。

"我才没有你那么无耻。"女人火了，"你昨天打发那个小妖精去搞侦查，我就明白，昨晚你没有闲着。"

"怎么看出来的？"大黑专门问她。

"物业公司有那么色情的工作人员吗？"女人没好气地回答。

"不说她了，还是说说我们的事情。"大黑转移到正题上来。

"我们的事情，关键在你，选择权在你！"小女人看着他，细眉眼中闪着光亮。

"你都做出那种事情来了，我还有关键的选择权?!"大黑想起来昨夜死活打不开的铁门。

"别跟我纠缠那些!"小女人很不客气，"我问你，咱们多长时间没见面了？"

"四五个月吧。"大黑漫不经心地回答。

"四五个月，没错。对你来说不长。又是煤城、又是越南、又是澳门、又是北京……你都快把半个世界周游遍了。"女人眼睛里流露出来不满，"对我呢，四五个月，太长、太长了……"

"你怎么知道我去过那么多地方？"大黑有些心虚。

"怎么知道？我去过煤城呗。"小女人玉兰盯着他，毫不掩饰，"正月十五前后，几个上海姐妹提出来要到山西五台山烧香祈福，我就跟着去了。中途路过煤城，在煤老板开的那个龙天大酒店住了一夜。"

"还，还知道什么？"大黑的虚汗冒出来。

"知道什么？反正知道得很多。"小女人指着他的脑袋，"过去，我以为你不过是煤城一个地下煤窑的小老板，根本没有几个人认识。没想到，你是当地大名鼎鼎的人物。"

"我怎么会有名呢？"大黑也不清楚自己有很高的知名度。

"因为绑架。"小女人直言不讳告诉他，"你跟我说实话，是不是被绑架过？"

"是。"大黑觉得自己抬不起头来。

"就是因为被绑架以后，你成了当地的新闻人物。"小女人玉兰几乎在嘲笑他，"一个人如果成了新闻人物，一切隐私都能被人从地下挖出来曝光。比如这个人有多少钱、几个女人、钱在什么地方、谁出面救的他等等。"

"你都知道了？"大黑腿肚子抽筋。

"不是我都知道了，而是煤城大街小巷不少人在议论，偶尔被我听到了。"小女人非常精明，"是不是你山里的老婆、北京的女人还被蒙在鼓里？"

"既然你都知道了，说说我们该怎么办？"大黑努力想使自己变得坦然起来。

"刚才我已经说过了，关键的选择权在你！"小女人装模作样摆弄自己的戒指。

"选择有条件吗？"大黑突然反应过来，女人刚才唠叨的一切，都是有很深用意的。

"要说条件，过去没有。因为，过去我欠你的钱，也不了解你的底细。现在嘛，欠款我已经还清了，你的一切底细我更摸清了，当然就有了非常非常苛刻的条件。"小女人恢复了自信，恢复了常态，"从内心来说，比起上海男人杨超，尽管你没有他有文化，我喜欢你的淳朴和野性。"

"说吧，什么苛刻条件？"大黑孤注一掷。

"像我这样优秀的女人，选择你这样的煤老板做老公，只有一个条件：不能做小老婆！更不要说二奶、三奶。"小女人觉得自己实在太委屈了。

"我……我……做不到。"大黑最终做出了无奈的选择，"我们还是分手的好。"

三十四

女煤老板杨娟和新任法院院长王文献一行五人，慕名住进了北京最高档消费场所之———黄氏温泉会馆。

早上自助餐非常丰盛，瓜果蔬菜、山珍海味、江南鱼鲜等等应有尽有，杨娟和王文献等人吃得有滋有味。

"大嫂，祝贺啊。"王文献毫无顾忌地吃着东西。

"祝贺什么呀？"女煤老板还没有从内部争矿失败的阴影中摆脱出来，"段天生真是个王八蛋，享受了我推荐的女人，还把机会给了赵国忠。"

"大嫂，你要是个男人，要有过从政经历，就能体谅段书记的难处了。"王文献刚刚受过段天生的恩惠，自然对他感激不尽，"现在，当领导的最艰难，一方面是朋友亲情，另一方面是刚性的法律原则，很难做出抉择，最后，谁也要明哲保身，不能为了给别人办事，把自己送到监狱里。"

"不至于那么严重吧。"杨娟很会保养，尤其在吃东西上，山珍海味很少沾边，大都吃瓜果蔬鲜："为了赵国忠，段天生不惜指使银行非法放贷，不惜指使安监部门非法发证，不惜阻挠地矿部门正常调查。难道这一切，他就不考虑违法不违法？偏偏到了我这里，就开始考虑党纪国法了？"

"大嫂，不管怎么样，大哥最近不是列入市级领导干部考查对象了嘛！这也算段书记兑现了承诺，给咱们办了一件大事呀。我给你道喜，说的就是这件事！"王文献还听说，段天生正在运作，把市里现任的政法委书记交流出去，由张巨海出任市里的政法委书记。如果这个计划能够成功，对自己也有好处。

"那是你们男人的事，我不感兴趣。"女煤老板杨娟不屑一顾，"我只关心煤矿，只关心钱。说句心里话，通过争矿这件事，我发现了一个秘密。"

"什么秘密？"王文献觉得女人好笑。

"汇海集团里肯定隐藏着段天生的股份，不然，他不会不顾一切帮赵国忠。"女人回头看看吃饭的人，心里数数，最少也在五十人以上。

王文献好像对吃饭的人也很关注："你又多虑了，老段真想挣钱，办法太多了，用得着那么辛苦吗？"

"当然用得着，同样一千万，如果从煤矿干股中挣来，只有一个隐患；如果靠卖官帽获取一千万，那需要出售多少顶官帽？况且，每一顶都有隐患，出钱的人，大都是穷公务员。相比较而言，还是入股煤矿合算。兄弟啊，当官你比大嫂强，要是算账，你不如大嫂。"杨娟直言不讳，"老段是什么人？大多数人看来，他是很清廉的人，不收礼，不受贿，不贪财。可那家伙吃喝玩乐，在北京也是一掷千金，一点都不比我们小气，钱从哪里来，还不是从赵国忠汇海集团来的。"

"那也不能说明他在汇海有股份，只不过是赵国忠和他有交易罢了。"王文献说出自己的观点。

"兄弟，你还是不开窍。"杨娟打着手势，"这么说吧，段天生给赵国忠办事，拿个千把万就是大数了。再继续伸手，我想赵国忠肯定不情愿，段天生也明白贪欲太大蛇吞象的道理，吃不下去会憋死的。可老段偏偏不以为然，屡屡伸手，毫无顾忌。而赵国忠敢怒不敢言，只能说明一个问题：老段拿的钱，不是赵国忠给他的好处，而是股份带来的红利。"

"你要这么说，真还有点逻辑。"王文献似乎也被女人说动了。

"院长、大嫂，我们初步统计了一下，这家温泉会馆一早上的营业额流水在十六万左右。"办案人员小胡过来报告。

"好，小胡，你继续统计中午和晚上的流水情况。"王文献扭头吩咐，"另外，小张、小王重点工作要放到温泉会馆的董事长、总经理身上，调查调查他们有哪些重点社会关系。能在北京经营这么好的会馆，没有大靠山恐怕不行……"

"明白了。"三人分头去工作。

"大嫂，将来大哥当了政法委书记，你也挣到一两个亿，下一步准备干什么？"王文献纯属没话找话。

"真要有那么一天，我什么也不干，甚至可以退出煤炭领域，全心全意辅佐你大哥，让他一分钱不贪，一个便宜不占，当一个老老实实、正正派派的清官，坚决不做段天生那种沽名钓誉的假清官。"杨娟愤恨地说。

"真要有那么一天，煤城老百姓的幸福日子就到了。"王文献恭维她，"老百姓好活了，也可惜大嫂了。"

"兄弟，什么意思？"杨娟一边说话，一边观察会馆的经营情况，发现上午陆陆续续到了很多金发碧眼的外国人。

"大嫂是经营天才啊。"王文献不仅懂法律，更重要的是精通拍马术，"从本质上来说，大嫂也是煤老板，可你既不同于大黑那种土老帽，也不同于赵国忠那些十分钻营的买卖人。大嫂运筹帷幄，决胜千里啊。水峪沟那个煤矿产权是你的，可挂在赵国忠名下，安全责任是他的，税收罚款是他的，出了问题他更逃不了干系。你只需要控制好木偶，一年下来就是几千万的收入。佩服、佩服。"

"兄弟，你这话我怎么听起来不对味，是不是讽刺大嫂仗势欺人呢？"杨娟心里比较忌讳别人议论这些。

"我可没有恶意。"王文献赶紧声明，"我是佩服大嫂把政治资源和煤炭资源结合得天衣无缝，完全没有其他意思。如果有，我觉得赵国忠那个势利小人确实应该收拾收拾。他眼里只有段天生，很少有大哥和大嫂，不让他出点血，我都看不下去！"

"是应该让狗日的多出血！"杨娟对赵国忠的"贡献"从来不领情。

"大嫂，还是刚才那个话题。假如大哥升了官，你收回来钱。我认为你不应该放弃自己的长处，应该利用长处，为大哥在政治上加分。"王文献见多识广，"我说的加分，不是简单当个清官，那些昏庸的清官太多了，老百姓恨他们尸位素餐，比恨贪官还厉害。"

"怪不得你大哥赏识你，鬼点子比别人多。"杨娟想起来，王文献前段赋闲在家，老张经常慨叹人才难得、命运不公，"说说，我怎么就能发挥长处，为你大哥在政治上加分。"

"大嫂，你是聪明绝顶的女人，不用说你也能想到。"王文献继续拍马屁。

"提醒提醒我。"杨娟感觉王文献在卖关子。

"咱们山西老百姓最痛恨的是什么？"王文献看着窗外的锦绣江南。

"环境。"杨娟脱口而出，"谁都知道，因为采煤运煤，污染了蓝天碧水，粮食绝收，土地塌陷，老百姓恨之入骨。"

"解决这个难题有什么好办法呢？"王文献看到窗外的碧水上飘来一群野鸭。

"关停煤矿。"杨娟说完，发现有问题，马上改口，"不能关，关了政府没有税收，老百姓也没有饭吃。"

"那有什么好的办法？"王文献看到鸭子游来游去，情趣盎然。

"我明白了。"杨娟终于知道了答案，"真是一个一箭三雕的好办法，一来控制了煤炭开采和运输中的污染；二来提高了煤炭的附加值；三呢，只要老百姓增加了收入，政府的形象就大大提高了。这个一箭三雕的办法就是：变挖煤为输电，在坑口投资建设发电厂！"

"对啊。"王文献感觉马屁拍得对方上了瘾，而女人浑然不知，"建设坑口电厂，还有一个好处，可以直接消化当地出产的原煤。你把别人挖出的煤买来，变成热电直接输出去，中间有很大的利润空间。"

"好主意，好主意。过去我奇怪：你大哥阅人无数，你小子不是很大方，可老张偏偏看中你，你小子就是有才！"杨娟笑逐颜开，"真要能开个电厂，名声也好，利润也高。"

"咱们山西煤老板都是土老帽，想不到这一点。"王文献看了看表，时间不早了，"像赵国忠那样的大煤老板，只想挣了钱往北京跑，即使想到了也不干，他们根本不做长远投资。"

"对了，兄弟。开电厂和开煤矿不同，那是需要大资金的，从什么地方筹措那么多钱呢？"杨娟开始考虑操作细节了。

"很简单。"王文献轻描淡写地说，"搞股份制呗，咱们区的国有大矿这些年挣钱海了，账上闲置着上百个亿，你可以通过书记的关系，把那些闲钱套出来投资。再者，这次要把欠款追回来，你少说也有两三个亿，然后逼着赵国忠那家伙给你投资，用汇海集团给你做担保。"

杨娟明白王文献是法律系的高才生，绝不是徒有其名。她认真倾听。

"还有，紫云矿业公司是国有大煤矿，闲置着上千亿的资金。董事长老贺正在寻找新的投资项目。只要咱们上点手段，他就得听咱们的。从紫云矿业揪出来几百亿，不是太难的问题。将来，再从国债扶持资金争取几十个亿，从银行拿点贷款，到头来，大嫂就是身家上千亿的大老板了……"

尽管王文献说得天花乱坠，杨娟头脑却很冷静："兄弟，你的思路没有问题。可是，操作起来困难不小，比如，大国企和国债办的巨款都不是好要的，从什么地方打开突破口呢？"

"从今天的这件事上就可以打开突破口。"王文献胸有成竹。

"你是说，今天的一切就是预演？"杨娟好像明白了一些。

"当然。"王文献不紧不慢地说，"再多的资金，也是掌握在人的手里。只要是个人，不是神仙，他屁股底下肯定拉屎。咱们搞政法的是干什么的？就是为了收拾那些屁股底下有屎的家伙……"

"你小子不仅有韬略，而且有办法，大嫂佩服你！"杨娟说这句话的时候，快接近中午了。

中午的时候，女老板杨娟和王文献在温泉会馆就餐，仔细观察，来这里消费的客人，真是络绎不绝。

"都金融危机了，还有这么多奢侈糜烂的家伙。"杨娟感叹。

"北京什么地方？大官最多的地方，富豪最多的地方，外国人最多的地方……这么好的环境，这么优雅的中国文化，能不来光顾吗？"王文献低声说。

"凭你的直觉有多少人？"杨娟小声询问。

"最少在两百人以上。"王文献看到大厅和包间都满满当当的。

"我们这就算最低消费了，还得两千多块。"杨娟刚才看过菜谱和价格。

"这么说来，温泉会馆的中午流水最少是四十万了。"王文献简单统计了一下。

"昨晚也是这么多人。"杨娟提醒他。

"具体数目我们摸不清，单从外表来看，一天的流水收入不低于八十万，一个月最少是两千四百万，一年下来就是三个亿左右。好红火的温泉会馆，好优质的企业资产，和我们山西一个中等煤矿的收入差不多。"王文献既吃惊也感到欣喜，"大嫂，我们这锤子买卖，不要从他们账上划钱，把这个温泉会馆直接转到我们名下，就什么都够了。"

"你说得没错，可我担心……"杨娟还是有不少顾虑。

"等晚上小张和小王回来，我们再做最后的决定！"王文献也觉得应该稳妥起见。

"北京的水深得很啊，不比山西。"杨娟提醒他。

"这个我早有思想准备。"王文献说完顺便开起了玩笑，"大嫂，我要是把这个温泉会馆盘到你的名下，以后我到北京来出差，是不是能免费享受啊？"

"不能！"杨娟明白无误告诉他。

"为什么？"王文献想不明白。

"因为你是公款消费，现在，哪有当官的为公家省钱的！"杨娟故意开玩笑。

"你要这么做，我就没有积极性了。"王文献也开起了玩笑。

"那我就告你司法不作为！"杨娟拉着脸，一本正经。

"那罪名太大了，我还是老实办案吧。"王文献服了软。

第二天早餐的时候，山西来的五个人都聚齐了，他们把吃的东西要来，然后故意把服务员支走了。

"这家温泉会馆最大的后台是谁？"从进门的那一刻起，杨娟就想知道答案。

"北京政法口退下来的一个薛书记。"小王昨天做了一天的调查，"温泉会馆董事长黄有水，是福建厦门人，三年前来到北京，去年搞起了这个温泉会馆。原本用来做接待的，因为客人太多，变成了高消费会员制企业。他交往的对象，大都是厦门老乡，其中北京政法口薛书记和他来往最密切，这个地方，最早就是薛书记从中穿针引线，黄有水才有机会买到手，成本当年就收回来了……"

"总经理听说是黄有水的弟弟？"杨娟看着小张。

"是，他的名字叫黄有池。"小张专门负责调查总经理的情况，"黄有池名为总经理，实际上什么事不管，都由大哥负责。黄有池生性好色，这里的女服务员，只要出台的，他都享受过。"

杨娟和王文献睁大眼睛听着汇报，生怕漏掉重要信息。

小张最后笑起来："哪里都有惊人的绯闻！花花公子黄有池和电视台一个女主持人好像姓蒋，关系最密切。黄有池还专门给她买了房子，两人经常在一起鬼混……"

"真没想到，那么著名的女主持人，还做这么无耻的事情！"一直没有开口说话的王文献感慨。

"还有什么特殊背景？"杨娟仍然不放心。

"目前能调查到的就这些。"小王、小张回答。

"鉴于这个案子特别复杂，也是我上任以来第一个大案，所以，我再强调一遍：必须办成铁案，尤其在法律上，坚决不能有丝毫的漏洞。否则，我们就要栽到北京这个深水池里淹死……"王文献表面上交代办案人员，实际上也在提醒自己和杨娟。

上午，几个办案人员继续出去取证，杨娟和王文献坐在温泉会馆的茶亭里一边欣赏"江南秀色"，一边议论下一步的方案。

突然，一对熟悉得再不能熟悉的身影，闯进了他们的视线。正当两人不知所措的时候，那对熟悉的身影也发现了他们，主动朝这边走过来。

"段书记好，小明好。"身在官场中的王文献只能恭恭敬敬地站起来问好。

"想不到我们的段书记，遇到了知心美人，突然变得年轻了二十岁，你们简直像一对神雕侠侣啊。"看着两人穿着情侣装，杨娟酸里酸气地说。

"老张跟着你，不是也年轻了二十岁吗?!"段天生毫不在意，毫不回避他们，"在党校学习太累，上次小赵领我来过这个地方，觉得不错，专门带小明也来享受享受。"

"杨娟，还得感谢你这个大媒人，今天的消费我买单。"谭小明几天不见，突然变得风骚很多，"还有我们的王院长，一定要尽情潇洒啊。"

"真是太奇巧了，过年我们就在澳门不期而遇。"段天生坐到茶座旁，感到非常好奇，"我没有跟任何人，包括秘书小孙透露过我的行踪，你们怎么又'埋伏'到这里来了?"

"没有人透露，是你直接告诉我们的。"杨娟回答。

"怎么会呢? 半个小时之前，我们才决定来这里的。"段天生再聪明也想不到有这样的巧遇，"你们两个，也不是长天眼的人呀。老实告诉我，怎么会来到这里的?"

"就是你安排的。"杨娟不容置疑。

"我安排的? 不可能，绝对不可能!"段天生一边回答一边思考。

"真是贵人多忘事。"杨娟提醒他，"前几天，不是你安排给我一个天大的买卖吗?"

"我是安排过一个大买卖，让你和文献来操办的。"段天生想了半天，怎么也和这个高档会所联系不到一起，"你们是不是打算住在这里，搞那个案子，有必要这么奢侈吗? 要知道，这地方的消费可是五星级酒店的好几倍。"

"当然知道，一两天我就准备把它盘到手，以后你可以在这里免单消费。"杨娟从容地给两人放好茶、倒上水。

"盘到手? 杨娟你有这么多钱啊!"谭小明大吃一惊，"最少得三四亿吧?"

"大白天说胡话! 我怎么可能在这里免单呢。"连段天生都不相信。

"段书记，我的大哥。"杨娟叫得特别亲热，"我能盘回来三四个亿，你就是'媒人'啊! 我都惦记着你这个'好媒人'，你怎么就把我这个'好媒人'抛在一边了呢! 太不仗义了吧。"

三十五

北京的老百姓向来痛恨司法腐败，北京的新闻媒体不时爆料离奇曲折的司法黑幕，北京的文化学者最忍受不了的是外地警察到京胡乱抓人，北京的官员深恶痛绝的是外地警察到京胡作非为，挑战他们的权力和威严。

昨天，电视台著名女主持人蒋云播报：一批山西假法官，北京明火执仗抢会馆。

随后电视里播出了这样的镜头：坐落在北京城的一处江南园林式的温泉会馆，昨天遭到山西几个假法官突然袭击。假法官伪造法院公文，借口温泉会馆董事长、福建商人黄某欠他们巨款，讹诈福建商人黄某人民币三亿元，并且以司法保全的名义，当场给温泉会馆贴上了假封条……

公安局接到群众报警，立刻赶往现场，目前已经控制了犯罪嫌疑人五名，其中四男一女，女的身份目前查实是一名煤老板，其余四个男的口口声声说自己是法官，但从他们粗暴甚至明火执仗的抢劫行为来看，和法官素质相距甚远，他们的真实身份正在确认中，警方初步判断是假法官。

到发稿为止，这起建国以来罕见的假冒法官名义，进行巨额敲诈勒索的大案，正在深入调查中……

主持人蒋云一脸严肃：下面发表本台评论，题目是：恶性抓人案件屡屡爆发，首善之区何日安宁？

前段时间，辽宁警察到京抓记者的恶性案件刚刚落幕，今天又爆出了山西假法官进京查封高档会馆的恶性事件。

大家都知道，北京是首都，是首善之区，全国的重要执法机构都在北京，就是在这样一个庄严神圣的地方，屡屡发生警察随便抓人的事件，特别是由于上次辽宁事件处置不当，最后导致山西的假法官也敢跑到北京来，查封一个手续齐全、合理合法的高档娱乐场所。我们不禁要问：公民尊严何在？法律尊严何在？党和政府的威信何在？对于这起恶性事件的处理，北京包括全国人民拭目以待……

这起曲折离奇的恶性案件，经著名的美女主持人蒋云播报以后，在社会上引起了极大的轰动和反响，不少认识杨娟和王文献的人都看到了这则电视新闻。

最震惊的莫过于躲在别墅里享受蜜月期的煤城市委书记段天生和他的情妇

谭小明。

"杨娟和王文献昨天还准备当接收大员呢，怎么今天就成了明火执仗的抢劫诈骗犯了？"谭小明从来没有遇到过这样离奇的事情，"再说，杨娟不是法官，可王文献那四个人是真法官呀，怎么会成了'假法官'呢？"

"为什么？不为什么！当然是黄有水背后有高人，他们低估了福建商人的能量。"段天生意识到了事情的严重性，"我马上通知张巨海携带合法手续来救人。"

不管事情真相如何，身为煤城第一把手的段天生，预感到暴雨来临，而且这场特大暴雨的始作俑者就是自己。

事情发展到这个地步，谁也想不到，谁也预料不到下一步如何进展。目前能控制局面的，就是让张巨海出面把人领回去，把戴在头上的"屎盆子"立刻摘掉。

电话那边的张巨海，得知自己的女人和部下被扣上"假法官"的帽子抓起来，吃惊不小，后怕不已，马上答应到北京救人……

"天生，你给杨娟设计推荐的'狸猫换太子'的买卖，究竟是怎么回事？"谭小明知道大概，不知道细节，眼下出了这么大的问题，都是因为那个"大买卖"引发的祸患。

"不是我设计的，真正的设计人是赵国忠。"段天生讲起了来龙去脉，"小赵想争矿，杨娟纠缠不放。可那个讨厌的女人争矿条件不合法，为了让她心甘情愿退出来，小赵就设计了一个'狸猫换太子'的买卖。"

"'狸猫'是谁？'太子'又是谁？和温泉会馆有什么联系？"谭小明越听越糊涂。

"'狸猫'是一件买卖，'太子'也是一件买卖。"段天生坐下来狠命吸烟，"'太子'就是指争矿这个买卖。'狸猫'是一笔旧账，过去福建人黄有水骗过赵国忠一个亿的煤款，到现在连本带利折合三个多亿。黄有水后来人间蒸发了……

"前一段时间，赵国忠到厦门考察，偶尔听说黄有水携巨资混到北京，他就想把旧账要回来，可是缺乏强有力的手段。于是想到了区委书记的女人杨娟，想到了赋闲在家的王文献。小赵一直给我推荐王文献出任法院院长，然后把旧账打包出售给杨娟，还前期垫付五百万办案经费，由杨娟作为债权人出面讨债，王文献动用司法工具强制执行，两人打算要回来旧账以后，赵国忠只收本钱和前期费用一个亿，其余两个多亿都是杨娟的……"段天生说清楚了来龙去脉。

"原来这个'狸猫'买卖这么复杂啊。"谭小明惊叹，"赵国忠鬼心思太多了，只出了五百万，就能利用杨娟的蛮横、王文献的报恩，把两人死死地绑到为自己讨债的战车上，一旦有了结果，死账就变成了活钱，自己还不承担任何风险，高明！高明！"

"杨娟、王文献也不傻,凭空成了一笔大账的债权人,对于别人来说,动用司法工具很难,对于他们来说,就是家常便饭。"段天生详细解释,"赵国忠这么做,也是摸透了杨娟的心理,给她许诺一个空头蛋糕,让她心甘情愿从争矿中主动退出来。他也知道,空头蛋糕只有到了杨娟手里,才能变成真正可以品尝的熟蛋糕,别人没有这个能力,包括他自己。"

"温泉会馆是怎么回事?"谭小明仍然没有看透玄机。

"那还用问,温泉会馆是'老赖'黄有水最优质的资产啊。"段天生回答。

"你要这么说,我就明白杨娟为什么承诺我们以后可以在那里免单消费了。"谭小明昨天还以为杨娟是在开玩笑。

"他们想的还是太简单了。原以为只要调查清楚,证据确凿,就可以把红红火火的温泉会馆盘到手,没想到中间出来这么大的笑话。真法官变成了假法官,真追债变成了明火执仗的抢劫,太邪乎了!哪个高人出的这个点子,有机会真想见识见识。"段天生觉得这件事像电视剧一样充满玄妙。

"不管怎样,我想帮帮杨娟,她毕竟是我们的介绍人。"谭小明想表现一下自己的善良和仗义。

"怎么帮?"段天生瞪着眼睛看她。

"我在北京高层也有一些关系啊,帮她疏通疏通。"谭小明品着红酒。

"大可不必!"段天生马上否定了。

"为什么见死不救?"谭小明埋怨他。

"他们不仅死不了,而且很快就能出来。"段天生说出了自己的判断。

"为什么呢?"谭小明疑疑惑惑。

"因为他们是真的,不是假的!只要张巨海出面证明,马上就可以出来。"段天生肯定地回答。

"既然知道他们能出来,我们也给找找人,从侧面帮帮忙,他们出来以后,也会感激我们的。"谭小明于心不忍。

"错!大错特错。"段天生的看法和谭小明截然相反。

"为什么总是我错呢?"谭小明不服气。

"当然是你错了,而且是大错特错。"段天生悄悄地说,"你眼睛只盯着好朋友杨娟,却忽视了躲藏在这件事情背后北京媒体的贼眼。现在出了这么荒唐的事情,北京的媒体就像服了兴奋剂,恨不得挖出更有趣的新闻来……"

"每一个想接近案件的人,都会成为媒体贼眼的怀疑目标。张巨海出面,不要紧,他既是杨娟的男人,也是王文献的上级,一切顺理成章。你如果出面,算什么?难道要把咱俩的关系曝光到北京媒体的面前?!"段天生老奸巨猾。

煤城的区委书记张巨海,通过政法口的山西老乡,约到了曾经叱咤风云的薛书记，他们晚上在北京的一家晋商会馆吃饭。

"不用彼此介绍了吧，张巨海书记是货真价实的煤城区委书记，他是代表政府前来和薛书记沟通的。"大家一落座，政法口的山西老乡专门把张巨海隆重介绍给薛书记。

矮胖矮胖的薛书记，礼貌地冲着几个山西人点了点头。随后漫不经心地欣赏起来晋商会馆墙上悬挂着的老照片。那些老照片反映的都是真实的山西商人的历史画面，有的是走西口的艰辛，有的是银号开张的热闹场面，有的是当年山西商会的议事情景，有的是太原、大同等地的昔日风光，还有的是电视剧《乔家大院》的剧情剧照……

"我是南方人，过去不了解山西，更不了解山西人。"薛书记口音中带着浓重的客家话，"后来，看了电视台播放的几部晋商大戏，才知道过去的山西人了不起，晋商了不起，义薄云天，诚信天下。"

"老领导说得一点没错。"政法口的山西老乡曾经是薛书记的部下，对他非常尊重，"我们山西人，都是关公的后代，当年闯天下的时候，无论走到哪里，都把关帝庙建到哪里，晋商就是关公的化身，山西人从来把做人放到第一位，把做事放到第二位。"

"你说得有道理，我们老家的关帝庙，据说就是当年山西商人跑到福建贩茶叶的时候出资修建起来的，直到现在为止，都是我们县里的标志性建筑。"薛书记品了一口安溪的铁观音，"关老爷对我们的影响很大。从小的时候，老师就给我们讲：做人要像关公一样，光明磊落，侠肝义胆，千万不能蝇营狗苟，卑鄙下流。"

"老书记说得是，当年也是这么教育我们的。"山西老乡随声附和。

区委书记张巨海不知是地方陌生，还是听了老薛别有用心的一番话，变得有些不自在。

"我一直有个疑问，想请教一下山西来的同志。"薛书记品茶的功夫非常专业，每喝下去一杯，都要用鼻子和眼睛重新回味一遍。

"不敢，老领导尽管直言。"张巨海早就听老乡说，老头尽管退到二线，在政法界的影响还是非同一般。

"你们山西人为什么要挖空心思包装自己呢？尤其是晋商。"薛书记的提问有些莫名其妙。

"这……这……这……"张巨海面对突如其来的问题，没有丝毫的思想准备。

"不是刻意包装，而是我们山西人就是那个样子。"山西老乡赶忙回答。

"不对吧！"薛书记装腔作势，"电视剧里的山西人克勤克俭，连一分钱都要掰成三瓣花，对女人大仁大义，是最典型的模范丈夫。可现实生活中的山西人呢，不用我说，你们也知道，那些煤老板花人民币就像花冥币一样，大手大脚，根本不在乎，好像那些钱都是假的；对待女人，只有性欲，没有情义，只有二奶，没有老婆……这些山西煤老板，怎么就是电视剧里晋商的反面呢？"

"那些铺张浪费、不讲情义的煤老板确实把山西人的声誉都败坏了。"面对薛书记的指责，山西老乡不得不承认现实。

张巨海脑子里向来只有权力和金钱，这些东西从来没有考虑过。

"从这个虚假的包装上，可以看出来另外一个问题。"薛书记品茶到了极致的时候，神清气爽，"山西确实是文化大省。"

"为什么？"山西老乡不理解。

"因为山西的文化人最善于包装。"薛书记意味深长地说，"要说我们福建也是文化大省，明清两朝出了那么多状元和进士，包括赫赫有名的林则徐在内，可福建的文化人差远了，没有山西文人会包装自己。能把最奢侈、最肉麻、最残酷、最没有人性的山西煤老板，包装成诚信晋商的后代，真不简单啊！"

张巨海脑袋觉得沉甸甸的，山西老乡也觉得脸皮发烫。

"老书记，咱们不谈文化，不谈历史，不谈晋商，能不能说说案子。张书记这次来，是专门谈案子的。"山西老乡明白，再这么扯下去，薛书记能把山西人的祖宗都讽刺痛骂一遍。

"好啊，我就是来谈案子的。"薛书记居高临下，毫不在意。

"老首长，我作为一级政府的主要领导专程来给您说明，那些法官，不是假冒的，而是真的，这是区里出具的相关证明。"张巨海把随身携带的文件恭恭敬敬递过去。

"我不看。"薛老头一副盛气凌人的样子。

"老领导，张书记是来做说明，那些被抓的法官……"面对提拔过自己的老领导，山西老乡确实两头为难，可再三思量，自己毕竟是山西人，要替家乡人说话。

"我知道他们是真的！"薛老头出乎意料冒了一句。

"您知道？"山西老乡简直不敢相信自己。

"那当然！除了一个女的，都是真法官。"薛老头话语中充满了傲慢，"况且，我还知道，那个飞扬跋扈的女人是张书记的女人。"

"真的？"山西老乡都不敢相信，回头看着张巨海，"那女人真是……"

"是我的女人。"张巨海到了这个时候没法回避。

"我说得没错吧！"薛老头得意洋洋。

"那为什么电视上说他们是假的？"张巨海这句话的潜台词是：既然知道他

们是真的，为什么还要对外宣布是假法官。

"那是为了保护你呀！为了保护你这个区委书记。"薛老头不怀好意指着张巨海。

"保护他？为什么？"山西老乡陷入迷魂阵。

"保护我？为什么要保护我？"张巨海从来没有受过这样的讽刺和侮辱，"我有什么需要保护的？"

"你当然需要保护了，出了这么大的事情，而且还涉及你的女人，如果不是我专门保护你，说不定在这里跟你谈话的就不是我，而是别人！"薛老头鹰眼里透露着凶险。

"是什么人跟张书记谈话？"山西老乡越来越迷糊。

"是啊，什么人跟我谈？"张巨海觉得老头危言耸听，甚至故意戏弄他。

"纪检委。"薛老头一字一句说。

"纪检委凭什么找我谈话？"张巨海内心不服。

"人家法官都是真的，张书记和这件事根本没有关联，我们的公安还把人家当冒牌货抓起来。如果纪检委真要找谈话，那也应该找我们，不是张书记啊。"山西老乡在一边帮腔。

"纪检委应该找你们好好谈一谈！"张巨海对这个装腔作势的老头十分讨厌。

"那好，既然你俩都认为纪检委应该找我，那我让公安局明天重新召开一个新闻发布会，宣布事情的真相，看看纪检委最后找谁。"薛老头办案经验要比喝茶经验老到得多。

"什么真相？"山西老乡心里没底。

"确实应该在电视里公布真相，避免混淆视听。"张巨海因为知道自己的人受了委屈，所以希望挽回一切不良影响。

"好，既然你们都同意公布真相，我就通知电视台立刻照办。"薛老头早就准备好了相关内容："山西煤城区委书记的女人，作为领导干部的直系亲属，从别人手里专门买来'资产负债包'，利用自己的特殊身份，利用自己丈夫的权力影响，不顾中央三令五申领导干部及其亲属不得插手经济纠纷的规定，直接动用司法公权力插手经济纠纷，把堂堂的国家法官当成自家的看家护院，随意指使，胡作非为，竟然带领当地法官秘密潜入温泉会馆，强行查封个人资产……怎么样？"

山西老乡听傻了。

张巨海满头大汗……

"还有，山西商人赵某与福建商人黄某，原本是正常的经济纠纷，按照常理，应当通过人民法院正常起诉、调解和判决解决，在福建商人黄某没有收到任何司法文书、毫不知情的状况下，个人资产就遭到自称为'法官'的人扣押和查封，请问司法公正性何在？请问司法透明性何在？请问人民法院是为人民服务，还是为个人看家护院？"薛老头一句紧接一句："还有，按照最高法院有关任职资格的硬性规定，无论是谁，只有通过最高法院资格考试，才能具备执法资格。这次被抓的王文献，虽然在半个月前当选为法院院长，虽然有行政管理权，可还没有正式参加资格考试，尚未取得法官资格，根本不具备执法资格。这样的法官带头抓人，合法吗？如果不合法，说他是假法官，没有多大错误吧？！"

……

三十六

三天以后，杨娟等五人灰溜溜地从看守所出来，为了给他们压惊，在北京工作的山西老乡特意安排在晋商会馆宴请他们。

当大家迈进包间的时候，发现区委书记张巨海满脸不快地迎候在那里。

"为什么要搞突然袭击？为什么不等下达司法通知就动手？为什么一上手就给人家张贴扣押封条？"张巨海黑乎乎的眼睛盯着王文献。

"老张，别一口气那么多问题，如果违法，那是北京警察违法，我们债权人追讨自己的债务有什么错？"杨娟心想自己受了那么多冤枉，张巨海一见面就训斥，很不高兴。

"我要王文献回答问题，没有问你。"张巨海脸色更加阴沉，"关于你，一会儿再收拾！"

"我的做法是简单了一些。"关了几天看守所，王文献似乎变老实了，"过去，赵国忠向黄氏兄弟追债，只要一发传票，那家伙就躲起来了，怎么也找不着。这次，好不容易发现他的踪迹，好不容易发现他的红火产业，原来我们设想要汲取过去的教训，先查封再起诉，这样能保全资产。"

"为了达到目的，就不择手段？就不顾程序合不合法？"张巨海"啪"地拍了一下桌子，"本来好好的买卖，全让你们给搞砸了，不仅丢了煤城人的脸，还丢了祖宗的脸。"

"有什么事，坐下来边吃边说，反正人也出来了，张书记不要大动肝火。"前前后后一直帮忙的山西老乡，走上前来规劝张巨海，"王院长的做法是有些不妥，可毕竟在法理上能站住脚，他是为了避免黄氏兄弟再次金蝉脱壳嘛。"

看在朋友的分上，张巨海努力克制自己的情绪，坐了下来："你们知道人家给你们扣什么帽子吗？假法官！他们明明知道你们是真法官，为什么敢诬陷你们，想过没有？就是因为你们几个家伙头脑简单，办事毛躁，程序违法，给人家留下了把柄。尤其是你王文献，法官资格证书没有到手，坐在后面指挥就行了，干吗要蹿到第一线冲锋陷阵？"

"我……我……哎！"王文献后悔了，"当副区长时间长了，尤其是分管煤矿多年，养成一出问题就到第一线打打杀杀的习惯，一下子改不过来。法院是个讲道理的地方，身为院长，只要按章行事就够了。书记批评得对，不应该冲锋陷阵。"

"还有一个重要问题：杨娟是我区委书记的女人，谁给透露出来的？"张巨海脸色铁青，像审问叛徒一样，看着每一个人。

王文献从来没有看到过领导这种神态。

"不是我们。"王文献意识到领导最忌讳什么。

"那是谁？"张巨海铁青色的脸变成了锅底色。

"是我。"杨娟主动站出来承认，"难道我不是你的女人吗？！"

"你个臭婊子，到了这个时候，为什么要炫耀？"张巨海怒不可遏。

"我不是炫耀。"杨娟已经习惯了张巨海的火爆脾气，"他们把我抓进去，非要把我和一批卖淫女关在一起，我咽不下这口气，才说出来是区委书记的女人，不能和她们同流合污！"

"蠢货！十足的蠢货。"张巨海不顾忌北京朋友在场就要动手，大家赶忙把他拉住。张巨海暴跳怒骂："都是你这个混蛋，不仅出卖了你自己，还把我们都抵押上，最后把好好的买卖赔了一多半。"

"我怎么把你们抵押出去了？我怎么把买卖赔了一多半？"杨娟毫不服气地争辩。

"你他妈还狡辩！"张巨海心中的怒火无处发泄，"回去，我非宰了你不可！"

山西老乡赶紧解释："老薛毫无顾忌对你们下手，就是因为杨女士的身份暴露了。他威胁说：如果你们不满，他就要把区委书记老婆利用职权插手经济纠纷的事情捅出去。真要到了那个时候，张书记乌纱帽都有了问题。"

"哎呀，我们一心想的就是追债，把这个严重问题忽略了。"王文献听了大吃一惊。

山西老乡继续说："我们那个老薛，鬼心眼特别多。他明白老黄欠债不合法，可自从抓到我们致命的把柄以后，顺手牵羊，还提出来一个谁也意想不到的解决方案。"

张巨海垂头丧气，杨娟懊悔不已。

"什么方案？"王文献冷汗冒了出来。

"老黄连本带利总共欠账三个亿。可老薛提出来：只偿还一个亿的本金，高价利息一分不还。如果不接受他们的条件，就把你们的一切原原本本捅出去！"山西老乡把昨天谈判的最后结果告诉了在场的所有人。

很多人都惊呆了。

"臭女人，听明白没有？你一句话把两亿就打水漂了。"张巨海眼睛微微发红。

"真是白干了，只把赵国忠的本钱要回来了，我们一分没捞着。"王文献非常失望。

"不行，坚决不行！"杨娟寸步不让。

"你又想拿老子的乌纱帽出来要一要，是不是？"张巨海想起来上次，杨娟就是不顾一切，和段天生对着干，差点丢了乌纱帽。

"我到报纸上登个声明，和你脱离任何关系，先把你彻底解脱出去。"杨娟自作聪明地说，"三个亿，我要一分不差要回来，还等着办电厂呢。"

"你这不是自欺欺人嘛。即使是真的，到了这个关键时候，人家也会说，你是为了讨债假离婚，我根本摆脱不了干系。"这个办法，昨天张巨海就曾经想过，但很快自我否定了。

山西老乡面露难色："老薛真是个不好对付的家伙，你们撞到枪口上了。"

"南方人就是阴，最擅长拿捏住我们的短处收拾我们，坏透了。"王文献痛骂起对手，"上次欠了我们山西人的巨额煤款，假破产、真逃债。这次又使出围魏救赵的鬼点子，继续逃债，真是阴险透顶。"

"围魏救赵？"张巨海脑子里闪过什么。

"决不能放过他们。我们已经在争矿上失手过一次，这次一定要刨回来，不到最后时刻，决不轻言放弃。"女人杨娟摆出背水一战的决心，可是没有好的办法。

"老薛那家伙，没退休的时候就是机关有名的'智多星'。退了休以后，按理说，说话办事就不灵了，可很多人还买他的账，说明这个人智商绝对不一般。"在山西老乡看来，面对老薛这样的高手，张巨海等人还是稍逊一筹。

"我们能不能绕过老薛，直接在黄氏兄弟身上做文章？"王文献冥思苦想半天。

"绕不过去吧，他在那里挡着，我们到不了他身后。"张巨海还是琢磨刚才王文献说的"围魏救赵"，同时瞪着眼睛看着自己的女人。

杨娟发现男人老看自己，突然对刚才他当着众人的面对自己破口大骂心怀不满，专门扭过身去，给了他一个性感的屁股。就是她一瞬间不经意的动作，激发了张巨海的灵感："'围魏救赵'！"

"什么意思?"王文献第一个发现书记眼里冒出来亮光。

"围魏救赵!"张巨海头脑中一种思路越来越明晰。

"围魏救赵!"聪明的女人听了三遍这个词,拨开云雾,突然领悟,转过身来,"老张,应该感谢我的屁股吧,是我性感的屁股给了你灵感!"

……

一泓碧水,两岸芳草,三面美景,四时花开,这是潮白河畔一处北欧风格的别墅群。一栋栋咖啡色的小别墅,掩映在花团锦簇之中。张巨海、杨娟、王文献从长满野花碎草的石子路上走过,仿佛到了北欧的某个小镇。

"文献,跟我有十六年了吧?"张巨海漫不经心地问。

"是啊,从政府办公室的小干事到今天的法院院长,前前后后真是不短了。"王文献跟在两人的后面,"我女儿都二十三岁了。"

"好像在北京上大学?"杨娟以前听王文献偶尔透露过一次。

"中央财经大学经济系本科生,今年毕业。"王文献最自豪的就是女儿,从小到大不用自己操心,一路考过来,上了北京名牌大学。

"女儿今后有什么打算呢?"张巨海看到附近有个小亭子,于是坐下来。

"现在的学生,只要见了世面,就不想回去了。"王文献曾经无意中问过女儿毕业后怎么办,女儿说以后想留在北京发展,"她要愿意回去,我能给她找个好工作,可在北京……"

"不用担心,咱们有办法。"杨娟安慰他。

"工作、房子、对象……哎,有什么办法!"看着女儿一天天长大,王文献隐隐犯愁。

"现在的社会,时兴自由恋爱,孩子的婚事,大人不能越俎代庖吧。"张巨海笑了。

"我主要是发愁房子和工作。"王文献说出了心里话,"咱们在煤城好歹也算个成功人士吧,可到了北京屁也不是,只能眼睁睁看着女儿给资本家打工,连个房子都买不起。"

"这个不用担心,你大嫂已经替你张罗好了。"张巨海拍拍他的肩膀,"文献,尽管这次出了麻烦,可我也看到了你的为人,就像杨娟说的,你是一个替朋友两肋插刀的好兄弟。"

"对啊。"杨娟从内心很感激王文献,"昨天老张乱发脾气,当场我没吭气,回去以后收拾了他一顿。弟兄们拼死拼活为了谁?还不是为了你张巨海!"

"不说昨天的事情了。"张巨海面对下级,还想保持自己的尊严,"你和杨娟曾经谈过办电厂的事,详细给我说说。"

"我分管过多年煤炭,凭我的直觉,今后山西煤炭产业,如果能有大的发展，就在电厂上……"王文献重新讲了一遍从输煤到输电的发展战略。

"好。"张巨海听了非常可行，"咱们办电厂，肯定有你一股。只要我们事成了，马上可以快速缩短和那些大煤老板的财富差距。他们那些人都是短视行为，鼠目寸光。"

听到书记主动给他股份，凭着自己多年对张巨海的了解，他是一个比较讲信用的人，王文献心情欢畅，得到了第一份意外惊喜。

"看到这些别墅了吧。"杨娟指指那些咖啡色的童话小屋，"咱们这笔欠款要回来，首先给你买一套，以后来北京看女儿，不用再住宾馆了。"

"谢谢大嫂，谢谢书记。"王文献得到了第二份惊喜，"你们放心，这笔巨款我会不惜代价追回来的，连本带利，一分不少。而且，我向你们保证：假如有什么麻烦，我一人承担全部责任，不会牵扯你们任何一人。"

"文献，这笔巨款对我们来说，无比重要，是我们开电厂的本钱，只能成功，不能失败。"杨娟的干练这时候表现得淋漓尽致，"如果，真能如愿，电厂肯定需要在北京设立一个办事处，帮助我们回笼款项，协调关系，筹集资金。这个办事处主任，就由你那个学经济的女儿来做，怎么样？"

"那再好不过了。"短短半天时间，王文献得到了第三份惊喜，"我最发愁的，就是女儿的工作，这下彻底解决了。"

"兄弟，我们不仅仅是上下级关系，还是利益股东、事业伙伴、生死朋友、患难知己……明白吗？"张巨海向来驭人有术，他真正想说的就是这些复杂的关系。

"明白，我会肝脑涂地的。"王文献刹那间得到三份惊喜，剩下的只有用一切可能来回报他们。

在这个社会，突破对手的最好办法就是找到"内应"，搞垮对手的最好办法就是将"内应"变成"内鬼"，摧毁对手最好的办法，就是将"内鬼"变成"内奸"。昨晚，几捆中华烟、几箱好汾酒、一大笔巨款送上，很有山西情结的政法口的老乡，就成了张巨海同盟的"内应"。当张巨海他们回到自己别墅的时候，山西老乡已经兴冲冲等在那里。

"张书记真是神机妙算，老薛就是有个相好，还给他生了个大胖小子。"山西老乡掩饰不住内心的欢喜。

"那个女人是干什么的？"一听说挖出了老薛的"二奶"，大家都很关心。

"你们都见过，可谁也想不到。"山西老乡异常神秘。

"我们见过？不可能。来北京好几天了，除了在温泉会馆见过几个女人，谁也没有接触过别的女人。"王文献把最近见过的所有女人过了一遍，根本找不到痕迹。

"老薛的女人，你们肯定见过，而且天天见。"山西老乡故弄玄虚。

几个不知趣的法官，听老乡这么一说，不经意地看起杨娟来，因为只有杨娟天天见面。

"看什么看！不是我！"杨娟火了，"老乡，你快直说，再鼓捣下去，真成了我了。"

"她就是电视台节目主持人蒋云。"山西老乡抖出了谜底。

"确实见过，确实天天见。"杨娟对这个女人不仅有印象，而且有非常强烈的印象。那天在看守所，有人强迫她看"假法官事件"的新闻，播报新闻的主持人就是蒋云。

"她不是黄有水弟弟黄有池的情妇吗？怎么成了老薛的'二奶'？"王文献调查过那个女人。

"事情原委是这样的。"山西老乡把调查到的一切和盘托出，"蒋云原来是湖北某电视台的主持人，跑到北京打工，无意中认识了富豪黄有池。蒋云除了脸蛋和身体，一无所有，为了在北京生存下去，对想要霸占她的黄有池提出来：做'二奶'可以，必须给她买套房子，或者汽车。黄有池衡量再三，一套房子起码百十来万，而一辆汽车只需要二十多万。富豪黄有池当场应允，给她卡上打了二十多万，两人就睡到了一起……

"黄有池五十多岁，泡上了二十多岁的美人，经常带着蒋云出席各种场合，借以炫耀。令他意想不到的是，在炫耀的过程中，黄氏兄弟的后台老板老薛，也看上了年轻风骚的蒋云。结果，黄有池赔了'二奶'又折兵，为了在北京站稳脚跟，只好把蒋云拱手相送，而且还以老薛的名义，给女人卡上打了第二笔现款一百万。漂泊无定的蒋云，从此有了属于自己的房子，第二年就给老薛生了儿子。现在的美女主持蒋云，凭着老薛的面子，已经是电视台的当家花旦……"山西老乡讲出了一切谁也想不到的秘闻。

"这故事这么离奇！"法官小王惊叹。

"怪不得我们出事当天，就上了法制新闻。原来，是老薛在床上策划的！"另一个法官小张觉得特别好笑。

"重说一遍，两笔巨款是怎么支付的？"王文献看着眉飞色舞的山西老乡。

"两笔都是直接打到蒋云账上的。"山西老乡口气不容置疑，显然经过了认真调查。

"天助我也。"杨娟终于盼到了幸福的时刻，"只要经过银行卡转账，那就有记录，那就是再清楚不过的证据了。"

"老薛那么精明的人，想不到也有这么大的漏洞。老家伙好身体啊，不仅有'二奶'，还有私生子。"山西老乡连连惊叹，"不过，他再精明，也没有张书记精明。对了，告诉兄弟，你是怎么想到他有女人的。"

不等张巨海回答，杨娟就迫不及待地说："他是从我性感的屁股上想到的！"

大家哈哈大笑了好半天。

最后，张巨海吩咐王文献："明天，就实施我们制定的'围魏救赵'的计划……"

三十七

后沟村又出事了。

村干部们在关帝庙后院半夜三更秘密开会。

"老白那个傻儿子死了，上次就是他发现了水，领走了十万块悬赏。这次，他在地道里挖煤，不小心发生了塌方，等抬上来的时候已经咽气了……"村副书记前去作了认真的调查。

"是不是原来那个渗水的地道发生了塌方？"妇联主任问了一句。

"不是，新开的一个口子。"副书记回答。

"死人有什么奇怪的！过去开黑煤窑，哪年不死五六个人？现在，死个个把人，说明我们已经把出煤死亡率降到了最低。"副村长过去曾经和大黑一起干过黑煤窑。

"过去，政策宽松，死几个人不算什么。现在，从上到下都搞以人为本和问责制，但凡死人都要追究责任的。前段，水峪沟煤矿死了二十六个人，省里有个高官被免职了，矿务局局长、书记也被撤职，矿上的王书记还进了班房……"团支书是个回村的高中生，"咱们地下开矿，本身就不合法，死人的事情暴露出去，整个班子端了不说，还要有人进班房。"

"你他妈妨主货！屁的业务不懂，就懂整人！"治保主任看不惯团支书。

"治保主任，嘴巴干净点儿。"村支书火了，"小后生说得不是没有道理，过去死人很平常，现在死人要赔偿。这是基本政策，懂不懂？"

"赔多少？钱从哪里出？"副村长有些没底。

"国家标准是死一个二十万，谁家死人谁出钱。"团支书有了书记撑腰，说话很大胆。

"那些公开的煤矿，产权是国家或者大煤老板的，出个几十万上百万是小菜一碟。而我们的黑煤窑都是村民自己的，村委会只抽一些份子钱。老白出事，说明他家的安全生产没有搞好，村里不仅不应该给他钱，还应该重罚那家伙。"副村长平常对老白意见很大。

"老白儿子死了，确实值得同情。"妇联主任也有些牢骚，"可不能因为这个原因，就敲诈村委会，说不过去吧。"

"我说，咱们还是应该看大局，把问题消灭在内部比什么都好。咱们不怕老白在村里闹事，就怕他在外面闹事。如果咱们地道煤窑被关停，住班房是小事，家家户户要损失五六万，整个村子损失将近两个亿，实在算不过账来，还是要把老白赔偿问题处理好。"村支书向来说话最有分量，"我们还是听听村长大黑的意见吧。"

"好，我说一说。"大黑从听到出事的那一刻，就一直考虑如何解决问题，"按照书记的主导意见，老白的赔偿问题一定要办，而且要办好。外面死人给二十万，咱们赔偿二十三万，比外面的赔偿高，这样就能堵住老白的烂嘴。另外，也要给村民强调：不能到处胡说，如果发现有人泄露秘密，一经查实，赔偿款中的二十三万，一多半，就是十三万，必须由'长舌头'的家伙承担，这样才能从根本上保守秘密。你们同意不同意？"

大家不约而同举起手来，一致表决通过。

"另外……"村长大黑稍稍停顿了一下，"这次事故，给我们敲响了警钟。以后，要学习日本鬼子'保甲连坐'的办法，每个支委负责承包一定户头的安全生产，将来，哪家出事由分片包干的支委负主要责任，包括经济的和政治的。怎么样？"

"经济的指什么？政治的指什么？"治保主任不明白。

"经济的，就是扣除全年岗位津贴三万元，至于政治的，如果出事坐牢，承包人首当其冲。"大黑这么办事，目的只有一个，让每个人真正负起责任。

"这个是不是有些苛刻？"副书记有些不情愿。

"别人出事，我们坐牢，不合理吧？"治保主任也有疑问。

"我能不能辞职，家里孩子还小，需要专门照顾。"妇联主任打了退堂鼓。

第一项赔偿问题顺利解决了，第二项安全生产的责任问题卡了壳。

"老书记曾经说过，当支委不仅是荣誉，更重要的是责任。"到了关键时刻，还是兄弟讲义气，大黑的亲信副村长站出来发言，"咱们村搞地道战的前期费用，可是人家大黑出的，到现在还没有全部偿还人家。自古，出钱的不担事，担事的不出钱。总不能把一切都推到村长一个人身上吧。"

"是不公平。"团支书附和不为别的，而是为了拍书记的马屁。他最清楚，这届书记和村长穿着一条裤子。

"咱们村自从大黑上任以来，通过搞地道战，彻底摆脱了贫困村的帽子，就冲这一点，不能让大黑全部担责任。"另外一个副村长也表了态。

"不想负责任，不配当村干部。"一个支委也支持大黑。

会议的气氛，开始朝着有利于大黑的方向慢慢扭转。

最后，还是老书记发言："可能，很多人不明白，当初我为什么要引荐大黑担任村长？现在，我告诉大家：一个穷村子要想彻底翻身，需要一个有实力、有责任心的带头人。大黑虽然是个小煤窑主，可符合这两个条件，所以，我就带来了……"

刚才那些反对者有些脸红，赞成者兴奋起来。

"我说，开黑煤窑、安全连带责任，都是大事，可从国家大法上来讲，又不合理，属于典型的土政策，我建议仿照当年安徽小岗村大包干的做法，集体表决，人人签生死文书，个个不能置身事外，怎么样？"老书记从左到右，仔细观察所有人的表情。

"那就表决吧。"副书记提议。

令大黑根本没有想到的是，所有人都赞成，所有人都签了生死文书，其中包括那些最初的反对者。

两份生死文书，一份村委会存档，另一份放到了关帝庙关老爷的神像下面。

"最后一件事，就是新农村的规划，我给大家说一下。"大黑把规划图整体展开，"还是当初江南水乡的整体设计，只是个别地方做了调整。"

"什么地方？"副书记询问。

"就是水系和外围。"大黑用手指着绿线和红线。

"调整的出发点是什么？"副村长看不出来。

"还是为了村里的安全问题。"大黑详细解释。

"什么安全问题？"老书记非常关心。

"就是煤矿安全生产的问题。"大黑一边说一边用手比画，"咱们村搞地道战，需要一个相对封闭的安全体系。目前，尽管我们在外围设了三道流动哨，但仍不安全。我是这么设想的：新村在前，老村在后；新村地势低，老村地势高。从外面到老村，必须经过新村，将来老村搞生产，新村作掩护……"

"我建议在新农村外围挖一条壕沟，把水引进来，形成护城河，从外面进新村，中间铺设一个大吊桥。将来，我们认为安全的人，就可以放桥下来，让他顺利进村。如果我们感觉到危险分子到来，就可以找个借口，把吊桥拉起来，不让他进来……"大黑把全部想法说出来。

"好。新农村建成以后，我们村真成了当年打日本鬼子时候的坚强堡垒了。"副书记赞不绝口。

"有创意、有意思、有文化。"副村长很满意。

"大黑，你真不愧是当年游击队长的孙子。"另外一个副村长喜笑颜开。

"咱们这是新农村，还是桥头堡啊?！"尽管团支书开玩笑，但并没有反对的意思。

"将来我给你们负责管理吊桥。"治保主任哈哈大笑。

大黑看到绝大多数人赞成，内心也很高兴。可是回头一看，老书记脸色阴沉，他心里有些发冷，尽管老爷子在大多数场合都抬举自己，可眼下有些意外："老书记，你……"

"恢复原状，不搞这些不伦不类的东西！"老书记口气不容商量。

"为什么？做这种规划花了三百万呢。"大黑接受不了。

"是啊，挺好的。外面有河、有吊桥，里面有人、有地道。"大黑亲信也不理解。

"看来，我当不成吊桥管理员了。"治保主任最明白，只要书记有疑问就很难通过。

"一句话，你们就什么都明白了。"老书记把大衣披上，"我说大黑，大家表扬你精明，怎么能精明到愚蠢的地步呢！"

"我怎么就愚蠢了？"大黑第一次听到恩人这么调侃自己，有些接受不了。

"这不是贼喊捉贼，自我暴露嘛！"老书记恨铁不成钢。

刹那间，所有人，包括大黑如梦方醒，恍然大悟！

五台山集福寺过去是个尼姑庵，尼姑庵里的一切本来都是比丘尼的，包括塑像之类，可谁也没有想到的是，在这个尼姑庵里供奉着一个肉身的大男人，而且是九百多年前的肉身男人。

说来也奇怪，肉身男人在高台上静静站立了那么多年，竟然在当年抗战的时候，突然有一天长出来头发，长出来指甲，把当时躲在这里求佛的第二战区司令阎锡山吓得魂飞天外。阎锡山本是五台人，曾经留学日本，三十年代以后，中央军、共产党、日本人等等觊觎山西这块肥肉，阎锡山形容自己的处境是"在三个鸡蛋上跳舞，哪一个都不能踩破"。

后来，国共形成了抗日民族统一战线，逼迫亲日的阎锡山抗日，阎锡山拿不定主意，前来五台山集福寺拜佛求神，结果就看到最为惊奇的一幕：一尊九百多年前的肉身菩萨长出了头发和指甲。

阎锡求人破解，高僧点破玄机：肉身菩萨，是宋朝抗击外族入侵的民族英雄杨五郎，就是民间传说中的杨家将中的一员。菩萨显灵告诉你：面对外辱，你的行为已经到了令人发指的地步了。阎锡山一听，二话不说，带着队伍下山抗日去了……

老尼姑讲的这个神奇故事，把在场的所有香客都听呆了，包括前来拜佛的东北妹子雪梅。雪梅回到集福寺的客堂，突然看到了一个熟悉的面孔：情人大

234

黑。

"跟我住到宾馆，不能住在这里。"大黑拉她就走。

"好吧，等我收拾一下东西，咱们彻底了断。"雪梅把所有东西装进了皮箱。

二十分钟以后，大黑、雪梅就住进了附近的森林宾馆。

"这是你的东西，拿着。"雪梅推过来一个信封。

"什么东西？"大黑明知故问，不好意思立刻拿过来。

"存折，两千三百万的存折，我以你名字存的，现在还给你。"雪梅极力克制情绪。

"暂存你那里。"大黑没有马上接，先推了回去。

"放我这里，你好像不放心吧？"雪梅把皮箱里的东西拿出来重新整理，"我们在一起生活了好长时间，我还不如一个小痞子说话有分量。"

"对了，那个被绑架的小马，你把东西送给他爸没有？"大黑想起患难兄弟的重托。

"当然送给了，他都出来了，目前混在北京。"雪梅没好气地回答。

"你怎么知道的？"大黑自从出来，再没有见过他。

"那次在昆仑饭店，我碰上他们父子当众争吵。"雪梅说的是一个月以前的事情。

"那就不管了，出来就行。"大黑坐到沙发上抽烟。

"还有，藏獒的事情，我想处理一下。"雪梅坐到他的对面，用手抠着小包。

"怎么处理呢？"大黑知道北京的饲养场目前最少有三十多条。

"卖掉十条，用来保证我的生活，其余都作为重要礼物，送给你的朋友和社会关系吧。"雪梅显然经过深思熟虑，"当年，我们饲养的时候，不到几个月不值钱，现在都三四岁了，到了上价出手的时候了。"

"要卖都卖掉，为什么还要送人呢？"大黑自从饲养了藏獒，特别关注市场行情，尽管眼下经济危机，可每条也值不少。

"为了给你的事业铺路子、通关系。"雪梅是个很大气的女人，"咱们的藏獒，三十多条，都是一个血统。按照老百姓的说法，都是'亲戚关系'。既然这么珍贵的东西，都有血缘关系，你把其中任何一条送人，因为狗的缘分，你自然和人家'结了亲'。要知道，现在狗比人重要，特别是名贵的狗更没说的。眼下就能感觉出来，'狗亲戚'比'人亲戚'管用得多，你和任何一个大人物'结了亲'，还用担心人家不给你办事?!"

"这么说来，我和市委书记、区委书记、村支部书记、公安局局长、法院院长、黑社会老大等等，都能成了'亲戚'！"大黑脸上露出了喜色，"现在有些人，不管当多大官，有多大势力，只要值钱的东西，都想霸占，好!"

235

"还有……"雪梅脸色沉重，"我肚子里的孩子，不想要了。"

"什么？你……"大黑惊得站起来。

"你从来只顾享受，根本不管别的。"雪梅满肚子的委屈，实在撑不住了。

"为什么要做掉？"大黑显然不情愿。

"金钱、藏獒、孩子，一切对我来说，都是身外之物。"雪梅不想在大黑面前流泪。

"别那么想了。"大黑有了愧疚感，"除了藏獒可以拿出来'结亲'，其他什么都是你的，不能推出去，更不能做掉。"

"你连我都不相信，还在乎那些。"雪梅来五台山的目的，就是要和他摊牌，"既然你不相信我，我也没什么好说的，等一切东西处理掉以后，我就来集福寺当个尼姑。"

"雪梅，我相信你！"大黑紧紧抓住她的手，生怕她从眼前溜掉。

"你不相信我，只相信那个患难朋友。"雪梅想起来那个小马，当初就是他一句话，使两人感情上产生了很大的裂痕。

"是……是……我错了。"大黑主动认错，想取得雪梅谅解，"我不应该听那个朋友的。"

"我已经想好了，要当尼姑的。"雪梅看到大黑认错，有些动摇了。

"你要来当尼姑，我就来当和尚，我们每天在一起。"大黑看了看外面红火的寺庙。

"那就来吧，跟在一大堆尼姑后面，整天烧火做饭，念经唱经。"雪梅感觉到佛国五台确实是人间福地，这么冥顽的大黑都能大彻大悟。

"咱们不要玷污这块圣土了，还是老老实实回北京保胎生孩子吧。"大黑把存折主动还给女人，"从今以后，我一切听你的。"

"不起疑心了？"雪梅明知故问。

"肯定相信你，就像相信我自己。"大黑把烟掐掉。

"不想要你的巨款了？"雪梅知道山西人舍命不舍财。

"放在你那里和放在我兜里没什么区别。"大黑傻傻笑起来。

"'二奶'又不是正妻，法律上不承认，一旦携款潜逃，你就什么都没了。"雪梅点破了大黑心里最难受的鬼秘密。

"不会的，你不会。"大黑比较尴尬，"你要是那人，我根本不敢把钱放北京。"

"我不是那种人，可你是那种人！"雪梅当场痛斥，"我这么好一个女人，给你当不明不白的'二奶'，就是感觉你忠厚仗义，困难时候能帮我。万万没想到，社会上一个小痞子挑拨离间一下，你就上当了。我所有的付出，特别是马上要生孩子，怎么办？反正不能轻饶了你。"

"那你说怎么办？"大黑心里没底。

"你得管我们娘俩一辈子，存折必须抵押给我！我得有支配权。"雪梅觉得无限委屈，眼泪横流。

"在你手里，不是由你支配吗？"大黑觉得纳闷。

"以前没有，始终认为那是你的，跟我一点关系没有！从现在起，我就没有那个心理障碍了。因为你对不起我，不相信我，作为惩罚，我就能支配其中一部分！"雪梅愤愤不平。

三十八

按照市长工作日程安排，市长李立林今天有几项重要工作：早上八点半到十点半召开市长办公会，重新确定市长分工；上午十一点到十二点参加抗日将士丰碑落成仪式；十二点半到下午两点半宴请几位重要人物；三点半以后坐飞机到北京，迎接世界银行项目考察组成员。

副市长们都明白，与前任市长张国军相比，李立林有着完全不同的工作作风。

张国军是本地干部，从基层一步一步上来，位置越高，笑容越少，以至于后来完全板着脸和大家说话，不苟言笑。直到退休以后，大家才明白，原来张市长也会笑。

李立林从省政府下来，属于空降干部，他在上面工作的时候，压抑太多，严肃过分。可自从下来，就像孙猴子到了花果山，一副我是老大我怕谁的派头，喝酒痛痛快快，办事利利索索，说话幽默风趣……

很多人觉得李立林这个市长像个人，而过去的张国军完全把自己包装成了一个神。对于神，大家敬而远之；对于人，大家毫无距离，就像邻家大哥。

李立林八点就到了会议室，六个副市长全部到齐。

李市长一看，离正式开会时间还有半个小时，他开起了玩笑："会前，咱们先玩一个游戏怎么样？当然，在政府办公厅会议室玩游戏，一定要和咱们今天的会议内容有关。"

副市长们听说市长要玩游戏，十分好奇，都目不转睛盯着他。

李立林吩咐秘书准备好了七个纸团："今天研究各位市长的分工，不用你们说，我也能猜出来：每个人都想分管财政、教育、人事、公安等等肥缺，这些部门油水最足，最没有风险；最不想分管的，我更明白，那就是煤炭工业和安全生产，虽然这两个领域在所有部门中油水最肥，但最肥的部门最危险，说不定一个爆炸，就把自己辛辛苦苦熬了大半辈子的官帽炸飞了……

"过去的惯例是，副市长里谁排名最后，谁分管这个领域，自认倒霉。可我觉得不公平，咱们今天修改一下规则。咱们班子包括市长、副市长在内总共七个人，这里有七个纸团，里面分别写着阿拉伯数字'1—7'，谁抽到'吉祥'数字'7'，今后谁分管煤炭和安全生产，怎么样？这样公平吧。"李立林说完，观察大家的反应。

"好，咱们按照游戏规则进行。"排名最后的副市长当然最赞成这个公平方案。

一前一后，两个人已经表了态，其余五个人尽管内心一万个不愿意，可不能公开反对。谁要公开反对，大家就可能用举手表决的方式，一直赞同李立林的提议，把这个世上最难干的差事直接摊派到反对者的头上。

与其这样，不如赌一把。谁都相信，今天这个机会，命运最垂青自己。

在大家一致赞同下，市长秘书把七个包裹严密的纸团，随意发到了每一个与会者手中，最后一个交给了坐在正中的李立林。

李立林没有打开自己的纸团，而是用眼睛盯着每个人，观察他们看完纸团后的表情。

大家一个一个先后露出了死里逃生的笑脸。

只有一个人脸色阴沉，死灰扑面，他就是常务副市长牛健！

"谁抽到'幸运'数字'7'了？"李立林笑呵呵看着大家。

大家一起盯着脸色死灰的"牛常务"。

谁也没有想到，"牛常务"勃然大怒："李市长，我以前对你确实缺乏尊重，可你作为一市之长，心胸狭隘，故意报复我！与其让我分管煤炭安全生产，不如现在把我免掉，省得你看我不顺眼。"

"不是市长看你不顺眼，而是老天看你不顺眼。"没等李立林回答，向来与牛健不和的另外一位副市长幸灾乐祸。

"你们这是合伙欺负我，我到段书记那里告你们！"牛健起身要走。

李立林赶忙拦住："坐下，坐下，冷静一些。你又不是小孩子，应该知道，我开始说过这是一场游戏，不是真的，千万不要当回事。现在，我郑重告诉你：分管煤炭安全生产的绝对不是你！"

"那是谁？"牛健面红耳赤，心有不甘。

大家都莫名其妙，一个个看着市长李立林。刚才消失的隐患，重新爬上心头。

李立林在众目睽睽之下，把唯一一个没有展开的纸团轻轻展开。

各位副市长这才注意到，刚才由于心理特别紧张，只顾自己，没顾别人。

又加上牛健意外失态，谁也没有注意到市长李立林手里的纸团从来没有打开过。

李立林用双手把纸团上的数字高高举起，公开展示给大家。

"7！"

"怎么你也是'7'？"很多人不理解。

李立林郑重其事地说："刚才，牛健拿到的'7'是天意，是游戏。而我这个'7'，提前就拿到了，是专门设计给自己的。我现在宣布：游戏结束！"

"今天会议内容正式开始，由于我市是全国煤炭生产特大城市，煤炭隐患最为严重，身为政府一把手，对安全生产负有不可推卸的责任。从现在起，安全生产由我亲自抓，其他分工，你们再继续讨论……"李立林气度从容。

会场里的掌声一阵高过一阵，每一阵都发自内心，发自肺腑。

刚才情绪已经失控的常务副市长牛健，经过又一轮短暂鲜明的对比，脸色更不好看，可他最终还是为李立林自动鼓掌，从内心真正佩服这个敢作敢为的一把手……

李市长上午的第二项工作，就是出席抗日烈士丰碑落成典礼。

天雄关附近，过去曾有一个简陋的抗日烈士纪念馆。

抗战初期，国共合作，在天雄关附近与日本人打过一场大仗，双方各投入一万多人，最后中方国军牺牲三千余人，八路军牺牲两千多人，敌方日本人死伤三千多人，尽管中方以失败告终，可抗日英雄们宁死不屈的豪气，鼓舞了全国人民，也打破了日本人向大后方快速推进的战略部署。

建国以后，政府收葬了八路军两千多壮士的遗骸，异地重建了"煤城抗日烈士陵园"。

李立林就任市长以后，根据当前形势的发展，特别是台海两岸和解的大趋势，本着尊重历史、尊重先烈的精神，把散落在天雄关附近的国军烈士的枯骨也收罗回来，出资三千万，重新修葺了抗日烈士陵园，并且在陵园前立了一块巨大的丰碑，将当年国共两党所有烈士的英名都镌刻在上面。

丰碑两旁，是巨大的挽联，煤城市长李立林用颜体字亲笔书写了当年最鼓舞人心的名联："一寸山河一寸血，十万青年十万兵。"

柳叶飘零，黄花乱飞，哀乐声起，白云惨淡，哭声连连……

"这是当年国民党少将师长张平华的照片，他就义的那天，正好远在家乡的妻子刚刚分娩……"孙园长边走边介绍。

"这是当年国民党少将副师长刘春的照片，他弟兄三个都死在抗日战场上……"孙园长抑制不住情绪，流出了眼泪。

"这是当年国民党上校团长黄国凤的照片，他八十多岁的母亲，闻知独子殉难，不久，上吊自杀了……"不仅孙园长流泪，平日里谈笑风生的李立林市长也泣不成声。

回到座谈会的现场，孙园长原来约请市长李立林题个字，可因为市长心情实在太沉重，李立林主动提出来，回去以后冷静下来，好好写个东西，让秘书亲自送来……

看到现场大家情绪激动，李立林心情也十分沉重："同志们，过去因为党派之争，我们忽视了国民党中三千多烈士的存在。不管共产党人，还是国民党人，只要为抗日献出宝贵生命的，都是民族的英雄，都是我们心目中最崇高的人。"

演讲的市长泣不成声："我们煤城，当年是抗日主战场之一，作为这个城市的市长，我最自豪的就是，抗战八年，我们煤城没有出过一个汉奸、一个叛徒、一个败类。我们这块土地为民族的尊严，献出了三万多条鲜活的生命……"

列入市长中午宴请名单的贵宾，主要是前市长张国军和美籍华人史佳敏女士。

在李立林到来之前，他们两人已经等候在贵宾楼的豪华包间。

两人窃窃私语的时候，市长李立林脸色沉重地走进来。

"如果我没有记错的话，这是我卸任市长以后，你当市长以来，第一次小范围内聚餐，我是不是沾史女士的光，才有这种特殊待遇啊？"老干部受冷落，终究会有发难的时候，从老市长张国军特殊的开场白中，旁观者都能感觉出来不寻常的东西。

"老爷子，是我沾你的光，不是你沾我的光。"资深美女史佳敏对这一宴请也感到意外。

李立林听出来，他们对自己都有成见和看法。

"年轻人不懂事，过去对老人家尊重不够，还请老市长多多谅解。"从来很少说软话的李立林，今天变得特别谦虚，"今天请您来，我是给您汇报：政府刚刚决定要盖几处市级领导的新房子，彻底解决领导住房的问题。我有一个建议：新房子，无论面积、设施、环境，还是装修条件，肯定比老房子好。建成以后，你和退下来的人大主任、政协主席三个老正职先挑，等你们把老房子腾出来，我们几个现职领导再住进去，这样，所有的问题就都解决了。老市长，好不好？"

一见面，新市长就送了个大礼包，老市长马上就高兴了："我还以为你只懂得秉公办事，不懂得人情世故呢。好后生，有脑子。告诉你吧，当年我上任当市长，退下来的领导，也是一万个不乐意，我马上给他们解决了房子问题，才摆平老同志的。没想到，你小子也会这一套！"

"我不是跟你学的嘛!"李立林故意摆出一个学生姿态来,就是为了讨老头欢心。

"你们一见面,就有大礼相送,我有什么好处呢?"史佳敏故意开玩笑。

"你也可以住一套市级领导的大房子啊。不过,是老的,是老市长他们退下来的。"李立林不苟言笑。

"真的?"史佳敏惊喜异常。

"当然是真的。"李立林一脸严肃告诉旁边的张国军,他绝没有开玩笑。

"可我,我不是市级领导啊?"看到对方认真,史佳敏突然糊涂了。

"不是市级领导也能住。"李立林故意看着老市长,偷偷使出一个奇怪的眼神。

老谋深算的张国军,立刻明白了其中的用意。

"是的,我可以作证,你完全够住市领导房子的条件。"老市长张国军说话的神态,也不像开玩笑。

"老市长,你怎么也这样?我可是完全信任你的啊,不要把你在我心目中的完美形象破坏了。"史佳敏看看老市长,再看看新市长,"这家伙,从学生时代开始,就是满脑子农民的狡黠,我从来不相信他的。"

"那你相信我吗?"自从退休,过去一板一眼的张国军变得满目慈祥,和蔼可亲,谁也不会怀疑他的真诚。

"绝对相信。"史佳敏来到煤城这么长时间,打交道最多的人,一是郭天亮,二是张国军,他们都能信得过。

"那我说的还有什么值得怀疑!"张国军一锤定音。

"我总有自知之明吧?我是这个城市的市领导吗?"史佳敏连自己都怀疑,两任市长,即使其中的一个开玩笑,另一个不可能开玩笑。再说,他们之间,以前并不是特别默契的。

"你虽然不是,但你可以嫁给市领导啊!不就可以住大房子了嘛。"张国军揭开了谜底,"据我所知,你们目前都是单身,你们以前曾经是恋人,怎么不可以!况且,你俩之间的事,好像在这个城市里不是秘密吧。你们的同学,你们的朋友,都生活在这个城市,都熟悉你们的历史。其中有一个人说话不注意,泄露了天机,全市就都知道了。风云人物嘛,没有什么秘密可言的。"

"原来今天吃饭,是一场鸿门宴!"史佳敏很不高兴,可是碍于老市长面子没有离去,"李立林,关于我们之间,早就告诉你了:不可能!"

"为什么不可能?"没等新市长说话,老市长就忍不住了。

"他要是一介平民,不是市长,一切都有可能。就是因为他是市长,所以,不可能!"史佳敏重复自己的观点。

"市长和平民在婚姻上，好像没有多大区别吧。"老市长是过来人，觉得女人特别荒谬。

"我是知识女性，不想落一个攀附权贵的名声。再说……"史佳敏情绪激动。

"再说什么呢？"老市长非常关心下面的内容。

"再说，我们正因为有过去真诚的一段，我不想让他这个市长落个道德败坏、生活腐化、沉湎女色、不思进取的坏名声！"史佳敏最终说出了心里话，"现在飞短流长，人言可畏。尤其他在这个声名显赫的岗位上，最容易遭到流言蜚语的袭击。"

"你俩如果没有事先经过排练和导演的话，那真是大爱！真爱！最最无私的爱！"此时的张国军，不像老干部，倒像那个电视里成天说教的社会学者。

"我用公款宴请你们，而且明目张胆列入市长一周重要日程安排，绝对不是为了游说老爷子来给我当婚姻顾问的！"李立林一本正经。

"你究竟要干什么？"史佳敏不明白。

"房子不是谈完了吗，还要谈什么？"老市长尽管不明白，但心里清楚：大礼相送的背后，绝对有大事要办。

李立林从包里掏出两张早就准备好的聘书："经市长办公会研究决定：聘请张国军、史佳敏两位同志为市政府'世行项目办'专职顾问。你们接受不接受？"

老市长张国军马上表态："当然接受。这个机构，这个重大项目，是我当市长的时候梦寐以求要办的事情。后来，他们诬告我，这件大事就拖下来。立林，你的工作重心找对了，找准了。你这个市长，上轨了！"

"我认真研究过老市长你当初的方案，改变了对你的看法。实不相瞒，我刚来的时候，你正接受调查，我对你产生过怀疑。"李立林坦坦荡荡地说，"后来看了你给世行的项目申请报告，才改变了看法。"

"现在的煤城，就像你报告中分析的一样：个人有钱，政府缺钱。城太小了，楼太矮了，马路太破旧了，现代化程度太低了，老百姓的生活太苦了。作为一个革命老区，今天发展成这么个样子，都对不起死去的先烈。今天上午我参加了抗日壮士丰碑落成仪式，更觉得要加快我们城市发展的步子。"

老市长张国军拍拍年轻人的肩膀："好小伙子，这么快就进入角色了，看来煤城发展的春天真的来了。既然你开诚布公，我也实话实说：路子对了，可要往前走一步，提醒你一句：比登天都难，要做好打恶仗的准备。改善煤城的状况，第一阶段，最少需要争取世行贷款三百多个亿，不是一个小数字，不是小学生算算术。"

"所以，我要聘请老市长给我当顾问。"李立林忧心忡忡，"世行不好打交道啊，世行对付中国人，那才叫蚊叮虫咬，严丝合缝，精彩绝伦，根本没有任何偷鸡摸狗的机会。"

"英雄所见略同！"老市长大声慨叹。

"你们说什么呢？"史佳敏看两人说得摇头晃脑，十分好奇。

"我说美国人监督中国人最有一套。"李立林回答。

"什么意思？"史佳敏目前也是美国人身份。

"要是佳敏当世行项目官员多好，我们马上就可以轻松过关。"老市长也意识到面前坐着一位美国公民。

"她要当项目官员，肯定要被派到台湾或者日本。"李立林琢磨出来美国人特殊的思维方式。

"对！绝对有可能。"老市长又一次感觉到自己和李立林之间，非常非常容易沟通。

"你们打哑谜，快告诉我谜底。不然，把聘书收回去。"史佳敏也有制约手段。

"那我告诉你：世行为了避免出现投资风险，派出的项目官员是个对大陆积怨很深的台湾人，叫张照中。张代表今年四十多岁，对大陆充满敌意，让这样的人来审核我们的申报材料，你就知道难度有多大了。"李立林说到这里，愁容满面，"我见过他一次，给我的感觉，我们说的一切真实情况，在他眼里都是造假。这可怎么办呢？"

"要是这么难，我首先退出。"史佳敏有些畏惧。

"要是煤城的人都退出，这个城市真是成了'鬼城'了。要想发展，只有争取世行贷款，别的银行一下拿不到这么多钱。华山一条路，必须走下去！再说……"老市长对一切了如指掌。

"再说什么呀，吞吞吐吐的。"史佳敏觉得男人城府都很深。

"张照中，尽管是意识形态上的敌人，可他祖籍是咱们煤城，毕竟有一线希望。对吧？"老市长当初在北京饭店宴请过他们，有一些初步了解。

"煤城人？敌人？手握生杀大权的项目官员？怎么这么巧合啊！"史佳敏对这些戏剧性的情节，充满了好奇。

"不奇怪吧。"老市长说起来历史，"过去国民党当权的时候，中央银行说话算数的都是咱们山西老乡。不要忘了，国民党'四大家族'之一的财阀孔祥熙，就是咱们山西太谷人，他心思缜密，用的得力干将都是'吃刀削面的'！后来，孔祥熙随着老蒋败走台湾，带走不少人，如今在台湾金融界，甚至后来考到美国大银行的当权派，都是孔帮的第二代。"

"他们这是回来复仇的呀!"李立林翻看过谈判记录,对方盛气凌人的语言都记录在案。

"具体说说,我这个顾问的任务是什么?"史佳敏对挑战性的事情,向来兴趣很大。

"你的身份是美国人啊,不是中国人。这样沟通起来,容易化解敌意,更容易取得他们的信任。只有你这张牌,才有出奇制胜的把握。"李立林回答。

"没有了?"史佳敏觉得不是这么简单。

"真的没有了,只有一项任务。"李立林笑着说完,偷偷看了老市长一眼,对方故意装作没看见。可对方"太故意"的神态,被敏感的女人捕捉到了。

"人家谈判的过程中,万一……"史佳敏故意试探两人。

"没有万一的……"李立林还没说完,老市长实在憋不住突然笑了。

"没有万一,老市长笑什么?"史佳敏突然找到了突破口,"我可是美国人,最懂美国人的心理。我想,张照中先生在美国生活多年,也受到美国文化的浸染。万一……怎么办?"

"我们真的没有想到打'美女牌'。如果我们真有那个想法,直接找个青春靓丽的小姑娘,岂不更好!再说,你也是资深美女了,没有万一的!"李立林不怀好意地回答。

"真的吗?千万别后悔。"史佳敏专门把脸扭过去,认真思考眼前发生的一切。

"立林,小史说得不是没有道理。美国人和中国人不一样,中国被性禁锢了好多年,中国男人最大的艳遇,就是碰上青春靓丽的美女;而美国男人最大的艳遇是情投意合,不太在乎年龄和婚姻。真有万一,损失太大了……"老市长看李立林玩真的,担心起来。

"我知道,早就知道。"李立林不动声色。

"那你还敢打'美女牌'?"老市长追问,"评估过风险没有?"

"其中的风险多大多小,史小姐最能把握。"李立林仍然从容淡定。

"我的回答是,一切随缘。"史佳敏突然领悟了什么,故意补充,"我对那些不怀好意的人,对那些玩火自焚的人,向来不客气!"

"你只要认真玩,这件大事就办成了。"李立林似乎看到了结果。

"事情办成了,你们……"老市长觉得年轻人太爱冒险了。

"真要到了那个时候,才明白什么是大爱、真爱、最最无私的爱。这句话好像是老人家刚才说的。"李立林漫不经心,"我希望有个两全其美的结局。"

"你等着。"史佳敏口气变得异常轻松,"我最喜欢做的事情,一般人根本想不到。"

"太残酷！太残酷！哪有把爱情当赌注的。"老市长实在忍受不了。

三十九

坐在五台山天门寺的台阶上，"黑狼"郭天亮一个人独自唉声叹气。

过去自己每年初一到十五之间，肯定要抽出两到三天的时间来五台山烧香拜佛，来"看望"自己的义父老刘。邀请佛家最有名望的紫玉长老专门给义父老刘做一场大法事，在这场大法事的前后，郭天亮戒荤戒欲戒女人。

只要虔诚地办完这件事，他就预感到：新一年的恶缘都随风飘去，而善缘一个个接踵而来。

他记忆中，最神奇的就是那一年：煤炭行情跌到了历史的最低谷，前一年的冬天，公司还囤积着十几万吨煤炭卖不出去，五千多万的资金变成了一座死沉沉的黑山，矿上开不了工资，银行天天催贷，政府官员等着要红包……

义父老刘实在走投无路，躲到五台山的天门寺里整天吃斋念佛，快到年底了，得了一场莫名其妙的大病，在大年三十的晚上，在万家团圆的时候，义父成了西天路上的行者。老刘妻子早逝，孤身一人，门下只有一个徒弟兼义子的郭天亮。

过年期间，郭天亮匆匆安葬完义父，特别是花掉最后的积蓄请紫玉和尚做完大法事，白色的孝衣没脱，黑糊糊的脏脸没洗，他就捧着义父的遗像回到煤城。

那些债主、那些工人、那些官员看到老刘的继承人这么一副打扮，只好暂时先放他一马。不过，大家异口同声一句话：父债子还。郭天亮抬起黑眼，针锋相对：如果不放心，可以先把门口的黑煤拉走。

债权人愤恨地说：我们不要那些不值钱的死货，而要哗哗响的钞票！

当天，一身孝衣的郭天亮，把义父的遗像高高挂在公司的会议室，把公司的会议室变成了祭奠老刘的灵堂。身为唯一继承人的郭天亮，从早到晚什么事都不干，就是吃斋念佛，长跪不起，为故去的亲人超度亡灵。

佛家最长的法会是"水陆大法会"，前前后后总共七七四十九天，郭天亮就是按照佛家最高等级的法会，为世上最疼自己的老刘送别最后一程。

生前凶猛要强的老刘，扔下一大堆的债务和一座高高的黑煤山，到了西天。死后，可能放心不下忠厚无能的义子，竟然说服了佛祖，扭转了整个煤炭行业的命运。

初十以后，人间普降大雪，一连半个月，天天看不到太阳，天天看到的都是漫天的雪花，甚至温暖如春的江南都变成了冰雪世界。

冰凉刺骨的寒风，吹得电厂轮机疯狂运转，吹得电厂存煤像纸一样化为灰烬，吹得煤炭行情节节攀高，吹得所有债主一身冷汗：那黑小子发大财了！

无人问津的滞销货转眼间变成了供不应求的畅销货，每吨八十块钱的行情，一个月之内跳到了三百多块钱，还要现金提货。

过去，门前冷落的公司，眨眼间多了"煤倒"，多了债主，多了朋友，多了官员，更多了保安。所有想见郭总的人，都得到保安一个明确的答复：郭总还在服丧期间，概不见客。如有要事，半月之后商量。

死去的老刘，最放心不下的义子，成了煤城行内人物家家议论的话题。

所有煤老板的存货都出手的时候，大家都后悔了，出手越早的人越后悔，现在煤炭行情跳到了每吨五百多块钱的历史高位，除了服丧的郭天亮手里有座煤山，其他人一无所有。

不用精明的人算账，就连一个初中文化的人都能算出来：过去欠账五千万的父子气死一个，另一个侥幸活下来，准备上吊的人，短短一个月之内，变成了拥财三个亿的大富翁！

老天真能捉弄人！

可在郭天亮的眼里：多少钱，多少财富，都换不回来那个死硬要强的父亲、那个一生坎坷的老人、那个倔强刚烈的好人。自己从给他当徒弟的那一天起，每一次下矿，每一次放炮，都是他在前面，自己跟在后面。

从今以后，前面没有人了，跟在后面的自己，要直接站到最前面，直接面对人生的一切了。

灵堂里哭丧的人，除了郭天亮自己，还有外面的人，一天比一天多起来……

第五十天头上，前来买煤的客户，一个个先到老刘遗像前鞠躬磕头，才能拿到紧俏的煤炭，三天下来，过去高耸入云的煤山被夷为平地。前来收账的银行工作人员，都在几个彪形大汉的护送下，才敢出来进去。

几天以后，来的第二拨人都是去年讨债的。他们扑通通都跪在灵堂的遗像前，看到四周没有公司的人，号啕大哭，说出了最想说的心里话：大老刘！大神仙！大佛爷！你到西天，可不是我们逼的呀！我们也是一家老小张嘴要吃饭，实在没办法才来找你的。求求你，大仁大量，大发慈悲，放过我们吧！

从监视器里看到大家痛不欲生，新当家的郭天亮，才换了一个角度说服自己：他们毕竟是合作伙伴，毕竟是患难朋友，毕竟以后还要长久相处。人生，富贵有命，生死在天。老爷子只要天上的命比地下的命好，就比什么都强。算自己替老爷子做个公德，积个善缘吧。

开库拿钱！

在灵堂的一角，大捆大捆的现钞，到了这时候堆成了纸山，四周站满了黑衣黑帽、毫无表情的保安。

那些哭得如丧考妣的家伙，每拿走一笔钱，都要走到遗像前再磕个响头，高声叫喊一句：刘佛爷走好！这才胆战心惊离去……

世上什么人最可怕？煤城人会告诉你：一个负债累累的穷鬼变成亿万富翁最可怕！一个唯唯诺诺的庸人变成身后跟满保镖的硬汉最可怕！一个俯首低眉的年轻人变成高傲冷酷的铁血老板最可怕！不了解他的人，以为他的长相像一条黑狼可怕！了解他命运的人，感到他头上顶着神、顶着扭转煤炭命运的"刘佛爷"，所以，可怕、可怕！

因为可怕，别人畏惧三分，别人拱手相让，别人自动退出竞争。郭天亮拿着请柬，到市里出席团市委的一个会议，捧着"十大杰出青年"的桂冠回来；拿着请柬，出席工会一个会议，捧回来"劳动模范"的奖状；拿着请柬，出席统战部一个会议，结果在会上，意外当选市工商联副会长。

郭天亮当选工商联副会长以后，有了接触高层的机会，认识了当时的市长张国军。不久，张国军来矿上考察，彼此有了私交。三年以后，亿万富翁郭天亮成了煤城炙手可热的人物！成了市长张国军的座上客……

什么事情，都有起点；什么事情，都有源泉；什么事情，都有轮回。而这所有、所有的一切，都在五台山天门寺，那里存放着"刘佛爷"的骨灰。每年春节以后，最可怕的人，都要来这里"看望"老人家，跟"老人家"住几天。

可是，今年没来，今年出国了，今年一出去就是两个月，等他回来的时候，预感不妙，飞机场接他的人，告诉老板一个可怕的消息：过年，后沟村村长大黑被绑架了……

不久又听段书记说：尽管大黑被赵国忠赎出来，可是，绑匪原来是冲着你来的！

最可怕的人，不相信这个可怕的事实。回去以后，调来公司、煤矿、发运站等地保存的带子，认真翻看了几遍自己年前所有行动的录像，根本没找出来有人故意跟踪踩点的影子。如果大家说的都是真的，原因只有一个：过年，自己没有到五台山来看老爷子！没有尽孝道！

天气这么冷，老爷子过年挨冻啊！

寺庙这么清贫，老爷子过年心里难受啊！

寺庙里做伴的只有紫玉大和尚一人，老爷子过年太孤单了！

都是我对不住你，没有陪伴你。爹！

都是我不好，没有给你送吃的。爹！

都是我不孝顺，没有给你送好烟。爹！

都是我贪图享受，没有给你送好酒。爹！

遗像发黄，老爷子笑容满面，郭天亮哭得泣不成声……

桌子上摆满了老爷子最爱吃的大烩菜、最爱抽的五台山、最爱喝的老白汾、最……

晚上，住在天门寺的一眼寒窑里，郭天亮感到特别温暖。寒窑虽小，可小火炉一烧，每个角落里都感觉到暖和。

"刘佛爷"生前经常住在这里。现在还保留着当初的样子：土炕、灶台、八仙桌、几把木头椅子，墙上挂的还是上个世纪八十年代流行的年画。

只是有一个地方发生了小小的变化：窑洞正中的墙上，原来是菩萨像，现在换成了老刘的遗像……

"孩子，你爹一辈子没享过一天福，都把福报留给你了。"说话的人，是"刘佛爷"最知心的朋友——大和尚紫玉。

"老人家，别说了。"提到义父，郭天亮不自觉流下眼泪。

"好了，不说了，不说了。"大和尚起身，把供品摆到遗像下面的八仙桌上。

"我今年想把这个小庙重新翻盖一下，窑洞好好整理整理，佛像重新彩绘一下，还有，铺设好暖气和自来水管。"郭天亮说出了自己的计划。

"用不着。"大和尚紫玉没接受，"有些东西，需要翻新；有些东西，永远保持原来的样子最好。"

"你是我爹最好的朋友，既然我爹走了，我想让你老人家过得舒服一些。"在郭天亮的心中，除了义父以外，他最敬重、最熟悉的老人就是面前的大和尚。从小，老刘经常带他到这里来。天门寺对自己来说就是第二个家，老和尚也是他的亲人。

"我一个出家人，生活简单，又不收弟子，要那些享受干什么！"紫玉和尚盘腿坐到他对面，"孩子，你好好干，我在这里和你爹一起保佑你。"

"老人家，你说，我爹要是活着，看到我有这么多钱，最想让我干什么？"只要想起义父，郭天亮就有报答不完的恩情。

"你说呢？"大和尚明知故问。

"他肯定想让我帮你把寺庙重新修一下，做个功德。"郭天亮仍然想说服他。

"我还是那句话，没有必要。"紫玉虽然是六根清净的出家人，看到郭天亮就像看到自己的孩子，"保持这个院子的原状，对你来说，有个想不到的好处。"

"什么好处？"郭天亮感觉就像当年和义父对话一样亲切。

"让你永远记得童年是个什么样子！你爹是个什么样子！苦日子是个什么样子！只要你能记住这些，比给我老和尚多少布施都高兴。毕竟，那些布施都是身外之物。"紫玉眼里的郭天亮，永远是当年老刘捡回来的那个"泥猴子"。

"好，我听你的。"郭天亮失声痛哭。

"你小的时候，特别调皮捣蛋，一下就爬上院子里那么高的大树，你爹吓得在观音菩萨面前跪了整整一天……

"你小的时候，家里特别穷，过年，你爹把你带到庙里来，就是想让你吃顿佛祖脚下有钱人供奉的供品，他最大的满足，就是看着你一大口、一大口咬下去……

"你小的时候，你娘有病，你们一家三口来庙里，你爹出去抓药，结果你乘机溜出去，一晚上没有回来。因为这个，你爹和你娘互相埋怨，整整吵了一夜，我怎么都劝不住……

"你小的时候，你爹上山炸石头找矿，那活计震耳欲聋。你非要跟着看热闹，结果回来，耳朵突然听不见了，你爹后悔得差点上了吊……"

大和尚紫玉的眼里，只有过去，没有现在。

煤城的首富，只有眼泪，没有话语。

墙上遗像里的老人，只有笑脸，没有痛苦。

"你老人家能不能告诉我，有什么办法，可以满足我人生最大的一个愿望：就是让我那九天之上的老爹知道，他的儿子花了好多好多钱，做了好多好多善事。"郭天亮特别想让善良的老人欣慰。

"没有太好的办法。假如有的话，也只有一个。"大和尚想来想去，"只要你这辈子不做坏事，任何一个离开这个世界的人，都不会到你爹那里告状！"

春夜的五台山，几乎和冬天没什么两样，狂风在外面呼啸，野狗在外面狂吠。月亮爬上山顶的时候，冷漠的清辉照得山谷里一半明亮一半阴影。身为特大煤炭集团老总的郭天亮留宿天门寺，他的司机、他的保镖，无奈都住在寂寞的山沟里。

"你是不是有什么难关过不去？"老和尚慈祥地问。

"老人家看出来了？"郭天亮像当年一样，下地给老和尚把水烧好。

"当然。你春节没来，这次来了情绪特别不好。"老和尚喜欢喝粗茶。

"看到我爹的遗像，什么都想开了。"郭天亮觉得寺庙里的粗茶先苦后甜。

"想开就好。世上最难的事情，你爹都带走了，给你留下的，没什么太大的麻烦。"尽管老和尚不知道争矿的事情，但能感觉出来小伙子很失落。

"我想再往大发展发展，看来没有什么必要了。"郭天亮有了退隐之心。

"这不对。尽管佛家不主张争名夺利。可正常的发展，佛祖还是保佑的。"老和尚眼睛亮起来，"你说起发展，我想起来一件事。"

"什么事？"郭天亮在昏暗的灯光下，看到老人眼睛亮光闪烁。

"过年的时候，你爹托梦给我，说一个老朋友要来看我，还没来得及说谁，突然有人敲门，就把我惊醒了。"老和尚想起来那天早上神奇的一切。

"来人肯定是塞外路明路大爷，我都有十几年没有见他了。"郭天亮从老和尚的口气中，就猜出来对方是谁，"当初，我爹快要咽气的时候交代：如果实在扛不过去，就到塞外找路明路大爷，他肯定能拿出来大钱。幸亏我命好，也是我爹保佑，不仅扛过来，还赚了大钱。"

"你说得没错，就是路明。"老和尚和塞外那个朋友也不是一般交情。

"好像我爹当年起步的时候，路大爷就帮过忙。"郭天亮回忆起来"刘佛爷"活着的时候，经常念叨这事。

"对啊。"老和尚说，"没有路明八百万的投资，你爹就搞不起来煤矿。"

"我爹还了没有？"

"当然还了，第三年就还了，连本带利。"

"路明大爷找你说什么？"

"他不是来找我，是来找你的！可你出国了。"

"找我？"

"就是找你！"

"找我做什么呢？"

"他说，最近内蒙古大草原上发现了一个大煤矿。"老和尚告诉他一个惊奇的信息，"那个煤矿是露天的，开采方便，煤质也好。内蒙古人只懂得放牧，不懂得煤矿开采，你要有兴趣，可以到那里发展。"

"真的？"这回该轮到郭天亮眼里放光了。

"当然是真的。"老和尚将随身带来的路明放下的一堆材料翻出来，交给了年轻人，"你路大爷还说，内蒙古从东到西修建了一条铁路，离煤矿很近，运输很方便。"

郭天亮是煤炭行家，拿过材料来简单看了几眼激动地说："是好矿，是好矿。储量大，埋藏浅，风险低，开采年限长。如果我能拿到手，每年最少有五六十个亿的纯收入，太可怕了！"

"好吧？"老和尚看到年轻人开心，自己也高兴，"你路大爷还交代，关于投资的事，他来协调。资金各出一半，将来有了利也对半分，我考虑很公平。再说，你路大爷最让我放心的就是他的人品，绝对没有问题。"

"老人家，让我怎么感谢你好呢？"郭天亮快要给他跪下来。

老和尚指指遗像："刚才我已经说了，是你爹托梦给我的。还没讲清是谁，路大爷就推门进来了。"

"爹，我应该早点来看你老人家！"郭天亮在遗像前长跪不起。

"刘老头真是操不完的心，到了西天世界了，还惦记着孩子，哎！"老和尚一声叹息。

窗外凛冽的寒风吹来的是希望，是新的希望，尽管这个希望目前还非常冷酷……

四十

美籍华人史佳敏小姐，最近越来越感觉到天亮集团的董事长郭天亮有意疏远她。女人是最敏感的感情动物，当初彼此刚刚认识的时候，郭天亮三天两头请自己吃饭、聊天。企业发展过程中遇到的问题，经常咨询自己的意见。关系最密切的时候，经常带自己出去郊游，参与各种社会活动。

可是，自从自己和李立林单独去了一趟龙泉堡，郭天亮后来得知了情况，渐渐地电话少了，聚会少了，即使有事见面，大都选择在办公室、会议室，甚至龙天大酒店的贵宾接待室。

今天约定的见面地点，又在龙天大酒店的贵宾接待室。

这个五星级酒店的贵宾接待室，硬件设施毫无疑问是煤城最好的，位于大酒店的最高处四十六层。

说是接待室，其实是整整一层的接待大厅，中间是椭圆形的高档会桌，用来接待大型的代表团。旁边是两排红木桌椅，专门用来接待人数较少的贵宾。整个大厅，地上铺着从巴基斯坦进口的红绒地毯，地毯的正中是一朵盛开的巨大的雪白的牡丹花，四周映衬着几十朵小小的绿牡丹。大厅的东面，是专供客人休息的高档客房，西边是专供客人娱乐的棋牌室。

这个贵宾大厅，最吸引人的不是硬件设施，而是大型玻璃幕墙外面的风景。因为位置最高，视线最好，所以站在这里看风景，有一种在半空的飞机上俯视煤城的感觉，什么建筑都逃不过自己的眼睛：政府大楼灰蒙蒙的，银行大厦亮晶晶的，其他的高楼大厦如同小弟弟、小妹妹一样乖乖地矗立在自己的眼皮底下。

远处的东山如同卧龙盘旋，远处的西山如同巨蟒飞腾……

"我是个基金会的负责人，说穿了就是个高级文化乞丐，不想让人家当贵宾供着。"史佳敏进来就觉得好笑，这么大的空间，只有他们一男一女两人。而且，一个坐在东边，一个坐在西边，如同谈判的架势。

"在我们这些没文化、没修养的土老板眼里，美国来的资深美女，不是贵宾是什么！"郭天亮没有直接看着女人，而是认真欣赏桌子中间摆放的红花绿叶。

"一个人没有自信的时候，再豪华的设施、再富贵的场面，好像也没有办法弥补内心的缺陷。"史佳敏发现茶水是热的，而服务员却没有一个在场。

"坐在这个场面的客人，十有八九都是来谈生意的。"郭天亮看着远处西山之上，厚厚的云彩升腾，光芒耀眼的太阳变得有些发虚，"当然，生意人要有自信，但不是最主要的，最主要的还是实力，最后，实力决定信心。"

"这么说，在你的眼里，我是个生意人？是你生意场上的合作伙伴？"史佳敏看到对方背后的东山暗淡无光。

"不完全是，也不完全不是。"连郭天亮都感觉到自己的话有些别扭。

"不完全是，含义是什么？"史佳敏从学生时代开始，只要和男生说话，就有一种居高临下的优越感。

"不完全是，是指我们过去建立了超越生意之外的朋友关系。"经过多年的历练，经过很多人从来没有看到过的大场面，只有初中文化的郭天亮，智商绝对不在大学生之下。

"不完全不是，是指今后我们的关系要退回到生意伙伴的层面。"史佳敏从学生时代开始，就养成了挖苦男生的习惯，"你想说的话，我替你表达清楚没有？"

"美国女人，就是比中国女人懂得逻辑规律。"郭天亮只有用赞叹的口气掩饰自己内心的什么东西。

"错！"史佳敏像老师纠正小学生一样，"我的血统，是纯正的中国血统；我的思维方式，是纯正的中国女人的思维方式。中国女人最注重情感，不太注重逻辑。"

在第一轮的语言交锋中，本身底气不足的郭天亮就败下阵来。而小获成功的史佳敏，优越感更加强烈。

"男女之间，如果将来能处朋友的话，如果将来关系能发展的话，一般从见面地点的变化中就能感觉出来。比如，第一次偶尔在公共场合碰面，第二次主动约在茶室或者咖啡厅见面，第三次更主动地约在海滩或者乡下某个隐秘的地方见面……总之，越来越私密吧。你说我说得对吗？"史佳敏的美式语言，意味深长。

"对！完全正确。"郭天亮处在语言交锋的下风头，说起话来，有些随声附和。

"那我们，怎么就从第一次见面的咖啡馆'跌落'到这次的接待大厅？见面的空间，从最私密的地方变成了最阳光光透的地方，说明我们之间是发展了还是退步了？"前面抛出的是诱饵，史佳敏现在抛出的才是骨头。

这个骨头啃起来，对郭天亮来说，真是太难了。

郭天亮沉默半天，终于想起了一个金蝉脱壳的办法："我们之间的关系，不要再往下说了，没有任何深谈的必要，建议到此为止。我关心的，不是我们见面地方的变化，而是你和别人的关系进展如何。"

"你横加阻拦自己的秘密，却要想法设法套出来别人的秘密，像个光明磊落的男子汉吗？"史佳敏真正处在上风的优势，来源于她的自信和坦诚。

"我已经说过了，我关心你和别人的关系，而不是我们之间的关系。"一道鸿沟已经在郭天亮的心底挖好了，他唯一能说服自己的就是：对方是美国女人，而美国女人如同明星一样，感情都是玻璃做成的。

"那好，我就讲讲和别人的关系。"史佳敏落落大方。

"老市长张国军，那真叫忠厚长者、仁义老人。看到煤城融资有困难，主动站出来，和我一起担当'世行项目办'的顾问，从早到晚，帮助整理申请贷款的报告……"史佳敏有表演天赋，说得神色动容。

"我知道……"郭天亮不感兴趣。

"国有煤炭公司紫云矿业公司贺总，那才叫财大气粗，那才叫大煤老板，那才叫吃饱了撑得难受非要吐出来不可。煤炭公司一年进账上千个亿，最近运作到美国上市，把公司的滚滚红利要分给处在金融危机中的美国人民。贺总虽然有钱，可在美国人生地不熟，于是找到我，帮助他推荐一家信得过的财务咨询公司。为了让我帮忙，一下子给我们基金会捐了三百万。"史佳敏说的都是题外话。

"原来，我以为煤城这么好的企业到美国上市，纯属赶时髦、装门面、树形象。其实不然，人家贺总利用这个跨国发展的机会，把国内吃不完的东西，都吐到他美国个人的公司里……"史佳敏对那个贪婪的老头没有好感。

"我对那个男人向来不感兴趣！"郭天亮最见不得中饱私囊的大国企老板，他们扛着国家的大旗，每天想的就是往自己兜里揣东西。

"还有，后沟村村长大黑，最近也找我帮忙，想和北京一个叫雪梅的女人，一起办两份美国投资移民的护照。我特别惊奇：煤城贫困村的村长都想到美国投资移民，中国经济真是强大得不得了……"史佳敏看到对方身后的西山，太阳已经落到山谷。

郭天亮赶忙起身，把接待室的灯光全部打开，顿时，这里如同宫廷一样辉煌灿烂。

"你说的这些人、这些事，有的我比你清楚，比如老张市长。其他人，对我来说根本不感兴趣。"郭天亮重新回到了座位上。

"既然你不感兴趣，为什么要探究我和别人的关系？"史佳敏追问。

"我主要不关心这些人。"郭天亮明确表态。

"那你关心谁?"史佳敏针刺一样看着对方。

"你说呢?"对方很不情愿。

"我要你亲口说出来!"史佳敏当仁不让。

"要不,算了。"考虑再三,郭天亮退缩了。

"不能这么轻易就算了。"史佳敏苦苦相逼。

"不要逼我了,我和人家根本就没有可比性,差距实在太大了。"郭天亮很有自知之明,几乎到了央求的地步。

"和谁有差距啊?"史佳敏看他越难受,自己越好笑。

"还能有谁呢,大人物呗。"郭天亮开始感觉到这个女人几乎在捉弄自己。

"别想那么多,我尽管是中国血统,可是正牌的美国女人啊。"史佳敏发现对方有些厌恶,开始收敛自己。

"美国女人怎么了?"郭天亮感觉到,对方始终在中国与美国之间反复摇摆,只要对自己有利。

"美国女人看待问题的角度,尤其是选择朋友的角度,恰恰和中国女人截然相反。"史佳敏口气软和下来。

"有什么不同,都是女人。"郭天亮有些厌烦。

"中国女人看待男人,大都认为有权有势的男人最成功,最想和他们交朋友。而美国女人呢,最愿意和经济上的成功人士在一起。"史佳敏这次说话很真诚,"道理很简单,中国是权力经济,权力支配一切;而美国是自由经济,市场决定一切。我说的这些,能不能使你自信起来?"

"我早就说过,不存在自信与不自信的问题。"郭天亮心里温暖很多。

"在美国,今天你是华尔街的老板,明天就是政府的财政部长,彼此没有任何区别。部长和老板是平等的,甚至老板的地位比部长还要高……"史佳敏努力使自己表现得非常坦诚。

"谢谢你,佳敏。"郭天亮显然感动了,"我们说一千道一万,可毕竟在中国。正如你说的,你是美国国籍,可血统、事业、思维方式,一切一切都是中国的……"

"既然,你已经做出了决定,不要怪我没有给你机会。不管别人怎么说,我希望你永远记住:在我史佳敏的眼里,你郭天亮文化不高,长相一般,背景没有,可我欣赏你在经济上的巨大成功。"女人毫不掩饰自己。

"我欣赏你的聪明和睿智。"郭天亮绝非奉承。

"我最欣赏你的,也是你最能打动我的,还不在经济方面,而在其他方面。"女人一动情,就掀掉了所有的伪装。

"其他方面?那是什么?"哪个男人都想知道自己最大的魅力究竟何在。

"我最欣赏的是，在成功背后，你那颗善良的心。正因为如此，你在我心中的地位，最起码，现在要比别人高一些。"女人说到真情处，不自觉眼圈红了，"我是做慈善的，最欣赏真正善良的人。老张市长看重你，也因为如此。"

"但愿我们永远都是互相欣赏的朋友，就像刚见面时一样。"郭天亮怀念刚见面的时候，谁也不了解谁的底细，只是觉得互相欣赏，觉得未来充满了希望。

"我们关系改善了，下一次见面的地方也应该改变。不要在这个大而无当的接待室，要在温情脉脉的咖啡馆，好吗？"史佳敏微妙地调整了自己的心态。

"时间不早了，我现在就请你到下面的咖啡馆吃西餐。"郭天亮感觉到神清气爽。

"好。"女人满心欢喜，起身就走，"我最不喜欢男人用大而无当的东西包装自己。"

郭天亮微微有些不自在。

煤城的春夜，尽管不如江南浪漫，不如北京迷人，可还是有其自然淳朴、生机勃发的魅力。

龙天大酒店西式咖啡馆里，客人很多，熟人很多，向来谨慎小心的郭天亮，这次没有在员工面前回避，也没有在熟人面前躲藏。他挽着史佳敏的胳膊进来，缓步走到一个可以欣赏夜景的角落，两人坐下。

点燃红烛，叫来精美的餐饭，慢慢品味。品味的不仅是饭菜的味道，还有人生的独特韵味……

不远处飘来悠扬的钢琴声，那声音如燕子呢喃……

"咱们说了这么多，还没有跟你说正事呢。"史佳敏感觉到窗外霓虹灯闪烁不停。

"正事？基金会不是运转得很好吗？"郭天亮明白，经过这么长时间的努力，史佳敏的工作已经打开了局面，不只煤老板给她捐钱，有时候政府部门也资助一部分。

"我想问你一件事，一定要跟我说实话，不要回避。"尽管灯光闪烁，史佳敏还是能看清对方的表情，"既然我们是互相欣赏的朋友，最起码不应该隐瞒什么。"

"那要看是感情的，还是事业的。"郭天亮从她设定的谈话条件中，感觉出来问题不好回答。

"二者兼而有之。"史佳敏希望对方在回答问题上，像个小学生一样单纯。

"你当初接近我，是不是为了让李立林支持你争矿？"史佳敏突然说出来两人一直都想回避的人物，"告诉我真实的答案。"

"有这方面的原因，不可否认。"面对清澈的眼睛，郭天亮没有撒谎。

"后来，这件事，你莫名其妙不提了。"史佳敏想亲自印证自己的判断，"是不是因为我的原因，不想让我出面求李立林？不想落他的人情？"

"你既然明白了，还来问我干什么！"确实，郭天亮后来心理上发生过微妙的变化。

"现在条件成熟了，我可以让他办这件事，而且不落他的人情。"史佳敏终于捕捉到了这个机会。

"你们？他欠你的？"郭天亮心里不是滋味。

"是他欠我的。可是，没有你想象的那么庸俗。"史佳敏原原本本说出自己的看法，"世行官员要来考察煤城几百亿的贷款项目。李立林求之不得，又没有把握，所以，使出'美人计'，聘请我担任项目顾问，帮他拿下世行官员。这不是他欠我的嘛！再说，几百亿的大项目与几个亿的煤矿竞争，哪个重，哪个轻，李立林还是能算过账来的。"

"美人计？你多大了？是不是自信过头了？"郭天亮重新观察她的脸庞。

"我知道你会有这个疑问，这就是李立林过人的'招数'。"史佳敏感觉眼前的郭天亮确实比狡黠的李立林淳朴得多，"实话跟你说，李立林这叫'一石三鸟'。第一只苯鸟是世行官员，他们无论走到哪个城市，这些城市都会把最年轻最靓丽的小妹使出来，拿下他们。美少女对世行官员来说，已经吃成了老咸菜，没什么新鲜。使出我这个四十出头的女人，长在中国，留学美国，依靠美国，创业中国。光这份离奇的经历，马上就能吸引住美国人好奇的眼球，特别是有相同经历的美籍台湾人。"

"确实如此。第二只苯鸟呢？"郭天亮感觉好笑，又不得不佩服。

"当然是这个项目了。只要美国人对我产生了兴趣，这个项目的成功率就大大增加了。"史佳敏把李立林缜密的心思全猜透了。

"第三只苯鸟？让我猜猜。"郭天亮想了大半天，指着她的鼻子哈哈大笑，"是你！原来你是第三只苯鸟！"

"怎么会是我呢?!"连史佳敏都惊讶不已，"说说你的理由。"

"李立林自视很高，认为自己是社会上最成功的男人。尽管你一再推托，可他固执地认为你只是个性太强，不愿意攀附高官而已，中间必然有个磨合的过程。况且，你留学美国多年，他对你是否能在关键时刻把持住自己，一直心存疑虑。这次，世行项目考察，也给他考察你提供了千载难逢的机会。他想亲眼看看：在最有实力的男人面前，你是否会心旌摇荡？"郭天亮说出自己看法的时候，发现对方脸色大变，他有些后悔。

"第三只鸟，确实是我，但不是这么解释。"史佳敏不认同这个观点。

"你是怎么解释的?"郭天亮揣摩不透。

"他确实想旧梦重温。可是,他认为,我们这么长时间之所以没有进展,关键在于没有整块的接触时间,况且也顾虑别人流言蜚语,他毕竟是市长。这次,世行项目考察,给我们光明正大在一起提供了难得的接触机会。"史佳敏根本不赞同郭天亮的分析,甚至用过去的历史来证明自己的观点,"我从小和他在一起,李立林尽管很聪明,有时候到了玩世不恭的地步。可本性不坏,更不会坏到你说的那个样子。他的一切,我还是了解的。否则,我就不会和他来往。"

"要是这么说,我多虑了。"郭天亮突然清醒过来,这是感情磨合,不是生意较量。

"你这个人,人很善良,就是把别人想得太坏。"史佳敏把郭天亮也看得很透。

"别忘了,我是买卖人,我是煤老板。"郭天亮仰望着夜空,"做买卖,搞煤炭,经常和世上最没有操守的人打交道,不提防不行啊!"

"正经问题不回答,经常往邪门歪道的地方想。"史佳敏一半埋怨一半生气。

"争矿的事情,我已经决定退出了!"郭天亮正式宣布。

"因为我的原因?"史佳敏有些内疚。

"不是,根本不是。"郭天亮把自己的真实想法说出来,"前几天,我到五台山祭拜义父,大和尚紫玉告诉我,内蒙古有个搞煤矿的长辈路明,邀请我到草原上,一起开发一个大矿。"

"原来是这么回事!"史佳敏反应过来,"以前,我和你去过五台山,怎么没听你说过紫玉大和尚?"

"因为他是我们父子俩最亲近的人。你虽然是我的朋友,只是互相欣赏的朋友,还不到生死与共的地步。"郭天亮实话实说,"我爹在世的时候,曾经说过,我们的大和尚,是我们生死与共的朋友;我们呆过的小庙,是我们最后的家园。不是一家人,不能进来的。"

"内蒙古那边的煤矿,难道就不存在竞争?"史佳敏听说过内蒙古产煤,但不了解具体情况。

"草原上地多人稀,而且蒙古族人擅长放牧,对于煤矿开采,刚刚起步,即使有竞争,也不像山西这么残酷!"郭天亮突然想起争矿引发的很多事,"现在山西争矿,就像公开抢钱一样,抢关系、抢政府、抢村民、抢山头,甚至一些矿主都动用了黑社会。"

"这么恶劣呀。"史佳敏想都没有想到,"怪不得电视里报道:不少山西煤老板,都在重新走西口,纷纷跑到内蒙、新疆去找煤。看来,三晋大地已经陷入恶性竞争的地步,完全不能自拔了。"

"我也要追寻先人晋商的脚步,走西口,到内蒙去闯荡了。"郭天亮豪情满怀。

"你要一走,水峪沟煤矿,谁能争到手?"史佳敏疑惑地问。

"赵国忠!"这个答案,没有疑问。

"为什么是他?"史佳敏感觉很多人都有竞争实力。

"两条:一是钱,赵国忠目前在本地煤老板中是最有实力的,别人没法和他竞争。前提是,我主动退出以后;二是关系,赵国忠原来只有段天生支持,在竞争中只能有三成的把握,另外五成掌握在后沟村三千村民手里。你也知道,大黑过去支持我,所以,我胜算最大;过年时,我出了国,没有祭拜义父,没有尽到孝道,老天惩罚我。结果,过去的朋友大黑被绑架,恰好赵国忠救了他,他转而支持赵国忠,所以,赵国忠的胜算变成了八成。"

"那两成的不确定因素在哪里?"史佳敏注意到对方话语中有模糊概念。

"一成在天。不用我说,天地间任何事情都有不确定因素,这个因素最少占一成。"郭天亮继续着自己的分析,"最后一成是黑社会!争矿的过程中,经常会出现这样的'食物链':老板怕政府,政府怕百姓,百姓怕黑社会,黑社会怕政府!黑社会绝对不能忽视,也算一成。不过,像赵国忠这样,摆平了政府,也摆平了老百姓,黑社会兴风作浪的可能性就不大了。"

"离开中国二十年,二十年的发展真奇怪!"史佳敏感叹。

"中国睁眼看世界三十年,世界三十年的发展难道不奇怪?!"郭天亮有感而发。

"咱们要在一起,还是共同的语言多于争论的话题。不过,机会,我给过你!"史佳敏只要说到情感,立刻居高临下。

"你主要还是和他交流得少,正如你所说,他所盼望的在一起的时间多了,共同语言就多了。感情嘛,关键在培养。"郭天亮真心盼望这个善良聪慧的女人有个好归宿。

"攀附权贵,对我这个自命清高的人来说,等于完全否定了自己……"史佳敏非常痛苦。

四十一

世行中国北方项目首席谈判代表张照中,四十多岁,个头较高,身材瘦削,目光有神,从外表来看,是个标准的美男子,是一个标准的白领。如果再仔细观察的话,会发现这个人从外表到精神,不像四十多岁的人,完全像一个二十七八充满活力的青年才俊。

这一切都是养尊处优的结果，都是精神自由的结果。能有这样的结果，来源于他的地位、待遇、权力、智慧、优雅和与生俱来的气质。

中国北方的煤城，对于张照中来说，是一个既陌生也熟悉的地方，是一个既充满敬畏也充满愤恨的地方，是一个既想出手援助也想亲手摧毁的地方。

只有来到这里，他才能清晰地感觉出来自己是中国人，是煤城人。而在华尔街，他始终认为自己是标准的美式精英，尽管出身在美国之外的台湾，可他在哈佛接受了最精英的美式教育，有了这个护身符，张照中在华尔街走上了美式精英共同的成功之路。

在那些纯正的美国人看来，这个黄头发黑眼睛的亚洲人，是他们佩服仰望的高端人物；在他自己看来，那些纯正的美国人，因为其中的不少没有实现真正的"美国梦"，所以，他们尽管长着金发碧眼，可毕竟是下层，毕竟游离在美国精英之外……

记得父亲说过，人要是命好，门板也挡不住。全球金融危机的爆发，少数族群奥巴马当选美国历史上第一个黑人总统，使过去华尔街金发碧眼的成功高官，不仅遭到政府的痛恨，也遭到内部人的质疑。有着黑头发黄皮肤外表的张照中，却突然感觉到好运来了。那是因为自己作为非主流人群的外表，无意间帮了自己的大忙，赢得了大家异常的尊重。

过去，自己审核推荐的项目，尽管每个都能过关，可是每个都让他费尽心血。因为项目审核一向繁杂严格，如果稍微有一丁点的漏洞，项目就被枪毙了。

如果连续两三个项目被毙，自己的能力和前程就危险了。现在情况大为改观，只要自己审核推荐的项目上了审核会，那些拥有生杀大权的董事们，只要看到他的外表，就看到了信心，看到了希望，看到了责任，轻而易举就通过了。

自己的轻松自如，赢得了很多人的羡慕，也赢得了很多人的尊重。最明显的就是，虽然自己职位没有太大的进步，可说话的分量比以前强多了，只要自己赞同的项目，几乎就是董事会的最后决定。

不过，越是接近成功的顶点，张照中越是提醒自己：严格、严格、再严格，只有到了最严格的地步，才能把项目背后看不见的风险捕捉到。只有最细微的风险排除了，项目生存和赢利的空间才最大。

这是世行的要求，也是作为职业经理人的准则，更是张照中对自己的人生要求。

当然，作为华尔街高级代表的张照中，明白自己权力大了，权力大了以后，在谈判中的位置不一样了，前期具体的谈判、讨价、考察、计算和审核工作，都由部下去做。

自己工作的重心放在了后期，放在了寻找漏洞、寻找破绽、寻找毛病上。如果问题只是鸡毛蒜皮，稍做修改直接就上报了；如果问题是根本性的，自己的结论就是华尔街的最后结论。

来到煤城的当天，手下人就全部投入了前期的具体工作。作为项目高级代表的张照中，相对比较清闲。越是清闲的时候，思绪就越飘越远，甚至飘到了海峡那边的台湾，飘到了年近八旬的父亲身边……

最想来煤城的，不是自己，而是父亲。

父亲出生没几年，作为抗日名将的祖父，就牺牲在前线的战场上。

噩耗传来，震动全国。作为祖父好友兼同乡的国民党行政院院长孔祥熙，出于对亡友的敬重，专门派人找到烈士的寡妻遗孤，作了特殊的安排和帮助。祖母把父亲抚养到十八岁，父亲到了南京，见到大权旁落的孔祥熙，只说了一句自己是谁的后代。之后孔祥熙送他到中央大学学习财经，四年以后，又把他安排到自己掌控的中央银行黄金局，一九四九年的春天，风华正茂的父亲押着大批的黄金，到了台湾，再也没有回来。

煤城是自己的故乡，是祖父殉国的地方，是父亲成长的地方，是父亲最痛恨的地方，也是父亲最想看到的地方。可是，这个回乡的梦，做了六十年……

自己上次来煤城，政府送了一箱山西特产——汾酒。过年的时候，他专门带回台湾，父亲轻轻打开，慢慢品了一口，号啕大哭："就是这个味道，就是这个味道！"

看到父亲那么钟情故乡，自己好奇地问："多少国民党高官都回乡探亲去了，你为什么不回煤城？"

父亲哭着说："我要回去，只有一种方式：打回去！否则，我对不起你爷爷，也对不起我们的恩人。"

"你是说孔祥熙院长和阎锡山将军？"自己明白家族的大恩人。

"当然。他们的灵柩都在台湾，至死都没有回去。我也只能死在台湾，不想和恩父的敌手把酒言欢。"那一刻，父亲神情特别坚定："孩子，你要记住：我们是山西人，山西人是什么？是关公的后代，谁都能投降曹操，关公的后代不能投降。况且，共产党不仅欠着我们累累血债，更欠着我们天大的人情……"

……

正当他胡思乱想的时候，两个人春风满面推门进来。

"名将之后，金融巨子。现在大家都谈论新晋商里有人才，我觉得新晋商最杰出的人物，莫过于掌控华尔街几千亿投资资金的张代表了吧？"不用看，一听豪放夸张的口气，就能感觉出来最能喝酒的市长李立林来了，身后还跟着一位穿着洋装的资深美女。

"如果你不是市长的话，我欣赏你的磊落大方；正因为你是市长，我有了戒心，但凡夸赞我的市长，无非想从我这里得到你们最想要的东西。"开发中国市场多年，张照中对夸夸其谈的场面，屡见不鲜。

"眼下，我们的老市长张国军先生正陪你们的人，进行项目前期考察。我想陪张代表出去看看，增加了解，交个朋友。不是有句古话吗：买卖不成仁义在！"李立林说话降了八度，不再说那些大而无当的空话了。

"看什么？"张代表皱起眉头，"看看你们那些每天下'金蛋'的煤矿？看看你们那些每天下'银蛋'的钢厂？看看你们那些一眼望不到边的贫民窟？再看看你们那些臭气熏天的'城市风景'？"上次自己来考察，老市长已经带自己参观过煤城的重点企业和重要场所了。

"我们就是要改变这些状况，才想和世行合作的。"李立林短暂的尴尬过后，显露出来真诚的意愿，"况且，张代表祖籍煤城，人不亲土亲，猫不亲窝亲，应该网开一面吧？"

"网开一面？"张照中一本正经，"你知道我是怎么混到华尔街投资高管这个位置上的吗？"

"不知道。"对于张照中的个人历史，李立林不太清楚。

"那我告诉你。"张照中外表儒雅的人，想不到口气特别强硬，"就是因为我不懂人情世故，不懂暗箱操作，不懂网开一面，华尔街的董事会才信任我，不断提拔我，不断赋予我更大的权力。明白了吗？！"

李立林见过很多怪人，对付很多怪人不乏绝招。可是，面对这个美籍台湾的怪人，还是第一次、第一个，一时招架不过来。

身后一袭洋装的女人，往前走了一步，把尴尬的市长挡在身后："张代表，我和你的经历一样：出生在中国，留学美国；现在，背靠美国，进入中国发展。想听听我的建议吗？"

"啊！现在的政府无所不用其能，无所不用其才。"张照中感叹，"下次，你们是不是要把我哈佛的同班同学挖出来，做我的思想工作？"

"你还真说对了，我也是哈佛毕业的。不过学的不是金融，而是社会学。"女人史佳敏淡淡一笑，"哈佛有两个专业最奇怪：一个专业是金融，那里的毕业生，很多是和世界上最富有的人打交道，最后成了银行家和会计师；另外一个专业就是社会学，这个专业的毕业生，很多都是和世界上最贫穷的人打交道，最后成了慈善家和救助者。我想，尽管我们从事天壤之别的工作，最不讲情面的人，也应该看在'哈佛'的面上，听听我的建议吧。"

"校友兼华人，华人兼校友，万里逢知己，你说怎么办？"儒雅的张照中兴趣一来，出口就是一首打油诗。

"海外的煤城人，特别是老人，最怀念煤城的是古城门、铭贤学校遗址和老关帝庙。你不想去看看吗？"史佳敏目的很明确，把他调出来，增加与李立林的关系，"不说别的，你下次回台湾，可以给你父亲讲讲这三个老地方的现状。"

"好吧。"张照中看在哈佛同学的分上，决定出来走走。

坐落在城市南边的古城门，最近重新修葺了一下，可是疏于管理，再加上史佳敏临时提议，来不及做任何清扫准备。三人到达现场，看到的是最真实的原貌：古城门高大雄伟，气势庄严。可是，城门洞里、城门洞外，扔满烟头，垃圾遍地，甚至古城砖上还有尿痕……

"这是中国北方当年最雄伟的城门之一，建于明代初年，六百多年来，发生过许多著名的战役，许多名垂青史的人物曾在这里战斗过。比如，明朝中期著名的爱国英雄于谦，担任山西巡抚时就驻守在这里，防范瓦剌的入侵……"市长李立林自豪地讲起了古城门的历史，想把客人带入历史的记忆里，从而忘却眼前难堪的场面。

留学西方的女人，对环境异常敏感。之前，只是为了调虎离山，随意提了煤城三个历史上最有名的地方，出来参观参观，重在交流交心。谁知现场这么肮脏："我刚到美国的时候，西方人嘲笑我们：最脏、最不讲卫生的地方，住的肯定是中国人，我还和人家争辩。二十年过去了，中国经济都有了这么大的发展，怎么中国人还随便'尿祖宗'呢！"

"看来，我们留过洋的人，还是有共同语言的。"张照中对女人从亲切变成了好感，说出了自己的知心话，"共产党嘛，是从山里打出来的，尽管占领了中国这么多年，山里人的脾气和习性一点没改。"

李立林比刚才还尴尬。

"什么脾气？"史佳敏一时没有听清楚，回头问了一句。

"山里人的脾气和习性呗！市长大人，你可不要不爱听。"张照中哈哈大笑，"这么神圣的地方，刚才市长介绍，民族英雄于谦还在这里战斗过，怎么能这样呢！煤城，我的故乡；煤城，历史文化名城。可惜啊，没有文化的山里人，把一个一流的历史文化名城建设成了一个三流的现代化城市。"

向来自负的李立林听到这些不堪入耳的话，竭力想着古代的韩信、古代的刘邦，眼前晃过来那些胯下之辱和鸿门宴的故事，提醒自己：古来成大事者，要忍常人所不能忍。

"我们去铭贤学校遗址吧，那在闹市中心，管理应该没有问题。"史佳敏急切想离开这里。

"客随主便。"嘲笑够了别人，张照中还要继续寻找时机，接着嘲笑他们。

煤城不大，半个多小时以后，他们就到了铭贤学校遗址。

四周都是三四十层的高楼大厦，玻璃幕墙反射下来的阳光，像刀子一样刺得人眼睛非常难受。

三人在模糊中看到：这里尽管只有一进低矮的院落，被周围的几个巨人踩在了脚下。可是，地上整洁，院落干净，里面也是一尘不染。

市长李立林非常欣慰，女人史佳敏第一印象感觉也不错。

而身后的张照中突然看到墙上挂着的木牌上的题字，立刻惊呆了，那是当年国民党行政院院长孔祥熙的亲笔题字：山西铭贤学校。

市长李立林主动当起了导游："这所学校的创办者，就是国民党四大家族之一的'财阀'孔祥熙。二十世纪初年，从美国留学回来的孔祥熙，开始并没有走上政坛，而是带着他的新婚妻子宋霭龄回到故乡山西，从事启蒙教育。他们夫妇凭借美国人的支持，在故乡山西办了好几所铭贤学校，用来传授西方文化和科学技术，这就是其中的一所，原来占地一百多亩，后来由于城市发展……"

"我没有记错的话，令公大人，就是这所学校的毕业生。"史佳敏是个细心的女人，自从进了这个特殊的谈判班子，就开始研究张照中的一切。

"是的。我终于看到了。"张照中不仅没有否认，反而激动得流出眼泪，"父亲从小就给我说煤城铭贤学校的样子，我只是脑子里有印象，没有见过。今天我终于看到了，看到了。"

能让坚决不网开一面的人流出了眼泪，证明自己推荐的景点确实没错："我还知道，这所学校的创办人，就是你们家的恩人。"

"你说得完全正确。"张照中突然跪在了木牌下面，"不管多少中国人对孔先生有成见，可他毕竟是我祖父的挚友，我父亲的恩人，我们三代人都忘不了他！当年，祖父殉国以后，就是孔先生给我父亲最大的帮助，安排一切的……"

跪在地上的张照中说完，冲着孔祥熙书写的木牌，拜了三拜，失声痛哭。

看到对手动了感情，流出眼泪，站在旁边的李立林和史佳敏紧绷的神经，终于可以放松下来。谁都知道，容易动情的对手，最容易让别人从感情上突破他的防线。

感情，是重大商业谈判中最无价的砝码。李立林和史佳敏同时感觉到命运的天平向自己这边倾斜。

"当年的孔祥熙先生，从美国回来，到煤城投资教育，那是不世之功。"去关帝庙的路上，李立林竭力装出非常无意的样子，"可以这么说，孔先生在煤城历史上，那是睁眼看世界第一人，学习西方文化第一人，传播西方文明第一人！"

情绪激动的张照中，上车以后，慢慢稳定下来，眼睛盯着学校四周的高楼大厦，皱起眉头，痴痴发呆。

"孔先生当年在煤城投资教育，说穿了是投资未来。"史佳敏乘机插话，"如果没有这所学校，也没有你父亲那么优秀的银行家。"

"你们两位不要一唱一和了。"张照中的视线从外面的高楼大厦突然转回来，"你们明白我最反感共产党什么？"

"我不明白。"史佳敏实话实说。

"最反感什么？"市长李立林想知道答案。

"你们说！"张照中白脸有些发黑。

"我们真的猜不透。"市长李立林跟对方交往时间不长。

"那我告诉你们：两面三刀，不讲信义！"张照中脱口而出，"从铭贤学校这件小事上，看得最清楚不过了。"

李立林思考这话的含义，没有马上应答。

"一个坐落在高楼大厦夹缝里的小学校，和共产党有多大的关系？值得你那么仇恨吗？"史佳敏少年出国，中年回来，不是共产党，只是个中间人，说话比较随便。

"这个问题，我想专门请教市长。"张照中毫不客气。

"我有什么不对的地方？"是不是刚才的导游词或者是对孔先生评价方面出了差错，引起了对方的激愤。李立林把说过的一切重新回忆一遍，自言自语，"真是纳闷，我没有说错啊。孔先生确实是煤城近代史上不可忽视的大人物，为煤城引进西方文化做出过大的贡献。"

"你的评价是出自内心的吗？"张照中冷眼看着他。

"发自肺腑，决无虚言！"市长李立林口气毫不松懈。

"这么说，孔先生对煤城的贡献，要比车外那些高楼大厦强多了？"张照中继续提问。

市长李立林看着外面的高楼大厦："那些东西，哪个城市都有，毫不稀罕。而孔先生在煤城近代史上有开风气之先的贡献，那些破楼根本无法相比！"

"知道我为什么骂共产党两面三刀、不讲信义的理由了吧。"张照中再次提示他。

李立林当即反应过来，羞愧万分。

"什么呀？"聪明的女人还蒙在鼓里。

"共产党一方面把孔先生的成就，说得比什么都大，比什么都重要。可真要到了城市开发的操作层面，又让那些毫无价值的破楼房，把最有价值的文化遗址挤压得抬不起头来，喘不过气来。这不仅仅是城市规划的问题吧？"张照中很不客气。

史佳敏恍然大悟，看着李立林，市长无地自容。

张照中回头望着看不见的小院："原来占地一百多亩的铭贤学校，在近代史上培养了那么多人，还有孔先生这么大的招牌，最后竟然不管不顾，只留下不到五十平米的小地方，这就是你们的城市规划?!"

史佳敏后悔第二个地方也推荐错了，而市长李立林也意识到作为城市发展大盘的城市规划存在致命的问题。

老关帝庙，坐落在煤城西门外，占地五十多亩，绿树掩映，青砖黄顶，三进院落，分别是将相院、关公大殿和春秋楼。

这处老关帝庙，是明代初年建造的，有六百多年的历史。饱经沧桑，古意盎然。明末清初的时候，名士傅山、顾炎武和戴廷栻曾经在这里秘密集会，成立过反清复明的地下组织；清代中期，这里是走西口的晋商聚会的大本营，每年从正月初一到二月初二，晋商大户争抢着为关老爷唱戏，钟鸣鼎食，万家欢乐，富贵祥和，热闹非凡；抗日战争爆发，国共合作的"抗日牺牲救国同盟会煤城分会"，曾经在将相院办公，至今还陈列着众多当年的抗战遗物……

世行代表张照中从小受父亲的影响，特别崇拜关公。

来关帝庙之前，张照中特意返回宾馆，洗了澡，换了衣服，吩咐部下准备供品、香烛和布施。乘此机会，市长李立林特意给文物局李局长打电话，叮嘱安排人员清扫广场，做好祭祀准备，烘托好活动气氛，千万不要再出现上午参观古城门的尴尬场面。

下午三点，在市长李立林和史佳敏的陪同下，张照中神情严肃地来到了老关帝庙。

文人出身的文物局李局长，提前接到通知，把活动准备得相当完善：客人一下汽车，广场上的民间八音会吹奏班子，就吹起了别具风情的祭祀乐曲；从门外走向关公大殿，两旁按照清代迎接皇帝缉私特使的规格，排满了气势威猛的男勇和衣着鲜艳的女侍。祭祀仪式最为壮观：两边鼓乐齐鸣，高台上摆满鲜花供品，香炉里高烛点燃，云烟弥漫，特别虔诚的张照中在身着祭祀官服的人员引导下，三拜九叩，诵读祭文，高声念唱，瞻仰神容，默默许愿……

站在鼓乐队伍前面的市长李立林，看到这样隆重热烈的气氛，尽管没有说话，却伸出大拇指来，暗暗夸赞文物局李局长办事得力。

"告诉你一个秘密。"史佳敏在市长身后悄悄嘀咕。

"这么多人在场，有什么秘密?"李立林没有回头。

"你知道张代表给关老爷上了多少香火钱?"史佳敏偷偷地问。

"上次，香港那个闻名世界的大老板专门来祭祀关帝，不过十万人民币。"

李立林曾经听文物局局长汇报过。

"张代表拿出的是他的十倍。"史佳敏从世行工作人员那里得到消息。

"看来最不近人情的银行家，到了关公面前，也是心悦诚服啊。"李立林非常欣慰。

"关公是财神嘛，做生意的哪有不拜财神的！"史佳敏声音越来越低。

"咱们要把这桩大买卖谈成了，李局长，你说要多少钱我给多少钱！"市长李立林当着文物局局长拍起了胸脯。

"市长，关帝庙从来没有缺过钱，从古到今。"李局长满脸为难，"真正缺钱的是那些破败的石窟、寺庙、佛像、古城遗址，真要烂到咱们手里，就成了历史的罪人了。"

"老李，我给你表个态：世行这件事办完了，我亲自给你化缘去！"李立林深感煤城的市长担子太沉重了，到处都在伸手要钱。

"我说句话，你不要不爱听。"李局长文化人出身，有些时候不知天高地厚，"前任市长张国军也是这么说的，文化人听了，谁都要感动好长时间，我还没感动完，他就下台了。"

市长很不高兴，史佳敏却笑出声来。

"笑什么笑！"李立林火了，"你不是搞慈善的吗？你不是要钱吗？我下了台，也和你们两个一起拄着拐棍，四处化缘去。"

"有了你这句讨吃要饭的话，我也算塌实。"这些年来，为了争取文物保护经费，李局长几乎跑断了腿，磨破了嘴。

祭祀活动前前后后进行了一个多小时。

等张照中办完一切，所有参与祭祀的民间队伍撤退之后，李立林带着大家参观位于大殿后面春秋楼的"牺盟会文物展览"。

市长李立林继续当着特殊导游："当年，'牺牲救国同盟会'是国共两党合作的良好典范。阎锡山、孔祥熙出钱出枪，共产党出人出力，先后组织了十九万优秀青年，特别是青年知识分子，投入到抗日战争的洪流中。光这支特殊的队伍，就为我们党培养了一大批优秀人才，建国以后，有'牺盟会'背景的部级干部和少将以上的军官就有四百多人，其中有我们熟悉的薄一波、柴泽民、安子文、刘澜涛、杨秀峰、谢振华、程子华……"

刚才情绪高涨的张照中，听着李立林的得意介绍，脸色慢慢阴沉下来。

眼快心细的史佳敏，用特殊的目光暗示"导游"，不要过多介绍自己的"得意家底"，还要考虑别人的真实感受。李立林马上领会了，他转移了话题："'牺盟会'的成功，要特别感谢阎先生、孔先生，还有一大批共产党的真心朋友……这就是当年的真心朋友和我们一起战斗的照片。"

有着国民党背景的张照中，像审视自家的老照片一样，认真地看着每一张发黄泛白的历史遗物，最后眼睛特别专注地看着一张合影。合影前一排都是容光焕发、英气逼人的军队高级将领，后一排都是着装杂乱但精神十足的将士，毫无疑问是八路军。

张照中盯着前排第三个人，目光一动不动，时间一长，眼眶里就湿润了。

"你的亲人？"李立林感觉出来。

"这就是我的祖父，当年牺牲在山西抗日的战场上。"张照中眼眶太湿润了，就落下来眼泪，"李市长，我有一个不情之请。"

"只要不拿走就行！文物法规定：历史文物不能随意赠送。"李市长明白了他的用意。

"帮我复制两张，带回台湾给老爷子看看。"张照中口气相当温和，"当然，我不会白让你们帮忙，再捐五十万现金，希望把'牺盟会'的这些东西永远保护好，留传到后世。"

"张代表，你已经捐了一百万了。"文物局李局长有些不好意思。

"刚才，那是我自己捐的。"张照中有些哽咽，"这次，是替我老爷子捐的。也等于给我那个牺牲在山西抗日战场的祖父烧个香火钱。"

"你对煤城这么有感情，为什么不在大事上支持我们一把？"市长李立林要的不是他这些小钱。

"连马英九都对大陆抛橄榄枝，你为什么这么偏执呢？"史佳敏也不理解。

"因为我是山西人，父亲讲过，山西人是关老爷的后代。任何人都可以投降曹操，而关公的后代绝对不能。"张照中是孝子，牢记父亲的话。

"国民党和共产党，曾经是最亲密的战友，'牺盟会'就是明证。"李立林想继续说服他，"国民党荣誉主席连战先生已经在人民大会堂和我们胡主席握过手了，他们都和解了，你为什么还这么固执？"

"就是因为'牺盟会'！"张照中的眼神里，突然流露出来仇恨。

"'牺盟会'怎么了？是抗日统一战线的典范哪。"史佳敏感觉到面前的张代表不可思议。

"'牺盟会'的时候，国共可以握手；前一段，连主席和胡主席握了手；我们为什么不能握手？"市长李立林觉得莫名其妙，"难道'牺盟会'伤害过你们？"

"当然。"张照中怒火喷发，"阎将军、孔院长直到临死的时候，都不能原谅自己支持成立'牺盟会'！"

文物局李局长被震撼了。

市长李立林彻底绝望了。

谈判顾问、资深美女史佳敏像个忠实的听众，仰着头，不插话，眼神专注，静静倾听张照中的哭诉。

要知道，善于听委屈的男人倾诉，也是女人强大的武器。因为男人最悲伤的时候，最需要母性的力量来安慰。

就是史佳敏，这个女人不经意的举动，没有党派色彩的眼光，使孤立无援的张照中，突然在众人之间找到了"知己"。

后面的话几乎是说给她一个人听的，几乎是专门对着她不停地倾诉，几乎是把她当成了心灵的救星……

"史小姐，我说得对吗？"张照中说完，只看着她一个人。

市长李立林有些不舒服。

"知恩图报，讲究诚信，永远是民族大义。"在这个特殊的场合，能够给予他肯定答案的只有美籍华人史佳敏，其他两个共产党官员，特别是市长李立林左右为难，情绪不稳。

"既然你认为我说得有理，明天的活动，只要你一个人陪我好了。"张照中随口而出。

文物局局长明白，客人不愿意和共产党的高官在一起，心情可以理解。而市长李立林却突然愣在那里。

"市长大人，我们家族给了共产党最大的支持，要你们一个女人，还不是共产党员的女人，你们就这么小气吗？"张照中感觉出来什么，故意嘲笑他。

"这……这……这……"李立林支吾不断，无意间暴露出来一个天大的"秘密"。

"如果煤城需要世行的支持，我也需要你的支持。温润如玉的史小姐，我喜欢上了，不仅需要在煤城陪我，还要到美国、到台湾陪我！"张照中有银行家带政治家独特的报复方式。

"在我心目中，张代表为人儒雅、高风亮节，不会做那些低俗之事吧。"李立林反应过来，但非常小气，"听说，华尔街对有丑闻的官员处理起来，那要比共产党还重！"

"华尔街孤身奋斗了这么多年，最想寻找一个背景相同、年龄相仿、素质相近的美妙女子结成良缘，告老还乡了。"张照中的阴险，这时候彻底暴露出来，"那句古诗怎么说来着：蓦然回首，那人却在灯火阑珊处。是吧？我的梦中情人史小姐。"

"我成了你们国共两党争夺的'战利品'了。"史佳敏看到这样的场面，女人的虚荣心得到最大的满足，"还有，李市长大人的'美人计'获得了空前的成功。"

"咱们是在谈生意，不是谈其他的……"李立林尽管喝酒做人豪气干云，但也有特别狭隘的地方。

"你是来和我谈生意的，而我是来寻找红颜知己的。"张照中的谈判手法确实不一般，"如果你要谈生意，明天和我下面的人继续谈。而我呢……"

"你要怎么样啊？我的张代表！"市长李立林哭笑不得，"还有你，史佳敏，'美人计'不是这么玩的！"

"我是煤城人嘛，确实中了市长的'美人计'。明天想带史小姐回趟老家。"张照中越说越轻松。

气急败坏的李立林，当场扔下一男一女，甩头上了汽车，一溜烟走了！

背后的张照中、史佳敏互相望了一眼，开怀大笑。

四十二

张家峪，是天雄关脚下的一个小山村，不过百十来口人。张家峪，最有名的就是张家大院，依山而建，层层叠叠，错落有致。

这个大院是清代初年晋商最兴盛的时候，走西口的富豪张家在故乡修建的豪华山庄，当时花了白花花一万块银圆，因此，当地百姓把张家大院叫做"银圆山庄"。

走在银圆山庄的石板路上，世行代表张照中有些感慨："这么好的山庄别墅，我爹六十多年没有回来了，只是为了一口气呀。"

"昨天那么戏弄共产党的市长，你的气也应该出够了吧？"史佳敏尽管打扮朴素，可走在这样山间石路上的曼妙女子实在是少数，引来不少人的目光。

"一口气，憋了两代人，真要化解，不是那么简单的。"张照中说出了心里话，"不管怎么样，我要感谢哈佛校友的精彩配合。共产党的市长对你可是垂涎三尺啊。如果他心里没有你，我还真出不了气。"

"我们是大学同学，现在又重新聚到了一起。"史佳敏没有回避，"也曾经是恋人。"

"要是这么说，你不仅在帮我，更重要的是在帮他！"张照中内心一直奇怪，这么一个风华绝代的女人，为什么一演戏，就和自己配合得那么默契。

"此话怎讲？"史佳敏问出来以后，有些后悔。

"女人嘛，最能摸透男人的心理，从一开始你就感觉出来，我满腹怨气无处可撒。如果发泄不出来，一直憋在心里，就成了谈判的最大障碍。"张照中缓缓走在前面，"可我的气，不同于任何人，是针对共产党的。在你们中间，共产党最大的官，就是李立林。我把他当做出气筒，你也帮助我出气，最终把所有的火气撒出来，谈判的时候就没有障碍了。"

"你感觉你的目的达到没有？"史佳敏一语双关。

"要说完全达到，那是不可能的，因为这是憋了两代人的恶气。要说没有吧，也是违心的，毕竟你也帮过忙，而且还得罪了李立林。"张照中看到前面就是张家大坟。

"我不会得罪他的！"史佳敏果断回答。

"为什么？"张照中远远看到蒿草长满了坟茔。

"当时，他要冷静一些，就能感悟出来你刚才说的那番道理。"史佳敏跟在后面。

"这么说，回去以后，他就冷静了。"张照中猜想。

"应该是吧，他也是聪明人。"史佳敏比较了解李立林。

"共产党还是重用人才的。"见面以来，张照中第一次赞叹。

"你是说李立林？什么地方看出来的？"史佳敏疑惑了。

"有事业心，有情有义，还不够嘛！"张照中内心也稍稍有些松动。

张照中、史佳敏走到张家祖茔的面前，突然发现一个奇怪的现象：中间很多墓葬完完整整，只是最东边的一个大土堆，现在突然变成了大土坑。

"怎么回事？前年回来，我从天雄关遗址上专门找回我爷爷的残骸，埋葬在这里。怎么不见了？"张照中回头瞪眼看着本家侄子。

"对不起大爷，祖宗的坟被人挖走了。"本家侄子哭诉。

"谁挖的？"张照中一脸怒气。

"政府的人，一来十多个，我们挡也挡不住。"本家侄子当初劝阻半天，根本没用。

"好啊，共产党！好啊，李立林！竟然把我爷爷的坟挖了。"张照中切齿痛恨。

在山西乡村，祖宗坟被挖，是奇耻大辱。

"村里人都说，政府跟你要钱，你不给。所以，人家把咱们祖坟挖了。"本家侄子推卸责任。

"李立林，好小子，我要到北京告你去！"张照中看着旁边的史佳敏，"史小姐，你说世界上什么人最缺德，是不是李立林这小子最缺德！想要世行的贷款，也不能把我爷爷的坟挖走，用这种下流手段来威胁我吧！"

"我看不是。"史佳敏好像明白了什么。

"不是？难道是土匪挖的？"张照中比恨土匪还恨李立林。

"李立林不是那种缺德得冒烟的坏人，我了解他。"史佳敏明确告诉他。

"他为什么要挖我爷爷的坟？"张照中声音发抖，严肃质问。

"因为，因为你爷爷是抗日名将。"史佳敏想出来答案。

"既然承认我爷爷是抗日名将，还要挖他的坟。对得起死去的先人吗？对得起自己的良心吗？对得起烈士的后代吗？"张照中最后发狠，"如果北京不给我个说法，我也有的是报仇办法。"

"什么办法，我听听。"史佳敏站在高坡上。

"我雇人剁了他，一千万不够，三千万。"张照中几乎失去了理智。

"李立林做的事情，是你两三千万根本买不来的。"史佳敏想使他冷静下来。

"你说他派人挖我的祖坟，也出了这么大代价？不可能，我不相信。"张照中说出自己的看法，"共产党的政府，要派人挖祖坟，不会花钱的，雇几个二流子就够了。"

"你怎么老认为李立林挖了你的祖坟呢？就不会往好处想一想。"史佳敏感觉张照中确实成见太深。

"那你说我的祖坟哪里去了？"张照中眼睛发红。

"我知道。"史佳敏回答。

"这么说，你俩合伙干的？"张照中产生了怀疑。

"我没有那个资格。"史佳敏看了看那个黄土坑。

"挖人祖坟还要资格？"张照中惊奇。

"当然，我又不是政府的人，没有资格挖人的坟，也没有资格帮助别人立坟头。"史佳敏安抚他。

"能不能告诉我，李立林的祖坟在哪里？"张照中突然想出来一个狠招。

"你想报仇，想雇人挖了他的祖坟？"史佳敏惊奇。

"当然，共产党再不讲理，总不能允许他挖我的祖坟、我不能挖他的祖坟吧。只要挖了，我们俩就算扯平了。"在张照中看来，这是目前最解恨、最直接的办法。

"你要真把他祖坟挖了，放哪里？总不能放这里吧。"史佳敏觉得好笑。

"他把我的先人放在哪里，我就把他的祖宗放在哪里。这件事必须扯平。"张照中毫不让步。

"可他的祖宗，一介草民，和你的爷爷放一起，根本不够资格。你爷爷是抗日英雄，李立林再是市长，给他个胆子，也不能把自己的草民祖先和抗日英雄放到一起。"史佳敏严肃认真。

"抗日英雄？我爷爷灵柩到底在哪里？"张照中急不可待。

"煤城抗日烈士陵园啊。"史佳敏说出了最后的答案，"最近，煤城市投资五千万新修了抗日烈士陵园，你爷爷张平华，那么有名的抗日英雄，不去那里合适吗？李立林的草民祖先，去那里够资格嘛！"

"真的？别骗我。"张照中不相信。

"下午，我就可以带你去抗日烈士陵园看看。如果没有你爷爷，我就躺在这里。"史佳敏指指那个空穴。

"那李立林为什么不跟我们提前说一声？"张照中终于相信了，流出了眼泪，这次是喜悦的热泪。

"你们父子对共产党成见那么深、那么重，恨不得把人家吃掉。"这次轮到史佳敏嘲笑他了，"李立林假如提前说了，你这个人疑心太重，又会怀疑人家'统战'你，何必呢！"

"原来是这样！……"积淀在张照中内心的坚硬冰山，突然遭遇暖流，开始融化了……

从天雄关回煤城的路上，有两处非常奇特的景点，在史佳敏的热心提议下，张照中看时间尚早，决定去参观参观。

滹沱河，是晋北高原上一条接近干涸的小河，发源于管涔山，最后穿经莽莽太行山，从大山里汇集了数不清的支流，变得汹涌澎湃，襟怀开阔，气势壮观，冲向了华北大平原。

在滹沱河的上游，五台境内，傍着滹沱河，一左一右，分别是一个大镇子和小村庄。大镇子里出了一个叱咤风云的人物，就是山西人，人人皆知的民国大军阀阎锡山。小村子虽然小，也不简单，出了一个更大的人物，那就是打败阎锡山的共和国元帅徐向前。

如今，名人旅游，红遍全国，滹沱河畔的人们，也利用自己的特殊资源，开发出了两个名人旅游的景点，一个是大镇子里的阎锡山故居，另外一个是小村子里的徐向前故居。

对于阎锡山，张照中很小就崇拜。他听父亲讲，当年的阎将军坐镇山西，遥控北方，是国民党著名的五大司令之一，其他四人分别是蒋介石、冯玉祥、张学良和李宗仁。中原大战的时候，阎锡山和冯玉祥联手进攻蒋介石，半中间，在东北拥兵自重的张学良被蒋介石用金钱收买，把大好的东北江山扔给日本人，自己杀进了关内，包抄了阎冯联军的后路，结果导致前线节节胜利的阎将军半途而废，折戟沉沙。

不然的话，中国现代史就是另外一种版本。

阎锡山故居，确实规模宏大，气势不凡，与阎将军晚年在台湾阳明山居住的几间破草屋不可同日而语。占地两百多亩，依山而建，是个城堡式的大院，外墙高不可攀，甚至在主要节点上还有碉堡和炮楼。进去以后，有大大小小一百多个院子，根据功能的不同，装饰风格也截然不同。用来居住的院子，摆放的大都是高档实用的生活用品，门类齐全；用来娱乐休闲的院子，风景如画，格调高雅，陈列着众多奇珍异宝；其中，最多、最大的院子，几乎都是过去阎家各种产业的总部所在，有票号、银铺、钱庄、当铺、煤矿、纺织、机械、银行、医院、投资……

"阎将军真是家大业大啊。"看完阎锡山故居，身为世行代表、阎氏嫡系的张照中将要离开的时候，回望古老的夕阳中的城堡，无限感叹，"过去，光听父亲说阎将军出身票号，家财万贯，后来在阳明山见到阎将军，看到他家徒四壁，当时我就奇怪，大户人家怎么这么穷！现在才知道，他把祖先留下的产业都扔到大陆了。可惜，可惜！"

"你知道阎将军从政以前，家境情况如何吗？"史佳敏无意说了一句。

"不知道。如果史小姐有所了解的话，望不吝赐教。"站在故居门前的广场上，张照中看着四处奔跑的儿童。

"过去，我也不知道，后来在哈佛上学的时候，看过美国作家爱德加·斯诺的一本书，才了解了童年和青年时代的阎将军。"史佳敏发现这里的孩子非常淘气，根本不顾生人站在面前，就在大人的缝隙里玩起了捉迷藏的游戏。

"爱德加·斯诺？"张照中脑子里回忆起来，"那个红色作家，美国人。上世纪三十年代来过中国，采访过很多大人物。据说，他的作品非常写实，非常原生态，因此震动了西方。他怎么评价阎将军？"张照中拦住一个调皮的孩子，摸着儿童的小光头。

"他说，阎将军其实出身在一个破产的票号家庭。资不抵债，而且，负债累累，万般无奈，考上公费留学生，到日本学习军事。这一切家财，都是他当官以后聚敛来的。为了掩盖他的财富来源，阎将军经常对不知底细的外人宣传：他出身在一个富有的晋商世家……"

"可信吗？"张照中还是怀疑。

"美国人书里写的，而且我个人分析没有问题。"史佳敏往前走了几步，眼睛仰望附近一棵大树上落着两只黑黑的大大的乌鸦，"现在晋商学也成为一门显学，有机会你可以了解一下，过去的晋商大户给子女选出路：首选金融贸易，次选掌柜伙计，实在没办法的人家，才让孩子考科举，走官场的……"

"阎将军包括你们家的大恩人孔院长，都曾经是破落家庭的穷孩子，出人头地以后，到处炫耀自己出身晋商大户，那是为了掩盖巨额财富的不法来源！"说完，史佳敏看着对方的反应。

"是这样啊。"张照中脑袋像被什么东西撞了一下，有些发闷，有些无精打采，"走吧，我们上车吧。"

"想不想知道斯诺先生是怎么评价阎将军他们的？如果不想听，我就不说了。"史佳敏关好车门，汽车开始慢慢行驶起来。

"说吧。"张照中反正也被撞头晕了。

"斯诺先生评价：像阎将军这样的国民党高官，要才能有才能，要气质有气质，要文化有文化，唯一有个缺点，就是太喜欢钱了。国民党如果将来垮了，不是因为能力和水平，就是因为太贪财了，失去了民心。"史佳敏神色得意，"斯诺先生的预言真准哪，十多年后，强大的国民党就垮了！"

徐向前故居，就在三五里地的河对岸，很快就到了，现场很让人吃惊。那么叱咤风云的人物，故居原来这么简陋：只有一进破破烂烂的四合院，只有简易的木床和简单的生活用品，最奢侈的东西就是一筐一筐的农具，还有破烂得再不能破烂的衣服。唯一有参观价值的地方，就是墙上挂满了徐向前风云一生的照片……

"共产党真会装扮自己，为了斗地主、打富豪的需要，把元帅的老家包装成这么个破落户的样子。"张照中分析出来，眼前的一切都是政治需要。

"错了。"史佳敏好像是棒球手出生，来不来给人当头一棒，"上世纪三十年代的时候，斯诺先生，包括很多美国作家、学者，其中就有你想不到的费正清博士，就参观过作为红军统帅之一的徐向前家里，当时就是这个样子，现在仍然维持原状。如果你有疑问的话，可以回去看看那些美国人写的参观游记。"

"斯诺他们，对徐向前是怎么评价的？"张照中有些不服气。

"别说了。"史佳敏犹豫起来。

"为什么不说？"张照中奇怪。

"我担心你接受不了。"史佳敏原来是替对方着想。

"党国失败，我都能接受，这有什么！"张照中努力装出落落大方的样子。

"你能不能不要站得那么笔直，不要那么紧张，好像上刑场似的。"史佳敏柔情蜜意，"你放松点，好不好？"

"好吧。"张照中外表轻松，内心难受。

"斯诺他们作为一个自由知识分子，客观评价：像徐向前这样的共产党人，有理想有抱负，有本事有作为，唯一的缺点，就是太穷，穿得太破烂，不太像个黄埔军校毕业的军官，这也是共产党能够赢得民心的地方……"史佳敏一边说一边观察对方的表情。

张照中显然很难堪，很被动。可是，在资深美女面前竭力装出镇定的样子："我终于弄明白一个道理：你为什么要和李立林不惜撕破脸皮，陪我回故乡参观的原因了。"

"你说，我早就精心设计好了这条特殊的'名人旅游路线'？"史佳敏最有感觉，两人谈话，自己处在上风上水。

"不是吗？"张照中反问。

"不是我设计的，我没有那个本事！"史佳敏好笑。

"难道是李立林设计的？好啊，你们俩又是'美人计'，又是'苦肉计'，还有'双簧戏'。一环扣一环，精彩绝伦，非把我套进来不可！"张照中恍然大悟。

"他也没有那个能力。"史佳敏觉得张照中不仅偏执，而且偏狂。

"那谁有这么大的本事？"张照中想问个究竟。

"是历史！是历史塑造了这条'名人旅游线路'。"史佳敏抬头回望，"这是历史的必然，也是历史的巧合。正是这个必然，告诉了我们最深刻的道理；正是这个巧合，使历史像文学一样充满传奇。"

"我想说一句我最真心的话，可能伤害你，也伤害李立林。"张照中听了，痛苦半天，沉默半天，也犹豫了半天。

"如果有一种爱真要伤害到别人，真是那样，就埋藏在心里吧，不要说了。"史佳敏对很多欣赏她的男人，只能这样彬彬有礼地回绝。

"好吧。"张照中感叹，"我们哈佛能培养出来如此出众的才女，不知是哈佛伟大，还是共产党伟大！"张照中不仅被历史的无情打晕了，也被现实的无情撞醒了，"我们回吧，明天带我去抗日烈士陵园祭拜我英雄的祖父，好吗？"

"当然！我答应过的，你祖父要不在那里，我还得躺回在那个空穴里呢！"史佳敏一句玩笑话，把思想沉闷的张照中立刻带回了现实的欢笑中。

四十三

三天以后，世行煤城项目论证会将要在五星级的龙天国际大酒店举行。

一早，世行代表张照中先生就到了酒店的贵宾接待室，市长李立林，项目顾问张国军、史佳敏等早已迎候在那里。

"对不起，张代表，那天在关帝庙我有些失态。"市长李立林迎上前来的第一句话，就是给客人道歉。

"不是你对不起我，而是我应该感谢你这个好市长。"张照中不仅用语言表达，而且用双手牢牢握紧了对方。

"感谢我什么？成就了您的美好姻缘？"听说对方感谢，李立林心里有些发毛。

"那倒不是。感谢你'挖'走了我的祖坟！"张照中搂着他，"还要感谢你派来一个才华出众的史女士最后把我'统战'了。"

"什么意思？我再缺德也不能'挖'人祖坟哪！"李立林没有回过味来。

"怎么，史小姐没有给市长汇报？"张照中从对方迷茫的神情中感觉不对。

"我才没有必要给他汇报工作呢！"史佳敏趾高气扬。

"你不是人家聘来的顾问吗？"张照中有些不解。

"顾问是顾问，不是发工资的那种专职顾问，说穿了，只是一个义工。"史佳敏抬眼看着李立林，"要是你发工资的话，我就每天给你汇报；要是义工，那就看我什么时候高兴，什么时候有兴趣和你交流了。"

"你这样的高级白领，说实话，我发不起工资。"李立林认真起来，"政府临时聘用人员工资，不过几百块，还得从早忙到晚。你看得上，我也过意不去，还是友情赞助吧。"

"张代表，我没有说错吧，李市长这个人薄情寡义，你说还能合作吗?!"史佳敏几乎把调侃市长也作为成功女士的习惯了。

李立林看到有人当场拆台，特别泄气；而老市长张国军却在一边偷偷发笑。

张照中感激涕零："不管史小姐对你有多大的成见，我还是要感谢你，深深感谢煤城重情重义的好市长李立林先生！"

说完，当着所有人的面，不可一世的张照中，做出了一个最不可思议的举动：弯腰九十度，给李立林当场鞠躬。

"怎么回事？"李立林赶紧扶起对方，莫名其妙。

"昨天，史女士带领张代表参观了抗日烈士陵园！"老市长张国军道出谜底。

"那有什么，应该的。"李立林终于醒悟过来对方感激不尽的真正原因，他当场神色严肃地说，"对了，张代表，抗日烈士陵园刚刚落成，与您前来考察的时间相近，纯属巧合。作为共产党的政府，厚待抗日烈士是我们的职责，绝不能拿在天之灵的先烈来要挟你，来取悦你。请你千万不要胡思乱想。"

"这个，我知道。"张照中从这一件小事上，体会出来李立林是个为人正派的市长，"参观抗日烈士陵园，属于临时动议，史小姐安排的，与你绝无关系。"

"你可不要生气。"史佳敏赶紧解释，"人家回家祭祖，发现爷爷的墓葬成了空坟，我总得给人家一个说法吧。"

"当初乡政府迁坟的时候，为什么不解释清楚！"李立林火了。

"在场哪个是乡政府的？谁知道来龙去脉啊？"史佳敏也有些生气。

"这还用问，肯定是底下的人，半夜把人家坟'盗'走了！"老市长张国军插话，"我在这里工作了多年，太了解基层的作风了。你们想想看，上面要建烈士陵园，需要填充烈士遗骸，给乡里下达了死命令。时间紧，任务重，张代表全家在台湾，村里只有几个旁系亲属，做不了主、又交代不了张代表，只能拒绝迁坟，唯一的办法就是抵制闹事。乡政府的人呢，也意识到了这一点，为了尽快完成任务，只好上演'盗墓贼'的把戏，只有这么办，才能按期给市里交差。即使将来村民发觉了，假如要闹事，他们完全可以把责任推到市里……"

"他妈的，好事变成坏事了！"李立林根本没有想到，任务是这么完成的。

"又没绅士风度了。"史佳敏提醒对方，客人面前不要说脏话。

"不管怎么说，我还是要给李市长再鞠一个躬。这个，是代表我父亲感谢你的，千万不要拒绝。"说完，张照中再次弯下了腰。

"如果真要鞠躬，那应该是我，因为你是英雄的后代。"李立林回忆起来，"那天，我去参观丰碑落成仪式，路上一直想一个问题：当初那么多英雄，无论是国民党的还是共产党的，为了这块土地献出了生命，我们这一代人为这块土地做得实在太少、太少了。"

"这句话怎么好像是专门说给我听的？"张照中反应过来。

"你确实有义务！"李立林没有回避，"不为别的，为了你那英雄的爷爷张平华。"

"有句话，开始我就讲清楚了，可能李市长忘了，我再提醒一遍：我是以世行代表的身份来煤城工作的，不是以烈士后代的身份来故乡寻亲的。尽管你们做了不少感动我的事情，有个原则我绝对不能违背：那就是绝对不能暗箱操作，绝对不能网开一面。如果你把希望寄托在这些方面，我现在就告诉你答案：贷款一分不给！"张照中说话的口气出乎意料，十分严肃。

听了他的话，李立林陷入沉思；史佳敏觉得前功尽弃；张国军感到刚刚回暖的气氛，重新降到了冰点。

"我们进去听听项目汇报？"张照中主动邀请。

"等等。"李立林连忙阻拦。

"为什么？"张照中感觉时间不早了。

"从谈判的第一天起，我就从来没有想到'暗箱操作'，也从来没有想到'网开一面'。"李立林站在他前面。

"那你为什么要这么苦心孤诣？"张照中几乎愣了。

"因为煤城从来没有和世行合作过，缺乏和大财团打交道的经验，缺乏对大财团的了解和认识，也缺乏满足大财团苛刻条件的办法。"李立林抬起眼来，"如果进去以后，谈判开始，世行提出来的硬性条件，我们方案中暂时达不到，能否下来以后给我们提出一个指导意见，教教我们如何能满足大财团的要求？"李立林非常诚恳。

"张先生，市长说的，没有违反你做人做事的准则，不是暗箱操作，更不是网开一面，只是指导指导而已。"史佳敏在旁边帮腔。

老市长张国军也急了："提点建设性意见，不算违反原则，只能是朋友之间坦诚相见。"

"要是能这么看待问题，我肯定帮忙，毫无疑问！"张照中坦率答应了，"既然作为潜在的合作伙伴，我就应该帮助你们满足世行要求，这也是为世行负责！"

"毕竟是煤城人，没说的！"李立林再次握住张代表的手，一股朋友信任的力量在彼此间传递⋯⋯

晚上，从第一轮谈判的会场下来，张照中、李立林等几个人坐到一起吃饭。

"张代表，我觉得气氛不对。"李立林提到刚才的谈判，忧心忡忡。

"是啊，太苛刻了。"顾问张国军感叹，"要求世界一流的城市规划，什么是世界一流的城市规划？国立大学做的城市规划为什么不行？还有，煤城只有注资三十个亿的股份制操作平台，世行才给放大十倍，借贷三百个亿。可前期三十个亿从哪里来？你也知道煤城每年可支配收入就是百十来个亿，如果三分之一的钱投到这里，就意味着三分之一的财政供养人员都得停发工资，怎么办呢？"

史佳敏看着张代表："问题就卡在这两条上面了：一个是世界一流的城市规划；另外一个，需要三十个亿的投资平台。怎么办？张代表，你跑了中国这么多城市，它们都能满足吗？"

"一部分满足，一部分满足不了。"张照中说话严谨。

"那些没有满足的，世行最后给钱了吗？"史佳敏追问。

"只要满足，最后就给了。"张照中说话，平淡之中并不平淡。

"这说明煤城还有回旋的余地？"李立林眼中透出来亮光。

"应该是有吧，关键要看你这个市长！"张照中喝了一杯汾酒，"你们吃呀，不吃饱怎么往下谈。"

"你给了解药，我们才能吃下去。"史佳敏尽管表面轻松，可内心着急。

"怎么才能叫'世界一流规划'？怎么才能筹到三十亿的底钱？"顾问张国军比新市长李立林还头疼。

"既然你们吃不下去，我就教教你们，不过，教完以后，今晚还得请我吃夜宵。"张照中把筷子放下来，"第一个，城市规划问题。这是涉及到城市未来几十年发展的根本问题，关键要有品位，有文化，有个性，有灵魂，这个城市才能有前景，才能吸引投资，促进发展，保障世行贷款顺利收回。国立大学做的这个规划，表面看来，数据清晰，分析得体，特别是产业布局设计得十分完善，经济基础和发展前景相当不错。但关键的问题，也是最致命的问题，是设计规划的所谓'国大经济学家'，从中做了'手脚'，最终把你们毁了！"张照中见多识广，一下就看出问题症结所在。

"什么？怎么做了'手脚'？"李立林内心一惊。

"对啊，你们找错人了。"张照中语重心长，"国立大学的那些所谓'大师'，名头大，影响大，上门央求的人自然也多，就那么几个人，同时设计几十个城市的规划，怎么办呢？两条：一是抄袭，大师把过去自己做过的规划重抄一遍，最后把城市的名字改了罢了；二是交给学生当作业来完成。现在的学生都是人精，知道一个规划，导师都要收几百万、上千万的规划费，而留给他们的只是必须完成的作业，他们心里会舒服吗？最后只能是勉强应付，蒙混过关。到头来，有良心的导师给学生几百块零花钱，大部分导师分文不给，在这种情况下，完成的城市规划能算世界一流吗？能交代了世行吗？"

"国立大学，中国这么知名的百年老校，怎么还干这种丑恶的勾当！"史佳敏愤愤不平，"那些所谓的'大师'真是禽兽不如。"

"可惜啊，这个规划花了一千多万，原来是个假冒伪劣产品！"顾问张国军特别心疼。

"怎么补救呢？"市长李立林如梦方醒。

"我教你们个办法。"张照中看着外面安详的夜色，平静地说，"世行对城市规划，最认可的是国外的几所大学。他们比较注重自己的学术形象，一旦合作开始以后，前期只收取少部分考察费用，其余费用要等规划项目通过世行审核以后才收取；有的等到世行贷款下来，最后划拨。这样的大学，信用很好，可是收费很高，几乎是国内的两倍。我认识他们，怎么，给你们穿针引线一下？"

"只要是原创，就有价值。"史佳敏发表意见。

"可靠就可行！虽然收费高，可比国内的骗子强。"顾问张国军表态。

"好，听你的，就这么干！"市长李立林当场拍板。

"三十亿的投资平台怎么搭建？"顾问张国军又开始发愁了，"财政资金投资非常有限，别看煤城有百十多亿的支配财力，大都发了工资，建设能力极其有限，不然，我在任的时候，就把路全修了，楼全盖了，棚户区全改造了。用不着拖到今天，拖到立林手里。"

"是啊，煤城财政是吃饭财政，总不能为了发展，不让老百姓吃饭吧。"这个道理，史佳敏早就明白。

"我们要能一下拿出来三十个亿的建设资金，最少财政收入要比现在多出一倍，才有这个投资能力。达到这个状况，恐怕还得五年以后。"市长李立林最发愁的就是资金严重短缺。

"你们有钱！三十个亿能拿出来。"张照中非常肯定。

"哪来的钱？"顾问张国军几乎急了，"我的张代表，那个给世行申报的财政报告，一点没有隐瞒，一点没有造假。"

"我知道。"张照中没有理会，"关键是要立林想办法。"

"我没有办法。"李立林把手一摊，"省财政、省投资公司，我跑了不下几十趟，每次要回来的钱，还不够请他们吃饭送礼。"

"我说煤城能拿出来，绝对能拿出来，我的感觉没有错。"张照中用手在桌上轻轻一拍。

"你说我把什么东西卖掉能换回来那么多钱？"市长李立林走投无路，"政府大楼？政府宾馆？政府设备？不值那么多钱嘛！"

"张代表，你给指点指点。"史佳敏聪明过人，可一时弄不懂诀窍在哪里。

"我们住的这么好的五星级酒店，煤城街上都是豪华轿车，北京、上海最有钱的都是煤城的大老板，怎么找不来三十个亿！"张照中一语道破天机。

"不行！煤老板的钱尽管多，要不来。"张国军当即否定了。

"为什么？城市建设也是有很大利润空间的，为什么不吸引他们参与？"张照中疑惑不解，"天底下，哪有有钱不赚的老板！肯定政府有问题。"

"不是政府有问题，而是煤老板太会算账。"市长李立林为自己开脱，"煤老板是这么算计的：手中十个亿今年投到煤矿上，如果不出事故，当年就可以刨回来最少十个亿，百分之百的利润。如果出点事故，死伤几十个，大不了赔偿一个亿，还能稳赚九个亿，这么高回报高稳定的买卖，什么都比不了。煤老板除了投资煤矿，什么都不投！"

"是啊，你要告诉煤老板，哪里有好酒店，哪里有好姑娘，哪里有好享受，他疯了一样就跑去了；如果你给他讲，哪里有个好项目，他根本不听你的。因为他早就尝够了甜头，心里最明白，世界上除了军火、贩毒、贩卖人口以外，就是煤矿最赚钱！"张国军明白无误地说。

"煤老板没文化，根本不懂和政府合作、和世行合作。"史佳敏突然想起来标准的煤老板大黑。

"错了。你们大大错了，因为你们没有时间研究城市大规模开发的价值，所以没有很好地引导煤老板，最后导致他们把煤城赚来的钱全部外流了。"张照中激动地站起来，"作为朋友，我讲一句知心话：身为能源大市的父母官，煤矿接二连三发生矿难，你们的全部精力几乎都在安全生产上。只要不出问题，官帽就能保住，这个大家都明白。所以，你们百分之九十的精力都投在了这里，其余百分之十，还要考虑教育、公安、广电等等，几乎没有时间静下心来研究城市发展，研究城市的未来，更谈不上研究文化遗址保护了……"

李立林振聋发聩，张国军豁然开朗，史佳敏倍感新鲜。

"城市开发，怎么不比煤炭赚钱？我给你们算一笔账：一个百万平米的小区，按现在煤城的建设成本，不过每平米三千块钱，如果我们把小区周边的路修好了，学校盖起来了，环境绿化好了，每平米卖到五千块钱有问题吗？每平米抛开一千块钱的公用设施成本，还能稳赚一千块钱，那一百万平米就是十个亿，而这个百万平米的小区前期投入最多就是十个亿，难道不是百分之百的利润吗？难道不和煤矿的收益一样吗？"张照中经济意识真是太强了，"我就不相信，你们推出一个项目，只要投资十个亿，世行和政府都支持，马上就能赚回来十个亿，经济嗅觉异常灵敏的煤老板会不动心？只要有几个人动心，三十个亿还发愁吗？"

"张代表这么一算账，城市开发确实挣钱，不比煤炭少。"顾问张国军承认，"其他城市搞城市整体开发就是这个思路。只不过，城市整体开发，相当于把小区开发放大了十倍。"

"也比煤炭安全，不会发生事故。"史佳敏随声附和，"煤城太破烂了，可有钱人太多了，搞好城市整体开发，不愁卖房子，更不愁改善环境了。"

"你确实是世行的大人物，太会算账了，一下把我算清楚了。"市长李立林佩服得五体投地。

"不是我会算账，而是暴利的黑煤眯住你们的眼睛了。"张照中的儒雅背后，是做人的低调和谦虚。

"怎么感谢你才好呢？我们的'天才教授'。"李立林想报答对方。

"要感谢，就感谢你们的美女'统战部长'吧，是她让我重新认识了共产党，重新认识了你这个有情有义的同龄人。"张照中看着史佳敏……

四十四

对于国土局矿产拍卖，赵国忠历来心有余悸。

前年以来，他参与过两次矿山拍卖的激烈竞争，每一次都功败垂成，原因只有一个：他没有弄明白，激烈的竞争背后，竟然有出乎所有人意料的"潜规则"。

他回想起来第一次：

第一次是前年冬天，国土局张榜拍卖西山一个矿山的所有权。

争矿等于争财，煤城内外所有的大款都报名竞争。一个标的只有六千万的煤矿，最后被抬高到三个亿。

最后，其他人都流拍了，还有一个不知趣的家伙，始终跟自己过不去，一直举牌。赵国忠原来计划自己的上限是两个亿，现在到了这个份上，理应放弃。

可是，旁边的肖助理提醒：这个煤矿经营权是三十年，即使叫到四个亿，不过白干三年，还有二十七年的滚滚红利，坚决不能让。再说，你是煤城数一数二的煤老板，如果败下阵来，以后在商场、官场上就抬不起头来了。

赵国忠于是有了拼死的信心，接二连三继续举牌，而且对手也是志在必得，紧咬不放。

半小时过后，拍卖师喊出四亿元的天价。

赵国忠刚要动手，突然钻过来两个陌生人，拉下来赵国忠举牌的那只手。

赵国忠正要问个明白，两个陌生人，一个挡住两人的视线，另一个突然拉开了衣服：里面绑着的都是炸弹！

暴徒声音很小地说：再举牌，你的这只胳膊没了，咱们几个一起完蛋！

赵国忠吓呆了，立刻扔了号牌。肖助理没有见过这样的凶残场面，当场吓得跌坐地上。

最不可思议的是，在场的每一个都看到了这个惊人场面，可是每一个人都熟视无睹。

就在赵国忠扔掉牌子的几分钟之内，拍卖师若无其事地宣布：某某人最后以四亿元的价格最终中标！

事后，赵国忠在市委书记段天生面前举报：不法商人勾结国土局干部，利用黑社会操纵矿山拍卖。

令他根本没有想到的是，段天生哈哈大笑：兄弟，你满足了吧。人家多出了两个亿，你现在还平平安安，凭什么？就是凭我这个市委书记的老面子。人家看在我的面上，放你一马，应该感激才对。

赵国忠惊问：那个频频举牌的人，一看就是个枪手。背后真正的矿主是谁？

段天生悄悄回答：按理说，我不应该告诉你。但咱们是兄弟，让你长个记性：绿林矿务局局长田大勇。老田什么人？就像那句流行语说的，上通天，下通地，中间通空气。

赵国忠更惊奇了：他不是国有大矿的老总吗？怎么以私营企业的身份参加争矿呢？

段天生挥手指着他：你这个笨蛋，老田不是利用这次争矿的机会洗钱嘛！

赵国忠后退一步：我的妈呀！四个亿，这么贪！

段天生轻松漫步，道破天机：没有什么大惊小怪的。前几天，检察院查处了绿林矿务局三位掌大权的中层干部，每人都不下千万。作为他们的上级，而且一把手，操纵决策大权，收入肯定不会比他们少！

赵国忠如梦方醒：看来，山西最大的煤老板，根本不是我们这些拼杀出来的个体户，而是那些大官出身的大款。

段天生无意间流露了一句真话：你们嘛，不过是些陪衬，不过是些花瓶，不过是表面上的富翁。真正的大老板，都非常低调，非常隐蔽，甚至躲藏在"煤层里面"。

赵国忠出了一身冷汗。

段天生最后交代他：我给你说的这些都是废话，不要往心里记，更不要到外面宣扬。因为，那样的话，如果再出事，我就保护不了你了。

赵国忠当然知道其中的利害：放心吧，书记。我明白：生命重于泰山。以后，再遇上争矿，你先帮我打听好对手的底细，有条件我们就上，没有条件我们就放弃了。不给别人找麻烦，也不给自己找麻烦。何必呢，争来争去，让人家多出了两个亿。

段天生点头答应了……

赵国忠回忆起来第二次难忘的拍卖：

第二次参加竞拍，是在半年以后。

准确地说，得到竞拍的消息，是在那一年的腊月十八。段书记亲自给赵国忠打电话：过年后，有个整合过的中等煤矿要拍卖，标的一亿八千万。到现在为止没有大人物插手，你赶快到国土局报名，我已经打过招呼了。只要有实力比你强的，想办法让办事人员做好劝退工作……

赵国忠正在北京泡桑拿，听到这个消息，当即穿上衣服，带着美女助理就飞回了煤城。因为有书记背后做了工作，报名手续很快办完了。

晚上，他们宴请段天生。

席间，段书记突然提出来：这些年煤城风气不好，过年老有人送钱、送卡、送礼，削尖脑袋往家里闯，将来传出去名声不好。马上春节了，不如咱们过几天到日本旅游旅游，躲躲那些"惹不起"的送礼人。

想到段书记如此帮忙，自己和肖助理不加考虑，就带着段书记去日本整整玩了一个月，从北海道一直玩到东京，段书记极其尽兴。

回来的时候，恰好是正月十七，人们把所有过年的新鲜都玩腻了，正准备开始好好上班。

晚上，赵国忠、肖助理替段书记把大包小包扛到家里。刚要喝水，突然煤城国土局局长慌慌张张跑进来，告诉自己一个惊天动地的消息：那个煤矿出手了！

没等赵国忠、肖助理反应过来，市委书记段天生当场训斥：不是说好年后进行拍卖吗？你这个局长怎么当的？

国土局局长哭诉：书记，你不知道，自从你出了门。有个矿主就撺掇煤矿附近村的两千多农民闹事。他们提出来，为了确保农民利益，确保阳光操作，威胁国土局必须马上公告，过年之后、正月十五以前必须竞拍，否则……

赵国忠、肖助理一看国土局局长如此委屈，心都凉了。

国土局局长万般无奈：开始我不答应，结果两千多农民就包围了国土局，后来还包围了市政府，甚至扬言要到北京上访。

段书记火了：你们这么妥协，不是助长刁民气焰嘛！公安局干什么去了？

国土局局长：当时，我就找了公安局，人家忙着过年，根本不理我。再说，公安局和我们是平级。你不在，我根本指挥不动人家。

段书记雷霆万丈：那你也不应该妥协！

国土局局长都快哭了：我没有办法。农民最后闹到上面，上面的领导批示：稳定是压倒一切的大局！一切不稳定的因素必须无条件排除。你说我一个小人物，该怎么办？！

段天生一听涉及社会稳定，也干气没有办法，只好摆摆手：走吧，走吧！

看着国土局局长走出家门，从日本刚刚旅游回来浑身兴奋的段天生，满心喜悦顿时消失得无影无踪。

肖助理突然感觉到过度劳累，几乎瘫在地上……

不可一世的段天生，第一次道歉：兄弟，我欠你一个天大的人情，原谅我。政府嘛，也有政府的难处，稳定是压倒一切的大局，在这个大局之下，所有人必须让步，不管是谁。

赵国忠明白，越是这个时候，越不能暴露出来埋怨的神色，否则……

他非常大度地回答：书记，没事，留得青山在，不怕没柴烧。

段天生拍拍他的肩膀：告诉你，拍卖场上，还有一个"潜规则"。矿山所在地的农民，尤其是村长必须摆平，光有政府的支持是远远不够的。

赵国忠清醒过来：谢谢书记，你今天教给了我一个最深刻的道理，在这个世界上没有一个政府是万能的。

段天生脸色阴沉地说：有道理。国外是选票第一，政治家因为选票，必须要替老百姓说话；中国是民生第一，谁不把老百姓放在眼里，上面就要摘掉谁的乌纱帽，老百姓惹不起啊！

……

两次竞拍失败以后，赵国忠终于明白了拍卖背后惊人的游戏"潜规则"。

"潜规则"背后有关键人物。就争矿而言，有两个关键人物，一个是在政府说了算的；另一个是在村里说了算的。

对于赵国忠而言，他不缺政府的帮手，因为背后有市委书记段天生；而缺少的关键人物，就是代表农民利益的村长。他苦苦寻找了大半年，可是没有合适的对象……

后来，水峪沟煤矿一声爆炸，炸得煤城上下，甚至全国上下惊天动地，哭声不断，泪水涟涟。

而精明的煤老板赵国忠，却从这场爆炸中，嗅出来"带着血腥的商机"。

拿下一个小村长，对政治上运斤成风的赵国忠来说，纯属小菜一碟。他邀请村长大黑与市委书记三次共进豪华晚餐，没有见过大世面的小村长，立刻对他俯首帖耳；再送上一百万的活动经费，大黑就半个屁股坐到自己怀里了。

后来，天赐良机，大黑被人绑架。竞争对手郭天亮恰好犯了自己上次"过年出国旅游"的大错，自己花了几百万，把村长大黑赎出来，等于重新给他一条命。

自己不仅是大黑的恩人，甚至是他的再生父母。如果"儿子"还没有泯灭人性和天良，哪有不听"父母"话的！

尽管这样，听到水峪沟矿要拍卖的消息，赵国忠还是不放心。

一方面安排大黑继续做好村民工作。

另一方面，三番五次找到陷在美人窝里的段书记，"逼迫"他亲自给国土局局长、公安局局长等相关人物打了电话。

三天以后，赵国忠和肖助理出现在煤城国土局拍卖中心，参与水峪沟煤矿的拍卖。

上次失手的国土局局长，早早迎候在门口，小心翼翼领着他们穿过农民、保安和公安三道防线，进入了三楼的办公室。

里面早就准备好了招待贵宾的茶水和香烟。

"赵总，请放心，书记专门做了安排，村里也支持你。这次，一定不会出事。"局长殷勤地说。

"进你们这个大门，比进市委书记的办公室还难，要经过三道防线啊。"肖助理望着窗外感叹。

"这不都是为了帮助你们嘛！"局长邀请两人走到窗前，看着外面的风景，客气地说，"不这么办，你们的利益怎么保证啊！"

"大黑很够意思啊。"赵国忠看着窗外第一道防线里，一大堆农民中有个再熟悉不过的身影，那就是小煤老板出身的村长大黑，"他们来了不下一千人吧，还打着五六个横幅。看看：保护农民利益，维护合法竞争；汇海集团，农民朋友；后沟村三千百姓热切欢迎汇海集团到水峪沟投资……"

"农民这是干什么？搞政治运动？"肖助理没有见过这样的场面。

局长欢喜地说："农民打出这样的横幅，无非是为了向社会表示，在所有竞争者中，他们最支持、最欢迎汇海集团。言外之意，如果别人要和汇海集团过不去，就是和三千多村民过不去。"

局长很轻松："但凡有头脑、有智慧的君子，看到这样的阵势，就能感觉出来，自己要霸王硬上弓，即使拿到，也是一个烫手的山芋，好吃难消化，不如索性退避三舍。"

"这种阵势，只能吓退那些有头脑、有智慧的君子。而大多数有钱人，但凡参与竞争，都是不择手段的小人。对付他们，怎么办？"肖助理十分担心。

"就是我的第二道防线起作用了。"局长悠然自得。

"那些保安？"肖助理瞪大眼睛。

"保安是表面的，只是个幌子，真正的手段在背后。"局长显得深不可测，"这次，在报名阶段，我们就替赵总做了不少工作。"

"怎么做工作的？"肖助理最不放心。

局长得意地说："那些和赵总实力相当而又不择手段的小人，如果是国营单位的，我们委托政法机关进行劝退；如果是私营企业的，我们委托税务机关进行劝退；如果是股份制单位的，我们委托监管部门劝退。剩下来的，就不足以对赵总构成威胁了……"

"原来，那些保安确实只是摆设呀。真正的强敌，早被局长提前消灭了。"肖助理明白过来。

"老兄，事后我会专门感谢你的。"赵国忠真诚地说。

"不需要，不需要。"局长摆摆手，"只要书记满意就行了。"

"要是碰上黑社会故意捣乱，怎么办？"肖助理突然想起来，赵总曾经讲过，每次争矿背后都有黑社会的影子。

"这还不明白，那第三道防线是干什么的？！"局长洋洋自得，"段书记特意吩咐公安局特警队出来维持秩序，就是为了防范黑社会。要知道，黑社会最怕什么？最怕枪杆子。"

"看来，我们这次志在必得了。"肖助理坦然下来，"三道防线，第一道由农民防君子；第二道由国土局防小人，第三道由公安防黑社会，真是密不透风啊。"

"竞争煤矿，我连续两次失手。这回，也该撞大运了。"赵国忠信心很足。

"不是赵总撞大运，而是运气撞在赵总身上了。"局长拍赵国忠的马屁，原因只有一个：他是书记段天生的红人，如果得罪了他，就等于得罪了段天生，"赵总，如果这次你中了标，我有一个小小的请求。"

"有什么事尽管说，只要是我能办到的。"赵国忠从局长异常的口气中，感觉出来不寻常的气氛。

"能不能给书记说说，把设在国土局的专案组撤走？"局长眼神中流露出来恳求的样子。

"怎么回事?"肖助理心里一惊。

"你不知道。"局长低声说,"最近,书记派了审计局、监察局等执法部门组成专案组进驻国土局,目前已经抓了我们六个人。再这样下去,我们的人就都该进局子了。大家都知道,你是领导的红人,总不能让国土局变成空壳局吧。"

"好,好,好。"赵国忠拍着胸脯,"你放心,这件事我尽力而为。"

"那我就代表机关一百多干部,感谢赵总了。"局长心中的隐患少了许多。

肖助理在一边听了,不由得害怕起来。

自己原来认为段天生只顾沉湎女色,不顾友情,没想到他的手伸得这么长、这么黑、这么毒!

"今天,还剩几个竞争对手?"赵国忠关心下一步的举动。

"两个,包括你在内总共三个。"局长把名单拿出来。

"还有两个?"赵国忠皱起眉头。

"赵总别见怪,这是'合法操作'的需要。"局长解释,"那两个都是我们雇来的'托',专门为你服务的。你要知道,根据我市矿产拍卖有关规定,必须具备三个或者三个以上的竞争者报名参加,矿产拍卖结果才真实有效。否则就要流拍,顺延到下次拍卖。"

"原来是这样。"肖助理大开眼界。

"另外,我们这么做,也是为了保护自己。"局长摊开手无奈地说,"每次拍卖,都有很多记者出席。矿主我们可以想办法挡在门外,可记者挡不住。一旦让他们抓住把柄,捅了出去,我们就更麻烦了。"

"你是不是被记者敲诈过?"肖助理突然想起前段时间报纸上炒得沸沸扬扬的"煤矿封口费"事件。

"当然,我这个位置不好坐呀。"局长说出了最后的苦衷,"你们可能想不到,除了记者现场找麻烦,还有人事后找麻烦。国土局每次拍卖都有记录在案。一段时间以后,执法和纪检部门还要搞'回头看'、'秋后算账'。不知什么时候,他们就把我的拍卖档案调走了,只要发现有一个小小纰漏,就能把我们整个半死。为了以后安全过关,我必须'合法操作'啊。"

"理解,理解。"赵国忠回应,"这么做,对我们企业也负责任,即使将来有人找麻烦,我们程序合法,竞拍合法。让别有用心的人无话可说。"

"这么做,多大的代价?"肖助理意识到"合法操作"的背后也是有相当成本的。

"两千万。"局长把计划和盘托出,"我们的标的是五亿八千万,给两个'托'每人一次挑价的机会,最后叫到六个亿,两人罢手,你最终接盘。怎么样？不为难吧？"

"划算！这么大的矿，这么好的资源，才六个亿。"肖助理十分惊喜。

"我们就按局长设计的路线图进行操作。"赵国忠拍手称快。

局长好像还有些不放心："我设计的一切，再过两个小时就变成现实了。你答应的事……"

"我答应的事，两天之内变成现实。局长，你可以到煤炭界打听打听，最讲诚信的煤老板就是我赵国忠，这是我的立身之本。"赵国忠给他打了最后一剂强心针。

果然，两人都很讲诚信。

两个小时后，赵国忠通过"合法拍卖"，得到了盼望已久的水峪沟煤矿产权。

两天以后，设在国土局的调查组全部撤走……

四十五

区法院院长王文献，对一个特殊的案子尽管觉得没有问题，但还是不放心，专门派人把他的导师、大学法学院副院长康玉明教授请到了自己的办公室。

整整一个上午，不允许任何人进来，一个电话也不接，专门探讨这件事。

"法理上能否站得住脚？"王文献看着自己的老师。

"你怎么这么没有自信，欠债还钱，这是公理啊。"康教授把案卷看完，放到桌子上。

"这个案子，实际上是个案中案。"王文献最清楚不过。

"这么说来，案情背后有很多玄机。"康教授若有所思。

王文献说出了自己的分析："可以分拆成三部分，第一部分是赵国忠与黄有水、黄有池之间的经济纠纷，黄有水、黄有池兄弟连本钱带协议中规定的高价利息，共拖欠赵国忠巨额资金三个亿，赖账不还；第二部分，赵国忠讨债无门，与杨娟达成协议，把债权出售给杨娟，条件是，追回自己的本钱和前期开销总共一个亿，其余资金作为杨娟的酬劳；第三部分，杨娟作为债权人起诉黄氏兄弟，要求归还欠账连本带利三个亿，而且黄氏兄弟确实有偿还能力……"

"这么正常的经济案件，你怎么像办亏心事一样底气不足呢？"康教授很不理解。

"不是我亏心，而是两边势力都很强大，弄得我左右为难。"王文献道出苦衷。

"别的，我不知道。只听说赵国忠是个很有名的煤老板，连段书记都让他三分。"康教授扶了扶眼镜，"在煤城，大事小事向来都是煤老板们说了算。可我不明白的是，赵国忠为什么要把到手的肥肉吐出去？"

"不吐出去，能行吗？"王文献给老师倒了一杯茶，"在这个三角关系里，他其实是最弱的一方。如果不把债权出售，可能他的本钱这辈子都要不回来了。"

康教授恍然大悟："原来，赵国忠惹不起黄氏兄弟，黄氏兄弟又惹不起杨娟。杨娟，是不是那个女煤老板？"

"看来，康老师也听说过？"王文献发现自己的老师，绝不是那种死读书的呆子。

"有所耳闻，好像是哪个领导的姘头。"康教授不是很了解底细。

"不是哪个领导的姘头，而是我的领导的女人。"王文献纠正他。

"张巨海五十出头了，听说那个杨娟才二十多岁，年龄悬殊也太大了。"康教授喝了一口清茶，"不过，这年月，老夫少妻多的是，八十多岁的杨振宁还娶二十多岁的翁帆呢。"

"杨翁是名副其实的老少配，而张巨海和杨娟却不是，他们年龄差不多。"王文献给自己的老师递上烟。

"不可能吧，有人见过杨娟，说她美若天仙，妙龄女郎。"康教授在自己学生面前毫不客气，吸起烟来。

"那是在国外做了五六次美容手术，做出来的。"王文献揭了杨娟的老底。

"原来是个假美女。"康教授十分吃惊。

"不仅那张脸是假的，而且这个案子也做过'美容手术'。"王文献悄悄凑过来。

"什么意思，听不明白。"康教授反应过来，学生专门找他，绝不是为了解决表面问题。

"这个案子，斗到最后，是政法口退下来的薛书记与山西女煤老板杨娟的最终较量。"王文献讲出来案底。

"我想了解的就是这些玄机。"康教授认为，处理重大案件，必须明白案件背后的东西。

王文献毫不避讳："老薛抓住杨娟是张巨海的女人，威胁她：如果强制执行，就在北京大小媒体曝光，罪名是书记的老婆动用司法公权力插手经济纠纷，这是北京媒体最感兴趣的爆料。现在，我们也抓住了老薛的把柄：他指使黄有池给'二奶'蒋云，也就是电视台的主持人打过一百万，购买过一套住房。而且，蒋云和老薛还有一个私生子……"

"你是想帮杨娟拿下老薛?"康教授明白过来。

"对。她是我的领导的女人,我这个官帽,就是因为这个案子才戴在头上的。一分没花,我要报恩。"王文献毫不避讳自己的恩师。

"你的突破点在……"康教授一边问一边思考。

"老薛身上,先下手为强。他能利用新闻媒体收拾我们,我们也可以反其道而行之,利用他的'污点',先把他搞倒搞臭,最终使他丧失还击能力。这样,后面的经济案子处理起来就没有干扰了。"王文献毫不避讳自己的老师。

"不行。"康教授断然否决。

"为什么?你觉得我这么做,是不是太下流?"王文献顾虑很深。

"不是道德问题。"康教授讲出了自己的观点,"你是法院院长,不是过去的副区长。副区长的思维方式,是用政治手段解决问题,这个问题,政治手段解决不了。法院院长要学会利用合理合法的司法手段,从根本上解决一切。"

"你觉得从老薛身上突破,是政治手段?解决不了问题?"王文献刚才的自信不见了。

"当然。利用政治人物的'丑闻',在电视报纸上炒作,不是卑鄙的政治手段是什么?你要知道,任何一个人在社会上做事,都会遇到这样三种人:一种人拥护你,一种人反对你,还有一种人是中间派。老薛同样如此,你那么糟蹋他,反对者和旁观者觉得好笑、解气。而拥护他的人,会变本加厉收拾你们,要知道你们也是有把柄握在人家手里的。"康教授精通司法,更精通人情世故,"闹到最后,双方谁也好不到哪儿去。老薛丢了人,丢了钱;你们即使要回来钱,却丢了大人,说不定上面还要追究张巨海和你动用司法公权力的责任。"

"你说的政治手段,其中的风险和危害,我明白了。"王文献平常觉得自己了不起,可在这个案子上,还是有很多欠缺。

"我有个两全其美的办法,让老薛保住面子交出钱,你们也能保住面子要回钱。"康教授在社会上声名卓著,绝非简单空谈,而是充满了人生智慧,"司法手段,最能解决这个问题。"

"司法手段突破口在哪里?"王文献迫切想知道。

"美女蒋云!那个电视台的主持人。"康教授不紧不慢地说。

"看来,你老人家还是对美女感兴趣,前面是杨娟,现在是蒋云。"王文献有意开玩笑。

"有你这么戏弄恩师的吗?我给你出主意、想办法,你却戏弄我,不讲了。"康教授故意装出一副生气的样子。

"我是和老师开开玩笑,活跃一下气氛,完了我请你喝汾酒。"王文献故意使出一个奇怪的眼神,"二十多年了,我还不了解你,除了对法律业务感兴趣,其他什么都不感兴趣。"

"这还差不多，像个学生的样子。"康教授用手指点他。

"把蒋云作为突破口，为什么不是政治手段，而是合法的司法手段呢？"王文献一边问一边自己也思考其中的奥妙。

"蒋云与老薛不同，不是政治人物，只是电视台的一个女主持人，远离政治之外，对她进行突破，不能算政治手段。"老康不是一般人物。

王文献听得津津有味。

康教授娓娓道来："不过，作为电视台法制节目的主持人，不顾你们作为法官的真实存在，故意炮制假新闻。这就有了问题，而且不仅是违反职业道德的问题。"

"我们通过调查发现，黄有池曾经先后两次给她信用卡上打款，分别是二十多万和一百万。蒋云用这两笔巨款，先后买了汽车和房子。"王文献想起来最关键的证据，"我们把她的银行记录全部调出来，已经作为证据收集起来了。"

"黄有池当初打钱的目的是……"康教授询问。

"没有什么目的，只是偿还风流债。"王文献对此十分清楚，"那个蒋云，别看端庄淑雅，其实骨子里是个卖身求荣的妓女。当初，老色鬼黄有池第一次约她吃饭，蒋云发现老色鬼要泡她，当场就提出来让他买辆宝马。老色鬼觉得太贵，两人最后讨价还价，达成协议，蒋云做老色鬼的'二奶'，黄有池给她二十多万，买了辆本田，这就是第一笔'风流债'的由来。"

"第二笔'风流债'一百万，好像和老薛有关系。"康教授从案卷中看到了这个信息。

"对啊。虽然也是黄有池出的钱，这次却变成了为老薛偿还'风流债'。"王文献绘声绘色地讲起来那段风流韵事，"黄有池泡上了电视台的女主持人，带着她出席各种活动，到处炫耀。谁知黄氏兄弟的后台老板薛书记对蒋云起了歹意，黄有池哑巴吃黄连，只好忍痛割爱，不仅赔了女人，还得给人家出钱构筑爱巢，这就是第二笔'风流债'的由来。最后，那个水性杨花的女人，顺势倒在了老薛的怀抱，还给老薛生了孩子……"

"这比《金瓶梅》里的故事还色情。"康教授几乎听呆了，"从案卷上来看，只发现蒋云收了两笔钱，没想到收钱背后如此复杂，如此跌宕。"

"你的意思，我们突破蒋云，就一举两得，同时突破了老薛和黄有池的情感防线和心理底线？"王文献询问。

"事情可以这么做，但绝对不能这么解释。"康教授态度十分明确，"我们突破蒋云，绝不是为了打情感牌和心理牌，而是要打法制牌。蒋云和老薛、黄有池之间的肮脏事情，我们一概不提，只字不讲。我们只是认定：她所接受的一百二十多万，根本不属于'风流债'，而是属于职务犯罪带来的非法收入。"

"职务犯罪？她有什么职务？"王文献弄不明白，"那个淫荡女人，充其量就是个电视台的主持人。"

"电视台难道不是公共单位?! 主持人难道不是公职人员?!"康教授几句话点醒梦中人，"你这么定性，从法律上讲，没有任何漏洞；从效果上讲，背后可以置两人于死地；从措施上讲，操作简单，案情明了，击中要害。"

"这叫'打蛇打七寸'。老薛他们最怕抖出来'风流债'，而我们偏偏把他们最怕的东西，握在手里，引而不发。这样做，威力更大。"王文献心服口服。

"不是我高明，而是你们……"康教授看了看学生。

"我们什么？"王文献预感到老师要嘲笑自己。

"你们太低俗！明摆着高雅的路子不走，偏偏要走情感讹诈的低劣路子。"康教授果然嘲笑王文献。

"我们原来很高雅，后来被那三个低俗的狗男女引上错路了。"王文献为自己开脱。

"算了吧，你的鬼心思根本瞒不了我。"康教授指点他，"从学生时代，你就不是个正经东西。现在，更不怎么样！"

"既然这样，你为什么这么欣赏我？"王文献从抽屉里给老人拿出一条烟来。

"坏孩子，再不成器，也是自己的骨肉；坏学生，再不光明，也是自己的徒弟。"康教授有些无奈。

"还不止这些原因。"王文献体察出来，老师还有别的用心。

"你说什么原因？"康教授反问。

"我这个学生，要是办出惊天动地的违法案件来，也影响你这个法学权威的声誉吧。"王文献一脸坏笑。

"知道就行。"康教授只好面对事实，"这个案子，其实在北京大小媒体疯狂炒作的时候，我就关注上了。我最担心你这个家伙，刚到法院工作，只看表面，不看本质，最后自毁前程。"

"难道处理不好，还能毁了前程？"王文献根本没有想过。

"当然。如果你一门心思钻进'风流债'里，拿政治人物隐私大做文章，炒作起来沸沸扬扬，热热闹闹。最终给外人的印象：不过是两股政治势力狗咬狗，两嘴毛。折腾得越大，实际上你们的自主权越小，最后，这个普通的案子，需要上面来裁定。"康教授敲打自己的学生。

"上面来裁定？"王文献惊讶。

"你想，上面会怎么办？面对两地两股势力的斗争，最后只能各打五十大板。经济案子演变成了政治较量。这样一来，你们要钱的目的，即使实现，也倍加艰难。"康教授从法律背后解析社会问题，实在是精到准确。

"真可怕！"王文献大梦初醒，"老师说得一点没错。如果我开始用政治手段解决问题，最终也需要上面的政治人物做出最后裁定，不仅丢了司法自主权，还有可能被扣上滥用司法权力的帽子……老师帮我这么大一个忙，怎么感谢你？"

"我一个行将就木的人了，什么也用不着。"康教授想来想去，"帮帮你那些师弟师妹吧，赞助一笔经费，出版一套学术著作。他们需要用这些东西来评职称。"

"好，没有问题。"王文献回答得干脆爽快。

三天以后，煤城警方以涉嫌受贿罪，抓捕了受贿人——电视台女主持人蒋云！

五天以后，煤城警方再次以涉嫌行贿罪，抓捕了黄氏温泉会馆总经理黄有池。

慌不择路的温泉会馆董事长黄有水，终于找到了躲在一个高档公寓里的老薛。

头发花白的老薛，正在给不到半岁的亲生儿子喂奶。

"薛书记，咱们赶紧想办法，把两人救出来。"黄有水心急火燎。

"我当然想，自从小蒋被秘密抓走，我都成了保姆了，能不想吗?!"老薛心情烦躁。

"那赶紧找人，你认识那么多人。"黄有水全部希望都寄托在老头身上。

"认识的人再多，也不管用。"老薛轻轻把婴儿放到小床上。

"为什么？"黄有水头脑有些发蒙。

"还问为什么？都是因为你那个愚蠢的弟弟。"老薛把黄有水拉到另外一边，大光其火。

"我弟弟都是为了你呀！你的要求，他都满足了。"黄有水心有不甘。

"再为了我，也不能那么愚蠢办事吧。"老薛脸拉得很长。

"究竟愚蠢在什么地方？"黄有水生怕吵醒孩子。

"你说，既然要给小蒋买车买房，为什么不做得手脚干净一点！非要把那么大的两笔巨款直接打到小蒋卡上，最后让人家抓了个铁笊篱，一下把两个人都捞进去。"老薛对黄有池痛恨到了极点。

"他也是一时糊涂，当初，如果取出现金来，直接交给小蒋就好了，落不下痕迹。"黄有水醒悟过来，"也怨他妈银行，现在只要大笔提现，都要提前告知，还得分次提取。有池那家伙，只图当下省事，最后把我们全栽进去了。"

"在铁证如山的情况下，我们即使认识再大的人物，也擦不掉银行的记录，也要不回来法院取走的证据呀！只能……"老薛低头叹息。

"只能什么？"黄有水最后挣扎。

"你说只能什么？"老薛眼睛盯着他。

"只能欠债还钱了。"黄有水气球破灭了。

"宿命啊，宿命！"老薛看着熟睡的婴儿，落下来一行老泪。

"山西煤老板手段穷凶极恶！"黄有水痛骂。

"我不这么认为。"老薛长叹一口气。

"那些家伙这么收拾我们，你还认为他们本性不坏？"黄有水惊诧。

"应该是吧，追讨债务是人家的权利。"老薛突然指指孩子，告诉黄有水，"尽管咱们污蔑人家假法官，往他身上一直泼脏水。可他们最起码没有污蔑咱们，也没有糟蹋咱们。"

这几天，老薛边看孩子边回忆整个过程。

"他们毕竟抓了咱们的人！"黄有水提醒自己的靠山。

"你说说，小蒋和我、和你弟弟之间的那些事，人家心知肚明，什么细节不清楚。可他们只字没提，一点都没暴露。只是说经济纠纷，只是说涉嫌行贿。那是给足了我面子，给足了小蒋面子，也给足了你们兄弟面子呀。"老薛感悟很深。

"你还让我领他们的人情？"黄有水不干了。

"如果不领人情，就不简简单单是经济纠纷了。"老薛分析，"那就是民事连带刑事，最后咱们都要完蛋！"

"想来想去，确实如此。"黄有水终于醒悟过来，"薛书记，你说，咱要把钱还了他们，山西人能放咱们一马？"

"不说以后。最起码现在，我们亏欠人家的情况下，人家已经放过咱们一马了。"老薛说这话别有用心。

"那就还吧。"黄有水做出无奈的选择。

"既然你下了决心，我就可以找人做工作，尽量把刑事责任降到最低。"老薛有了信心。

四十六

上个世纪初，一位五台山的高僧到缅甸求佛，从号称玉石王国的缅甸请回来五尊玉佛。每尊玉佛大小都和真人差不多，最神奇的是玉佛容颜白嫩，眉宇慈祥，浑身散发着柔和的光芒。

高僧把五尊玉佛请回国内后，一尊安放在成都宝光寺，一尊安放在上海玉佛寺，一尊安放在北京玉佛寺，剩下的两尊，都请回佛教圣地五台山，一尊在吉祥寺，最后一尊在碧山寺。

碧山寺坐落在北台脚下，位置重要，名望很高。据说，附近还有当年林彪在五台山修过的地下工事。因此，碧山寺不仅在佛教内部影响很大，而且在世俗民众中，更是神灵眷顾的地方，前来烧香祈愿、唱戏还愿的人络绎不绝。

女煤老板杨娟今天前来还愿。

当初，她在玉佛面前，许过大愿，将来事情办成了，一定给有求必应的玉佛唱一出大戏。按照五台当地的乡俗，女人要来还愿，要素面朝天，不能浓妆艳抹；简衣素食，不能豪华奢侈；唱戏要唱晋剧《玉堂春》，不能唱别的……

于是，杨娟请来煤城最好的戏班子，来给玉佛唱《玉堂春》。

法院院长王文献，因为这次特殊的机会，因为在佛祖面前女人不允许化妆的缘故，他第一次近距离清晰完整地看到了"清纯美女"杨娟的真实面目：脸庞、双手和双脚，只要暴露在外面的部分，粉嫩得像三月的桃花，新鲜欲滴。那些遮挡在衣服里面、偶尔露出来的接壤部分，像百年老树的枯皮，发黄松软，不堪入目……

看到这么一个真实的女人，王文献都替张巨海感到悲哀，也明白了自己的上司，为什么动不动对"水嫩"女人大光其火。

老张实在忍受不了巧妙伪装背后残酷无情的真实。

"文献，你这次一下一上，从副区长转岗为院长，尽管职位变化不大，可你办事的能力提高不少。昨天晚上，书记还夸奖你，不仅把巨额资金要回来，而且化敌为友，这可不是一般的功夫。"杨娟对老公的部下赞赏不已。

"这么复杂的案件，这么离奇的效果，都是大嫂亲自坐镇指挥的结果。"王文献表面上拍女人的马屁，心里最感激的人，是他的老师康教授。

只有那种置身事外、有大智慧的人，才能设计出化腐朽为神奇的办法。

"我说，这当官的和开煤矿的，都是为了同一个目的。"杨娟尽量把裸露出来的部分遮挡住。

"什么意思？"开车的王文献感觉碧山寺马上就要到了。

"都是为了钱，都是为了化解风险呗。"杨娟说出了自己的内心感受，"如果没有权力做靠山，那些天大的风险根本化解不了。开矿的风险，实在太大了，又是矿难又是死人，又是黑社会又是老百姓，还有追不回来的呆坏账……鬼门关一个接一个。那些煤老板，逃过第一关，逃不过后面的鬼门关，不死才怪呢。只有我们侥幸啊……"

"好多煤老板，都死在半路上了，闯过那么多鬼门关的，实在是少数。"王文献深有同感。

"经历这次买卖，我有个新想法，特别是针对你大哥。"杨娟眼光看着前面。

"什么想法?"王文献意识到，转过山弯就是碧山寺。

"让他好好当官，当个清官，最后才能当个大官，我绝对不给他添乱了。"杨娟有今天，不仅会伪装，也有头脑，"逢年过节那些送上门来的小钱，我们就不要了。不仅不要下面的钱，还要加大给上面送钱的力度。这样，在上上下下有个好名声，才能提拔上去。他的官越大，位置越重要，我们的煤矿买卖越安全，风险也最低。"

"当官要学会像段天生那样，只当家狗，不当野狗。"王文献调侃起来。

"听不明白。"杨娟在旁边笑了。

"家狗，只吃一家，比如段天生，只吃赵国忠一家的，别人很难送进去；而野狗就不一样了，到处胡吃海喝，不管别人送来的食物里有没有'毒'!"王文献看到碧山寺大门外热闹非凡。

"精辟。"杨娟听到碧山寺里面传来锣鼓的声音，"不过，在我看来，段天生吃赵国忠，不像吃赵国忠的，简直就是吃自己的，什么都不在乎。"

"那是吃多了，吃顺了，养成了习惯。"王文献把车慢慢开到拥挤的停车场。

"不是。"杨娟眼神一亮，"凭我一个女人的直觉，告诉你一个秘密。"

"你不说我也知道，段天生在赵国忠的公司有'干股'。"王文献心想，明眼人都能看出来。

"不只是'干股'的问题。我怀疑，汇海集团里面隐藏着大阴谋。可能，这个大阴谋，连赵国忠都被蒙在鼓里，未必知道。"杨娟紧紧握住自己的小包。

"大阴谋? 是吗? 赵国忠可是煤炭老板里有名的机灵鬼，他难道不知道?"王文献吃了一惊。

"正因为赵国忠机灵，那些设计阴谋的人，才故意装傻，最终把他蒙骗过去了。"杨娟的头脑，绝对不清纯。

"嫂子，你怎么看出来的?"王文献知道面前的女人不简单。

"从咱们接手这个讨债案子开始，我就怀疑里面有大阴谋。"杨娟讲出了当初的疑问。

"我怎么就没发现。"王文献开始怀疑自己的智商。

"因为你的全部精力在案子上，陷得很深。而我呢，相对比较超脱，嗅出来一些特殊的气味。"杨娟耸了耸鼻子。

"要不要提醒提醒赵国忠?"王文献回头看着杨娟。

"不要!"杨娟果断地拒绝。

"为什么？他毕竟给我们提供了这么好的'债务资源'。"王文献有些不忍。

"那也不能有妇人之仁。"连杨娟都这么说。

"你是害怕得罪设计阴谋的人？"王文献发现杨娟面色冷酷。

"根本不是。"杨娟的心理和她的实际年龄真是匹配，老到而精绝。

"那为什么？"王文献把车停下来，可没有开门。

"为我们自己。"杨娟毫不掩饰。

"说明你还是害怕阴谋家。"王文献笑了。

"我不怕阴谋家。阴谋家只要我们看穿了他的把戏，就没有什么可怕的。我真正害怕的人，是赵国忠！"杨娟也没有立即下车。

"你是怕他报复咱们？"王文献没有反应过来。

"不是。我担心他知道了底细，失去了信心，不敢和咱们合作。"杨娟扭过头来。

"看来，被人耍弄的木偶，只有在不知道底细的情况下，才最有信心，才有决策的能力。"王文献有些领悟了。

"这句话，你说对了。"杨娟十分赞赏。

"下一步，咱们要和赵国忠合作什么？"王文献看着精明的杨娟。

"怎么你忘了？咱们和赵国忠合作的思路，都是你设计出来的。我只是按照你的部署执行的呀！"杨娟故意这么说。

王文献一拍脑袋："想起来了，想起来了，确实是我设计的。我们要和赵国忠合作投资电厂，还要他的公司出面担保。看来，胜利了一回，就让胜利冲昏头脑了。"

"你呀！"杨娟嗲声嗲气。

"大嫂，只有你配当咱们公司的掌舵人！"王文献不得不服。

两人下了车，雇来的戏班子早就等在门口。

他们刚要进去，里面传来熟悉的唱腔。

"是《玉堂春》！"杨娟听出来，"谁在还愿？"

"碧山寺的菩萨太灵了，每天都有还愿的，不足为奇。"王文献走在前面。

"知道是谁吗？"杨娟问先来的演员。

"好像是煤城的一个煤老板，从北京专门赶来的。"演员不经意地回答。

"难道他已经知道我们把钱要回来了？"杨娟头脑中闪出那个熟悉的身影。

"如果真是他，肯定不是为了这件事还愿的。"王文献猜出来大半。

"肯定是那小子争矿得手了。"杨娟嘿嘿一笑，"也好，他心情好的时候，对我们最有利。"

一行人进了碧山寺的山门，果然大殿的广场前面有一大堆人在看戏，而坐在正中的，恰好是赵国忠，旁边依偎着幸福的女人肖助理。

杨娟等人不声不响地坐到最后，直到看完最后一场。

两场戏中间有一个多小时的间隙，志得意满的赵国忠，带着肖助理准备出门，回头突然看见了熟悉的杨娟和王文献。

"你们是来给我捧场的？"赵国忠热情地走过来。

"不仅是捧场，还要邀请赵总看第二场，还菩萨第二个心愿。"杨娟笑脸相迎。

"这么说，我们赵总双喜临门了？"肖助理伶牙俐齿。

"何止是双喜临门，是三喜临门！"杨娟脸上流露出阳光般灿烂的神色。

"真的?!"赵国忠从对方的眼神中看出来隐藏着的喜色，"这里不便说话，咱们到客堂谈谈，那里没人。"

"好吧。"王文献也觉得院子里不宜深谈，"反正距离下场开戏，还有一个多小时。"

四个人来到了东边的客堂，里面除了几把椅子，空空荡荡。

"你们带着戏班子一来，我就知道，那笔死账要回来了。放心，第二场戏的钱，我也包圆了。"赵国忠欣喜万分，"五台山呀，真是我们山西煤老板的福地。只要我们虔诚地许愿，我们要什么佛祖给什么！"

"真是神奇啊，我们赵总刚拿下煤矿，不用从口袋里掏钱，技改的资金就送上门来了。"肖助理惊叹，"我们南方人都说无锡灵山大佛神奇，可要比起五台山的佛爷来，还差得远呢！"

"那笔巨额的死账整整沉寂了五年了，连我都死了心了，真没想到有起死回生的一天。"赵国忠对着外面的玉佛遥遥参拜，"显灵了，显灵了。"

"三个亿。"肖助理望着杨娟，"大姐，按照当初的协议，我们拿走本金和启动经费，总共一个亿，其余两个亿，都是你们的。"

"那当然，我们不能白干呀！"杨娟毫不客气地说。

"什么时候给我们？"肖助理急不可待。

杨娟和王文献都没有接她的话，言外之意，肖助理没有资格谈这个问题。

"你刚才在院子里说，我还有第三件喜事？"赵国忠看着沉默不语的杨娟，"我怎么没有感觉呢？过去，只要有喜事，我就有预感，比如左眼跳、出门顺、捡小钱等等，这次一点征兆都没有。"

"投资煤矿是不是大喜事？"杨娟故意问他。

"那还用说，一本万利。"肖助理又插进话来。

"我问的是赵总。"杨娟强调了一遍。

"我们都是局外人，少说两句。"王文献提醒肖助理。

"当然是喜事。难道还有比煤矿更赚钱的买卖？"赵国忠弄不明白杨娟的用意。

"应该有。"杨娟轻描淡写地说。

"那就是抢银行！"赵国忠想活跃一下气氛。

"到了今天这个地步，我们不需要做违法乱纪的事情。"杨娟的回答大为意外。

"那我请教杨大姐，有什么比开煤矿还赚钱？"赵国忠意识到对方用意深沉。

"办电厂！"杨娟说出来蓄谋已久的答案。

"是比煤矿赚钱，也没有风险。"赵国忠反应过来，立刻把大门关上，"对我来说，不能算件喜事。因为办电厂投资太大，操作太复杂，运营太麻烦。汇海集团曾经讨论过，最终放弃了。"

"是啊。我们不准备投资电厂。"肖助理明白两人不喜欢她插话，可毕竟代表公司利益，"杨大姐，你们还是把我们的钱划给汇海集团。以后，各干各的为好，以免伤了和气。"

"我不知道，肖助理是汇海的股东，还是总经理？！"王文献意识到自己此时的作用，就是阻挡胡乱开口的肖助理，"你要识趣一些，最好学学我，不要吱声。这是两个法人代表在谈判，我们都没有发言权。"

面对法院院长的责难，"急公好义"的肖助理只能忍气吞声。

剩下的，就是杨娟与赵国忠的较量了。

"这么好的项目，既能消化本地煤炭，又能杜绝环境污染，你说段书记会不会支持？"杨娟把头发往后一捋："要不，我找段书记谈谈？"

"不必了。公司的事情，董事会做主。"赵国忠不能一口回绝，也不能答应她，只好想办法拖下去，"我想，我个人赞同，可董事会已经有了不投资电厂的决定，强行去办，不太合适。"

"我看不是董事会的问题，而是你的问题。"杨娟单刀直入，"你是觉得和我合作不放心！你是害怕我吞掉你的钱！"

"不是的，不是的！"赵国忠赶忙解释，"我最放心的朋友就是大姐。别的不说，那笔钱死了好多年，大姐能替我要回来，国忠还有什么不放心的。"

"男人怎么都爱说言不由衷的话呢！"杨娟感慨，"一方面口口声声感谢我讨回死账，另一方面对我推荐的赚钱项目不屑一顾。这能叫信任和放心嘛！"

"咳！反正是死掉的钱。"被逼无奈的赵国忠狠狠心，"既然大姐执意投资电厂，那一个亿就暂时不用给我了，算我在电厂投资的股份吧！"

"董事会能过了吗？"杨娟心中暗暗发笑。

"我做工作吧。"赵国忠痛苦不堪。

"不能这么做，坚决不能！"肖助理怒目圆睁，"大姐，你是区委书记的女人，也是我们的恩人，不能霸王硬上弓。"

"你这个小女孩，怎么这么讨厌！不是股东、不是总经理，没有发言权。再要插嘴，我就把你撵出去！"王文献火冒三丈。

"算了，张书记关照我们煤矿这么多年，看在领导的分上，我投了！"赵国忠一锤定音。

"那就是说，从今天起，我们两家人就变成一家人了？"杨娟拍拍赵国忠的肩膀，"我是股东，你也是股东，大家都有巨额资金在里面，以后必须同舟共济。"

"是应该同舟共济。"赵国忠满脸愁容，"投资一个电厂，不同于煤矿。煤矿再多，不过十几个亿，而电厂最少需要几百亿，我们只有三个亿，简直是杯水车薪。"

"我有办法，只要你支持我。"杨娟话语轻松。

"什么办法？"赵国忠根本不相信。

"其他股东，比如大型国企我来引进，他们闲置资金有上千亿，再说还有银行。"杨娟目不转睛盯着他。

赵国忠何等聪明，一听银行，立即明白了对方的用意："要用银行贷款，那是需要担保的。汇海集团曾经作过决议：不拿公司全部资产给任何一个项目担保！前期一个亿的启动资金，我已经同意你的方案了。后面的担保绝对不行，没有商量的余地。"

"这能叫'同舟共济'吗？"杨娟步步紧逼，"我的赵总，不知你听说过这句哲理没有：对于企业家来说，挣到口袋里的钱，其中一分是自己的，二分是孩子的，三分是父母和亲属的，四分是公司员工的，五分以外都是社会的。应当取之社会，回报社会……"

"不要说了！再说，就是赤裸裸的威胁了！"赵国忠勃然大怒。

好长时间没有说话的王文献感觉到自己应该登场了："赵总，我奉劝你一句：每逢大事要有静气！"

……

正当双方争执不下的时候，寺庙里的人前来督促：赶快出去吧，还愿的第二场《玉堂春》马上就要开始了。

四十七

北京这些年，尽管新建了不少豪华五星级饭店，如盘古、丽晶、东方君悦等等，可对很多海外成功人士来说，最钟情的地方，还是上个世纪修建的北京饭店。

他们喜欢北京饭店那种浓浓的中国味，那种传统的中国气息，那种特有的民族风情。在海外奔波打拼多年，最让他们魂牵梦绕的，就是那种难忘的中国味。

美籍著名文化学者卢峰先生，已经七十多岁了，在美女学生谭小明的搀扶下，在煤城市委书记段天生的陪同下，住进了古意盎然的北京饭店。

说来也怪，入住的当天，北京饭店大厅里正在举办法国著名收藏家皮埃尔的个人收藏展，其中好多都是珍贵的中国早期佛像。

"天生，看到没有，这些佛像不少都是北魏、北齐的东西。菊花头、出水纹、板凳佛、大背光、小眼睛、葵花脸……典型的北朝风格。"卢老指着面前的一排佛像，"如果我没有猜错的话，这些东西都是从山西来的。北魏、北齐的都城都在山西，是山西人创造了辉煌的北朝文化。可惜啊，可惜！"

"山西要能出来张伯驹那样的人物就好了，最起码珍贵的东西，不会流落到外国人手里。"谭小明随意插了一句。

看到自己心爱的女人流露出惋惜的神情，段天生也十分感叹："你要说煤城人没钱，满大街跑的都是奔驰、宝马；你要说他们有钱，根本舍不得在这些方面投资。"

三人仔细端详那些珍贵的佛像。

段天生内心很遗憾："大煤老板赵国忠，我苦心传授了好多年，想让他进入文化遗产的保护。可那家伙表面上附庸风雅，还搞了个万年青书画院，就是打着文化的旗号，拉关系走后门，实际上在文化产业上根本舍不得大投入。煤城要出张伯驹，比登天都难！"

"我看，还是你这个市委书记没有尽到责任。"卢老用拐棍指点他，"我听说上海、浙江等地政府，为了抢救民间重要遗产，培养新一代收藏大家，专门拿出经费，邀请新富豪的少爷公主到北京大学参加文物收藏的培训，我还去专门讲过课。只有政府有作为，企业家才能增强文物保护的意识。"

"古玩收藏，还有一个意想不到的好处。"谭小明讲起来自己的个人体会，"过去，我拍戏多，挣钱也多，花钱如流水。自从喜欢上了收藏，变得特别节俭小气，每当我花几千块、几万块消费的时候，脑子里突然闪现出来一个念头：花出去这些钱，可能一个清代瓶子、一个明代罐子就没了。有了收藏的意识，人们自然就变得节俭了。"

"小明说得一点没错。但凡搞收藏的人，都特别小气。"段天生转向小明："小明，我和你这么长时间了，从来没有看到过你的收藏。"

"这不奇怪吧？我们在北京的家刚刚安好，东西都在洛杉矶那边。你可以问卢老，我收藏的名画有多少？"谭小明浅浅一笑，"是吧，卢老？我的东西你见过的。"

"对！对！对！小明也是个收藏家，她的东西我见过。"卢老不假思索，附和美女明星。

"什么时候运到北京咱们家，让我开开眼。"感情发展到同居的地步，段天生在卢老面前也无所顾忌。

"这次卢老回美国，我就去，随后把东西运回来。"谭小明浓浓的眼睫毛一挑，"北京毕竟是我的家，你满意了吧。"

一男一女当面调情，年过七旬的老人不知因为看不惯，还是因为无法忍受，脸上流露出来不快："咱们回房间吧，一个新加坡人要马上过来，请我鉴定一幅隋代名画，你们也开开眼。"

"隋代名画？"段天生吃惊不小。

"当然了。新加坡人这次就是专门邀请卢老来帮他掌眼的。"谭小明补充了一句。

"那我一定要看看。"段天生立刻来了兴趣，"卢老，你知道，咱们煤城虽然是文化古城，可博物馆遗留下来的名画，最早不过宋朝的。我还没有见过隋代的东西。"

"不对吧，煤城博物馆收藏的一幅隋代名家薛道衡的书法真迹，当年就是我鉴定的，你难道没有见过？"老人想起来三十年前的事情。

"快不要提当年鉴定薛道衡真迹的那件事了。"段天生一脸苦笑。

"怎么了？假的？我可告诉你，三十年来，没有一件赝品从我的眼皮底下流过去。"卢老有那种大家的风骨，也有大家的自尊。

"就是因为你说了是真的，国家文物局才正式发函，把那件国宝调回北京，最后由国家博物馆出面收藏了。"段天生十分后悔，"那时，我还在基层工作，根本没有机会看一眼，东西就到北京了。后来几次到国家博物馆参观，都想亲眼看看出自煤城的那件宝贝。可人家说，越是珍贵的东西，越在地下保存。从来不让我们这些人参观的。"

"国家有些政策太不合情合理了，人家煤城世代留传的东西，偏偏要调到北京来收藏。"谭小明打抱不平。

卢老火了："你懂什么！一切文物都归国家所有，这是法律规定的。谁的权力再大，也得守法。"

看到老人生气，段天生故意给谭小明使了个眼色："对，对，对。卢老说得对，作为地方政府，应当一切服从中央。再说，北京的保管条件就是比煤城好，有利于宝物世代相传。"

"这才像个市委书记的样子。"卢老听了很满意。

"对了,卢老你有个儿子好像在国内。"段天生突然想起来。

不知为什么,一提儿子,卢老就有些尴尬,谭小明更尴尬。

"我上次听小明说,好像叫卢刚,在艺术研究院工作。这次你回国也不容易,为什么没见他的影子。"段天生说出了心里的疑问。

"不想见他!"卢老显然很生气。

"天生,你不要哪壶不开提哪壶!是不是想让他来纠缠我?"谭小明拉下脸来。

"不是这个意思。我是说他在这里的话,老人晚上也有个照应。"段天生解释。

"不用他照应,就当我没这个儿子。"老人看来对卢刚成见很深。

"白天我来照应,晚上有服务员照应就够了。谁让我是卢老的弟子呢!"谭小明有些无奈。

"难道你照应我,不应该吗?"老人脾气又上来。

"应该,应该!"没等谭小明回答,段天生就主动插话,"卢老是闻名海内外的大家,有幸照顾你,也是小明的荣幸。"

"天生啊,你要是张伯驹就好了。"卢老回头看了一眼那些珍贵的佛像,无比痛心,"世上有奇物,不见张伯驹啊。"

"是啊,如果当年不是民国四公子之一的张伯驹变卖祖产,筹来几百两黄金,闻名天下的隋代展子虔《游春图》就流落在洋人手里了。"谭小明不愧是卢老的学生,对近代史上那个著名的收藏事件了然于胸。

"奥运会开幕式上那幅古代画卷,就是展子虔的《游春图》。"段天生突然想起来。

"对啊。我在美国看到奥运会开幕式的直播,特别是看到《游春图》展示在世人面前,眼泪都流出来了。"卢老情绪有些激动,"当年,张伯驹的恩爱夫人潘素被人绑架,他都没有变卖祖产。可是,看到那幅传世名作以后,他毫不犹豫,倾家荡产,赎回了那件宝贝。所以,我们今天才有幸看到呀。"

"煤城那么多煤老板,能有一个像张伯驹,那些佛像就不会到了法国人皮埃尔手里。"谭小明自从和段天生同居在一起,也有了煤城情结。

"你们放心,只要有好货,咱们还是有办法。"段天生悄悄说。

"煤城根本没有上档次有品位的富翁。"卢老当即否定了,"别看我在美国,什么都知道。山西的煤老板只知道赌博、包二奶、买豪宅,对文化产业根本没有兴趣。"

"他们没有，我有啊。"段天生拍着胸脯。

"你一个穷书记，哪来的那么多钱？"卢老根本不相信。

"我当然没有。"段天生没有暴露自己的财富，"可我的兄弟、煤老板赵国忠有，他不买，我可以向他借钱买。"

"快不要说笑话了。借来那么多钱，你怎么还人家？"卢老一句话把他顶回去。

"这……这……这……"聪明绝顶的段天生第一次出现了失语状态。

"我给你想个办法。"谭小明简直就像救世主一样，站了出来，"钱你可以向赵国忠借来，怎么还他呢？有个三全其美的办法。古玩也好，文物也好，增值很快。只要等到增值的时候，你就可以利用财政的钱，通过市文物局，把表面上属于赵国忠的东西收回来。这样，一是借款偿还了；二是东西还能保留在煤城，你这个市委书记什么时候想看，什么时候都能看到；三是中间还可以赚利差。"

"太过分了！纯属利用权力中饱私囊。"卢老观念比较传统，对此表示不满。

而段天生却乘卢老不注意，给自己心爱的女人伸出大拇指，表示赞赏："这个办法，好！"

"也有不少难度。"谭小明心里很清楚。

"对啊。毕竟是给公家收购宝物，公家手续繁杂，财政的钱马上到位，有一定的难度，必须走报批程序。万一程序走得太慢，好东西就溜走了。这个关键时候，能把赵国忠引进来，也给他分些钱，属于拆借过桥资金，肯定能办到！"段天生信心很足。

"我只关心中国的好东西不要到了外国人手里。"卢老对后面的事情不屑一顾。

"作为实际操作人，只有措施得当，才能保证好东西不流失。"女明星是那种聪慧可人的女人，万里挑一。

"我喜欢谭小明。不！我喜欢谭小明提出的办法！"段天生随口而出，立刻矫正了说话过程中的口误。

"咱们去看新加坡人送来的隋代圣物吧。"卢老不想再让两人继续议论下去。

三人从大堂走到了房间。

等了一会儿，一个说着不太流利北京话的新加坡人就捧着东西进来了。

"大师，你也知道眼下金融危机。我的房地产企业出现了资金断链，否则，我不会把这件祖传的东西拿出来让您鉴定、评估作价的。"新加坡人个子很小，一看很精明。

"我只管看东西，不管其他。"卢老掏出眼镜。

"祖传的？你家祖上干什么的？"女明星随口问了一句。

"谭小姐，我祖上是大陆福建人，曾经做过前清两广总督。这件东西是乾隆爷赏赐给我们家的。"新加坡人小心翼翼地回答。

"怎么，你们认识？"段天生发现自己的女人交际很广。

"噢，你怎么看出来的？"谭小明有些慌张。

"刚才，彼此之间并没有介绍，他就知道你姓谭啊，说明你们认识啊。看出来了吧，你什么事也瞒不过我！"段天生得意洋洋。

"不要说那些废话了，还是把你的画卷打开吧。"卢老只关心宝物，不关心其他。

"好，好，好！"小个子新加坡人摆脱了尴尬。

一幅惊世杰作展示在面前：高山峻岭、祥云环绕、小桥摇曳、溪水奔流、寺庙掩映、僧人穿梭、顽童游戏、大佛隐现、牧人遥指、月光朦胧……

"怎么景色这么熟悉呢？"段天生惊叹。

"你看看落款是谁？"卢老提醒他。

"啊！龙门薛道衡。"段天生紧张得喘开了粗气，"三十年前，你在煤城鉴定的，就是薛道衡的书法。"

"暗牖悬蛛网，空梁落燕泥。"卢老随口吟出，"我没有记错的话，煤城留传下来的，就是薛道衡亲笔写的那首诗。自恃才高的隋炀帝，也是因为看到那首绝句，心生嫉妒，杀了天下第一才子薛道衡。"

"这是他的画，好像画的是山西一景《蒙山晓月》。"段天生悟性很高，"薛道衡，降州龙门人，就是今天的山西万荣人，对蒙山大佛很熟悉。"

"好像在书画市场上，绘画作品要比书法作品值钱得多。"女明星谭小明过于看重金钱。

"你说得没错！"段天生称赞。

"我只看重它是真迹。"卢老一副清高过人的样子。

段天生认真欣赏了一遍，突然有了疑问："我怎么感觉，这幅画年份不够呢？你们看，画绢不是那么老到，有些发新。"

"这你就不懂了，再认真看看上面有唐文宗、宋英宗、明神宗和康熙、乾隆的题款和印章，你就什么都明白了。"卢老指着旁边那些墨迹和红印，"这是宫里留传下来的，皇宫保存条件比起民间来，不知强了多少倍。你平常看到的，都是民间的东西，只要在老百姓手里，难免经常见人见阳光，所以老化得很快。"

"我终于学到了真谛。"段天生醒悟过来。

"大师，我不关心艺术，我只关心祖传的东西值多少钱？"小个子新加坡人追问。

"刚才，我已经说过了。只鉴定真伪，不负责估价。"卢老是个非常执拗的人。

"那我白让你们掌眼了。"小个子新加坡人有些生气。

"卢老，我理解你的心情。"谭小明插进话来，"要不是遇到经济危机，人家也不会把世代相传的东西拿出来。既然咱们欣赏了，你就帮帮人家的忙，便于他出手的时候有个参考。"

卢老眉眼都没有抬。

"卢老，不方便说具体数字，可以给他个大概数字。"段天生看到女人给自己使眼色，连忙给小个子求情，"既不违反你的学术原则，也可以让人家心里有底。"

"好了，天生，看在你这个市委书记的分上，我说个大数。"卢老尽管如此，还是没有直接估价，"你说，刚才咱们谈论的在奥运会开幕式上展示的、当年张伯驹贡献给国家的展子虔《游春图》，现在价值几何？"

"好像作过一个评估，应该不低于两个亿。"段天生内心想了半天，"这幅薛道衡的作品，比起同时期的展子虔来，无论名望，无论才情，无论对历史的影响，都在《游春图》之上，而不在其下。"

"这么说，应该在两亿之上。"女明星判断出来。

"肯定不止。"段天生给出了明确答案。

"我还是那句话，只做鉴定，不做评估。两个亿，可是你们说的，和我没有关系！"卢老再三强调自己说话的用意。

新加坡人异常欣喜。

谭小明沉默不语。

在段天生看来，大师那么做，是为了维护自己的学术形象。不想因为沾染铜臭，污损了自己的名声。

"好，我心里有底了。"小个子新加坡人看看段天生。

"你干什么去？"段天生发现他要打包东西，立刻脸色变了，着急起来，"还没谈完呢！"

"我已经说过了，我今天来的目的，就是因为金融危机周转不过来，要把宝贝出手的。"新加坡人埋头包裹东西。

"人家要出去找买主，你不要挡着。"女明星看到段天生拦他，也着急了。

"既然要卖，这里也能卖。"段天生横着把路拦住。

"天生，你这是干什么！赶快让商人走。"卢老竭力想摆脱目前的局面。

"你们刚才还让我抢救文化遗产呢，还让我做张伯驹呢！现在到手的肥肉，怎么能随便吐出去?!"段天生生怕卢老放走新加坡人。

"既然你想买,说个价吧。"新加坡人把包裹放到桌上。

"一亿八千万!"段天生当即表态。

"你刚才还说这个东西不低于两亿呢!现在却开价这么低,有没有诚意啊?"新加坡人不高兴了。

"我说那个价格,是上拍卖会的价格。你要知道,拍卖行也要从中赚取一成多的费用。最后,落到你手里就是一亿八。"段天生讲明了拍卖行的规则。

"天生,你不要拦人家。这么做,显得咱们强买强卖,名声不好。你毕竟不同于一般人。"这次,谭小明主动来拦段天生。

"是啊,这么做,确实有些半路打劫的味道。"新加坡人很不客气。

"我不是强买强卖,更不是半路打劫,完全是为了你好。"段天生竭力想把东西留下。

"为我好?拦住我不让出门,就是为我好?!"新加坡人脸色愤怒。

"当然,你想想:你这么着急卖掉祖传的东西,为了什么?是为了解燃眉之急。可你要知道,任何一个拍卖行帮你出手,半年以后才能把钱给你。不信,你去打听打听。如果给了我,三天之内就可以拿到现钱!"段天生晓以利害。

新加坡人突然犹豫了。

谭小明反应过来:"老段经常跑拍卖行,确实了解底细。"

"三天之内,你肯定能拿出这么多现钱?"新加坡人怀疑。

"可以给你打到任何一个指定账户上。"段天生口气坚决。

"我要你打到新加坡的指定账户上。"新加坡人不像刚才那么坚定了。

"好!一言为定。钱到取货。"段天生终于松了一口气。

"祝贺你,也祝贺煤城,拿到了一件祖先留下来的无价之宝。"卢老赞赏段天生的义举,同时也对倒卖宝贝的新加坡人有些厌烦,"你快走吧。"

"好,三天后我收到款就把东西送来,请谭小姐做担保。"新加坡人卷起东西出了门。

"卢老,那些珍贵的佛像流失到法国,可惜了。不过,这幅薛道衡的《蒙山晓月》,我肯定能到手,一定要像张伯驹那样,做个大收藏家。"段天生热血沸腾。

"好,好。保护文化遗产,确实是一件千秋功德。我老了,无能为力了,剩下的就靠你和小明了。对了,明天我就回美国,哈佛大学后天举办一场中国文化高峰论坛,我不能耽误。"卢老看着面前的一男一女。

"好吧,我们明天送你到机场。"段天生理解大师复杂的心情。

"大师,我帮天生拿到宝贝以后,随后也赶到美国。"谭小明似乎安慰老人、也安慰段天生，"我说过，今后要把自己的家安在北京，美国的那些名画这次就拿回来。"

卢老茫然若失……

无意间碰到世间奇宝，五十出头的段天生异常兴奋，根本没有吃药，一个晚上，折腾了女明星两次。

"一亿八千万，你有那么多钱吗？胡乱答应人家，太贪心了。"女明星筋疲力尽。

"实话告诉你，我个人就有一亿五千万的存款。另外，剩下的三千万，只要跟赵国忠张口，保证当天借来！"段天生道出了自己的如意算盘，"我也拥有了北朝佛像一样珍贵的宝贝，我以后也能像张伯驹、皮埃尔那样，因为古董宝贝名垂青史。"

三天以后，神通广大的段天生果然筹够了一亿八千万，从小个子新加坡人手里买来了魂牵梦绕的隋代薛道衡传世名画《蒙山晓月》。

煤城市委书记段天生欣喜若狂……

四十八

如果一个人，意外得到一件价值连城的传世宝贝，偶尔会患上自闭性很强的狂喜症。

主要表现是：不管外人在不在场，经常一个人处在极度亢奋之中，甚至亢奋得不自觉笑出声来。

旁边的人发现他神情不对，好奇地询问：为何发笑？患病的人，这才突然发现有人窥破了他的秘密。当即收敛了笑容，变得一本正经，和正常人没有什么两样。

旁边的人，会感觉出来这个神情变化太大的人，一定脑子出了问题。

在党校学习了一个礼拜的段天生，就患上了这种自闭性很强的狂喜症。

周六回家，刚刚开门，猛然发现家里空空荡荡的，他的脑子也变得空空荡荡起来。桌子上留着一个纸条，那是再熟悉不过的女明星笔迹：亲爱的，我回美国了，过一段时间就回来……

尽管女人去美国的行程，他事先就知道，可让段天生心里难受的是，不管怎么样，谭小明出发的那天，应该亲自打个招呼，最起码发个短信。

选择留纸条这种告别方式，有点像客人给宾馆服务员告别的方式，还有点像没有任何实质性交往的普通朋友的告别方式，更有点像某种特殊群体选择的特殊告别方式。

段天生立刻拿起电话，拨通了熟悉的号码。按照他的思维方式，谭小明的手机，既然是全球通手机，肯定全球任何一个地方都能联系上。

令他大吃一惊的是，手机里传来根本想不到的提示语言：对不起，这个电话已停机，请选择其他联系方式。其他联系方式？段天生想来想去，才意识到，跟自己同床共枕三四个月的女人，从来没有给他留过其他任何联系方式。

段天生自闭性的狂喜症突然消失了。他迅速进了里屋，翻开所有的箱柜，发现家里存放的现金、存折、珠宝、首饰、字画、古玩，还有高档衣服，全部不翼而飞……

这些折算下来，又是三千万左右！

只有一件东西没有带走，那就是传世之宝——那件花了一亿八千万巨款购得的名画《蒙山晓月》。

段天生从保险柜里拿出来，在阳光下冷静一看，终于第一次看清了：上面有微火熏过的痕迹，有装裱疏漏的痕迹，还有补笔涂改的痕迹……

赝品，名副其实的赝品！

骗子，名副其实的骗子！

下三烂的女明星，是个超一流的骗子！

段天生当即摔倒在客厅里，什么都不知道了。

等他醒来的时候，已经是第二天，脑袋上缠着绷带，在建国门外的一处国际俱乐部约见一个不熟悉而又不得不见的人物：艺术研究院的青年画家卢刚。

"我知道，你迟早有一天要来找我的。"卢刚神色淡定。

"为什么？"段天生脸色苍白，气血发虚。

"因为你见到了今生今世永远想不到的三个'道具'。"从小在国外长大，卢刚最喜欢抽"三五牌"香烟。

"哪三个'道具'？"段天生几乎没有问话的力气。

"第一个，是小个子新加坡人。"卢刚看着窗外汹涌的车流。

"他的真实身份是……"段天生努力想使自己振作起来。

"三流女明星谭小明的亲表弟。"卢刚的脸庞隐藏在烟雾之后。

"第二个'道具'是你父亲？享誉世界的文化大师卢峰？"段天生意识到，一切环节中，最重要、最遮眼、欺骗性最强的环节，就是文化大师卢峰的出现和他的种种表现。

"对。你醒悟得太晚了。"卢刚没有回避一切，显然比较诚实。

"他，他一切都是为了你？"段天生几乎哭了，"为了让你得到谭小明，那么令人尊敬的大师，都变成了女明星的'道具'。"

"不是我，绝对不是因为我！"卢刚火冒三丈。

"你不是一直纠缠谭小明吗？"段天生惊奇地瞪大了眼睛。

"我根本没有纠缠过她，我根本看不上那个不择手段的婊子！"卢刚恶狠狠把烟掐灭。

"那你父亲助纣为虐，究竟为了谁？"段天生没有想到，很多答案，到目前为止，跟自己分析的根本不一致。

"为了他自己！我要不是看你上了这么大的当，不会给你抖出我们的家丑。"卢刚万般无奈，"自从我母亲去世以后，谭小明就利用自己的色相勾引上我父亲。一个垂垂老矣，头脑糊涂；另一个年轻貌美，摄人魂魄。两个完全不对称的苟合，有着不可告人的目的。我的父亲为了长期占有那个年轻女人，心甘情愿成了她挣钱的'道具'。"

"怪不得，怪不得！我怎么就没看出来呢？！"段天生后悔得要命。当初几个人在一起，只要自己稍稍对女明星有所挑逗，卢峰就表现出来极大的不满。过去，自己以为老人封建，现在才知道，老头是在吃醋！

"第三个'道具'，我不说，你也知道，就是那张价值连城的假画。"卢刚揭开了所有的谜底，"他们为了让你上当，会充分利用你对文物知识半懂不懂、自以为是的特殊心理，激发你所有的好奇心、冲动欲、成就感、自尊心，最后把你变成了一辆疯狂的赛车。只要把你充分发动起来，谁也拦不住，你就糊里糊涂冲向了红线。"

"疯狂的赛车？"段天生脑袋又被击打了一下。

"对啊，不是吗？"卢刚好像那天就在现场一样，什么都清楚，"他们把你的欲望充分发动起来以后，又反过来劝你收手。那个时候，你早就疯狂了，谁要劝你，等于给赛车加油。最后不顾一切冲到终点的，肯定是你自己。"

"要我做张伯驹、要我保护文化遗产、要我远离你、要我增值保值、要我理性消费……一切的一切，看来，都是那帮骗子给我脑子里加汽油！他妈的，追到天涯海角，我非宰了他们不可！"段天生目露凶光。

卢刚听了，不仅没有害怕，反而哈哈大笑。

"你笑什么？"段天生瞪着他。

"我笑那个三流的明星、超一流的骗子，选择作案的对象，实在太精确了。"卢刚根本没有把段天生当回事。

"还有什么玄机？"段天生意识到，还有自己不知道的秘密。

"玄机？不能叫玄机，只能叫精准。"卢刚在阳光下仰头发笑，"他们每次选择的对象，你知道都是什么人吗？"

"难道上当的，还有其他人！那个女人也太烂了。"段天生着急地追问，"都是什么人？赶快告诉我！"

"尽管上当的人不一样，可性格和特点差不多：都是酷爱古玩、自以为是、腰缠万贯的大贪官！"卢刚最后一句话，更出乎意料，"不是我看不起你，你要真有勇气，就到天涯海角追杀那帮坏人。尽管卢峰是我父亲，干出那样丧尽天良的丑事来，我早就不认他了。"

段天生一听，出乎意料沉默起来。

"为什么不说话了？"卢刚眼睛盯着他。

段天生内心虽然极端仇恨，可尽量努力克制。

"我什么都明白了。"卢刚义正词严地指责他，"你这个贪官，害怕得罪那帮惊天巨骗，害怕他们把举报信寄到北京。说实话，我鄙视你！"

上了这么大的当，受了这么大的骗，脑袋摔得这样惨，感情陷得这么深……

如果这样的事情，发生在一般人身上、一般煤老板身上，说不定一病不起，甚至一命呜呼了。而段天生却没有，在独自回来的路上，他哈哈大笑，他畅快淋漓。为什么？就是因为他是无所不能的煤城市委书记段天生！

经常处理突发大事的段天生意识到，解决这个棘手问题，并没有到了山穷水尽的地步，并没有到了山崩地裂的地步。原因很简单，无所不能的权力，还牢牢地掌握在自己的手中。尽管女明星骗了自己，可当时也给自己提供过一条思路：动用财政资金，让文物局出面最后把东西买回去。这样，损失的肯定不是自己！

不过，快到家的时候，段天生自己又否定了自己。原因很简单：财政资金动用没有问题，可是拿出两个亿左右购买名画，按照文物部门的相关规定，需要邀请海内外专家进行鉴定以后，没有疑问，才能收货。

这个门槛绕不过去，也不能绕过去。强行那么做，等于把自己的"秘密"暴露在阳光之下……

这条路行不通！

不过，还有解脱的办法！

自己是什么人？自己经历过多少惊心动魄的大事？自己没有真本事，不会混到如此高位！自己要解脱不了自己，根本不配做火山口上的市委书记！

进了家门，贴身亲信秘书小孙正在等候。

"你马上回煤城办一件大事。"段天生坐下来吩咐。

"什么事？"小孙乖乖站起来。

"把古画《蒙山晓月》送给赵国忠！"段天生指着桌上的东西。

"好。"孙秘书卷起东西来，"领导，还有什么交代的？"

"不能白给他！这是一幅价值连城的东西。"段天生脸色沉重。

"开价多少钱?"孙秘书心里没底。

"不少两个亿。"段天生早就想好了价格。

"这……这……"孙秘书突然为难起来。

"这什么?"段天生本来就不快。

"这么大的数字,书记是不是亲自给他打个电话,认真沟通一下。"孙秘书对办理这么大数额的事情,没有信心。

"我不会跟他通话的。"段天生一口回绝。

"我是不是人微言轻?"孙秘书提醒领导。

"我不指望你要回来。"段天生把烟头一扔。

"那为什么还要去?"孙秘书不是那种聪明透顶的人物。

"这次我不出面你来出面,目的只有一个:把这幅画当做一次测试,考查考查、测试测试那家伙对我到底忠诚不忠诚!"段天生一语道破天机。

"我明白了。"孙秘书表白,"我会见机行事的,一定把他最真实的心态摸清楚。"

次日下午,段天生接到了亲信小孙的电话:赵国忠对你根本不忠诚!那幅画,他认为是假的、价格太高,死活不要!

段天生在电话里悄悄吩咐:秘密通知汇海集团那个女人,就是肖助理,明晚九点到我家!不过,千万不要让赵国忠知道!

小孙当场表态:明白!绝对不会让赵国忠知道的。

按照约定时间,小巧玲珑的肖助理,晚上九点敲开了市委书记段天生在北京的家门。

让肖助理大吃一惊的是,向来装束整齐、西服革履的段天生,现在竟然穿着睡衣在大厅里迎接自己。

"奇怪吗?"段天生主动问话。

"当然奇怪!"肖助理心想,面前的不是一般人,而是有身份、有地位的市委书记。

"害怕吗?"段天生的问话,越来越奇怪。

"有什么害怕的,大不了……"肖助理都笑了,"就怕你没那个胆子!"

"我真有这个胆子,而是你没有!"段天生看看四周,"我猜这几天发生的大事,你多多少少有所了解。看到了吧,屋子里缺少一个女主人。"

"我……我……"肖助理惊慌失措。

"听说,你一直想得到赵国忠?他不敢给你,我敢给你!"段天生眼睛里冒出欲火。

"我……我……"肖助理惊得退了几步,"当然,我不嫌你年龄大,也不嫌你其他，就是……我……我有心理障碍。"

"什么障碍，不愿意当'二奶'？"段天生示意女人坐下。

女人哆哆嗦嗦坐到沙发上："不管是'二奶'，还是'三奶'，不是主要考虑的。主要是我没有经历过，害怕！"

"经历了，就不害怕了。"段天生安慰她。

"我告诉你了，我有心理障碍了。"肖助理还是有些哆嗦。

"因为赵国忠？"段天生温和地询问。

"嗯！"肖助理使劲点头。

"你们俩难道还没有……"段天生惊讶。

"我还是处女！"肖助理低下头。

"处女好啊！"段天生大喜过望。

"你……你……你……"肖助理不知如何是好。

"告诉我实话，既然你是处女，为什么喜欢风流成性的赵国忠？他只比我小五岁，差距不大的。"段天生奇怪。

"在一起呆的时间长了，自然而然就有了感情了。"肖助理回答。

"那我们照样可以在一起多呆一段时间，不就可以弥补不足了吗？"段天生显然放下心来。

"感情的火花，不是这么擦出来的！"肖助理左右为难。

"我不明白，名校的校花，是怎么和有钱有势的男人擦出火花来的？"段天生看着那张粉脸无限欢喜，"教教我好吗？"

"我没有经历过，不知道。"肖助理心里没底。

"赵国忠身上什么吸引了你？"段天生眼神中流露出来好奇，"性格？气质？手段？为人？年龄？成熟？还是别的……"

"什么都不是！"肖助理随口回答。

"那我明白了。"段天生醒悟过来。

"你说是什么？"肖助理也想从别人嘴里，探究自己为什么喜欢赵国忠。

"是成功！男人成功的魅力。"段天生何等聪明，"作为名校之花的女助理，才貌、智慧、勇气、手段、魅力等等什么都不缺，最缺乏的就是成功。所以，校花最喜欢最钟情的男人，就是冲破一切最终获取成功的男人！"

"可能是吧。"肖助理没有否认。

"不是可能，而是一定。"段天生把手伸过来，经历过大世面的肖助理没有回避。

"我能不能算一个成功的男人？"段天生赤裸裸地询问。

"不可否认！"肖助理心理障碍少了许多，变得轻松起来，"比起赵国忠来还要成功。"

"那我也属于你喜欢的那种男人？"段天生在打心理战。

"有点太突然，一时接受不了。"肖助理实话实说。

"意外碰撞出来的火花，是不是比慢火擦出来的还精彩、还闪亮？"段天生是名副其实的情场老手。

"可能吧。"肖助理尽管平常落落大方，甚至有些玩世不恭，可真要马上陷进来，还是女人——涉世不深、没有经验的女人。

"既然有可能，就能往前走，一切都由你决定。决不强求！"段天生突然把手缩回来。

"往前走，是有条件的。"肖助理学经济出身，感觉自己发挥长处的时候到了。

"赵国忠什么条件？"段天生认真思考。

"我要跟他，必须名正言顺，必须持有汇海集团不低于百分之二十的股份。"肖助理尽管十分喜欢赵国忠，有段时间甚至到了忘乎所以的地步。可是，真要谈婚论嫁，绝对是两码事。否则，经济专业的那些知识和本事就白学了。

"我照样可以满足你！"段天生根本没有考虑。

"你能离婚？我这么年轻，做'二奶'、'三奶'不是不可以，而是玷污了我的出身，毕竟我是清华毕业的！"肖助理自我矛盾。

"完全能离婚！用经济手段解决一切。"段天生满口承诺。

"你不是汇海集团的人，能当了赵国忠的家？把百分之二十的股份给我？"肖助理不相信，"要是其他小公司的股份，我可看不上。"

"完全可以。"段天生话语轻松。

"你是不是觉得我年龄小，没有社会经验，渴望成功男士的帮助，就能蒙混过关？"肖助理觉得段天生太小看人了。

"政治家最忌讳当面说谎。"段天生一直认为自己是高明的政治家。

"不怕我戳穿？"肖助理不仅轻松，而且笑了。

"当然不怕！"段天生底气十足。

"你是汇海集团的大股东？有决策权吗？"肖助理追问。

"当然是！当然有！"段天生毫不退让。

"你知道我的身份，我是赵国忠的助理，怎么没有听他说过？"肖助理满脸诧异。

"你当然没有听说过！他更没有听说过！"段天生根本没有理会。

"这么说，你当面说谎了吧！"肖助理捂嘴大笑。

"没有说谎，答应的事情，一定办到！"段天生再次承诺。

"怎么办呢？怎么相信你说的是真的？"肖助理突然发现自己处在主动位置。

"你和赵国忠除了没有肉体关系，感情上到了什么地步？"段天生突然反问。

"到了无话不说的地步。"肖助理没有虚言。

"赵国忠是否讲过汇海集团成立以前的事情？也就是，汇海掘的第一桶金是怎么来的？"段天生目不转睛看着女人。

"讲过。"肖助理没有隐瞒，"第一桶金，是他老丈人和一个神秘领导一起淘来的。老丈人逃到国外，神秘领导还在国内，暗中监视他。赵国忠就是因为头上有个紧箍，不敢和我发生关系，担心丢了股份和决策权。"

"你知道那个神秘领导是谁吗？"段天生眼睛发光。

"怎么？你怎么知道的?！你怎么知道得这么详细，比赵国忠还详细?！"女人露出了惊恐的神色。

"你说呢？"段天生感觉到"美人鱼"已经在"咬鱼钩"。

"啊！原来那个幕后操纵一切的大领导就是你！"肖助理惊得说不出话来。

"赵国忠说穿了是个高级打工的。如果对我不忠诚，立刻换掉他！"段天生说出了自己隐藏多年的"秘密"。

"赵国忠下台，谁来接班？"肖助理也蒙了。

"你要答应做这个家的女主人，汇海集团董事长兼总经理就是你了！"段天生哈哈大笑，"怎么样？百分之二十的股份，就是十六个亿！"

"赵国忠怎么办？"肖助理虽然动了心，也替赵国忠担心，毕竟在一起相处了很长时间，毕竟有过感情。

"出国！和老丈人、妻女团聚去。他嘛，毕竟是有家室的人，该享受天伦之乐了。"段天生已经想好了一切。

"如果他不去呢？"肖助理还是于心不忍。

"在国内、在煤城，那些不听话的煤老板，只有死路一条！"段天生说得非常轻松。

肖助理一听，对赵国忠彻底死心了。

她站起来，再次考虑半天。最终，做出了人生最大的决定："好，从今天开始，我就帮你收拾这个家。"

肖助理内心真正想收拾、收获的，其实是巨额的经济回报。

"那咱们就先上床吧。"段天生彻底松了口气，"失之东隅，收之桑榆。焉知非福啊！"

四十九

女煤老板杨娟和法院院长王文献汇聚到北京。

"紫云矿业公司的情况，怎么样？"杨娟坐到临街的咖啡屋窗下。

"我委托审计部门做了调查，大国企就是财力雄厚，目前经济状况非常好。"王文献坐到她的对面，"到昨天为止，账上的剩余资金还有将近一千三百亿。不过，他们和新疆一个能源城市签订了一份投资协议，据说要在半个月之内，划到新疆四百个亿，用来开发一座年产几百万吨的大煤矿。"

"紫云还有什么投资计划？"杨娟要了一杯咖啡。

"大的项目，目前还在寻找，没有最终确定下来，只有新疆项目落实了。"王文献委托的审计部门十分可靠。

"好。就是说紫云矿业公司还有将近九百亿资金，躺在银行户头上空吃利息。"杨娟头脑比算盘都快。

"没错。"王文献神神秘秘，"不过，下一步，有个不好的消息。"

"什么消息？"杨娟最怕发生意外。

"紫云矿业有个副总是我的同学，他看不惯董事长老贺独断专行，特别反感老贺与那个年轻漂亮的女总会勾搭成奸，痛恨两人里应外合套取国有资金。于是，私下里告诉我一个天大的秘密。"

"他们要转移巨额资金？"杨娟马上就猜出来。

"对！有权不用，过期作废。"王文献悄悄耳语，"老同学告诉我，老贺与妍头在美国注册了一个空壳公司，绝对控股。然后把公司的一半闲置资金将近五百亿转移过去，将来其中的绝大部分就变成了他们的合法财产。"

"名义是上市？只有上市的理由能说服大家。"杨娟明白了他们的资金转移路线图。

"从老贺这件事情看出来，不少富得流油的大国企老总，利用到海外上市的机会，把多少利润变成了他们的囊中私物。"王文献感叹。

"别看我们在煤城玩得运斤成风，可要和这些人比起来，实在不值一提。"杨娟自愧不如，愤恨地痛骂，"我们好赖还在打拼，好赖还在挖煤，毕竟是靠辛苦赚钱。那些所谓搞资本运作的家伙，只要动动脑子，动动嘴皮子，几百上千个亿就到手了。他妈的！"

"大姐，下一步怎么办？"王文献知道，大主意都是女人来拿。

"收集老贺与那个女总会涉嫌经济犯罪的证据，逼他和我们合作搞电厂。"

杨娟明确表态。

"好。"王文献深有同感,"只要拿到证据,不怕老贺不服软。我们能够从紫云矿业筹措两百个亿,加上赵国忠的投资,特别是汇海集团的担保,我们最少可以从银行再争取到几百个亿。这样,电厂前期的费用就差不多了。"

"赵国忠也是一块难啃的骨头。"杨娟有些犯愁,"我指使司法部门,以涉嫌行贿的名义,将这小子监视居住,可他就是不合作。"

"慢慢来,别着急,迟早会打开缺口的。"王文献安慰她,"当初,讨债那个案子,我们也是费了九牛二虎之力才拿下来的。"

"相比较而言,还是老贺好突破。"杨娟内心把两人比较半天。

"为什么?"王文献一时没有理解。

"他毕竟是大国企的老总,那顶帽子是共产党给他戴上去的,只有头衔,没有股份,说穿了是纸帽子。老贺因为有帽子,才有了支配巨额财富的机会。如果我们收集到他转移资金的铁证,吓唬吓唬他要摘帽子,老贺立即就老实了。他们这种人比谁都明白,财产是国家的,一旦丢了帽子,什么都没了。"杨娟充分分析过老贺的心理。

"是啊,汇海集团董事长兼总经理的帽子,那是铁帽子,不好摘掉。"王文献感觉出来,最难对付的人,其实是私营老板赵国忠。

"我也同意你的办法,慢火炖肥羊。"杨娟到目前为止,还没有太好的办法突破赵国忠。

"你要的老贺涉嫌经济犯罪的证据,在两天之内就能拿到。他有没有消息?"王文献刚刚踩点回来,"我可是打听过了。老贺很少在煤城,很少在紫云,家里都是女总会主事,没有大事,老贺从来不在当地露面。"

"是不是在新疆?你不是说那里有个大项目。"杨娟分析。

"不在。新疆的事,尽管投资很大,已经铁板钉钉,没有什么需要老贺决策的。"王文献对紫云在新疆投资的事,了解得十分清楚。

"难道在美国?他们不是要谋划上市吗?"杨娟紧皱眉头。

"不可能!老贺那种级别的干部出国,需要经过组织部门报批。我已经到组织部了解过了,老贺的出国申请还没有上报。"王文献看来跑了不少单位。

"老贺难道钻到地缝里去了?"杨娟弄不明白。

"他们不是在北京有个办事处吗?"王文献突然想起来。

"早打听过了,没有。"杨娟摆摆手,"那个办事处,都是紫云矿业的职工,腰缠万贯的老贺,才不在部下面前腐败呢!"

"腰缠万贯?"王文献脑子里把这个词重新过了一遍。

"腰缠万贯!"杨娟有所领悟。

"腰缠万贯的老贺，与任何人都不一样！"王文献反应过来。

"你说得对！在所有的腰缠万贯的煤老板里，老贺是出了名的抠门货、出了名的好色鬼。"杨娟头脑里突然闪现出来，一个衣衫不整的老头，就是紫云矿业董事长老贺。

"他肯定在北京。"王文献有了信心。

"他不会住高档酒店，也不会嫖高级妓女。"杨娟判断出来，"前几天，我真是疏忽了，派人到豪华场所找了好几天，一点线索都没有。原来，忽视了他的性格。"

"要到城乡接合处寻找。"王文献锁定目标。

"具体怎么办，你有经验。"杨娟露出来笑脸。

"到公安局找个熟人，把长期包租低档旅馆的人查个遍，肯定能找到踪影。"王文献几乎笑出声来，"特别是野鸡集中的低档旅馆。"

"关键是证据！"杨娟再次强调，"老贺跑不了。"

一周以后，杨娟等人打听到了紫云矿业公司董事长老贺的落脚之处。如果不是亲眼所见，他们不敢相信，这个地方也是北京，大片、大片的贫民窟，房子低矮破旧，污水横流，臭气熏天。

生活在这里的男人，不少都靠捡破烂为生。

卖淫嫖娼，在别的地方重拳打击，丢人现眼。而在这里，是一件再寻常不过的事情。

一个废弃的木材厂，眼下改造成了出租旅馆。

一男一女、一老一少正在争吵。

"办事以前，老板介绍说你是艺校毕业的。"一个山西口音的糟老头神色恼怒。

"我就是艺校毕业的！"三十多岁的矮胖女人，脸色发黄，眼睛发红。

"艺校有你这样的毕业生吗?! 五短身材，嘴里发臭，特别是刚才做那事的时候，连连放屁，把我唯一的一点乐趣都炸没了。"糟老头心有不甘。

"实话告诉你，老娘就是河北老家的艺校毕业的，名正言顺的正牌货。不信，你可以到网上去查。"矮女人把衣服收拾利落。

"好，好，好！我不跟你纠缠哪里毕业的。"糟老头坐到乌黑的凳子上，开始吸烟，"做什么，也得有个规矩，尤其是干那种事，嘴里发臭暂且不说，连连放屁，破坏了我的雅兴，甚至影响到我以后的性生活，你说怎么办？该不该赔偿？"

"我明白了，炮也打完了，开始找借口了。"矮女人不依不饶，"又怀疑我的学历，又嫌我嘴臭放屁，存心想赖账，是不是！"女人把腰叉起来。

"不是我赖账，而是你不值那么多钱！"糟老头无所畏惧。

"那你说多少？"矮女人故意问。

"最多一百！"糟老头回答。

"放屁！老娘让相好干一次，最少也得这么个数字。"矮女人破口大骂，"你他妈哪里来的野老头，竟敢揩老娘的油！"

"你他妈有屁的油！老子只给一百，要，也是这个数字；不要，也是这个数字！"糟老头扔下一百块，出门就走。

"回来！回来！"女人追出门来。

"你要再拉我，一百块也不给，还要让你倒贴！"糟老头怒目圆睁。

"老娘凭什么倒贴？"女人死死揪住他的衣服。

"学历造假，办事放屁！"糟老头心直口快。

……

"贺总，我是法院的，跟我走吧。"一个男人走到贺老头面前亮出了工作证。

"好吧。"糟老头眨眼之间就蔫了，"我知道，迟早会有这么一天的。"

众目睽睽之下，大家议论谩骂声中，几个法警把糟老头推上一辆警车，离开了自由热闹的贫民窟。

老贺以为要把他抓到北京看守所，谁知，警车却把他带到了五星级的皇冠假日大酒店。大厅里一个年轻漂亮的女人正在喝茶，旁边作陪的，是煤城的法院院长王文献。老贺都认识，他索性坐下来。

"原来是老家的执法人员，差点把我吓死。"老贺把破包扔到一边。

"难道老家的执法者，就不能治你个嫖娼罪吗？！"王文献神色严肃。

"过去，人家都说老贺抠门小气，我还不信呢！"女人甜甜一笑，"如果不是法院的人把你救出来，一旦你的真实身份暴露了，穷人们非把你这个抠门的煤老板打死不可！"

"他们哪知道我是干什么的！"老贺嘴上这么说，心底暗自痛骂。

"老贺，我们今天找你来，是有公务在身。嫖娼的事，暂且不说。"王文献不开玩笑的时候，正气凛然，绝对像个秉公执法的要员。

"什么公务？"老贺一听院长口气不对，有些发虚。

"你先看看调查材料吧。"王文献把一大堆文件推到老贺面前。

老贺战战兢兢把材料拿过来，从头到尾认认真真看了一遍，满头大汗冒出来，身子骨有些发抖，他竭力想控制住自己。

"老贺，我们是朋友，提前让你看一下材料，心里有个准备。"女人杨娟漫不经心地说。

"有人举报你借上市之机往境外转移资金五百个亿，目前已经出去八千万。

美国方面也发来了确认函。老贺，你说怎么办？"王文献目露寒气。

谁也没有想到，身为大国企一把手的老贺，"扑通"一声跪到了地上："王院长，救救我！大妹子，拉大哥一把！"

"我又不是执法人员，根本帮不了你。只是看在往日的交情上，给你通报一声。"杨娟表面无奈，内心发笑。

"这么大的惊天巨案，谁也帮不了我！"王文献根本没有扶他，"老贺，我说你真糊涂，手里支配着上千个亿，吃喝拉撒都够了，干吗要以身试法？这下可好，官帽没了。"

"我不是为自己找个后路嘛！你们也知道，我这个国企的煤老板，和人家个体煤老板不一样。个体煤老板都是铁帽子，挣多少钱都是自己的；而我们头上戴的都是纸帽子，挣多少都是国家的。心里有所不甘啊！"老贺像个小孩儿一样哭了，"我要出了事，丢了这顶纸帽子，连那个臭女人总会都跟别人跑了，什么都没有了……"

"你这是自讨苦吃！"杨娟表现出来同情的样子，"我要不给你提前通报，你出了这个大门就是监狱！"

"怎么帮？难道因为帮你，把自己送进去？"王文献丝毫不松口。

"大妹子，我知道：公检法不把我们这种企业干部放在眼里，可最听地方党委政府的话。求求你，在张书记面前给我美言几句，花多少钱都行！"老贺边哭边央求。

"嫂子，你绝对不能利用自己的特殊身份，干预司法办案。"王文献在旁边故意提醒杨娟。

"可这，老贺确实挺可怜啊！"杨娟指着跪在地上的老贺，仿佛动了女人脆弱的感情，其实是在和王文献"唱双簧"。

过度惊吓的贺总，始终处在极度恐惧之中，根本看不出来。

老贺一看杨娟松了口，似乎捞到救命稻草："大妹子，大妹子！我绝对不会让你白帮忙的。我知道，你是做生意的。只要保住我这顶纸帽子，我就把单位的闲置资金拿出来，咱们一起做生意！"

"老贺，我警告你：这是拖领导干部亲属下水，罪加一等！"王文献斥责他。

"我说王院长，在煤城办案，一方面要讲法律，另一方面也要讲人情。不管怎么样，老贺带领矿业公司为国家挣来那么多钱，容易嘛！"杨娟显然在替老贺说话。

"嫂子，功劳是功劳，罪过是罪过，完全是两回事！"王文献"寸步不让"。

"大妹子，只要把我的功过抵消，保住纸帽子，你说怎么做生意，我完全照办，一切听你的，决不食言！"老贺唯一的王牌，就是在没有免职以前，对上千亿的巨额闲置资金享有支配权，这也是他唯一能够诱惑女煤老板杨娟的砝码。

"大嫂，你要敢跟他同流合污，我连你都不放过！"王文献的假戏，越唱越逼真。

"你要敢跟我较劲，明天法院院长就换人！"杨娟配合得天衣无缝。

只有看戏的老贺，最后看傻了，恨不得把所有的一切都拿出来，回报罹难当头、不惜一切代价帮忙的张书记的相好——女煤老板杨娟。

这件事还没有彻底解决，突然有个警察跑进来。

"什么事，这么慌张？"王文献训斥。

"这……这……这……"警察看着杨娟和老贺，不好开口。

"没事，说吧，都不是外人。"王文献安抚部下。

"监视居住的赵国忠跑了。"警察道出了实情，"今天早上，汇海集团的女助理小肖前来看望赵国忠。考虑到赵总并没有正式逮捕，就让女人进去了。中午时分，肖助理离开，我们没有发现异常。结果下午进屋一看，赵国忠从后窗跑了。"

"跑到什么地方？"女人惊问。

"跑到纪检委里面去了。所以，我们没敢进去抓人！"警察实话实说。

"跑到纪检委干什么？"王文献大惊失色。

"肯定不是什么好事！"杨娟判断出来。

始终跪在地上的老贺，一听煤城最有名的大老板赵国忠都进了纪检委，吓得瘫成一团："大妹子，求求你，只要保住纸帽子，什么都给你！"

"去你妈的！"王文献使劲踹了这个软蛋一脚，"告诉你，谁也救不了你！"

杨娟赶忙拦住："别理他，咱们先找肖助理，马上处理赵国忠的事！"

五十

八山一水一分田，十年九旱一场雨。

十年九旱的煤城，竟然在今年的春夏之交，下起了大雨。下雨，对煤城人来说，是一个喜庆的日子。农民们要到庙里还愿；工人们要早早下班与家人团聚；商人们都要到酒楼订餐庆贺；煤老板们要在这一天，给家里请来的五爷菩萨上香上供品。甚至很多公务员，看到瓢泼大雨，紧张的心情都立刻轻松起来。

龙天大酒店最高层的贵宾楼，有一套极其隐秘的房间，外人从来没有进去过。大雨刚刚下来的时候，董事长郭天亮独自一人进入了隐秘的房间。里面装饰得古色古香、分外典雅，摆设着全套的紫檀家具，面南背北的地方，安放着一个巨大的佛龛，里面供奉着一尊黑色紫檀雕刻的五爷菩萨，佛龛前整整齐齐陈列着五盘供品。郭天亮把门关好，随后点着手里的长香，恭恭敬敬拜了三拜，最后插进香炉里……

下午三点，郭天亮才回到办公室，里面已经有三个最重要的客人，等候了好长时间。郭天亮对他们三人再熟悉不过了：李立林、张国军和史佳敏。

"郭总的架子，真是越来越大了，让两位市长整整等了三十分钟。"史佳敏一半嘲笑一半埋怨。

"对不起，对不起，睡过头了。"郭天亮连连道歉，"往常，我两点肯定起来。今天下雨，心情一放松，就晚点了。"

"人家李书记刚一上任，就碰了一个软钉子，你也太不给面子了吧。"张国军用手点点郭天亮。

"什么？李书记！立林不是市长吗？"郭天亮有些吃惊。

李立林没有解释，只是微笑点头。

"上午十一点，省里才任命的。"张国军解释。

老市长走到窗前，发现外面大雨越下越猛，敲打得玻璃窗都有些震动："省委宣布：段天生涉嫌重大经济犯罪，已经被纪检部门'双规'，同时免去书记职务。新任的煤城市委书记，就是站在你面前的李立林同志！"

"啊！那么气势强大、那么不可一世、那么威风八面的段天生，就这么轻轻一捅就倒了?!"郭天亮吃惊不小，"不敢相信，不可思议！"

"有什么不可思议的！是煤老板赵国忠举报的他。"史佳敏补充了一句。

"社会上，近来一直秘密流传，汇海集团背后的真正老板是段天生，而汇海集团的董事长赵国忠只是个摆设，真有这么回事？"郭天亮知道，只有面前的人能告诉他真相。

"的确是真的，我们也没有想到。"市委书记李立林给出了标准答案。

"汇海集团到底是怎么回事？"郭天亮非常关心已经倒下去的竞争对手。

"汇海成立以前，段天生就勾结一个银行家共同开煤矿，两个人挣了不少钱。后来，银行家出了事，流落国外，出逃前委托赵国忠出面管理企业。原来的煤矿，就改头换面成为汇海集团。"张国军知道的这些消息，都是市纪检委的一个部下告诉他的。

"怪不得！汇海成立以来一直顺风顺水，畅通无阻。背后的两大股东，原来是段天生和银行家！"郭天亮想都没有想到。

外面的大雨，变成了暴雨，整个煤城如同淹进了大水池中。

"狡猾的银行家，出逃以后，没有给赵国忠透露他的真正合作伙伴、真正的大股东是段天生。这样做，有几个目的……"老市长张国军一边说一边思考。

"我能猜出来：一是赵国忠在明处，段天生在暗处。赵国忠可以放心大胆地发展，段天生可以明目张胆地支持；二是在赵国忠毫不知情的状况下，段天生可以在暗地里进行监督，防止赵国忠胡作非为；三是开煤矿风险太大，一旦出事，一切责任都是赵国忠的。而段天生还可以继续隐蔽到幕后，帮助企业解困，最终保住他们的利益。"经营煤矿很长时间的郭天亮，对煤矿背后的"猫腻"十分清楚。

煤城，是个十年九旱的地方，抗旱措施十分齐全，而排涝措施非常薄弱。连续下好长时间的暴雨，把这个城市都浸泡在雨水中。他们几个人议论赵国忠事件，而新任的市委书记李立林连续接到好几个报警求助电话，赶紧利用手机指挥有关人员出面处理。

"赵国忠怎么知道自己是木偶的？他为什么要举报段天生？"郭天亮仍有好多不解之谜。

"段天生淘宝失败，上了一个女明星的大当，巨额投资买了一幅假画。他原来打算让赵国忠承担两个亿的损失，可赵国忠发现是假的，当然不干。人财两空的段天生，就认为赵国忠背叛了他，一时性起，老段利用肖助理嗜钱如命的心理，成功策反了赵国忠的女助手，并且霸占了她。"张国军详细叙述。

"老段那家伙，不能一天没有钱，不能一天没有女人，更不能一天没有权力！"段天生的习性，煤老板们早有耳闻，郭天亮随口评论。

"段天生联合肖助理搞垮赵国忠，逼他出国。身陷困境的赵国忠知道一切真相后，眼看多年经营的产业付诸东流，再加上肖助理感情上的背叛和经济上的逼宫，赵国忠感到回天无力，决定采取鱼死网破的极端手段……"张国军最后才引出了这桩惊天大案的导火线。

外面暴雨中，响起了震耳的雷声，一道道闪电，划破了黑幕。

"好可怕！"郭天亮惊得后退几步。

"段天生的失败，完全是自我毁灭、咎由自取！"李立林说出了自己的看法。

"段天生什么都算计到了，就是没有算计到赵国忠会死里求生。"张国军对以后的事情，也有自己的独特见地，"赵国忠也不是一般人物。他预料到银行家逃亡国外，段天生身居高位，肖助理经验不足，尽管汇海集团真实的一切都是他们的。可是，他们没有一个敢公开暴露在阳光下，只有自己是阳光下的人物，是名正言顺的董事长。所以，赵国忠死里求生，只要把最危险的段天生送进去，自己原来是木偶，现在就变成了可以操作木偶的人。"

"确实如此，只要把最危险的人物除掉，赵国忠就能把表面的东西变成真实的一切。"郭天亮也感觉出来赵国忠死里求生的真正目的。

"任何一个强大的堡垒，最容易从内部坍塌。段天生就败在自己精心构筑的堡垒上，这个堡垒里的人太腐败了，分赃不均，起了内讧，互相攻讦，最后不用别人去推，自己就坍塌了。"新任市委书记李立林无限感慨。

"坊间还流传：赵国忠事件还牵扯女煤老板杨娟?"郭天亮尽管整天躲在高级酒店里，也听到一些小道消息。

"杨娟为了投资电厂，强行拉赵国忠入股担保，不过，还没有形成事实。"老市长张国军非常了解那件案子的前前后后，因为省里在"双规"段天生之前，向煤城的主要领导，包括老干部通报过情况。

"我来见郭总，可不是单单讲赵国忠事件的。"李立林表明自己的态度。

"对啊。"老市长张国军反应过来，"光说闲话，忘了谈正事了。佳敏给你讲过的那件事，听说你还有顾虑。"

"我想，郭总这么关心'赵国忠事件'，不仅因为老赵曾经是竞争对手，而是因为这个大案，对我们目前操作的项目也有不同程度的启示和影响。"史佳敏是个不同寻常的女人。

外面的大雨，对煤城来说，下上一阵就是大福。可是，下得时间太长了，就演变成了灾难。尽管书记李立林已经做了充分的布置，可是看到外面的雨帘，还是有些惴惴不安。

几个人开始了正式的项目谈判。

"几十个亿的投资，不是小数目，尽管老市长、史佳敏都是'世行办'项目组的顾问，都是我最知心的朋友。你们说的计划，我也非常感兴趣，尤其是对巨大的经济利益感兴趣。"天亮集团董事长郭天亮，这个时候说话非常谨慎，"在我正式决定投资以前，有三个问题，想和两位领导深入探讨一下，特别是想和新任的市委书记李立林沟通一下。"

"今天，没有外人，你把全部顾虑说出来。如果我的回答你能满意，咱们就合作；如果不满意，你可以继续走西口，到内蒙古去投资，我们另想办法，彼此还是好朋友。"市委书记李立林落落大方。

"好。咱们慢慢说，我也是因为出了'赵国忠事件'，才有了很多顾虑的。"郭天亮打开天窗说亮话，"政府和企业合作成立融资平台，共同争取世界银行的投资，开发建设新煤城。既是回报很好的大项目，更是一件造福百姓的大好事。不过，丑话说在前面，办好事首要先防坏人。第一个问题：如果坏人告状，举报我们官商勾结，共同套取世行贷款怎么办?"

"这个好说。"市委书记李立林胸有成竹，"在项目启动之前，政府会在报纸、电视上刊登播出招标公告，合作伙伴肯定要通过公开招标产生。报名单位必须具备几个硬性条件，比如政治合格，比如资产不少于百亿元，比如现金流要在二十亿以上……符合这些条件，才允许报名，不合格的当场刷下。到时候谁也没有话说！那些利用举报手段乘机捣乱的，根本没用。"

"第一个问题，回答起来比较容易，我满意；第二个问题，回答起来就比较艰难了。"郭天亮几乎是在苦笑，"这个项目，假如我通过招标，最后中了标。在操作过程中，我肯定要挣钱，而且要挣大钱，这是不言而喻的。否则，我就不会投资。我想问的第二个问题是：你们三个人，都为这个项目付出了巨大的心血。我该怎么回报你们？我该怎么向社会解释？我想听实话，不想听大话，更不想听假话。"

"我是自由人，最好回答这个复杂问题。"史佳敏爽朗地笑了，"既然我是这个项目的顾问，我希望获取一定数额的薪酬。具体数额多少，按市场规律办事，将来养活我自己，多余的部分做慈善。别人没有什么好说的！"

"有人要是议论：史女士利用李书记的关系在这里捞钱，怎么办？"郭天亮神色沉重。

"如果大家有议论，首先会议论我和郭总关系最不正常。"史佳敏机智幽默的回答，逗得大家都笑了。

"我的希望，还和咱俩以前合作一样。"老市长张国军没有回避，"我退下来了，主要想找个事干，所以，成立了煤炭文化促进会。维持这个公益组织的正常运转，需要花不少钱，不是小数目，我不想给财政找麻烦，希望郭总给予保证。作为回报，我力所能及为你协调一些事情。"

"咱们这是'赤裸裸'的互相利用。我满意。"郭天亮其实最想听的是李立林的真实想法，"李书记，你呢？你的答案，我最感兴趣。"

"现在当官也是高危职业，说不定哪天，我这个书记就干不成了。"李立林深思熟虑半天，"只要我在台上，必须为这个项目义务服务。因为这个项目，不仅是你们的项目，更是政府的项目，作为高级公务员，义务服务，理所应当，符合《公务员法》的规定。如果在这个阶段，你强行塞给我什么，等于把我当成了段天生，等于把我往纪检委里面送……"

"言外之意，你要下了台，就……"别人不敢说，史佳敏无所顾忌。

"我要下了台，丢了工作，天亮集团必须养我，给我养老送终！"李立林斩钉截铁。

"好！第二个问题，你们的回答，我都很满意，尤其是李书记没有把我当外人。"郭天亮露出笑容，"第三个问题：假如有人举报你们三个都在我公司有股份怎么办？"

"这个问题，我们不能回答。"史佳敏把皮球踢回去。

"我们有没有股份，你最清楚，应该你来回答。为什么要我们回答？"老市长张国军也拒绝表态。

"我看这么办，郭总就没有顾虑了。"市委书记李立林想出个办法，"你中标以后，方便的话，把公司的股份结构登报纸上电视，广而告之。只要公开透明，就没有人对我们指手画脚了。"

"还是李书记高明！第三个问题的答案，我最满意。天亮集团可以考虑投资，剩下的问题，由公司律师出面和政府有关人员深入接洽吧。"郭天亮下了最后的决心。

"李书记，刚才天亮提的三个问题，有些刁钻。你千万不要往心里去。"老市长张国军最了解郭天亮，转过身来，"他这么做，其实是为了保护咱们，避免别人往咱们身上泼脏水，完全是一片好心。"

"对啊。"史佳敏也感悟出来，"煤城接二连三出事，特别是最近出了赵国忠的案子，彻底暴露出来一个事实：煤城这个地方，腐败已经成为一种亚文化，这个亚文化的主要特点就是，不给钱不办事；给了钱胡办事；给大钱违法乱纪瞎办事。咱们办的是大事，肯定会引发社会各种议论。立林，刚才郭总提出的三个刁钻问题，其实是提醒你要有充分的思想准备。"

"谢谢天亮，谢谢你考虑得这么周到。还是那句话：在台上分文不取，下了台给我养老送终！"李立林情绪高涨。

外面暴雨如注，里面热血沸腾。

四人讨论得越来越深入，越来越投机……

突然，市委办公厅的秘书不打招呼，直接闯了进来。

屋里的几人，笑脸立刻凝固，内心突然变得有些紧张。

"李市长，不，李书记，又出大事了！"秘书脸色苍白，气喘吁吁。

"不要慌，慢慢说。不就是水灾吗?!"李立林竭力安慰自己。

"不完全是水灾！"秘书大汗淋漓。

"那是什么？"老市长张国军心头泛起不祥之兆。

"难道是……"美女史佳敏几乎晕过去。

"矿难！"秘书彻底冷静下来。

"矿难?!"刚刚到任不足一天的市委书记李立林当场就蒙了！

"后沟村三千村民，偷偷搞地道战，违法采煤。今天连续不断的降雨，形成山洪，山洪冲垮了地道，最后把里面挖煤的村民淹死五个。省里的调查组马上就到！"秘书一边汇报，一边流露出来惋惜的神情。

"走！"市委书记李立林怒吼的同时，也向其余三人挥手，"项目的事，你们慢慢讨论，我去处理矿难。别担心，大不了下台，咱们回来一起搞城市开发！"

望着李立林远去的背影，大家的心情，由刚才的高潮一下子跌落到低谷，十分沉重。

"这小子，从上学的时候，嘴上就没把门的。这下，自己把自己勾进去了。"史佳敏最先打破沉默。

"一波未平，一波又起。煤城究竟怎么了？风水怎么坏到这个地步?!"郭天亮怎么也想不通。

"看来，矿难能炸出来'坏人'，也能毁掉'好人'。立林要因为这件事下台，简直成了中国最短命的市委书记了，上任还不到一天。"老市长张国军大为感叹。

窗外的暴雨，一直下个不停……

2009 年 2 月 26 日凌晨三点一稿于北京运河畔集古斋
2009 年 3 月 6 日 凌晨一点二稿于北京运河畔集古斋

后　记

　　我的童年和少年时代都是在矿区度过的，尽管我不是矿工子弟。

　　在我小时候的印象中，矿工是一个收入很高的职业。那时，我们住着破烂的小平房，而矿工中很多人却都住上了楼房，家里很富裕，矿区的学校就像花园一样美丽。但富裕的煤矿背后，总有许多让人想象不到的东西。长大以后，一次和某省委书记在一起，他讲的一件事印证了我当初的看法：书记年轻时当过某矿务局的局长。一年春节前，局领导到矿工家里慰问，发现：只要娶了外地女人做媳妇的矿工家过年的餐桌上，总能看到大鱼大肉，白面饺子；而娶了山西女人、特别是晋北女人做媳妇的矿工家的年夜饭却仍是玉米糊糊，窝头咸菜。前去慰问的领导开始只是不舒服，心里有气。可一连走了好几家，发现都是这样。领导实在忍不下去了，当场掀翻了矿工家的锅碗，痛斥山西女人：男人们每天在鬼门关里给你们挣银子，眼下都过年了，也不给吃顿好的，太不像话了……

　　后来，我从事共青团工作，曾经担任太原市团市委青工部部长。期间有过一次难忘的下矿经历。我穿上工作服，围上白毛巾，坐上矿车，一路深入到地下几千米的矿井深处。里面煤尘满面，漆黑一片。打开矿灯以后，突然有个惊异的发现：在矿井的最深处，有一群吱吱乱叫、到处乱跑的老鼠。更让我惊讶的是：矿工们看到老鼠，不仅没有动手消灭这些祸害，反而掏出口袋里的面包喂给它们。看到我不解，矿上的朋友解释：在他们煤矿工人眼里，老鼠不仅是离他们最近的生命，也是他们的"保护神"。老鼠的嗅觉非常灵敏，只要矿井里的瓦斯浓度发生变化，或者周围地质结构出现问题，老鼠第一时间就有了反应，或者死亡、或者疯狂乱叫。只要碰到这种情况，矿工必须马上撤离井下。老鼠对灾难的预报，如同燕子对大雨的预报一样准确。所以，在矿工眼里，井下的老鼠，如同富人家的宠物一样可爱。听了这样的讲述，我内心很不是滋味……

近来我还遇到一件令人诧异的事情：我中学的一个同学到北京来找我，手里拿着一批"元青花"。他希望通过我，找北京的专家鉴定一下真伪。这个同学给我的印象特别深。当年，我们正刻苦读书的时候，他就放弃学业，搞起了煤炭生意。二十年前，他就开上了属于自己的小车，住上了别墅。他过早的成功，引起了不少同学的羡慕。当年那个不愿意读书的富翁，如今搞起了文化含量很高的瓷器买卖，让我吃惊不小。他解释：如今老家关停小煤矿，把他从煤炭行业中挤了出来。手里有不少闲钱，如果不找个好买卖，容易赌博输掉这些财富。听说，青花瓷买卖也像煤炭一样充满暴利，所以，就把所有的资金砸到里面了。我听了，不由得替他担心起来。说来也巧，那一段时间，北京正好搞"中外元青花瓷器精品展"。这个展览最特殊的地方，就是有一批七百多年前出口到伊朗的元青花参展。其中的五件元青花大器，当年从中国的景德镇出口到伊朗，就被伊朗历代国王当做圣物，供奉到皇家清真寺，一直传承下来。可以真正说得上传承有绪，记载明确，毫无异议，是全世界公认的元青花标准器。我和同学去看展览的时候，他心情特别兴奋，也异常复杂。进了展馆，他观察得特别仔细，从胎质、釉色、图饰、器型、款识、包浆，特别是发色、晕散、釉层等等旁人无法意识到的细节，他都看得非常精细专注。我心里明白，他头脑里想的，不仅仅是面前的标准器，而是把自己投资购买的那批东西，暗暗和面前的展器一一做比较。我发现，他看得时间越长，喘气越重，脸色越苍白，思维越混乱。到这个时候，我什么都明白了，主动拉他走出了那个令他心碎的展览现场。中午喝酒的时候，同学感慨：我搞了那么多年煤炭，一次都没失过手。可这瓷器买卖，怎么一上手就打眼呢?! 看来，世上最保险、最稳当的赚钱买卖，还是煤炭啊！……

又过了一段时间，山西省委一位兄长到北京来看我。吃饭的时候无意谈道：某县储存着大量的优质煤炭，只要掀开山顶就可以采掘出来。可上面下来禁令：年产十五万吨以下的煤矿全部关停。当地百姓投资不起大煤矿，只好歇业返贫。继之而来的却是有钱有势的大人物，打通各种关系，在这里疯狂采掘，每天的纯利都在好几百万，一年下来就是好几个亿的收入，而留给当地的只有污染和破坏。世世代代守望在这里的百姓，被政策的杠杆排斥在大门外。眼看着祖宗留下来的东西，被外来的有钱人采掘一空，只好望煤兴叹，甚至乞讨他乡。我听了十分心酸。

……

特别需要说明的是，《山西煤老板》小说中的市委书记段天生等等许多人物，都是虚构出来的。但整部小说，浸透了我对山西经济和社会发展多年来的思考和观察，也浸透了我对家乡的一片真情厚意。

闲居北京以来，得到了很多领导和朋友的支持。借此机会，我要特别感谢对我人生启迪和帮助最大的几位师长和朋友，他们分别是：联合国前副秘书长冀朝铸，山西省老省长刘振华，中央电视台副台长高峰、副总编辑张华山、制片人杨树林，《焦点访谈》记者曲长缨，中纪委专员邢天荣，海军航空兵前副政委李春明，中国社会科学院科研局秘书长李千、文学研究所所长助理陶国斌，香港凤凰卫视北京基地副主任王宝玉，北京军区坦克旅原参谋长谢海洋等等；同时也要感谢家乡山西多年来一直扶持和帮助我的领导和朋友，他们分别是：周然、李海恒、李努生、郭振中、张贵元、范世康、张政、王爱萍、王继祖、陈河才、路德坤、李钢、王云飞、程顺旺、王利生、宋建国、孙建祁、李燕鹏、阴通三、梁志宏、孙涛、张惠君、金汝平、徐建宏、赵孟天、宋耀珍、唐晋等等。

王　进

2009 年 3 月 30 日北京集古斋

后
记